**El sello HCBS identifica los títulos que en su edición
original figuraron en las listas de best-sellers de los
Estados Unidos y que por lo tanto:**

- Las ventas se sitúan en un rango de entre 100.000 y
2.000.000 de ejemplares.

- El presupuesto de publicidad puede llegar hasta los
u$s 150.000.

- Son seleccionados por un Club del libro para su catálogo.

- Los derechos de autor para la edición de bolsillo pueden
llegar hasta los u$s 2.000.000.

- Se traducen a varios idiomas.

LA LEY DE NUESTROS PADRES

SCOTT TUROW

LA LEY DE NUESTROS PADRES

Traducción:
ROSA S. CORGATELLI

EDITORIAL ATLANTIDA
BUENOS AIRES • MEXICO

Diseño de tapa: Pablo J. Rey

Título original: THE LAWS OF OUR FATHERS
Copyright © 1996 by Scott Turow
Copyright © Editorial Atlántida, 1996 by arrangement with the author
Derechos reservados. Primera edición publicada por
EDITORIAL ATLANTIDA S.A., Azopardo 579, Buenos Aires, Argentina.
Hecho el depósito que marca la Ley 11.723.
Libro de edición argentina. Prohibida su exportación a España.
Impreso en Argentina. Printed in Argentina. Esta edición se terminó de imprimir
en el mes de noviembre de 1996 en los talleres gráficos
de Indugraf S.A., Buenos Aires, Argentina.

I.S.B.N. 950-08-1711-X

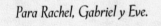

Para Rachel, Gabriel y Eve.

Primera Parte

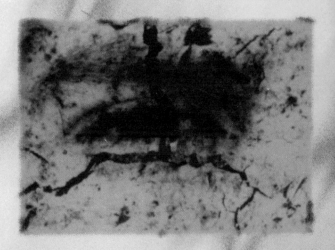

ACUSACIÓN

Los que hemos nacido en los años de liberalidad posteriores a la Segunda Guerra Mundial teníamos una perspectiva diferente que las previas generaciones de estadounidenses. Con la vista entorpecida por la necesidad, ellos habían llegado a la mayoría de edad con compromisos más estrechos: para con la gloria de Dios, el regocijo de las adquisiciones o la ocupación mezquina y pequeña de la supervivencia. Pero nosotros tomamos en serio la promesa de la Declaración de la Independencia —que repetíamos todos los días, no sólo en el juramento a la bandera en la escuela sino en la diaria posdata al Club del Ratón Mickey— en cuanto a que en los Estados Unidos nos correspondía, como derecho de nacimiento, no meramente la vida o la libertad, sino la búsqueda de la felicidad. Personalmente, de chico siempre di por sentado que ése era el sentido de crecer. Y que me sentiría mejor que lo que me sentía entonces.

Lo cual nos plantea la horrible pregunta obligada de la mediana edad, la voz de arpía que susurra en sueños, al amanecer, en esos momentos impredecibles de aislamiento taladrante: ¿Esto es todo lo feliz que llegaré a ser en mi vida? ¿Tengo derecho a un poquito más? ¿O no debería esperar nada mejor?

—MICHAEL FRAIN
Guía del sobreviviente,
7 de septiembre de 1995

7 de septiembre de 1995

EL PESADO

El alba. El aire es salobre, aunque este lugar está a kilómetros del agua. Las cuatro torres de muchos pisos se vislumbran entre un paisaje endurecido de ladrillos, alquitrán y pavimento resquebrajado por las malezas, de vasos aplastados de coca y envoltorios de caramelos, de páginas de periódicos que vuelan de un lado a otro. Una capa plateada de vidrios rotos, restos de botellas destrozadas, reluce como una falsa promesa más. Es una hora de silencio poco común. Por la noche, a menudo hay sonidos de vida extrema: gritos y alaridos de borrachos, máquinas a todo volumen. A veces, disparos. El día trae voces, chicos, los muchos ociosos, las especies en libertad. Ahora el viento es fuerte, sopla en las cadenas de las cercas y sobre los ladrillos. Ante la perspectiva de movimiento, el hombre que viene caminando para acá alza la vista abruptamente, pero no hay más que un perro, acurrucado en una brecha entre los edificios que, por algún instinto animal, ha determinado, en la distancia de unos cientos de metros, no permitir que lo arrolle ningún camión. Un único neumático usado descansa, de manera inexplicable, en el alquitrán agrietado del terreno de juegos.

El hombre, Ordell, tiene casi treinta y seis años. Todavía conserva algo de su figura penitenciaria, amarilleada, diría él, aunque ya hace cuatro años que volvió a salir. Está vestido con sencillez, camisa y pantalón negros. Nada de oro. "No uses oro cuando estás trabajando", aconseja con frecuencia a los Nonatos, los futuros delincuentes de ocho, nueve y diez años que lo siguen, elogiando su apariencia y ofreciéndose a hacerle favores, cuando llega aquí casi todas las tardes. "Pesado —le repiten siempre—, ¿quieres una coca?", como si él no supiera que lo que pretenden es quedarse con el cambio.

Esta mañana, Ordell Trent, alias Pesado, está solo. El edificio al que se aproxima, el más alto de los cuatro que comprende el complejo de la calle Grace, ha llegado a ser conocido por todos, a lo largo de los años, como la Torre IV, debido supuestamente a los números romanos, aunque la mayoría sospecha que el mote se originó en la denominación burlona de los residentes utilizada por la policía, que entre ellos se refieren al edificio como la Torre Ivory (de Marfil). Las estructuras abiertas —ventanas, porches, pasillos de conexión— están enjauladas en tejido de malla gruesa. Antes, desde los caminos provisorios y los balcones a veces se arrojaban desperdicios, se tiraban ladrillos a los enemigos, como en la Edad Media, los borrachos y los drogados tropezaban allí, caían y morían, y varias personas sufrían apremios, en su mayoría pandilleros reacios pero dos, de la manera más triste, fueron chicos. Alrededor de tres o cuatro ventanas se pueden ver las marcas melladas y ennegrecidas de antiguos disparos, y en el nivel de la calle, en los ladrillos, en letras y números redondeados, se han inscripto diversas señales de la banda de Ordell en colores fosforescentes: DSN: Discípulos de los Santos Negros. A menudo también es exaltado el grupo de los Arrolladores T-4 —la rama de la banda que dirige Ordell—, e incluso algunos miembros temerarios de los Facinerosos, una organización rival, han dejado sus marcas allí. También aparecen de vez en cuando algunos mensajes de afirmación personal, pintados rápidamente con aerosol en blanco o negro. "D'Ron es el mejor." "¡Lucifer!"

Adentro, Ordell saluda con un movimiento de cabeza al hombre de seguridad, Chuck, un agente contratado de la Jurisdicción de Viviendas del condado de Kindle, agazapado en un refugio de concreto con una ventanita de vidrio a prueba de balas. Chuck cobra todos los meses cincuenta dólares que le paga Ordell, y es como que adora al Pesado, hermano, mírenlo: Chuck lo saluda de lo mejor. En la entrada, la única iluminación proviene de una máquina de Pepsi, con un candado pesado. Todos los artefactos eléctricos han desaparecido, robados para venderlos, o apagados por algún Santo que prefiere hacer negocios a oscuras. Los cables desnudos serpentean en manojos retorcidos que salen de las paredes. La atmósfera está saturada del tufo amargo de la mugre de los zaguanes y las cañerías rotas. La pintura es vieja; los caños, a la vista en los cielos rasos, se han cubierto de manchas de óxido y moho. La impresión es de una casamata: algo construido para sobrevivir a la bomba. El piso es de concreto; las paredes, de cemento. Todo —todo— está marcado con señales de bandas: el halo del Santo, el "4" coronado que representa a los Arrolladores T-4, y nombres: "D-Town", "Mike Garrapata", "Cara de bebé", "El Cura", escritos con marcadores escolares, o, más a menudo, grabados a fuego en el yeso o la pintura con un encendedor de cigarrillos.

El ascensor —uno de ellos— hoy funciona de nuevo; el Pesado sube al 17. Ahora los primeros cinco pisos de este edificio se hallan más o menos desiertos, abandonados por gente que consideraba que incluso 38,50 dólares mensuales era un precio demasiado alto para llevar una existencia en que había que ubicar las camas en el piso para evitar los disparos de armas de fuego, en un sitio donde el lugar más seguro para dormir era la bañera. Cuando entra, el Pesado oye la respiración fornida de la vieja, entorpecida por los deterioros del vivir, que emerge de una de las dos habitaciones posteriores que él le permite ocupar.

Ordell ocupa las dos habitaciones de adelante. Donde vigila. Desde allí arriba puede ver la operación entera. A veces la policía —"Tictac", como llaman los Santos a la Unidad Táctica de la fuerza policial del condado de Kindle, los que no aceptan el dinero del Pesado, aunque unos cuantos sí— se sienta allí a montar guardia. Sienten curiosidad, y él lo sabe. ¿Cómo es que este negro está tan tranquilo, cómo es que la cosa se congela siempre que están ellos en el lugar? Porque Ordell ve. Desde allí. Tiene a todos los pandilleros chicos, los miembros más jóvenes de la banda, los "mirones", como los llama, dando vueltas, escrutando. Si cualquier policía, cualquier policía contratado, cualquier DEA flojo, cualquiera de esos desgraciados entra en sus torres, el Pesado lo va a saber. Abajo, en la calle que corta una perpendicular, hay unos pandilleros chicos todos los días, allá en los escalones, atendiendo a los autos que paran. Tienen crack, frascos, polvo, a veces pastillas. Algunos Pandilleros de Primera Jerarquía, veteranos de los DSN, dilean unos cuantos papeles —venden un par de gramos— por semana a sus conocidos, lo que necesiten. Ordell no. Él tiene casas y mujeres, tiene un Blazer y un bruñido BMW 755, mierda, tiene su oro, y además todo esto, lo que tiene en marcha acá: los "disc-jockeys", como los llaman, para mezclar la mercadería, y los "regateadores", que cobran en drogas para hacer las conexiones, las "mulas", para llevarla y transportarla dos veces por día de los garajes y departamentos donde está almacenada, y la "artillería", Honcho, Gorgo y los demás, desgraciados armados para que nadie piense que puede engañar a Ordell. Setenta y cinco personas, a veces cien, y el Pesado vigilando: Ven aquí, idiota, anda allá, no dejes que te pegue ningún soplón, no negocies con ningún policía de narco, no le metas mano a ningún anillo ni nada de oro, consigue efectivo, hermano, ¡hazlo! Eso es lo que él quiere, que suceda algo, hermano, todos los días.

Ahora, apenas pasadas las seis, suena su *beeper*, que le vibra en la cadera. El Pesado maldice en voz alta cuando inspecciona el visor: es Nile. Más lloriqueos. "Demasiado tarde para esa mierda", observa para sí. Al oír su voz, la respiración irritada de la vieja cesa un breve instante. Tal vez ahora esté despierta, escuchando, apretándose el pelo gris, resollando y carraspeando en la esperanza de que él se vaya. Aquí, en la habitación de adelante, no hay nada. Dos sillas. Diarios viejos. El piso de concreto absorbe el rastro amarillento de la luz temprana. La carpeta fue robada hace tiempo.

Éste era el departamento de ella, crió a sus hijos acá, el muchacho que está en Rudyard, dos muchachos, piensa Ordell, y una tonta adicta al crack que vende lo que puede en la calle. En la cárcel, los muchachos se convirtieron a Jesús y denunciaron a los DSN. Así que el grupo de Ordell se mudó acá. La vieja era dura. "Vamos, sigan, disparen y mátenme, hagan lo que quieran, no me voy a mudar, ésta es mi casa, y no voy a darle mi casa a ningún montón de rufianes."

T-Roc, uno de los dos jefes de los DSN, Vice-Lord lo llaman, le dijo al Pesado sin rodeos: "Haz lo que te dice, hermano: bórrala". El Pesado, que ha trabajado para él, que ha hecho lo que fuere por los DSN, será un Santo de pura cepa y todo eso, pero no se va a rebajar a liquidar a una vieja. Así que decidió permitirle quedarse.

—Y tampoco voy a tolerar que entre acá ningún vendedor de drogas ni ninguna puta ni ningún otro pandillero de mala muerte —le advirtió la vieja a Ordell.

—No estamos haciendo nada —le contestó él.

—Hmm —desconfió ella.

Ahora duerme. En este momento, las 6:15, como se dice ahora, el Pesado ve el vehículo, un Chevy desvencijado, como de cien años, que dobla por la esquina en la calle, allá abajo. "Ahora —piensa Ordell—, ahora sí que va a haber mierda." Tiene unos gemelos de campaña pero alcanza a ver bastante bien. Bicho se aproxima al auto, mientras dobla el teléfono portátil plegable y se lo guarda de nuevo en la chaqueta. Después se retira unos pasos, como se supone que debe hacer. El teléfono celular emite un sonido ronco en el bolsillo del Pesado.

—Hola —contesta—. ¿Qué pasa, nena?

—Diez-dos —dice Lovinia. Usan código de radio; confúndelos, enloquece a los Tictac. "Diez-dos" significa problemas. Necesito ayuda.
—¿Me oyes? —agrega Lovinia. Nunca tiene ningún respeto.

—Tranquila, loca, te oigo. Y no veo ningún maldito diez-dos.
—En la ancha avenida, en la calle Grace, no hay nada: autos, tipos blancos que pasan rápido. Ni siquiera gente a pie. —No veo nada. Te quedas quieta, loca, y mejor que hagas las cosas bien, hermana.

—No se ve desde donde estás tú, y tampoco voy a hablar de ese maldito teléfono. Diez. Dos. —Y corta.

Trampa, piensa él, como piensa a menudo. Bicho —o Lovinia, como la llaman—, esa maldita Bicho debe de estar tendiéndole una trampa. Kan-El, T-Roc, tal vez los Maníes —como denominan los Santos a los Facinerosos—, uno de ellos le hizo algo. Considera a Kan-el y T-Roc, Comandante y Vice-Lord de los DSN. Están arriba, hermano, pero están todo el tiempo haciendo zancadillas y, mierda, el Pesado vive preocupado con esta banda, Hermano, ¿va a echarlos a todos del grupo, o qué? Y ahora le quieren tender una trampa. "Mmm." Gruñe fuerte de solo pensarlo.

Pero va para allá. Tiene una pistola de nueve milímetros guardada detrás de las rejas de hierro de la salida de aire, y se la mete en el cinturón y se deja la camisa de seda negra colgando por fuera de los pantalones. En el ascensor continúa rumiando sus pensamientos airados, hablando solo y preguntándose si debería haber llamado a Honcho, a alguno de ellos. Asustado, piensa, lo que está es asustado, y ya es bastante viejo para saberlo. Los jóvenes siempre arman toda esa mierda, "ningún negro puede eclipsarme", mierdas por el estilo, que lo hacen reír. Uno vive asustado. Pero se acostumbra a todo eso. Será lo que tiene que ser.

Tiene tres hijos. Dormane —a quien llaman Béisbol— tiene dos hijos a su vez; él está adentro, cumpliendo quince años sin libertad condicional por un atraco idiota, y Rackleed, que anda también por estas calles, y el menor, Dell, todavía demasiado joven para saber mucho de nada. Las madres, que Ordell carga sobre sus espaldas, les dijeron lo mismo a cada uno de los chicos: "No seas vendedor de drogas, no andes haraganeando y peleando y dando vueltas, porque te romperé el lomo; nunca vas a ser demasiado grande como para que no pueda darte una paliza". Eso es lo que les decían. A su tiempo, Ordell dio a cada uno de esos chicos su propia respuesta. "Tienes que ser alguien. Afuera hay mucha mierda. Con los policías de mierda... hay basura por todas partes. Pero hermano —les decía—, hermano, lo de ustedes está acá, con esta gente; ustedes les darán a estos pobres negros lo que necesitan, unos centavos de felicidad, que los tipos blancos y los demás no quieren dejarles tener".

Mientras sale de la Torre IV, brotan de algunas ventanas los primeros movimientos del día, música y voces, y el Pesado se pregunta si de veras va a lograr que lo valoren, pensando, como lo hace a menudo, en sus hijos. Pasa delante de uno de los edificios más nuevos, donde la esquina de concreto se ha partido revelando un núcleo barato de material rosa. En una zona de juegos cercana sólo queda un sube y baja, y hace tiempo que los dos asientos han sido destrozados por algún adolescente en un arrebato fortuito de deseos destructivos. Un borracho de ojos lechosos va bamboleándose cuadra abajo; pasó la noche en alguna parte y ahora busca su casa. Tiene un abrigo andrajoso, el sombrero torcido, una cara de patillas blancas, y cuando ve al Pesado quiere moverse, salirse del paso, hermano, y las piernas no le responden. El Pesado lo saluda —"Eh, viejo"— al pasar. Ellos tienen sus necesidades, piensa, y desea haberles dicho también eso a sus hijos. "En estas calles, hermano, todos estos desgraciados de acá están completamente locos por lo que necesitan. Esta mujer necesita su cheque, y esta otra necesita mantener a su bebé, y aquel viejo necesita su dosis." Necesitar. A veces el Pesado piensa que no camina sobre el pavimento... simplemente anda por encima de lo que necesitan todos.

Cruza el bulevar, la calle Grace, y empieza a bajar por Lawrence, una cuadra de edificios de arruinados departamentos de tres pisos, sólidos como almenas, con techos de alquitrán alisado y bloques de piedra caliza ubicados en forma decorativa entre los ladrillos oscuros y como borde encima de los umbrales y en las cornisas. Algunas ventanas han desaparecido, otras están cubiertas por tablas. Una zona de jardín elevada, construida con durmientes de ferrocarril, se extiende bajo las ventanas del 338; la tierra está seca como el desierto, hasta las malezas se esfuerzan por sobrevivir.

—Hola —llama Lovinia, emergiendo como un gato de uno de sus escondrijos. Esta Lovinia, piensa él. Por Dios, miren qué loca huesuda, es una desgraciada, ¿puedes creerlo? Con toda la cabeza metida en ese gorro, y el saco gris y los pantalones de sarga. Que nadie se le acerque para averiguar si es la loca que es, con la idea de liquidarla o vigilarla o algo. Mejor que no lo intente, porque aunque no está armada —sabe que no le conviene, por si aparece Tictac—, te apuesto a que lo tiene cerca de acá, abajo del buzón, o en un agujero de algún árbol, y si te metes con ella, te agujerea el culo. Palabra. T-Roc opina que el Pesado está loco de remate por usar a Bicho, pero la tipa es viva. Se acerca y se acoda en los autos, y entonces cambia toda su rutina. "¿Qué te gusta, hermano?" Los obliga a decirlo. A cualquiera que crea un Tictac, un narco, cuando le hablan de "droga" ella se limita a responder: "Ah, hermano, yo no vendo drogas, hermano, tengo algo más dulce que eso, hermano", como si creyera que los tipos vienen acá a buscar sexo.

Ahora señala el Nova blanco que hay junto al cordón, a unos treinta metros de distancia.

—Ya le dije: "Señora, está en el lugar equivocado".

—¿Señora? ¿Qué clase de puta señora?

—Ya te dije, diez-dos. No viene él. Viene ella. Anda buscando a "Or Dell". —Entonces Bicho sonríe, mirando hacia el sendero. A Lovinia, que es apenas una nena —quince—, le encanta jugar.

—Señora —repite el Pesado unas cuantas veces más. Maldita sea. Avanza hacia el auto. —Señora, éste es mal lugar para usted. —Se asoma a la oscuridad del auto, aspira un poco del olor jabonoso de la mujer y el aroma húmedo y agrio de su propio aliento caliente. —Mejor que se vaya, y rápido.

—¿Señor Trent? Soy June Eddgar. —Tiende la mano y luego baja trabajosamente del auto para pararse bajo la luz azulada de la mañana. Vieja. Y gorda, también, grandota y gorda. Una especie de hippie o algo así, y los muslos apretados uno contra otro dentro de los vaqueros. Tiene una cara fea y pelo largo, castaño medio claro, bastante canoso, asimétrico y enredado, como si en realidad no se lo hubiera peinado. —Pensé que podríamos hablar un minuto.

—Señora, usted y yo no tenemos nada de que hablar.

—Bueno, yo pensé... Soy la madre de Nile.

—Le dije que viniera él. No le dije que mandara a la madre.

—Me pareció mejor venir yo.

—Mejor que se vaya. Eso es todo. Acá pasa mucha mierda. Palabra. Ahora, váyase. —Se aleja unos pasos, agitando la mano.

—Mire, yo los conozco a los dos. Creo que hay un malentendido.

—El único malentendido que hay es que usted se está quedando en lugar de irse cuando le digo que se vaya. Ése es el único malentendido que hay.

—De veras creo...

—Señora, se va a meter en un problema grave, ¿me oye? Ahora meta el trasero en el auto. —Vuelve a agitar la mano, disgustado, y se aleja. Lovinia se ha acercado a la calle, y saluda con la mano.

—Gorgo —avisa, señalando para arriba.

—Ah, mierda, el desgraciado —rezonga el Pesado. Desde el callejón, del otro lado del sendero, ha emergido Gorgo, que avanza en una robusta bicicleta negra. Tiene puesta una máscara, un pañuelo azul en la cara como si fuera un maldito cowboy, pero en lo demás tiene aspecto de ir a su casa, con su mamá, mochila azul en la espalda, chaqueta de satén rojo, gorra doblada detrás de la oreja, apenas un chico, si uno no observara el fierro —el arma— que lleva a un costado: 9. Tiene su Tec-9. El arma semiautomática, por su mero peso, parece arrastrarse detrás mientras Gorgo avanza en la bicicleta. Bicho sigue haciéndole señas, llamándolo, mientras Gorgo se apresura, pero no la ve. No la verá nunca, el Pesado lo sabe. Ahora se pueden distinguir los ojos de Gorgo a veinte metros, saltones como los de un adicto al crack, aunque en él sólo hay pánico. "Tengo que hacerlo —piensa Gorgo—, tengo que hacer esto, hermano." El Pesado lo sabe. Todo su ser está encogido al tamaño de una arveja de voluntad violenta, así que no hay espacio para decirle que no. El arma está levantada, apuntando directo para acá. Y por un segundo Ordell no ve nada más que un poco de plateado y el aterrador espacio negro de adentro, en el extremo del orificio del cañón.

—¡Gorgo! —vuelve a llamarlo Lovinia, y el Pesado, que ya ha bajado al pavimento, le aferra el dobladillo del abrigo y tironea.

—Agáchate, estúpida —le dice, y ella se baja junto a él, fácil como una hoja que cae de un árbol, justo cuando los primeros disparos atraviesan el aire. Las malditas armas siempre hacen más ruido que el que uno espera. Los cañonazos siguen enseguida, cinco o seis descargas, un alboroto de sonido. Así de rápido. Después, es lo mismo de siempre, un momento de quietud espantosa, agazapada: los pájaros que desaparecen de los árboles, las radios silenciadas de un manotazo, los tipos de los edificios cercanos echados en los pisos fríos, desesperados por no moverse. Arrebatado, el olor mordiente de la pólvora vuelve amarga una súbita ráfaga de viento. A una cuadra de distancia, en una actitud tonta de júbilo y alivio, Gorgo suelta un grito chillón y su voz recorre la distancia como una cinta.

"Respira —piensa Ordell—, respira, negro." Está paralizado: tiene el corazón duro de pánico. Habla consigo mismo. "No estás herido; tranquilo, ponte en movimiento." Luego ve la sangre oscura desparramada en la vereda.

Ya le han disparado dos veces, en otras ocasiones: una, cuando tenía dieciséis años; ésa fue una mierda seria, estaba encarando a un tipo, y la madre sacó un 38 y pum, así no más. Ahora se tranquiliza. Se revisó el cuerpo dos veces, se palpó todo. Estaba seguro de que le iban a disparar, pero no. Sin embargo, Lovinia se agarra la rodilla, y se queja.

—¿Qué pasa, Bicho?

Ella llora. En la cara lisa tiene lágrimas, que se le enroscan en huellas plateadas alrededor de la boca.

—Me duele, Pesado. Hermano, me duele mucho.

—Vamos a ayudarte, nena. —Se le acerca gateando. Está echada de costado, con la rodilla medio doblada hacia arriba. La sangre le cubre las manos y le ha manchado casi toda la pierna derecha del pantalón; de tan cerca, el Pesado puede detectar el extraño olor animal. No va a poder mover a Bicho, es evidente. ¿Cómo se hizo disparar en la maldita pierna, justamente? Una bala que rebotó, o algo así. También los tipos con tiros en las piernas mueren. Él lo ha visto. Arteria femoral cortada. La pierna podría estar fracturada. No tiene sentido llamar a ninguno de éstos; son todos pandilleros menores. En cuanto suenan las armas, huyen.

—Ese Gorgo. Lo voy a reventar, a ese desgraciado. —Gorgo ha desaparecido hace rato, entre los edificios, por un callejón, bajando una pasarela más. En algún momento del trayecto la Tec-9 volvió a la mochila. Ahora es de nuevo un chico huesudo que va en bicicleta.

Arriba, en alguna parte, una ventana chilla cuando alguien la abre.

—¡Ojalá se mueran todos, malditos pandilleros! —La voz de la mujer llega clara en la mañana tenue. —Ojalá se mueran. Miren lo que han hecho.

—Llame a emergencias, loca —grita el Pesado.

—Ya lo hice. La policía viene para acá. Te van a meter de culo en la cárcel, donde debes estar, Pesado.

Al oír su nombre, se da vuelta y la ventana se cierra de un golpe, rápido, antes de que el Pesado pueda ver algo. Lovinia sigue quejándose.

—Voy a ayudarte, nena —repite él. La señora blanca, ahora la ve, la madre de Nile, está tirada ahí, también. Hay sólo sangre, sangre, que le crubre toda la cabeza. La mitad del pelo pardusco ha desaparecido, y la mujer no se mueve. Liquidada, piensa. Ya ha visto otros muertos, y lo sabe con certeza.

Bicho está derrumbada. Algunos lo toman así. Los policías, los Tictac, la agarraron una vez, le esposaron el brazo por encima de la cabeza todo el día, caminaron junto a ella golpeando las cachiporras, y la chica iba seria, aparentando que no le molestaba nada. Pero ahora llora como una nena, como si se le hubiera roto algo. No va a aguantar. Y Nile tampoco. Especialmente Nile. Ahora va a caer el padre, en esta mierda. Cuando los Tictac empiezan con las preguntas, nadie aguanta. Todos se van al carajo.

—Viene la policía —le dice a Bicho. Va a tener que pensar algo. Esa maldita mujer lo conoce. Tictac va a ir a golpearle la puerta. "Llama al abogado. Llama al abogado Aires", piensa. Va a tener que cuidarse. Como siempre.

Se para. El Nova blanco es un desastre. Las ventanillas, salvo la que quedó abierta, están agujereadas de disparos, faltan pedazos y el resto es un mapa de pequeñas grietas plateadas; los neumáticos del lado que daba al violento ataque de Gorgo están desinflados. El marco de acero de una de las ventanillas tiene un agujero de bala, la pintura blanca está quemada y gris alrededor. "Maldito seas —piensa el Pesado—. Maldito Nile, lo embromaste todo."

—Mejor dame esa mierda, nena. Ya tienes bastante problemas.

Ella abre la boca, pero suelta un grito al darse vuelta para tender la mano.

—¿Acá? —pregunta él y mete con rapidez un dedo entre los dientes y las encías de la chica, para sacar el paquetito de papel plateado—. Lo que acaba de ocurrir fue nada más que un loco que pasaba —le dice—. ¿Me oyes? Un delincuente que pasaba. La policía va a preguntar. Eso es lo que dirás. Lo mismo que ya hemos dicho. Pasaron los Maníes y te tiraron, nada más. —Le toca la mejilla. Lovinia no va a poder aguantar con Tictac. —Una banda armada —insiste el Pesado—. Y punto.

—Una banda armada —repite ella.

Lo que más detesta el Pesado es tener que huir.

12 de septiembre de 1995

SONNY

Su Señoría, jueza Sonia Klonsky, entra en su despacho, cargada con paquetes y los sentimientos prolíficos, solitarios, de la hora del almuerzo, y encuentra a dos agentes de policía en la oficina exterior que suele ocupar su secretaria de actas, Marietta Raines. Dos hombres corpulentos, los policías se demoran en un bloque tamaño oficio, esbozando una declaración jurada para sustentar una orden de arresto. El blanco, Lubitsch, es un prototipo carente de naturalidad, un fisicoculturista que se ha convertido en un paisaje humano, con hombros montañosos y un cuello como el tronco de un árbol. Se ha quitado la chaqueta deportiva y se ha sentado al escritorio de Marietta. Mientras escribe, su compañero, Wells, murmura por encima del hombro para indicar si aprueba o no.

Al pasar, la jueza echa un vistazo a la primera hoja de la orden que ellos ya han completado para someterla a su aprobación. De las dos bolsas de papel marrón que lleva salen aromas de hogar, pan y productos agrícolas y cartón, elementos reunidos mientras iba apresurada de negocio en negocio entre los pequeños locales italianos de las calles vacías cercanas a los Tribunales Centrales del condado de Kindle. La del almuerzo es la hora más importante del día para Sonny, el único momento en que no tiene responsabilidades directas hacia otros. A las cinco debe retirar a Nikki de la guardería, y luego comenzarán las horas de alimentación, baño, conversación, tareas maternales: su verdadero trabajo, en opinión de Sonny. Ahora, todavía con las bolsas en los brazos, recuerda vagamente los seis damascos que eligió a mano, cuya cáscara suave y perfecta y sus fisuras sensuales la despertaron de manera impredecible —cómica— a alguna semblanza de añoranza.

La orden es para un tal DeLeel Love, residente en el Departamento 9G, calle Grace 5327, DuSable. El sábado 10 de septiembre, según la orden, "el acusado cometió el delito de ataque sexual pervertido contra una tal Zunita Collins, de doce años, menor, en cuanto que el acusado se comprometió en la acción de tocar, de manera ofensiva y sin consentimiento, a la mencionada Zunita Collins en los pechos, las nalgas y la vagina". Wells señala el nombre del acusado.

—Supongo que es un hombre muy apasionado —dice. Individuo corpulento, Wells esboza una sonrisa demasiado ancha. Tiene encías oscuras, venosas, y dientes prominentes. Lubitsch continúa escribiendo, lo cual significa que ya ha oído antes ese comentario.

La última vez que Wells estuvo aquí, hace uno o dos meses, conversó con Sonny sobre su hijo, que estaba compitiendo en las Olimpíadas Especiales. Pero el crimen —el complejo de viviendas— ha sacado a la superficie algo más penoso. Hay algunos policías que a Sonny le recuerdan a su tío Moosh, en cuya casa vivió durante prolongados períodos a lo largo de su infancia: hombres que parecen ser el calmo centro del mundo, que diferencian con confianza y tranquilidad lo bueno de lo malo, con la jovial convicción de que de algún modo vale la pena el esfuerzo. Pero ni Wells ni Lubitsch son así. Se puede ver que, para ellos, cada caso, cada crimen, es personal y provoca sentimientos contenciosos.

En esto, por supuesto, se parecen a Sonny más de lo que ella preferiría. En su trabajo anterior, como fiscal, parecía natural sentir esta intensa conexión con cada caso, con la necesidad del mundo de castigar, de abogar por las víctimas y su derecho a recibir cualquier magra compensación posible. Al asumir como jueza, acogió de buen grado la perspectiva de tomar más distancia, pero en cambio se encuentra con frecuencia, no meramente conmovida por los casos, sino, de maneras que la desconciertan, aún profundamente comprometida. De vez en cuando la embarga la angustia de las víctimas. Pero más a menudo —demasiado— son los acusados, pobres y siempre desdichados de algún modo, los que se lo recuerdan en los aspectos más secretos y fragmentarios de sí misma.

La jueza alza una mano hacia los policías, permitiéndoles reanudar el trabajo. Son concurrentes habituales y amistosos de este lugar, en particular bienvenidos porque en este tribunal pocas personas parecen confiar plenamente en ella. La mayoría de los empleados, los asistentes, los agentes encargados de hacer cumplir la ley y los jueces, consideran a Sonny una extraña, una ex fiscal federal que fue reclutada, de entre media docena de abogados de comprobada integridad, para la judicatura del estado por una Comisión de Reforma creada a raíz del último escándalo de soborno, que abarcó cuatro tribunales diferentes. Sonny sospecha que, después de transcurrir sólo dos años en el cargo, sus colegas la consideran incompetente para juzgar crímenes, una tarea exigente. Por cierto no la quieren aquí, entre personas que se han confiado sus secretos durante años.

En la oficina interior del despacho, la asistente del alguacil asignada al tribunal, Annie Chung, dispone la colección de papeles multicolores cuyo resultado es la tumultuosa serie de audiencias a las que Sonny asiste todos los martes a la mañana. Al ver a la jueza, Annie se levanta para aliviarla de los paquetes, y echa un instantáneo y discreto vistazo a uno. Annie ha comenzado clases nocturnas preuniversitarias. Sueña con la facultad de Derecho, y, Sonny está segura, se imagina algún día con la indumentaria negra y suelta de jueza, en su sillón, poderosa y obedecida. En estas esperanzas hay un matiz de aflicción, ya que hace unos meses Annie se casó con un muchacho elegante y adinerado de Hong Kong, mucho más tradicional que ella. A veces Sonny ve a Annie con la vista fija en los anillos de boda y compromiso que lleva en la mano izquierda, admirándolos a la luz, pero con el aire sorprendido e inmovilizado de algún descontento que aún no logra determinar.

—Llamaron unos periodistas —dice Annie.

—¿Por qué asunto?

—Tienes un caso nuevo, dispuesto para comparecencia inicial a las dos. Ordell Trent. Alias el Pesado. —Tiene un marcado acento chino, que suaviza las erres al grado de volverlas indistinguibles. —Homicidio en primer grado.

—¿Atrapó a ése, jueza? —Lubitsch absorbe la luz en el umbral. —Esta mañana tuvimos a ese vago en la comisaría. Uno de los Santos; importante. Es el tipo del que te contaba. —Le habla a Wells. —El caso por el que tuvimos que ir al General. Jueza, este caso es un bomba.

Sonny menea la cabeza. Su cabello oscuro es abundante y, como siempre desde la época de la facultad, lo usa suelto, hasta los hombros. Ahora tiene más que unas cuantas canas, lo cual, en su trabajo, se considera un toque distinguido.

—Fred, vamos. No me excluyas. Me enteraré por el fiscal en el tribunal.

—Sí, está bien —dice él—, pero es un bomba.

—Una bomba —repite Sonny, y reprime, en nombre de la concordia, un ademán para que Annie cierre la puerta. Ha ubicado su silla detrás de un enorme escritorio de caoba, cuyos bordes acanalados le recuerdan un buque de vapor. Del otro lado de las altas y antiguas ventanas de montante, situadas detrás, se extiende una vista grandiosa de las estribaciones posteriores de la ciudad de DuSable. Sobre el escritorio hay un mazo de noventa centímetros de largo que le regalaron sus colegas cuando dejó la Fiscalía de los Estados Unidos. Como detalle, le hicieron grabar: "Señora Justicia Klonsky". También hay fotos de dos chicos, su hija Nikki, de casi seis años, y Sam, un chico patizambo de más de doce, a quien ella ayudó a criar durante el tiempo en que estuvo casada con el padre. Sonny dejó a ese hombre, Charlie, hace casi tres años.

—Lo informaron por la radio la semana pasada —dice Annie—.

Esos malditos pandilleros, o algo así. ¿Alguien que les disparó al pasar? Y la señora estaba en el paso. Una señora blanca.

—¿Blanca? —pregunta Sonny—. ¿Dónde ocurrió?

Annie lee parte de la demanda guardada en el archivo de la corte, preparada por el fiscal en Revisión de Crímenes. 6:30 a.m. 7 de septiembre. La calle Grace otra vez.

—¿Qué estaba haciendo la mujer en la calle Grace? —pregunta Sonny.

—¿Tal vez trabajaba en libertad condicional? ¿Asistencia a Menores? Algo así.

—¿A esa hora? —Sonny indica con un gesto que le pasen la demanda. Se acuerda entonces de llamar a los agentes para comprobar si notificaron a Asistencia a Menores acerca de Zunita Collins.

—Ya la tengo —responde Lubitsch.

—¿Tiene a quién? —pregunta Marietta, que entra en este momento. Regresa del almuerzo, todavía con los anteojos para sol, y lleva un paquete. Sin decir una palabra, enseguida los dos policías se ponen de pie para hacerle lugar. Marietta Raines es posesiva respecto de todos los aspectos de este juzgado, en el que trabaja como secretaria —y soberana procesal— desde hace casi dos décadas. Arroja la cartera y los paquetes dentro de su escritorio y de inmediato lee las páginas que los agentes han redactado para aprobación de la jueza.

—¡Dios! —exclama Marietta, sacudiendo la cabeza, refiriéndose a Zunita Collins—. No quiero saber de nadie que haya tenido un fin de semana mejor que el mío. —Con andar pesado, entra en el despacho interior, fingiendo no ver la mirada oscura que le echa la jueza. Con un breve vistazo hacia atrás, cierra la puerta interior en la cara de los dos policías, que todavía se ríen de su comentario. Viste una pollera de algodón larga y amplia, atuendo de verano que sobrevivirá a la estación en este edificio con demasiada calefacción. A pesar de los nueve años que han trabajado juntas, Sonny todavía no sabe con certeza si el lanudo peinado Afro que usa Marietta es o no una peluca. En lugar de contestarle a su secretaria —siempre un desafío—, la jueza retorna a la demanda por homicidio que le entregó Annie, la del pandillero "el Pesado".

—Oh, Dios mío —exclama Sonny—. Dios. ¿"June Eddgar"? Conozco a June Eddgar. ¿Ella es la asesinada? Mi Dios. El hijo es supervisor de libertad condicional, ¿no? ¿Nile Eddgar? ¿Recuerdas que cuando estuvo aquí te dije que yo conocía a la familia?

Marietta, ya al tanto del caso de homicidio, asiente con un gesto de la cabeza y con una memoria perfecta recuerda el asunto por el cual apareció Nile en mayo pasado. Nile, según rememora Sonny, era alto y desaliñado; usaba una sucia barba de perilla y estaba demasiado agitado para mirarla a los ojos. No dio señales de guardar algún recuerdo de ella, de tanto tiempo atrás.

—Oh, Dios —repite Sonny—. June Eddgar. ¿Tengo que declararme incompetente?

—¿Para qué? —pregunta Marietta—. ¿Era tu amiga o algo así? Para empezar, ¿cómo la conociste, jueza? ¿Son todos del mismo barrio?

—No, no, fue en California. Vivíamos en el mismo edificio de departamentos que los Eddgar. Mi novio y yo. Él solía cuidar a Nile. Esto fue hace años. Veinte, por lo menos. Más. Dios, qué extraña coincidencia. —Se estremece un poco. Siempre demora un instante en reconocer lo que tanto la aterra. La muerte. Morir. Hace una década tuvo cáncer de mama, y cualquier cosa que le susurre algo acerca de su propia mortalidad puede llenarla de pánico. —El padre de Nile está acá, ¿no? ¿En la legislatura del estado? ¿Correcto?

—Senador del estado. —Marietta, que está obligada para con su concejal por su empleo, asiste a todas las cenas, conoce a todas las figuras del partido. —Distrito 39. Gran Kindle, condados de Greenwood. Una especie de profesor de facultad. Y tiene un nombre gracioso.

—Loyell Eddgar —dice Sonny, y las tres mujeres ríen. Los nombres, por estos lares, son un tema inagotable. Nombres africanos, hispánicos, alias de pandilleros. Apodos por docena. —La gente lo llama Eddgar, no más. Al menos, así era antes. Creo que en una época enseñaba en Easton. Así fue como terminó acá. Cuando lo conocí... ¿en California?... era maoísta. Por Dios, qué locos fueron aquellos tiempos —agrega Sonny, y por un momento la distraen la agitación, el conflicto de aquellos años. Parecen tan lejanos y sin embargo, lo mismo que gran parte de su vida, subyacen a todo lo que hace, como el suelo del que florece todo lo que se ha plantado. Y ahora el hombre es senador del estado. "¡Genial!", es lo que desea decir. Léxico de esa era pasada. Genial. Ha habido algunos cambios en su vida.

—Creo que June y él se separaron hace mucho tiempo —añade Sonny—. Hasta donde sé, ella ya ni siquiera vivía aquí. —Los detalles no le han quedado muy grabados. Su mente es porosa en lo que concierne a chismes. A menudo comete equivocaciones terribles.

—¿Y con qué novio estabas viviendo? —pregunta Marietta—. ¿El que ahora escribe la columna?

Otra mirada oscura pasa de la jueza a la secretaria, una mujer morena y regordeta de mediana edad que, como siempre, hace un esfuerzo decidido para no prestarle atención. Dentro del despacho, donde no hay extraños, existe una rara intimidad entre las tres mujeres, en especial cuando la conversación se aparta de la ley hacia el hogar, los hombres, los hijos, un reino femenino de misteriosa igualdad. Sin embargo, Marietta no conoce los límites debidos. ¡Y cómo se expresa! Como si Sonny hubiera presentado un currículo de su vida amorosa. 1969-70: Seth Weissman, alias Michael Frain. 1970-72: Diversos caballeros de las Filipinas. 1972-75: Larga temporada de sequía. 1977-

24

1992: Charles Brace. En verdad ésta es información que Marietta ha reunido con su insistente curiosidad, respecto de la cual Sonny se siente en cierta medida incapaz de esquivar. Marietta vive con una especie de marido, Raymen, pero tienen sus problemas. Para ella, por lo tanto, la pregunta de su vida es: ¿qué ocurre con el amor?

—¿Qué sujeto que escribe la columna? —pregunta Annie.

—¿Cómo? ¿No te has enterado? La jueza, aquí presente, solía vivir con ese individuo... ¿Cómo se llama, jueza?

—Marietta, eso fue en la Edad Media. Yo era una niña.

Pero la habitual mirada de apreciación por los logros de Sonny ya ha cruzado la cara menuda de Annie.

—Escribe para el *Tribune* —aclara Marietta—. ¿Cómo calificarías lo que escribe, jueza?

—Estilos de vida, supongo. El punto de vista sobreviviente de la década de los 60.

—Correcto. Ya sabes cuán rara puede ser la gente en lo que hace.

—Creo que la columna se llama "Guía del sobreviviente". Michael Frain —dice Sonny—. Escribe con el nombre de Michael Frain. Pertenece a una agencia periodística —agrega, y siente que ha caído en la trampa de Marietta y que en realidad está jactándose de este muchacho que entró en su vida y se fue antes de que Noé preparara su arca.

—Ah, yo lo leo —comenta Annie—. Me hace reír. ¿Fue tu novio?

—Momentáneamente. Pero su verdadero nombre no es Michael Frain, sino Seth Weissman. Michael Frain es un seudónimo. Todo el asunto es bastante confuso. En esa época conocíamos a alguien que se llamaba Michael Frain. También vivía en el edificio.

—¿Con Nile Eddgar y ellos?

—Sí. Nile y Eddgar y June en un departamento. Seth y yo en otro. Y además Michael Frain. Y también otras personas, obviamente.

—Suena a comunidad —observa Marietta, y Sonny no puede contenerse y ríe fuerte. A veces Marietta podría muy bien decir: "Ustedes, los blancos, están todos locos". Sin embargo, había cierto aspecto de feliz convivencia comunitaria en aquellos años jóvenes, antes de que se erigieran los muros, se trazaran los límites. El mejor amigo de Seth, que asistía a la facultad de Derecho, estaba siempre en el departamento de ellos, Hobie algo, un tipo negro grandote, raro, un personaje salvaje.

Annie ha alzado la vista de los expedientes y estudia a la jueza tratando de comprender todo esto: los nombres, las relaciones. Tiene un aspecto delicado, ojos más bien pequeños y mejillas anchas. Sonny se repite.

—Michael no era mi novio. Mi novio era Seth. Él es el que escribe la columna. Pero usa el seudónimo de Michael Frain.

Marietta, con una mirada de desconfianza urbana, formula al fin la pregunta que permanece en el aire:

—Bueno, ¿y qué pasó con Michael Frain?

—No tengo la menor idea —responde Sonny—. Lo juro por Dios. Seth y yo ya éramos historia antigua para entonces. —No es que no se lo haya preguntado. Una súbita punzada de curiosidad la alcanza a veces cuando ve el nombre, la foto del encabezamiento de la columna. ¿Cómo fue que Seth se convirtió en Michael? ¿Adónde fue Michael? Las preguntas, incluso ahora, la inquietan.

Esta charla sobre Seth, sobre diarios, trae otra vez a la mente de Sonny a June Eddgar y el asesinato. Habrá periodistas en el tribunal. Una mujer blanca asesinada por alguien que pasaba. Madre de un supervisor de libertad condicional. Ex esposa de un político prominente. Lubitsch tiene razón. Es un bomba.

—Me encantaría conservar este caso —le dice a Marietta. No es en realidad la atención lo que la excita. Ya que seis años después de la designación todos los jueces nuevos enfrentan una votación por sí o por no para mantenerse en el cargo, la sabiduría aceptada aconseja evitar la publicidad, de modo que los votantes no tengan motivos para rechazarte. Es más bien el pasado lo que parece seducirla de algún modo. Los restos no excavados de su propia existencia. Algo de aquel tiempo, tal vez sólo su juventud, le inspira curiosidad, la vaguísima emoción de pensar en las distancias que ha recorrido.

—Consérvalo —responde Marietta—. De todos modos, al Juez Jefe no le gusta que derives casos. —Los jueces (abogados, políticos, burócratas por entrenamiento) a menudo son intrigantes, inclinados a echar los casos exigentes o controversiales sobre los colegas que cuentan con menos influencia o poder políticos. Como resultado, el jefe, Brendan Tuohey, ha establecido reglas estrictas. El solo pensar en Tuohey y sus edictos intranquiliza a Sonny. Criada sin un padre en el hogar, inevitablemente encuentra temibles a los hombres de cierta edad. Y a Tuohey, un político astuto cuya probidad se cuestiona desde hace largo tiempo, nunca le ha importado Sonny ni la Comisión de Reforma que la puso a la fuerza en sus dominios. Ante ella, él se muestra indefectiblemente cortés, incluso obsequioso, pero Sandy Stern, vieja amiga y ocasional mentora de Sonny, ha llegado a sugerir que Tuohey la ubicó en la División Criminal, a pesar de su limitada experiencia judicial —un año en la división matrimonial, unos cuantos meses en los juzgados criminales— en la esperanza de que fracasara.

—Bueno, tengo que poner algo en el registro. Sobre que conozco a June. ¿Cuándo debe presentarse ese caso? ¿Ya?

Son casi las dos. No habrá fianza, por supuesto. Los pandilleros acusados salen invariablemente en libertad condicional o bajo palabra, y la fianza, por ley, no se permite. Sonny pregunta por las condiciones de libertad condicional del Pesado, y Annie se dirige a la oficina exterior para obtener la respuesta buscándola en la computadora de Marietta.

Ésta continúa ordenando los expedientes de la mañana en un carrito de metal para transportarlos de vuelta a la oficina del secretario.

—El Pesado tiene un supervisor de libertad condicional. —Lubitsch, después de abrir la puerta con vigor algo excesivo, está en el umbral, junto a Annie. Radiante, casi luminoso debido a sus conocimientos secretos, el policía emprende una pausa teatral hasta que Sonny le hace un ademán. —Nile Eddgar —dice Lubitsch—. Él es el supervisor de libertad condicional del Pesado.

Afuera, en el corredor, entre el despacho y las salas de tribunales, alguien bastante importante como para mostrar desdén por la paz está silbando.

—¿Este patotero mató a la madre de su propio supervisor de libertad condicional? —pregunta Sonny—. ¿Fue una coincidencia?

—No fue ninguna coincidencia. Y nadie le disparó al pasar. Tal vez los Santos quieran hacerlo parecer así. Éste fue un asesinato contratado.

El significado de estas palabras es siniestro: una banda callejera que disparó en forma deliberada a un familiar de un supervisor de libertad condicional. Un nuevo frente de batalla abierto en la guerra en las calles.

—¿Quiere conocer el resto? —pregunta Lubitsch, todavía radiante.

—Lo escucharé en la corte, Fred. Voy a hacer su orden, después de mis escritos.

—Lo que usted diga, jueza —responde él, pero no logra reprimir otro movimiento incrédulo de la cabeza. Repite: —Es un bomba.

Sonny toma la toga negra del perchero ubicado detrás de su escritorio, y se la cierra a medias. Con una cierta formalidad profesional, Marietta y Annie van apresuradas delante de ella por el vestíbulo hacia la sala del tribunal. Una doble bomba. Todos querrán un pedazo de este caso. El alcalde aparecerá en televisión, exigiendo la aplicación de la ley. Una atmósfera de ira rumiada penetrará la sala del tribunal. Sonny, que todavía no ha soportado la tormenta de un caso controversial, toma conciencia, en algún lugar de su ser, de los agitados desasosiegos del miedo.

En el corredor resuena la voz aguda de Marietta, tan rotunda de orgullo que uno pensaría que es su propio nombre el que canturrea: "La jueza que preside".

Sesión para fijar fianza de las 2 p.m. Hombres negros esposados. El Juez Jefe, Bren Tuohey, fija fianza de acuerdo con una escala preestablecida en todos los casos en que el gran jurado presenta una acusación formal. Pero cuando el acusado es arrestado sobre la base de la queja de un fiscal, tiene derecho a una audiencia para fijación de fianza ante el juez de primera instancia asignado. Sonny considera uno de sus deberes más tristes dar en persona la abrumadora noticia que recibe la mayoría de estos jóvenes: la de que su libertad, como algún artículo requisado en la puerta, está perdida y es improbable que la recuperen pronto.

Abril, dijo Eliot, es el mes más cruel. Pero si buscaba el más cruel lugar, debería haber venido aquí, al Tribunal Superior del condado de Kindle. Una suerte de barbarie parece entrar junto con los acusados de los barrios malos y las calles perversas, una devastación siniestra, un hedor a matadero. Aquí se trafican libremente los secretos que nadie quiere oír. En determinado momento del mes pasado, había en curso cuatro juicios diferentes que implicaban a madres o padres que habían asesinado a sus hijos. Esta mañana Sonny presidió audiencias de instrucción de cargos contra seis patoteros que rodearon a un chico recalcitrante de doce años en la escalera de un edificio de departamentos y lo golpearon con un caño hasta que la materia cerebral literalmente le manó del cráneo. Estas anécdotas de pasmosa brutalidad, de apuñalamientos y violaciones, de tiroteos y asaltos, del inevitable "crimen del día" —tan horrendo que, como ciertas formas de pornografía, parece hallarse más allá de la imaginación normal—, son rutina, rutina, rutina, y su perversidad sólo es comparable al sistema del cual ella es portaestandarte y emblema, cuya clandestina razón de ser, según le parece a Sonny más de una vez, es la de capturar, jugar y encarcelar a los muy pobres. Cada mes, más o menos, mientras se prepara para alguna audiencia, volverá al calabozo, buscando a Annie o el delegado de traslados, y enfrentará, a través de los barrotes, la carga diaria de prisioneros, doce o catorce hombres jóvenes. Sería de esperar que se rebelaran y sublevaran, pero la mayoría están callados, moviéndose de un lado a otro, fumando sus cigarrillos. Si se atreven a mirar para el lado de ella es sin desafío ni, a menudo, esperanza. Han sido humillados. Domados.

En la corte, sin embargo, con frecuencia la pena es la emoción predominante. En esta atmósfera de odio y miedo, Sonny se esfuerza por imponer la razón donde, hablando en forma general, dominan el impulso y la emoción. El asesinato es la actividad principal de este tribunal: pandilleros que matan a pandilleros. Hombres que matan a hombres. En su mayoría usan armas de fuego; también cuchillos, bates, navajas, automóviles, palancas, y, en un caso famoso, un yunque. Los jóvenes se matan unos a otros por razones que suelen resultar incomprensibles: porque alguien estaba parado en la esquina incorrecta; por una campera desgarrada. Los más viejos viven también en un mundo del que emanan ira y desesperación, tan tangibles como el calor. Sí, los hombres todavía se matan entre sí por juegos de dados, drogas, dinero, y, naturalmente, por quién codiciaba la chica de quién. ¿Qué puede provocar un arma cargada en la mano de un hombre borracho y rechazado? En las calles, el amor no correspondido y la muerte van juntos casi tan a menudo como en Shakespeare.

Ahora el tribunal se demora en el aire soñoliento de la tarde. Esta mañana, durante las audiencias, el tribunal y el corredor bullían de tantos urgentes antagonistas, abogados defensores, policías y fiscales, ciudadanos testigos, delegados que transportaban malhumorados a los acusados, y mujeres acosadas y desconsoladas, las mujeres de esos acusados. Pero ahora hay una quietud de melancolía. Del otro lado de las puertas abiertas del fondo de la sala, un custodio lava los pisos del vestíbulo bajo la luz amarillenta.

Marietta golpea con fuerza con el mazo y los abogados y los periodistas y los asistentes del alguacil se ponen lentamente de pie, mientras Sonny sube los cuatro escalones que hay al costado de su asiento, un mueble de roble, de líneas limpias, de falso diseño Bauhaus. Los jueces mayores celebran sesión en palacios majestuosos en el edificio principal, en los pisos tercero y cuarto, vastos despachos que muestran las mismas estrategias arquitectónicas que las catedrales: el individuo empequeñecido por la majestuosidad de las columnas de mármol y los retratos en marcos dorados, por las chucherías rococó de nogal tallado y los cielos rasos abovedados dos pisos y medio más arriba. Estos tribunales del Anexo de los Tribunales Centrales fueron construidos en la década de los 80, cuando el distrito de Columbia prodigó en el cumplimiento de la ley cuanto dinero había. La sala evoca de manera resonante la eficiencia del siglo pasado. Para Sonny, el tribunal es tan íntimo como la sala de su propia casa, pero, como ocurre con ciertos niños, su gloria no es evidente para los de afuera. Es una sala con forma de pastel, que se ensancha detrás del asiento del juez, una desvencijada construcción pública, el yeso mellado en algunos lugares, la alfombra de color harina de maíz ya deshilachándose en pedazos peludos. La tribuna del jurado y el estrado de los testigos repiten las líneas severas del asiento del juez. Más extraña es la iluminación, reminiscente del salón de un motel, ubicada encima de los protagonistas más importantes —juez, testigo, abogados—, que deja puntos en penumbra en toda la sala sin ventanas del tribunal donde los abogados, el alguacil, los secretarios tienden a retirarse en instantes de relax, como actores fuera de escena.

Inmediatamente después de la muerte a tiros de un juez de una corte matrimonial, hace varios años, se agregó a estos tribunales una pared de vidrio a prueba de balas frente a las secciones de espectadores. El sonido de la justicia se lleva hasta allí mediante micrófonos que parecen captar hasta el pesado aliento de todos —acusados, abogados, la propia Sonny— en los silencios entre palabras. Ella mira allí todos los días, hacia sus amigos, los parientes que se adelantan en el borde de los asientos para ver algo, para saber algo de su ser querido, vestido con el overol de la cárcel. En advertencia a ellos, Marietta ha pegado con cinta adhesiva un cartel escrito a mano al costado del vidrio:

PROHIBIDO COMER
PROHIBIDO BEBER
PROHIBIDAS LAS VISITAS
EN EL CALABOZO
O EN LA SALA DEL TRIBUNAL

Ahora la docena de periodistas presentes vuelve a ocupar las sillas de cuero de la tribuna del jurado, donde se han ubicado para asegurarse de poder oír. El sistema de amplificación de la zona ubicada detrás del vidrio suele fallar, y las paredes en ángulo tornan la acústica impredecible. Los periodistas son en su mayoría de las secciones policiales, pero se hallan presentes dos de las caras bonitas de la televisión local. Stanley Rosenberg, el pequeño hurón de Canal 5, con un saco de quinientos dólares y un vaquero andrajoso que la cámara no verá, se escabulle hasta un asiento cercano a un dibujante que ha llevado consigo. Sin instrucción de la jueza, Marietta llama al primer caso, el del asesinato de June Eddgar.

Desde el calabozo, el acusado, alias el Pesado, es llevado a la sala con su overol azul, esposas y cadenas en los tobillos. Con ligera alarma, Sonny reconoce al abogado que se acerca al estrado junto a él, Jackson Aires. Aires ha librado estas guerras desde hace tanto tiempo que empieza a disparar palabras por instinto; es uno de esos tipos que sabe lo que sus clientes quieren oír, aunque de una manera más bien inanimada, sin un verdadero lenguaje corporal que lo acompañe. Hombre negro de aspecto agotado, de piel semioscura, con un copete de pelo estilo africano blanqueado por la edad, lleva una vieja chaqueta deportiva color borgoña y pantalones con bocamanga. Con los periodistas aquí, hará todo un espectáculo al exigir fianza para su cliente.

Los abogados declaran sus nombres y Sonny deja sentado que conoció a la familia Eddgar hace veinticinco años, pero que no ha tenido ningún contacto con ninguno de ellos desde entonces, salvo con Nile Eddgar, que quizás haya aparecido una vez en su juzgado en calidad de supervisor de libertad condicional. Tommy Molto, supervisor asistente de Homicidios, antiguo empleado que se elevó casi hasta la cima de la oficina del fiscal hace unas cuantas administraciones, sólo para volver a descender a la sombra de algún escándalo no recordado, actúa por el Estado, en reemplazo del fiscal, en la presentación inicial.

—Señor Aires, o señor Molto, si alguno de ustedes siente la más ligera reserva, devolveré este caso al Juez Jefe para que lo reasigne.

Aires se limita a menear la cabeza.

—No hay problema, jueza.

Molto repite las mismas palabras. Sonny sabía que la Oficina del Fiscal no tendría ninguna objeción. En este juzgado hay seiscientos casos. Habrá entre noventa y ocho y ciento doce en su lista de causas por juzgar todos los días del año. No van a cuestionar su imparcialidad, al menos de manera oficial. Las únicas críticas capciosas que oirá, si es que hay alguna, surgirán en los corredores, a través de vías no oficiales.

Sonny recita las acusaciones de la demanda. El reo, el Pesado, mira alerta. En general los acusados se muestran preocupados o ansiosos, perdidos ante los arcanos del tribunal. Pero el Pesado, corpulento, oscuro, con ojos turbios, mantiene la dignidad. Sabe lo que está ocurriendo. Con tono inocente, como no supiera que está haciendo sonar una alarma de batalla, Sonny pregunta:

—Señor Aires, ¿tiene alguna petición?

De piernas largas, aunque de apariencia flexible, Jackson Aires descruza los brazos y se acerca al micrófono que sale en ángulo del podio de roble situado ante el asiento de la jueza. Para Jackson Aires la ley criminal en realidad no tiene categorías, sino sólo colores, blanco y negro. Puede jugar este juego, hablar como uno, citar los precedentes, pero sin ninguna fe evidente en que éstos controlen, o siquiera contribuyan, al resultado. Para él, cada regla, cada procedimiento no es más que una estratagema más para demorar, por otros medios, la emancipación de los esclavos.

Ahora mira desconsolado la alfombra.

—Ninguna petición, jueza.

Hay un cambio decidido, un pulso en la atmósfera. Los dos abogados alzan la vista hacia ella como sabuesos, esperando comprensión. Desean no decir más frente a los periodistas, muchos de los cuales, no obstante, parecen haber captado la significancia de la observación de Aires. Sonny observa que Stanley Rosenberg se ha adelantado dos asientos hacia Stew Dubinsky, del *Tribune*. El peinado liso de Stanley atrae un punto de iluminación de la sala al mover la cabeza mientras absorbe la interpretación de Dubinsky.

—Tal vez los doctores deban acercarse —dice Sonny. Aparta con un gesto a Suzanne, la periodista de la corte, y se reúne con los abogados en el escalón más bajo de su estrado de jueza. —¿Cuál es el trato? —susurra—. ¿Entiendo que el acusado ha hecho un arreglo con el Pueblo?

Aires mira a Molto. Éste dice:

—Correcto, jueza. Hemos elaborado algo. Si la corte lo aprueba. —Su nuez de Adán se mueve bajo el doble mentón. Su cara tiene feas cicatrices de viruela. —Todavía estamos repasando los detalles, jueza —susurra—. Hay mucho que investigar. Pero si la historia del acusado tiene asidero, hemos convenido en veinte años, jueza.

—¿Para el que disparó? —Ha elevado la voz más que lo que le gustaría. Con buena conducta, el Pesado saldrá de la penitenciaría en una década. —¿En este caso? ¿Va a cumplir sólo diez años?

—Él no fue el que apretó el gatillo, jueza. Y nos va a dar a otro. El cliente del señor Aires fue sólo un intermediario. Hubo otra persona que le mandó hacerlo.

—¿El alcalde?

Los dos abogados ríen, peculiar una erupción de sonido en el tribunal, donde todos los demás guardan silencio en la esperanza de hacerse una idea de lo que ocurre junto al estrado de la jueza. Cuando asumió el cargo, Sonny descubrió que se había vuelto mucho más graciosa. En el intervalo, considera lo que está diciendo Molto. El Pesado ha denunciado a alguien, se ha convertido en testigo de cargo del estado, cosa que los pandilleros hacen con frecuencia. Una evolución interesante.

—Miren —dice la jueza—, cuando puedan hablar del caso, me llaman. Esto va a requerir algo de discusión.

Sonny es visitada por su sospecha recurrente: le están tendiendo una trampa. Alguien: los policías, los fiscales, Brendan Tuohey. Esperan que ella cometa un error notable, así pueden echarla de los tribunales. Junta los pliegues de la toga, dispuesta a ascender otra vez; luego pregunta si Molto planea encausar juntos al Pesado y su coacusado. Molto asiente. Será el caso de ella. Ella presidirá el juicio, si la amenaza del testimonio del Pesado no persuade de declararse culpable a quienquiera que haya tramado el asesinato.

Molto habla para detenerla.

—Jueza —dice. Su voz ha bajado al nivel mínimo de la audibilidad. Hasta sus labios están antinaturalmente rígidos, para derrotar al más intrépido de los periodistas. —Jueza. Sólo para que lo sepa. Es Nile Eddgar. No es ningún problema para el Pueblo. Pero para que sepa. Dado lo que usted ha dicho.

Un segundo de silencio pasa entre los tres.

—Espere. —Ella baja el último escalón. —Espere. No seamos crípticos, Tommy. ¿Me está diciendo que el cliente del señor Aires, el Pesado, o como sea, va a declarar que su supervisor de libertad condicional, Nile Eddgar, conspiró con él para planear el asesinato de la madre del señor Eddgar?

Antes de responder, Molto echa una larga mirada por sobre su hombro a los periodistas.

—Más o menos —contesta. Los dos abogados la miran sin expresión, esperando lo que venga a continuación. Sonny se esfuerza un instante por no mostrar su confusión.

—Todavía no lo hemos agarrado —agrega Molto—. Es probable que obtengamos una orden mañana. —Es un secreto, le está diciendo. Ella asiente dos o tres veces, pasmada.

Después de la audiencia, Sonny encuentra a Wells y Lubitsch haraganeando en la oficina interior. Han ubicado el esbozo de orden en su escritorio, pero en cuanto ella aparece Lubitsch tuerce la cabeza hacia atrás, mirando en dirección a la sala del tribunal.

—Familia estadounidense promedio, ¿correcto? —le pregunta—. Pastel de manzana, salchichas y Chevrolet, ¿correcto? —Este placer malicioso, la habitual satisfacción vanidosa de la policía, nosotros y ellos, enoja a Sonny. Apenas ayer, Fred Lubitsch habría afirmado que Nile era uno de los suyos. Con una mera inspección, Sonny firma la orden y deja ir a los agentes.

Marietta entra alrededor de una hora más tarde, después de llevar los expedientes de la mañana hasta el edificio principal. Siente curiosidad, desde luego, por lo sucedido en el caso del Pesado. Marietta articula un gruñido sorprendido y dispéptico al enterarse de las novedades de Molto respecto de Nile, pero muestra poca emoción; tiene bastante experiencia en estos trajines.

—¿Debería declararme incompetente en este caso? —pregunta Sonny.

—¿Porque conociste a esta gente hace veinticinco años? Diablos, ¿a quién le van a dar el caso, jueza? Todos los demás que trabajan en la división criminal conocen a Nile Eddgar mejor que tú. Tú eres la más joven aquí. ¿Los otros jueces? Todos han tenido a Nile ante ellos una cantidad de veces, han trabajado con él, han creído su testimonio bajo juramento. Nosotros sólo lo hemos tenido aquí una vez. Y muchos de estos jueces conocen al padre, también. Además, jueza, a nadie le va a alegrar tener un caso así en su lista de causas.

La raza. Eso es lo que ella quiere decir. El gran tema inmencionable. Es de eso que se tratará el caso. Negro contra blanco. En la calle. En el estrado de los testigos. También en la sala del jurado. Mientras la prensa no deja de esgrimir su lupa. Los colegas de Sonny estarán convencidos de que la política, no los escrúpulos, la llevaron a deshacerse del caso. Habrá miradas oblicuas en los corredores, encogimientos de hombros. Tuohey, sin duda, hará preguntas.

—Me gustaría encargarme de este caso. De verdad. ¿A quién no le intrigaría ver lo que ha sido de la gente décadas después? Pero lo siento tan... ¿cercano? —Hace una pausa, combatiendo con su propia y feroz idoneidad. ¿Tiene miedo de algo?, se pregunta de pronto.

—Diablos, jueza —dice Marietta—. De todos modos éste será un juicio en que decidirá el jurado. El abogado defensor va a menear el dedo y afirmar que a este pistolero no se le puede creer, y le echará toda la culpa a otro. Todos lo hemos visto mil veces. Tú no decidirás nada, salvo la sentencia. ¿Por qué no esperas a ver qué pasa, jueza? ¿Lo que dicen las partes? Trata de captarlos con claridad. Como hiciste hoy. No molestes a ninguno, y nadie va a molestarte a ti.

Ella todavía titubea, pero la verdad es que Nile no querrá que ella entienda en este caso. Ella veía mucho a la familia del muchacho, en especial al padre. En esos años Eddgar era peligroso, artero, un fanático del que algunos afirmaban incluso que había apadrinado asesinatos.De tal palo, tal astilla. Ése es el prejuicio que Nile temerá. Con un ademán, Sonny cierra la discusión.

—Lo haremos a tu modo, Marietta. Veremos qué dice el acusado. Fue hace veinticinco años.

—Claro —asiente Marietta, y luego se toma un segundo para revisar en su propia mente las conexiones retorcidas y largamente atenuadas que Sonny ha explicado. Luego se vuelve con una sonrisa vaga, fija en un pensamiento predecible.

—¿Así que tu novio se fue y se volvió rico y famoso, y tú eras joven y tonta y lo dejaste ir?

—Supongo. —Sonny ríe. Marietta ha insinuado hace mucho que Sonny tiene escasos instintos para el romance, y con frecuencia da a entender que no ha renovado de manera debida su vida social.

—¿Y nunca volviste a saber nada de él?

—No, en veinticinco años. Nos separamos de una manera extraña. —Sonríe un poco, consolando a Marietta, si no a sí misma; luego ve el reloj. —¡Mierda! —Se le hace tarde para Nikki. —Mierda —repite, y vuela por el despacho mientras guarda en el portafolio los papeles que debe estudiar para el día siguiente. Corre por el vestíbulo, insultándose y sintiendo un presentimiento furtivo, como si este olvido respecto de Nikki fuera sintomático de un error más grande. Corre a través del pasaje con ventanas que conecta el Anexo con el edificio principal de los tribunales, y se pregunta de nuevo si está haciendo algo mal al capitular ante algo, lo que sea —el ansia cosquilleante por cosas pasadas y la esperanza de dominar lo que en otros tiempos le resultó atemorizante—, eso que viene junto con los recuerdos de los Eddgar y aquel período de su vida. En este trabajo siente a menudo que no existe una decisión correcta. Muchas más veces que lo que imaginaba cuando estudiaba Derecho, o incluso cuando ya era una profesional, elige, como jueza, no la alternativa que le parece correcta, sino simplemente menos incorrecta. Y en algunos aspectos, esta sensación de no estar adaptada, de hallarse en el lugar equivocado, ha sido un sello distintivo de su vida. A menudo siente, como esas personas que creen en la astrología, que su existencia ha sido dirigida por misteriosas fuerzas celestiales. En años anteriores, iba y venía de las cosas con alarmante energía, abandonaba a los hombres sin previo aviso; cursó tres programas de graduados diferentes y trabajó en media docena de empleos antes de aterrizar en la facultad de Derecho.

Incluso ahora, no tiene la certeza de que la judicatura sea en realidad lo más adecuado para ella. Fue un honor, y una salida conveniente de la oficina de la Fiscalía de los Estados Unidos, donde había comenzado a repetirse. En el nivel más pragmático, asumir como jueza satisfizo su necesidad desesperada —de madre sola— de poner límite a sus horas de trabajo y, algo casi por igual importante, la mantuvo dentro del ámbito de la ley. Se había cansado de las vicisitudes del ejercicio de la fiscalía, esa carrera en la que siempre ganan los agresivos y los astutos. Ese trabajo había sacado a la luz a la Sonny que menos le gustaba, la niña siempre secretamente herida, y, como se lo ha explicado a sí misma de la manera más reservada, la había forzado a aceptar el mundo según los hombres. Después de Nikki —después de Charlie— quería tener una vida laboral que no dependiera de las maniobras ingeniosas y las posturas taimadas sino que, en cambio, se basara en la benevolencia, que tuviera alguna conexión con los sentimientos que la embargaban cuando abrazaba a su hija, las emociones que conocía, que sabía eran de verdad las mejores, las cosas más correctas de la vida. ¿Pero es ella la mujer de cabello oscuro y aspecto serio, de atractivos algo desvanecidos, la Sonny que ve en el sillón de los jueces, esta persona que sermonea y sentencia a los depravados y a los desdichados?

Ahora está sola, corriendo por el extraño mundo nocturno del edificio central de los tribunales, con sus corredores vacíos y sus *habitués* aislados y resueltos: fiadores, agentes de policía. Sus tacos altos resuenan en el mármol. Una ancha mujer hispánica vestida con ropa holgada acampa con una mirada lejana en uno de los bancos de granito situados justo frente al conjunto de detectores de metal. Abraza a un chico de tres o cuatro años, que, de cara a ella, duerme, con los rizos negros humedecidos pegados en un costado de la cara. Siempre están aquí: madres, bebés, familias agotadas por los problemas, aguardando en la vana esperanza de que sus hombres sean liberados bajo fianza, absueltos, exonerados de algún modo.

Al pasar corriendo, Sonny sonríe en fugaz comunión. Incitada por esta conexión momentánea con otra madre, urgentes visiones de Nikki la llaman de nuevo, y prevé la escena humillante que la espera: Nikki sola en la casa de Jackie, y Sonny pidiendo disculpas, jurando que nunca más, aunque Jackie insista en que no es ningún problema. Lo peor será ver a la propia Nikki: ya con su abrigo y su mochila, secándose la nariz en la manga, aferrando la mano de Sonny y urgiéndola a terminar con las disculpas y marcharse; esa pequeña vida, cargada con el trajín de su propio día y la inquietud de una separación prolongada. Dentro de Sonny hay siempre el mismo pensamiento recriminador: ¿cuántas veces Zora le hizo esto a ella? ¿Cuántos miles? Es alarmante descubrir cuán cerca permanece el dolor, todavía en pleno memorizado, cuán claro es el recuerdo de los millones de ocasiones en que su madre no estaba. Porque iba a reuniones. A organizar. O a tocar a algún otro con sus anhelos grandiosos e importantes: por la libertad. Por la dignidad.

Así que esto es lo que es ella, Su Señoría, jueza Sonia Klonsky. El mero impulso de sus pasiones la hace bajar volando unos cuantos escalones, hacia la calle, hacia su auto. La noche ha entrado en ese momento de mágica luz menguante, cuando el cielo casi grita de drama y la perspectiva se disipa, de modo que los edificios, las figuras, los árboles, los pájaros pequeños y revoloteantes, parecen asentarse uno sobre otro en las proporciones reducidas de un diorama. Promesas de neón relucen baratas en los escaparates del gastado emporio de las fianzas del otro lado de la calle: "Fianza rápida". Asida por los ciclos dolorosos de su vida, de cualquier vida, las complicaciones inquietantes de este caso, y la angustia perpetua que se filtra como un agente contaminante en el aire alrededor del edificio de los tribunales, Sonny se apresura. Se apresura con sentimientos intensos, y un súbito fragmento argénteo de felicidad le envuelve el corazón. Está pensando en su hija.

14 de septiembre de 1995

SETH

Cuando el pestillo electrónico es liberado para permitirles entrar en la oficina del guardia en la cárcel del condado de Kindle, Seth Weissman ve que Hobie Tuttle y él no son los únicos civiles. Un repartidor de la pizzería Domino's, un tipo flaco al que todos llaman Kirk, está también allí con el almuerzo.

—Hola —saluda a los tres oficiales correccionales, y enseguida se marcha, contando la propina. El pestillo se cierra otra vez, un sonido potente de metal que golpea, riguroso como un disparo de rifle, y Kirk se marcha. En la puerta han montado un vidrio a prueba de balas, pero son los barrotes de abajo lo que ocupa la atención de Seth. Fuertes y engrosados a causa de la pintura antióxido, de un matiz de beige descolorido que es el color de todo lo que hay aquí: las paredes, el piso, hasta el escritorio de acero reforzado del guardia.

—Las entrevistas de prensa las tiene que aprobar el alcaide, viejo. —Un guardián agita los dedos, manchados de aceite de pizza, encima del formulario que Hobie ha estado llenando.

—Nadie va a hacer ninguna entrevista, hermano —aclara Hobie.

—Acá dice: "Michael Frain. Profesión: periodista". —El guardia mira dos veces del formulario a Seth, como para confirmar si la descripción coincide.

—No, no, quiero decir otra cosa —contesta Hobie—. Este joven, el recluso Nile Eddgar, pidió que el señor Frain, aquí presente, lo ayudara a encontrar asesoría legal, y me eligió a mí. ¿De acuerdo? Así que participará en la visita del abogado.

Después de un nuevo intercambio de palabras llaman a un superior, un negro erecto que mira con ansias la pizza, pero muestra la disciplina de terminar primero el asunto con ellos. Hobie le suelta una andanada característica, y el superior, temeroso de meterse con la prensa, o simplemente hambriento, los deja ir. Pasan de un casilla de custodia de ladrillos a otra. Sus billeteras quedan guardadas en un pequeño armario de lata, y otro guardia solemne los cachea.

Después se encuentran adentro, encerrados en una pequeña zona de admisión. La puerta, con barrotes y una cerradura gruesa como un libro, se cierra de manera irrevocable tras ellos. Hobie capta la expresión enferma de Seth.

—El Número 47 le dijo al Número 3 —bromea, divertido. Es un verso de "El rock de la cárcel": "El Número 47 / le dijo al Número 3: / Eres el preso más mono / que en mi vida vi". En el camino desde el aeropuerto, Hobie le hizo una lista completa de advertencias. "Cuando entremos en esos pasillos, hermano, camina por el medio; no te acerques a las celdas, o los muchachos malos te agarrarán la corbata, hermano, para embromar, no más; la atarán en las rejas y observarán cómo te estrangulas solo mientras gritas pidiendo auxilio. Gracias a ti se reirán durante una semana." Largó una carcajada de solo pensarlo. Aunque estaban a 1.600 kilómetros de la casa de Hobie, en el distrito de Columbia, éste es todavía su mundo.

Otro guardia los guía por un sendero de ladrillo que atraviesa el patio. La cárcel se eleva por encima de ellos, siete estructuras de ladrillos rojos, lo que queda de la era institucional en la arquitectura estadounidense. Estos edificios podrían ser fábricas o, en estos tiempos, escuelas, en especial con los gruesos enrejados que enjaulan cada ventana. Están dispuestos entre extensiones de asfalto, lo único verde son las malezas y los líquenes consumidos pero que aún persisten en las brechas. En el perímetro, firmes paredes de ladrillo con junturas de argamasa, coronadas por desagradables espirales de alambre de púa.

—¿Crees que él está bien acá? —pregunta Seth.

—Podría ser. O podría ser que no. Lo sabremos en un minuto.

—Ah, Dios —exclama Seth—, mira que eres un caso difícil. No te mellaría la armadura mostrar un poco de preocupación por tu cliente, Hobie.

—Mira, viejo —contesta Hobie, repitiendo una de las expresiones favoritas de su padre. Es un imitador nato, y al cabo de veinticinco años en los que, a veces, ha adoptado las maneras de hablar de mucha gente, desde Timothy Leary hasta Louis Farrakhan, ahora remeda sobre todo a su padre, Gurney Tuttle. Se ha detenido de golpe, balanceando a un lado su enorme portafolio. —Mira, me llamaste a casa, e interrumpiste mi vida personal en un momento verdaderamente crucial...

—Por ejemplo, cuando mirabas un capítulo viejo de *Dallas*.

—Eh, ¿quieres hacerte el gracioso o vas a escuchar? Te estoy contando cómo fue esto. Yo estaba con una dama excelente, y tú me interrumpiste, hermano. "Hermano negro, tienes que hacer esto, tienes que ayudar a este viejo mosquetero. ¿Recuerdas a Nile? Eres el mejor que conozco, así que tienes que hacerlo por mí." O sea, ¿lo estoy contando bien, hasta el momento?

—Bastante cerca.

—Bueno. Y acá estoy. —Hobie, con barba, con su traje elegante, sermonea a Seth con un dedo levantado. —Pero yo sigo el consejo de la dama. ¿Recuerdas a Colette? "¿Quién dijo que debías ser feliz? Haz tu trabajo." Así soy yo, viejo. Trabajo. Me pagan. No me enamoro de ellos. Algunos salen por la puerta del tribunal, otros no. Acepto todas las llamadas a cobrar de la penitenciaría. Pero ahí termina mi acto de compasión. Ahora, si tú te has dedicado a sentir pena por ese muchacho, es cosa tuya. Pero no me lo endilgues a mí.

—Eh, no es que me dedique a compadecerlo. Me mantuve en contacto con él, nada más. Siempre ha necesitado un poco de ayuda. Y además, ¿cómo te sentirías tú? El tipo me llama desde un teléfono público. La madre está muerta, la policía lo persigue por algo que no hizo, y no puede llamar al padre para que lo ayude, porque resulta que es uno de los mayores imbéciles del siglo xx. Una situación bastante difícil.

—Epa, viejo. —Hobie hace un gesto con la mano. —Hay ocho millones de historias en la ciudad desnuda. También para ti ha sido difícil. Y para Lucy. Yo siento pena por todos. Pero los tipos que están en este lugar... la mayoría de las veces resulta que se buscaron solos los problemas que tienen.

Un guardia, enviado para acompañarlos a la Sección 7, donde se halla alojado Nile, los observa aproximarse por los ladrillos veteados.

—¿Cuál de los dos es el periodista? —pregunta—. ¿Viniste a entrevistarme a mí, viejo? Mierda, alguien tendría que hacerlo. No bromeo. Hace veintitrés años que me dedico a esto, casi veinticuatro. He visto cosas increíbles.

El guardia, un hombre flaco, se ríe con ganas de sí mismo y sigue caminando con ellos. Parece demasiado afable para el trabajo que hace. Va masticando un palillo que le sale de la boca en el punto inicial de cada serie de declaraciones. Mientras tanto, les llegan voces ululantes que vienen de la parte cercada del patio de la cárcel donde cientos de reclusos, con sus monos azules, juegan a ensartar argollas o conversan entre sí en grupos numerosos. Hay tres canchas diferentes, y en todas hay partidos. En dos áreas laterales, varios hombres se apiñan alrededor de los bancos de pesas. Seth estudia la población. Son altos y bajos; algunos, gordos; otros lucen erizados músculos cultivados en la cárcel. Unos cuantos reclusos miran fijo con malhumorado desprecio, mientras otros merodean cerca de las rejas y los llaman a gritos: "¡Eh, abogado, abogado! ¡Hermano, tienes que ocuparte de mi caso, hermano! ¡Soy inocente, hermano, no hice nada!". Una cosa: son negros. En un rincón distante, debajo de una red, juegan los latinos, y después de buscar bastante, Seth ve al fin un grupo de sujetos blancos, la mayoría con el cráneo afeitado y tatuajes bien visibles. Pero aquí, en la cárcel municipal del condado de Kindle, décadas después de las grandes migraciones sureñas, los tristes hechos hablan por sí mismos.

Por lo tanto resulta fácil distinguir a Nile, en el extremo opuesto del patio. Está más gordo que la última vez que Seth lo vio, hace tres años. En alguien de su edad, semejante vientre parece una confesión de debilidad. Tiene pelo pardo largo y enredado, y está fumando un cigarrillo. Se hamaca sobre las suelas de los zapatos mientras habla con tres o cuatro negros jóvenes. Como siempre, en el aspecto de Nile nada es como uno esperaría. ¿Dónde está el ánimo lúgubre y quebrado que resultaría natural, ya esté erróneamente acusado o soportando las devastaciones internas que produciría el hecho de haber dispuesto el asesinato de la propia madre? El joven alto da la impresión, en todo caso, de estar en su elemento. Pero así es Nile. El Señor Inadecuado. Y además, como bien sabe el mismo Seth, de todas las grandes emociones, la menos predecible en sus efectos es el dolor.

El guardia, Eddie, tiene que llamar dos veces a Nile. Uno de los oficiales de equipo color caqui abre el portón cerrado con llave para permitirle salir.

—Eh —dice Nile. Se lo ve incómodo. Se dispone a abrazar a Seth, luego lo piensa mejor. Seth vuelve a presentarle a Hobie. Han pasado décadas. —Genial —dice Nile—. Genial. —Estrecha la mano de Hobie con entusiasmo torpe. Incluso para Seth es difícil decidir por dónde empezar. ¿Condolencias? ¿Indignación por las circunstancias?

—Bueno, ¿cómo andas? —pregunta—. ¿Te las arreglas con todo esto? ¿Cómo has estado?

—Eh, lo está pasando de lo mejor —responde Eddie—, ésta es la Ciudad de la Diversión —y ríe con evidente apreciación por su propio humor.

En apariencia, las descripciones no son el fuerte de Nile. De cerca, se lo ve penosamente inseguro. Del otro lado de sus ojos, su espíritu siempre dio la impresión de andar saltando sobre el hielo del terror reprimido. Ahora se encoge de hombros.

—Trabajé acá —dice—. A la mayoría de mis clientes los entrevisto acá la primera vez. Conozco el tema.

Eddie los ha llevado a la Sección 7. Las paredes y las escaleras de cemento están pintadas en forma tosca con esmalte rojo. Aquí las puertas de acero se abren con una llave, dándoles paso al vestíbulo con barrotes, donde hay congregados una cantidad de guardias, dos de ellos mujeres. Más allá de una pared de barrotes se extiende la región de acero donde se alojan los hombres. Hay olores agrios de desinfectante y comida cocida al vapor. Se oye una radio; arriba se golpea la puerta de una celda y los pisos de metal resuenan de movimiento. Una única ventana, situada en el otro extremo, a media cuadra de distancia, es la fuente miserable de la poca luz natural. Desde aquí Seth alcanza a ver las celdas más cercanas, surcadas de cuerdas para tender ropa. Hay postales y fotos familiares pegadas con cinta adhesiva del lado interno de los barrotes, encima de pequeños estantes a los que llaman literas. En uno yace en calzoncillos un hombre de miembros oscuros y lisos, inmovilizado por la pena de la reclusión.

Cuando entran, un prisionero, cuyo overol atado alrededor de la cintura revela un físico imponente, se acerca a los barrotes, protesta contra los guardias con una voz chillona e intensa de gueto. Seth no entiende mucho. El pelo del hombre, muy crecido, despeinado, se alza en puntas salpicadas de liendres.

—Atrás, Tuflac; mueve el culo —le ordena alguien—. Ya te lo hemos dicho tres veces.

Eddie sostiene una mano en alto, como un huésped amistoso, y dirige a Nile, Hobie y Seth hacia una cafetería que sirve también de zona de visitas. Hay cuatro o cinco pisioneros más, reunidos con gente de afuera ante varias mesas dispersas por la sala. Hay un hombre de corbata, evidentemente un abogado. El resto son familiares, novias, haciendo una rara visita en un día laboral por la tarde.

—Bueno, ahora necesitamos hablar —dice Hobie. Le indica a Seth que se retire. —Debemos ser nada más que Nile y yo, para proteger el secreto profesional.

Propenso a protestar, Seth no logra encontrar ningún motivo, salvo que ha atravesado medio país, desde Seattle, para facilitar este encuentro. Es relegado a una de las mesitas atornilladas al piso, mientras Hobie, con expresión en cierto modo triunfal, dirige a Nile al rincón más alejado. La cafetería es compacta, con paredes de ladrillo barnizadas, mantenida de manera impecable salvo las manchas y leyendas grabadas por los pandilleros en las tablas de las mesas, de material laminado blanco. Para ser una cárcel, este lugar es casi alegre. La luz del día, calmante como leche tibia, emerge de una serie de ventanas con rejas, y tres o cuatro máquinas expendedoras proveen un toque de color. Sentado a la mesa más próxima a Seth, un hombre hispánico recibe la visita de la novia o la esposa. La mujer, de pelo abundante y renegrido, se ha vestido como para enloquecerlo: un top ajustado rojo, sin mangas, de corte atrevido, y vaqueros negros que aprietan su saludable volumen femenino. Tiene los ojos tan pintados que evocan una imagen de Kabuki. Se levanta con frecuencia a traer café, cigarrillos, una gaseosa. Yendo y viniendo, ella y su hombre se tocan lo más que pueden, un manoseo rápido, implacable. Están violando las reglas, pero los tres o cuatro guardias de caqui que miran desde sus posiciones alrededor de la habitación permanecen impasibles. El placer, tan breve, puede perdonarse.

Eddie, sin nada que hacer, se ha acercado a Seth.

—¿Y qué cosas escribe usted? —pregunta.

Seth desenrolla su discurso estándar sobre la columna: pertenece a una agencia periodística nacional, publica aquí, en el *Tribune*.

—Ah, sí, sí —dice Eddie, pero es evidente que nunca oyó hablar de Michael Frain y queda levemente decepcionado. Ambos contemplan un momento este callejón sin salida. Buscando un tema, Seth pregunta si Nile ha tenido algún problema en la cárcel.

—No me parece. Cuando entró, ayer, lo pusimos en una celda individual, pero pidió estar con la población general. Ahora, si estuviera allá, en la Sección 2... Yo la llamo el Ala de los Gladiadores, ya sabe, donde están los tipos de diecinueve años, que viven rezongando y peleando. Pero acá él está bien. Parece que anda bien con los DSN. No dejan que nadie le patee el trasero ni le saque la comida.

—¿Los DSN?

—Los Discípulos de los Santos Negros, viejo. Acá nos volvemos como de la familia, ¿sabe? —Eddie, libremente entregado a la hilaridad, ríe una vez más de su propio comentario, luego hace rodar el palillo entre los dedos antes de continuar. —Ya sabe, nosotros, los policías... mierda, los guardias... podemos llevarnos bien con estos pájaros si ellos saben de dónde venimos. Cuando empecé, trabajaba del lado del estado, allá en Rudyard. Muchos de esos oficiales se la agarraban con los reclusos. Cuando venían a verlos las mujeres, a los guardias les gustaba meterse, pellizcarles el trasero, sonreírles como si tuvieran dientes nuevos, y los tipos, sentados del otro lado del vidrio, no podían hacer un carajo. Ahora, si uno hace eso se la dan con todo. ¿Entiende lo que le digo? ¿Y yo? Yo no como mierda, ni tiro mierda, viejo, ése es mi lema. Acá trabajo, y entonces ando bien, lo mismo que Nile. Algunos tipos, de los DSN o los Facinerosos, me cubren. De todos modos, los pandilleros son los que dirigen el espectáculo acá. ¿Entiende lo que le digo?

Seth mueve la cabeza una vez. No quiere decir nada que haga callar a Eddie. Se le ha ocurrido que el guardia tenía razón en lo que le comentó al principio: una columna sobre él y la cárcel podría resultar muy interesante.

—Vea —prosigue Eddie, levantando sobre la silla una pierna, decorada a lo largo de la costura del pantalón con un cordón marrón. Se inclina hacia adelante en gesto confidencial, ahora que ha encontrado su tema. —Lo primero que le enseñan, el primer día de entrenamiento: la institución sólo puede llevarse adelante con la cooperación de los reclusos. En estos tiempos tenemos un problema; si descubrimos que alguien anda con los Santos o los Facinerosos, enseguida lo enderezamos. ¿Entiende? Lo que queremos es un lugar pacífico. ¿Me oye? A nadie lo van a cortajear en la ducha, ningún pandillero va a armar guerra en el patio, ningún grupo de tres reclusos va a intentar cortarle las bolas a un guardia, como hacían en Rudyard. Eso es lo que queremos.

—¿Y qué quieren ellos? —Seth, que vive de hacer preguntas, sabe, por la manera en que el perpetuo ímpetu verbal de Eddie se vuelve más lento de pronto, que han llegado a la parte buena.

—¿Ellos? —Eddie se ríe otra vez, más apaciguado.

—Usted no va a escribir nada de esto, ¿no?

Seth alza ambas manos para mostrar que no tiene papel ni lapicera... como si jamás se le hubiera cruzado por la mente semejante idea. Eddie da vuelta la silla y se sienta con los brazos largos cruzados sobre el respaldo. Tiene cara redonda y una sonrisa bastante agradable, a pesar de que le falta un incisivo.

—Lo que quieren estos pandilleros es que nadie les ande encima y les impida entrar la mierda.

—¿Mierda?

—Contrabando, digamos. No me mire así. No le estoy diciendo nada que no sea cierto. Por acá todos le dirán lo mismo. Vea, estos pandilleros necesitan esa mierda. Viejo, estos chicos están acá, en la cárcel, y para algunos es como una graduación: acá es adonde vienen los tipos grandes. Eh, ¿cree que lo estoy embromando? No. —Eddie mira hacia atrás, hacia Hobie, como si alimentara la esperanza de que pudiera estar cerca y fuera a reafirmar lo que él cuenta. Pero Hobie y Nile todavía se hallan inmersos en su conversación. El portafolio de Hobie, un artículo refinado de cuero italiano, descansa sobre la mesa, y Hobie, como de costumbre, es el que habla. Junto a ellos, cada uno tiene un vasito de café que emana un vaho. Eddie prosigue.

—Así que cuando están afuera, la mitad de estos jóvenes ya están pensando: "¿Qué va a hacer por mí esta maldita banda cuando yo entre acá? Tienen que ayudar, hermano". Ahora bien, la mitad de estos jóvenes, o más de la mitad, están acá por narcóticos y son muchos los que entran enganchados. La banda tiene que abastecerlos, ¿entiende? A otros les gusta un poco de droga de vez en cuando, como para romper el aburrimiento. De un modo o de otro, las drogas las tienen las bandas. Como dicen los avisos de la televisión: Si uno es miembro, tiene privilegios. Les da dinero. Disciplina. Las bandas tienen que tener su mierda acá adentro.

—A nosotros nos registraron de arriba abajo cuando entramos.

—Sí, claro, puede apostar a que lo vamos a registrar, porque ésta es una institución penal, viejo, tenemos que ayudar a que nadie viole la ley. El alguacil tiene que postularse para la reelección, ya sabe. Y el alcalde también. Pero estos pandilleros le encuentran la vuelta. Y la mierda entra, lo mismo que el dinero para pagarla. O sea, así es la cosa. Todos lo saben. Y más o menos funciona, digamos, para beneficio mutuo.

—Eddie vuelve a sonreír, pero parece preocuparle haberse excedido en su franqueza, en particular con un periodista. Vuelve a meterse en la boca el palillo, que hasta ahora sostenía entre los dedos, y se marcha a cumplir con sus deberes.

El condado de Kindle, piensa Seth. Siempre algo sucio en marcha. Siempre sorprendiéndolo. ¿Alguna vez escapará de este lugar? No. Se lo pregunta desde hace treinta años y ahora sabe la respuesta: no. Acá es donde tiene puestos los sueños. En la sombría luz de invierno, densa como laca. En el aire de infancia, teñido de humo con olor a aceite y cenizas de carbón quemado. No hay escape. Él y Lucy han vivido en todas partes: Seattle, Pawtucket, Boston, Miami, y de nuevo Seattle durante los últimos once años. Pero ahora que su vida vuelve a manifestarse, ahora que este lúgubre período de luto de la mitad de la vida, demasiado prolongado para llamarlo crisis, le permite pensar en nuevos comienzos, respondió sí cuando la camarera del avión le preguntó: "¿Vuelve a su casa?".

Unos diez minutos después, Hobie y Nile han terminado. Nile parece más pensativo. Hobie dice que lo verá mañana y Seth da un abrazo rápido a Nile, antes de que lo devuelvan a la custodia de Eddie. El guardia saluda con la mano, aún riendo.

—Bien, Froggy —dice Hobie—. Saca la varita mágica. Volemos.

—¿Y? —pregunta Seth mientras regresan atravesando del patio.

—¿Y, qué?

—Qué opinas. ¿Vas a sacarlo?

—La verdad, no lo sé. Dejé la bola de cristal en casa.

—Sí, pero, ¿como pinta el caso?

—No sé. No le hablé de eso.

—Por Dios, ¿de qué demonios hablaste, entonces, durante cuarenta minutos? ¿De astrología?

—Las cosas de que hablé con este joven, mi cliente, no son asunto tuyo. Pero lo que converso con todos los clientes la primera vez que los veo es respecto de mis honorarios.

—¡Tus honorarios!

—Mierda, sí, mis honorarios. Lo primero que te pregunté, ¿o no te lo pregunté?, fue: "¿Puede pagar un abogado?". Y tú me dijiste: "No hay problema". Mierda, sí, le hablé de mis honorarios. Les pago alimentos a tres mujeres malvadas.

—¿Cuánto?

—Tampoco eso es asunto tuyo. Le dije lo que cobro, que es muchísimo, y él asegura que puede arreglárselas. Eso es lo que me interesa. No les pregunto de dónde va a salir la plata, mientras no le haga nada a mi madre. Lo único que me importa es que venga el cheque y lo pueda cobrar.

—Dios —exclama Seth—. ¿Qué haces fuera del ataúd a la luz del día?

—¿Quieres escuchar anécdotas de malas experiencias? Te contaré anécdotas. Una vez obligué a un hijo de puta a que esposara a la mujer al radiador, sólo para asegurarme de que vendría con el dinero en cuanto termináramos en el tribunal. ¿Y sabes qué pasó? Tuve que pagar la cuenta de la maldita sierra para cortar metal.

Seth ríe fuerte. Las mentiras de Hobie aún son las mejores. La realidad se inmiscuye muy rara vez.

—Adelantado —sigue Hobie—. En la mano. Punto. Si le encuentras otro abogado que no actúe así, ese abogado no vale la pena, porque no sabe una mierda.

—Nadie habló de otro abogado. Te dije que él quiere alguien que no sea de por acá, para tener la certeza de que no tiene compromisos con Eddgar. Le prometí que de eso puede estar segurísimo contigo.

Hobie se detiene a reflexionar; es un hombre imponente, del color del roble oscuro. Con la edad, pequeños puntos oscuros de melanina han aparecido en los pozos profundos de sus ojos, y el pelo, aunque no tan tristemente reducido como el de Seth, ha comenzado a disminuir. Bien cortado y salpicado de algunas hebras grises, combina con la barba y el traje fino para dar un toque sereno a su personalidad explosiva.

—¿Ves? Eso es lo que no entiendo —dice Hobie—. Eddgar no está para nada enojado con Nile. Dice que inmediatamente después de los tiros Nile huyó y se niega a hablar con él.

—¿De donde lo sacaste? ¿De Dubinsky?

—De Eddgar. Me llamó anoche a D.C. El alcaide le contó que su abogado era yo.

—Por Dios. ¿Por qué no me dijiste que hablaste con Eddgar?

—Escucha —lo interrumpe Hobie. Vuelve a detenerse. —¿Sabes? Has entendido mal. Tienes una idea errada. ¿Sabes qué eres aquí? Eres como un casamentero. Y un casamentero no va a la cama con la novia y el novio. ¿Quieres que represente a ese joven? Bueno, lo voy a hacer. Pero no puedo andar discutiendo contigo todos los detalles. Tengo que proteger el secreto profesional. Mejor que lo entiendas ya mismo. Esto no es la escuela secundaria. Así que no sigas preguntándome lo que me dijo mi cliente. Y tampoco vuelvas a hablar del caso con Nile. Esto es un juicio —dice—, esto es una guerra. Tienes que pensar cuatro pasos por adelantado. O catorce. Si los fiscales te mandan una cédula de citación para declarar, no quiero que tengas nada perjudicial que decir. Esto es un asesinato, viejo. Una mierda, una mierda grave. —A Hobie le encanta esto, el conocimiento superior, el regodeo en la seriedad de su misión. Por lo menos, no es homicidio en primer grado. El estado lo acusó de conspiración para cometer homicidio en segundo grado. Un delito que no tiene pena de muerte. Seth lo averiguó personalmente.

—Bueno, ¿y qué quería Eddgar?

—Escúchate —dice Hobie—. ¿Qué acabo de decirte? —En el patio, el recreo ha terminado y el lugar ha recuperado un aire lóbrego. Todos los reclusos están encerrados para el recuento de la tarde, pero uno o dos todavía les gritan desde las ventanas de más arriba: "Eh, viejo. Qué buen aspecto tienes". —Eddgar va a pagar la fianza de Nile —confiesa Hobie al fin—. Fue para eso que llamó. Dice que está dispuesto a poner como garantía la casa familiar. 300.000 dólares. Tengo que ir a verlo esta tarde. ¿Qué te parece?

No suena propio de Eddgar, eso es lo que piensa Seth.

—A mí también me confundió —admite Hobie—. Hasta Nile quedó desconcertado.

—Tal vez Eddgar haya adquirido conciencia. Tal vez lo conmuevan las ironías de la situación. Es decir, ¿lo has pensado? Nile está en la cárcel acusado del asesinato, y Eddgar camina libre por la calle desde hace veinticinco años. Es increíble.

—A lo mejor lo llevan en la sangre —comenta Hobie.

—Ah, muy simpático —replica Seth—. Se supone que tú deberías pensar que Nile es inocente.

—No, viejo, de ninguna manera es ésa mi tarea. Mi tarea es sacarlo. Punto. No sé lo que pasó. Y si puedo evitarlo, tampoco pregunto. Ellos tienen que descargarse o inventar un cuento, y yo tengo que escuchar. Pero el juego acá, viejo, es: ¿el estado puede probar que son culpables? Si lo hicieron o no, o lo hizo un tipo de nombre Maurice, no me preocupa en lo más mínimo.

—Es inocente.

—No, él te "dijo" que es inocente. Ahí hay un mundo de diferencia.

A medio continente de distancia, Nile, por el teléfono público, ha emitido una negativa nasal: "Es todo una mierda. Dicen que le pagué 10.000 dólares a ese tipo para arreglar todo, y es mentira, todo, lo de los diez mil, todo, no ocurrió nunca". La feroz desesperación de esta declaración fue demasiado intimidante para que Seth formulara preguntas, pues no tenía certeza de que Nile —o, el más oscuro temor de Seth, las negativas— no fuera a derrumbarse. Ahora alienta a Hobie, más o menos como se ha sostenido a sí mismo en los últimos días.

—Es demasiado indolente, Hobie. Nunca tuvo agallas para algo así.

—Escucha, Jack, mejor que te tomes una pastilla de realidad. Ningún fiscal decente va a poner en el estrado a un pandillero de mierda para que diga que un muchacho blanco es un asesino, si no tiene mucha corroboración. Ni siquiera considerando que el papá de Nile es un político del mismo maldito partido que el fiscal. Prepárate, viejo, porque el estado va a llevar pruebas a ese tribunal.

Seth escucha. Es la primera vez que oye la verdadera manera como Hobie ve las cosas. En el viaje desde el aeropuerto, hablaron de los viejos tiempos y de los nuevos, la situación del mundo con Lucy, el último de los hijos de Hobie. Ahora que están acá, en el lugar más temible de la Tierra, Hobie le habla de lógica: Nile es culpable. Eso es lo que está diciendo. De haber tenido alternativa, los fiscales no habrían planteado el caso.

—Bueno, pero él va a tener una oportunidad, ¿no?

—Seth... —Hobie se detiene a mirarlo de frente con sus ojos oscuros y directos. Es un momento raro entre ellos: sincero. —Voy a hacer todo lo posible. ¿De acuerdo?

—¿Y Sonny? ¿No ayuda tener una jueza que lo conoce? ¿Y que te conoce a ti?

—Ya no la conozco más. Ni siquiera tú la conoces más. Y no sé qué piensa ella de Nile y si eso lo favorecerá o no. Además —murmura Hobie—, bien podría ser que la declararan incompetente para el caso.

—¿Quieres decir que podría no ser la jueza?

—Tal vez. E incluso si decide aceptar, podría ser que yo elevara una moción para descalificarla.

—No —dice Seth—. ¿De veras?

—¡Vaya! —replica Hobie—. Mírate. Maldita sea, sabía que te ibas a poner psicótico esperando a ver a esa dama en el asiento del juez. Dime que no es así. Eres transparente, viejo. En una vida anterior debes de haber sido un escaparate.

Seth ríe. Una extraña coincidencia, comenta. La vida está llena de coincidencias.

—El maldito azar —dice Hobie. Tras reflexionar un poco agrega: —Mierda. —Mueve la boca como si fuera a escupir. —Mira, viejo, tú no cambias nunca. Todavía estás loco con toda esa existencia que vivimos en California. Nile. Sonny. Eddgar. No lo olvidarás nunca. Tienes que escribir sobre eso. Tienes que pensarlo. Y luego tienes que escribir un poco más. Debería llamarte Proust. La pura verdad.

—Todos fuimos jóvenes alguna vez, Hobie.

—Bueno, ahora escúchame, Proust. Te mantienes lejos de ella hasta que yo aclare todo este asunto. No me importa la maldita curiosidad que sientas. No quiero que, mientras yo decido si a Nile le conviene que ella presida el caso, tú la asustes y la hagas huir al darle a entender que en su tribunal va a haber una reunión de ex alumnos. Por el momento, haces como yo, viejo: pasas inadvertido hasta que yo me ocupe de lo que se supone debe ocuparse un buen abogado.

—¿Y qué sería?

—Cómo diablos sacar partido de la situación.

Han llegado cerca de la entrada, donde empezaron. Los cerrojos se abren y salen a la luz libre. El guardia se esmera en saludar a Hobie cuando éste sale. Un gesto de fraternidad negra. Se estrechan las manos y hacen una broma sobre la pizza. Luego Hobie y Seth están afuera, avanzando hacia la última de las casetas de los guardias y los portones de hierro, destinados, en apariencia, a repeler una invasión motorizada.

—Proust —repite Hobie, meneando la cabeza—. Voy a comprarte unos pastelitos, lo juro por Dios. Así te ayudo a aliviar un poco de toda esa mierda que no puedes olvidar.

—Eh, yo también te he ayudado. —Costó bastante esfuerzo. Los dos lo saben.

—¡Ah, sí que lo hiciste! —afirma Hobie con énfasis, y con sus maneras cómicas y grandiosas aferra de pronto a Seth y lo besa en la frente. Luego lo rodea con un brazo musculoso y lo empuja por el sendero, celebrando el alivio del aire libre de afuera de la cárcel. Ríe con ganas y repite: —Ah, sí que lo hiciste.

Segunda Parte

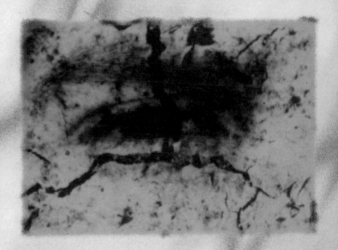

TESTIMONIO

La gente de mi edad está obsesionada con la década de los 60. Todos lo saben y lo consideran una especie de problema nuestro: la generación que no quiere tirar a la basura los pantalones de bocamangas anchas. Cada vez que pasan por la radio del auto algo de los Beatles, mi hijo comienza a gemir de miedo a que yo cante junto con la música. "Pero mira —deseo decirle a veces—, toda esta gente dijo que iba a cambiar las cosas, y las cosas cambiaron: La guerra. Las crueles formalidades que ponían en desventaja a las minorías o las mujeres. La gente dejó de comportarse como si hubieran salido todos de la misma fábrica." En estos tiempos, digo que voy a dejar de tirar mi ropa interior en el piso, y ni siquiera puedo cambiar eso. Así que naturalmente pienso que en la década de los 60 sucedió algo especial. ¿O no? ¿O fue simplemente porque yo estaba en esa edad, entre cosas, en que todo era todavía posible, esa época que, mirándola de manera retrospectiva, no parece durar mucho?

—MICHAEL FRAIN
Guía del sobreviviente,
4 de septiembre de 1992

Hace muchos años viví con una mujer que dejó la facultad de Filosofía poco después de leer una observación de Nietzsche. Decía: "Toda gran filosofía (es) la confesión personal del que la originó, un tipo de Memoria involuntaria e inconsciente". A la luz de esa observación, creo que mi amiga decidió que se hallaba, literalmente, en la materia errada.

Nietzsche —y, como siempre, la mujer— acudió a mi mente hace poco cuando fui a una reunión en Washington en la que los del tipo sabelotodo, eruditos y políticos experimentados estaban analizando las primarias y repitiendo como el Evangelio el adagio de Tip O'Neill: "Toda política es local". Pero para mí el dicho del ex Presidente de la Cámara de Representantes siempre me ha parecido inexacto en cuanto a orden de importancia. Es Nietzsche lo que hay en el fondo. Sospecho que él diría: "Toda política es personal".

—*Guía del sobreviviente,*
20 de marzo de 1992

4 de diciembre de 1995

SONNY

Mi madre era una revolucionaria. Por lo menos era así como se calificaba, aunque quizá "visionaria" fuera una palabra más acertada. Armas y bombas y maniobras políticas, la cruel mecánica de la guerra por el poder, tenían poca influencia en su imaginación. Era la utopía que había más allá de eso lo que la inspiraba, la tierra prometida donde la humanidad estaba libre de los efectos mutilantes de un destino duro y material. Yo admiraba sus energías de remolino, y, en un acto de fe propio, siempre he guardado en el corazón sus elevadas esperanzas. Pero ella y yo nunca estuvimos plenamente en paz una con la otra. Ella era impulsiva, un poco desordenada, inasible para mí, en todos los sentidos.

Con Zora y nuestras diferencias en mente, he llegado tarde al tribunal. Ha sido una de esas mañanas difíciles. Nikki no quería vestirse. Se acostaba cuando yo le pedía que se parara, se sacaba la blusa en cuanto yo se la había abotonado, exigía, por ninguna razón detectable a la indagación racional, vestirse de azul. Y cuando al final recurrí al reto, lloró, por supuesto; me agarró el borde del vestido y expresó su ruego conocido: no quiere ir a la escuela. Hoy no. Quiere quedarse en casa. Conmigo. Ah, la agonía de los lunes, de marcharme, de pedirle a Nikki que crea, contra toda evidencia, que sigue siendo para mí el centro del mundo. Algún día, le prometo siempre, será como ella pide. Llamaré a Marietta y le daré órdenes para continuar cada caso. Pero, desde luego, hoy no. Hoy están el deber y la compulsión. Comienza el juicio de Nile Eddgar. Debo marcharme a mi otro mundo, jugar a vestirme seria y simular. Y así empiezo la semana en familiar tormento, diciéndome que yo no soy mi madre, que de algún modo voy camino a conquistar lo que de ella queda en mí.

Por el bien de las dos, le permito a Nikki no ir en el ómnibus escolar, y la llevo yo misma a la escuela. En consecuencia me atraso veinte minutos en nuestro habitual y frenético programa de actividades matinales. "Lo bueno de este trabajo —me dijo uno de los veteranos cuando juré— es que no pueden empezar sin uno." Sin embargo, siempre he considerado que es una señal de arrogancia ver un tribunal lleno que espera a un juez que aún no ha llegado. Atravieso apresurada la puerta trasera de la sala del tribunal hasta mi sitio, no del todo preparada para la escena que me recibe. Siento como si las luces y la calefacción se hubieran intensificado. Del otro lado de la división a prueba de balas, la galería está llena de entusiastas legales y otros ciudadanos espectadores: jubilados, observadores judiciales, los atentamente curiosos atraídos en primitiva admiración hacia el acto del asesinato. Dentro del espacio cerrado de la sala, unos asistentes uniformados deambulan con aire ocioso en la periferia, mientras los muchos periodistas colman el limitado lugar disponible. La tribuna del jurado debe permanecer vacía, esperando la mesa de jurados que será convocada en breve. Annie ha creado una improvisada galería de prensa, ubicando sillas plegables en la parte cercana a los paneles de roble amarillento de la tribuna del jurado. Los mejores asientos, en la primera fila, los ocupan tres dibujantes, que han dispuesto sus pasteles a sus pies.

En cuanto me ve, Marietta grita su "¡Atención!", imponiendo orden en la corte. La sala es arrebatada por la conmoción de cientos de personas que se ponen de pie, papeles que crujen, conversaciones suspendidas en un cuchicheo final.

—El Pueblo contra Nile Eddgar —grita Marietta cuando todos se han sentado—. Para juicio. —Para mi sorpresa, mi estómago da un vuelco al oír estas palabras. Dos de los dibujantes comienzan a trabajar de inmediato, moviendo los ojos entre sus bloques de papel y yo. La única ocasión anterior en que vi una representación gráfica de la jueza Sonny en televisión —durante un acalorado caso de divorcio— me molestó el aspecto severo que me dio el artista, mi cara de rasgos parejos grave de sombras. Sin duda tengo mejor apariencia y soy más alegre que eso, ¿no?

Mientras tanto, los participantes se acercan despacio hacia el podio de roble situado en el foco de la sala: Gina Devore, de la oficina del Defensor del Estado, una especie de duende, acompañada por un negro corpulento que debe de ser el abogado del distrito de Columbia que me comentó se presentaría para el juicio. Desde la otra mesa avanza Tommy Molto, supervisor de Homicidios, que fue elegido para ocuparse de este caso, cosa rara para él en estos tiempos. Tiene un compañero, un joven esbelto, inexpresablemente hermoso, con modales delicados y un musical acento indio, que fue asignado a este tribunal sólo la semana pasada para encargarse de asuntos más rutinarios. Por último, detrás de todos ellos, con cierta timidez, está parado Nile Eddgar. Mide más de un metro ochenta, es mucho más alto de lo que recuerdo era su padre, y se eleva por encima tanto de Molto como de Gina. Cuando estuvo aquí por última vez, para la instrucción de cargos, tenía el pelo recogido en una cola de caballo no especialmente limpia. Desde entonces, se ha afeitado y luce también un corte de cabello espectacular, aunque no del todo sentador. Da la impresión de que hubiera regateado para que el peluquero le cortara la mitad. Cargado por la estática invernal, su pelo amarronado se levanta como un árbol de Navidad alrededor de las orejas, semejante al de un desafortunado muchacho holandés. No obstante, como emblema permanente de autoridad, me complace que Nile haya hecho esas concesiones a la respetabilidad, aun cuando fuera de este sitio yo hubiera considerado tontos o convencionales los mismos gestos de cortesía.

Atrás, en el calabozo, suenan llaves y se elevan voces. Los delegados de traslados han estado buscado con desesperación al prisionero, y un repiqueteo de risa aliviada navega por la sala del tribunal cuando se dan cuenta de que no se halla en custodia sino con fianza. Los abogados declaran sus nombres para el registro.

—Su Señoría —dice Gina—, ¿puedo presentar al señor Tuttle, de Washington, D.C.? —Su moción para sustituir al abogado y el formulario para la presentación de Tuttle ascienden, pasados de mano en mano de Gina a Marietta a mí: H. Tariq Tuttle. En la instrucción de cargos, permití que el Defensor del Estado permaneciera en el caso mientras Nile intentaba encontrar su propio abogado. Una persona que no vive en la ciudad es bienvenida, puesto que ello evitará los temas escabrosos y conflictivos que podrían surgir si Nile fue el supervisor de libertad condicional de otros clientes de este abogado. Observo en voz alta que Tuttle tiene un número de matrícula local, lo cual quiere decir que se le permite ejercer en este estado.

—Me recibí aquí, Su Señoría, antes de mudarme fuera de D.C.

—Buena suerte en su regreso, entonces. —Hago lugar a la moción, y Gina, menuda y enérgica, se marcha enseguida rumbo a media docena de otros juzgados donde tiene casos por atender. —Señor Tuttle —digo—, ayúdeme con su primer nombre, así no lo desfiguro cuando lo presente al jurado. ¿Tariq?

La pregunta lo sobresalta. Alza la vista un breve instante, luego pronuncia el nombre.

—Está en la matrícula, jueza. Pero ya no me conocen por ese nombre.

Sonríe para sus adentros. El mensaje es inconfundible: "No se preocupe, no soy un cualquiera". Está vestido con manificencia; es un hombre alto, de peso sustancial, y su volumen se halla envuelto con elegancia en un espléndido traje de lana italiana verdosa. Es todo suaves contornos, una media cabeza de pelo Afro, esculpido en forma redonda, y una barba recortada muy corta le enmarca la cara ancha, de mejillas grandes. Muestra el bruñido aplomo tribunalicio de un abogado defensor de criminales de la gran ciudad. Es un hombre que ha pasado por muchas cortes, haciendo chistes a su propia costa. Por el momento, al demostrar que es un profesional aceptable, se lo ve radiante como el sol. Pero sin duda su actitud cambiará. Entre una jueza, que trabaja para dictaminar correctamente, y el abogado defensor, que siempre la critica para poder apelar, existe una rivalidad natural. El proceso comienza enseguida.

—Si el tribunal lo acepta, tengo una moción. —De abajo del brazo, Tuttle saca lentamente un diario, como revelando un arma oculta.

—Antes de que empiece, señor Tuttle, permítame volver a plantear un tema para el registro. —Comienzo una oración acerca de mis pasadas relaciones con la familia Eddgar, pero Tuttle menea la cabeza con gesto afable.

—Agradecemos su sensibilidad, Su Señoría, pero no hay problema. El señor Eddgar reconoce su antigua relación con el tribunal, sin objeciones. Lo mismo que, por supuesto, yo.

—¿Usted? —pregunto. Nunca he tenido habilidad para esconder mis emociones. En cambio, desde que asumí este trabajo he practicado el ejercicio de dejarlas emerger con una cierta confianza, como si creyera que valió la pena llegar a los cuarenta y siete años para saber lo que hago conmigo misma. Aun así, a menudo me descubro perdida, como ahora, por las cosas impulsivas y silenciosas que se me escapan. Todavía estoy lamentando mi falta de control cuando, de manera inesperada, veo lo que he pasado por alto. Pese a mi decisión de mostrar presencia de ánimo, descubro que en realidad he abierto la boca.

Es Hobie. ¡Ho-bie!

—Discúlpeme, señor Tuttle. Ha pasado algún tiempo.

—Lentes de contacto, jueza —me dice—. El nombre. La barba.

—La panza —oigo que comenta alguien desde la tribuna del jurado en voz baja, que sin embargo se difunde con claridad en los contornos angulosos de la sala. Unos cuantos periodistas se unen en una risa de colegiales, pero callan de inmediato con un solo y sorprendente golpe del mazo de Annie sobre el bloque que deposita en los peldaños inferiores de mi podio. Tal vez pudieran hacerse estudios sobre lo que sucede cuando se le da un mazo y un uniforme a una persona sometida durante toda una vida de represión étnica. Annie mantiene un decoro implacable. No permite leer, hablar, usar goma de mascar. Hasta los jóvenes pandilleros que vienen a captar una vislumbre de sus amigos son obligados a sacarse las gorras. Ahora reprende al periodista transgresor con una mirada tan furiosa que el sujeto oculta la cara en las manos, avergonzado. También Hobie se ha dado vuelta y, con los brazos levantados en gesto implorante, menea la cabeza hasta que el hombre se atreve a alzar de nuevo la vista y yo reconozco a Seth Weissman. Con rapidez se endereza, con las manos en los apoyabrazos de la silla, me encara y me dice modulando con los labios: "Perdón". Yo siento que mi mandíbula ha vuelto a aflojarse.

En realidad no es ver a Seth lo que me conmociona. Al pensar en este caso me ha acudido a la mente con tanta frecuencia que estoy vagamente preparada para su presencia. Es su apariencia lo que me aturde. Experimento un primer impulso de pensar que ha estado enfermo. Pero reconozco que ello se debe a mi deprimente tendencia interior a bajar a todos a mi nivel. Su dolencia es benigna, se ha vuelto calvo: una suave cúpula rosa que sin embargo da una nota de patetismo forzado en un hombre que solía usar el pelo a la altura de los hombros. En lo demás, se lo ve sólo en parte reducido por el tiempo, más grueso en la cintura, y todavía un poco demasiado alto para sus miembros delgados. Tiene una cara larga, viril, dominada por la nariz, ahora más carnosa en la mandíbula. La fuerza de gravedad ha hecho su trabajo. Seth ha perdido el color. Pero las mismas cosas podrían decirse acerca de mí.

—Señor Molto —pregunto cuando me recupero—, ¿la previa relación entre el tribunal y el abogado defensor influyen de algún modo en su posición en cuanto a que yo presida este juicio?

—En absoluto —responde con claridad.

En el ínterin, mis ojos hacen trampa y vuelven a Seth, sentado en la tribuna del jurado. ¿Qué hace aquí?, me pregunto al fin. Pero la respuesta parece obvia. Una columna. Sobre la coincidencia. Y la buena suerte para encontrar cosas de otro tiempo. Escribirá sobre los extraños caprichos del destino, cómo unas cuantas figuras de su pasado han reaparecido, cada una en un nuevo y extraño papel, colocadas fuera de lugar de manera tan extravagante como los personajes de un sueño.

—Su Señoría —dice Tuttle—. ¿Continúo con mi moción? Su Señoría habrá visto el *Tribune* de esta mañana. —Las noticias suelen llegarme por NPR en las tres mañanas que me toca llevar al grupo de chicos del jardín de infantes. A veces por la noche, tarde, en momentos de suprema indulgencia, después de que Nikki se ha acostado, tomo un vaso de vino en la bañera y hojeo las páginas del *Tribune* o la edición nacional de *The New York Times*. La mayoría de las noches, sin embargo, estoy demasiado agotada para dedicarme a algo más que reflexiones traqueteadas sobre el día que acaba de pasar y las cientos de tareas no hechas en casa y en el tribunal, temas que cuento, en lugar de ovejas, a medida que me voy adormeciendo.

Ahora, cuando abro el diario que me han entregado, enfrento un titular que se extiende de una punta a la otra de la primera plana. noticias del estado: HIJO DE POLÍTICO PROMINENTE SE PROPONÍA MATARLO A ÉL, NO A LA MADRE. "El juicio comienza hoy", dice el copete. La nota está firmada por Stew Dubinsky. Exclusivo para el *Trib*. Leo con rapidez: "Fuentes cercanas a la investigación... juicio a Nile Eddgar por conspiración para asesinar comienza hoy... La Fiscalía planea presentar pruebas de que la verdadera víctima del complot no era la madre del supervisor de libertad condicional del Tribunal Superior del condado de Kindle, June Eddgar —que fue asesinada a tiros por pandilleros el 7 de septiembre—, sino el padre, Loyell Eddgar, senador del estado... Se cree que el error de identidad ocurrió cuando la señora Eddgar tomó prestado aquella mañana el auto de su ex marido".

Me he llevado una mano a la frente. Por Dios, las sorpresas que se acumulan. ¡Eddgar! Esta noticia me resulta perturbadora, sobre todo, quizá, porque de golpe parece mucho más probable que el extraño joven que tengo frente a mí pueda en verdad ser culpable. Al fin, le hago un gesto a Hobie para que proceda.

—Su Señoría —comienza con una resonante voz grave de tribunal; aferra el podio con ambas manos. La impresión es la de una estrella de ópera que está a punto de dar una nota retumbante. —Su Señoría, hace ya más de veinte años que trabajo como abogado. Me han vapuleado y engañado y trampeado. Pero que se haya filtrado a la prensa este tipo de detalle incendiario el día que estamos tratando de elegir un jurado, sabiendo que esta noticia concerniente a un ciudadano prominente está destinada a convertirse en titular de primera plana y predisponer de manera negativa e irreparable al grupo de jurados de mi cliente... —Hobie no termina. Golpea la mano contra otro ejemplar del diario, que ha elevado a manera de ilustración, y mueve la cabeza de un lado a otro, en amargada incredulidad. Prosigue pintando un vívido cuadro de docenas de ciudadanos en la sala del jurado del edificio principal, personas que van formando firmes impresiones sobre el caso incluso mientras nosotros hablamos. La mayoría, predice, sin otra cosa que hacer y un interés peculiar en lo que está ocurriendo hoy en los tribunales, habrán leído este relato unilateral de los testimonios contra el reo en los mismos diarios que, irónicamente, se les suministran gratis. Su retórica es ardiente, pero me caben pocas dudas de que tenga razón y de que la mayoría de los potenciales jurados habrán visto este artículo.

—La verdad, Su Señoría —concluye—, ¿cómo puede este hombre obtener un juicio justo? No me queda otra alternativa que solicitar que se desestime esta acusación formal. —Puntúa su solicitud con un gruñido de sostenida afrenta.

Molto, rechoncho con su saco barato color carbón, su cabello escaso y erizado apenas peinado, parece un poco atónito cuando le pido una respuesta.

—Jueza Klonsky —dice—, no recibí ningún aviso de esta moción. Vine aquí a elegir un jurado. Tengo testigos citados a declarar. Ésta es la clase de decisión de último momento que...

Decido salvar a Tommy de sí mismo.

—Señor Molto, empecemos desde el principio. ¿Este informe es preciso en sus aspectos fundamentales? ¿El estado va a sostener que era el padre de Nile Eddgar la verdadera víctima a quien se intentaba asesinar en este crimen?

Tommy respira hondo. Mira acongojado a Rudy Singh, que ha tomado asiento a cierta distancia detrás de Tommy a la mesa de los fiscales, donde un menguante círculo de luz aparece en el material laminado de tono roble. Al final, Molto hace una caída de hombros.

—Básicamente, así es —afirma. En el sala del tribunal se produce cierto revuelo, en particular entre los periodistas, que tratan de aceptar el hecho de que Dubinsky haya estado en lo cierto.

—¿De modo que deduzco, entonces, que el señor Eddgar, el padre del acusado, el senador Eddgar, será un testigo aquí?

Molto hace una mueca. Estoy haciendo demasiadas preguntas, como de costumbre.

—Esperamos que dé testimonio para el Pueblo —responde Molto. Ahora cunde verdadera agitación en los asientos de la prensa. Mala noticia: padre prominente implica a hijo asesino. Cerca oigo un brazalete que tintinea, Annie o Marietta, que se sobreponen, al ser tomadas por sorpresa.

—Y como la verdadera víctima a quien se tenía la intención de matar... ¿tampoco el senador Eddgar tiene objeciones a que yo presida este tribunal? ¿A pesar de nuestra relación previa? ¿Lo ha hablado usted con él?

—Jueza, no es ningún problema. —"Y punto", parecería querer agregar. Es evidente que Tommy tiene sus órdenes. Los *mullahs* de la fiscalía se han encontrado y llegado a la conclusión de que Tommy debe ocuparse de la causa y yo debo presidir. Con lentitud comienzo a reconocer que Molto no está específicamente contento con ninguna de ambas perspectivas. Desplazo mi ejemplar del *Trib* en dirección a Tommy.

—Le diré, señor Molto, que al mirar este titular no puedo fingirme complacida. Usted sabe, y también lo sabe el estado, que no es conveniente llevar a cabo un juicio en los diarios, en especial cuando se tiene conciencia de que a los presuntos jurados todavía no se les ha advertido que no lean los relatos de los medios sobre este caso. Ahora...

—Jueza, como funcionario del tribunal, no hablé con ningún periodista y no tengo conocimiento de que nadie de nuestra parte haya hablado con periodistas, eso se lo aseguro.

—Señor Molto, me complace contar con su representación. Y la acepto, por supuesto. Pero usted y yo somos adultos, y sabemos que alguien que esté dispuesto a filtrar información no va a enviar una luz de bengala ni llamarlo para pedirle permiso primero.

Los periodistas encuentran muy divertida mi observación. Esto podría haber ocurrido de muchas maneras. Algún policía del caso que quería envenenar el pozo, o tal vez alguno de los superiores de Tommy. De un modo o de otro, los informes policiales aparecieron en el buzón de Stew en un sobre liso. Nunca sabremos quién lo envió. Detrás del escudo legal del periodista, el informante de Dubinsky permanecerá insondable.

—Jueza, la defensa tenía esta información —interviene Tommy—. Tenían las declaraciones de los testigos. Nuestra teoría es obvia.

El problema de Tommy es que no puede retirarse cuando ni debería molestarse en hablar, y ahora pierdo la paciencia con él.

—Mire, señor Molto, ¿está sugiriendo que el acusado debería encontrar provechoso tratar de elegir un jurado el mismo día en que la teoría del estado en cuanto al caso sale detallada en la primera plana del *Tribune*? —Molto recibe la burla de otro alborozado estallido de risa de los espectadores, que suena más fuerte desde la sección de prensa. —*Res ipsa loquitur*, señor Molto. ¿Recuerda esa frase, de la facultad de Derecho? La cosa habla por sí misma. ¿No? Una vez más, estoy segura de que no fue usted. Pero debería recordar a todos sus colaboradores cuáles son sus obligaciones y hacerles saber que, si esto se repite, habrá un interrogatorio. —Pálido, inmóvil, Molto arruga en forma inconsciente el entrecejo ante mi reprimenda. —Por hoy, propongo que lidiemos con la situación que enfrentamos. ¿Está usted de acuerdo con el señor Tuttle en que debo desestimar la acusación formal?

Rudy Singh ha vuelto a pararse junto a Tommy. Susurra con urgencia, diciéndole, sin duda, que se rinda. Que libre una lucha diferente.

—No —responde Tommy sin convicción.

—¿Entonces qué alternativa tengo, señor Molto?

—No lo sé, jueza. Esta mañana vinimos aquí preparados para llevar adelante este caso. Creo que usted debería hacer lo que hacemos siempre. Seleccionar los candidatos a miembros del jurado. Preguntarles si han leído el diario, y, a los que lo hayan hecho, preguntarles si pueden borrárselo de la mente.

Hobie, por supuesto, no aceptará nada de esto. El problema, señala, es que de esta manera se obliga al acusado a aceptar todos los riesgos de prejuicios en el jurado creados por la mala conducta del estado al permitir una filtración. En cambio, Hobie insiste de nuevo en que debe desestimarse la acusación formal. De joven era ampuloso, y se nota con claridad que esa parte de su carácter no ha cambiado. Ningún acusado sujeto a publicidad previa al juicio —ningún O. J. Simpson o John Hinckley, que le disparó al Presidente de los Estados Unidos por la televisión nacional— ha obtenido jamás semejante reparación.

—¿Qué pasa si continuamos el caso? —pregunto al fin. Es lo que he estado esperando que sugiriera Molto. —En un par de semanas este artículo quedará olvidado y cualquier beneficio que el estado pueda haber obtenido gracias a esta filtración de información se habrá disipado.

—Su Señoría —dice Tuttle—, dejando de lado los inconvenientes personales... aunque he venido de D.C. y me he establecido aquí... Dejando eso de lado, jueza, mi cliente tiene derecho a un juicio rápido. Él quiere ese juicio rápido, y no debería demorárselo a causa de la mala conducta de la fiscalía.

Llano, hábil, Hobie sabe que tiene la ventaja, y presiona. Molto, fiel a la leyenda de los tribunales, parece resuelto a no darme —ni darse a sí mismo— ninguna ayuda. De nuevo me insta a examinar ya mismo al grupo de jurados. Singh, con su pelo negro y liso, está parado detrás de Tommy, con una mano en la manga de la chaqueta de éste, no del todo seguro de si quiere apoyar la posición de Molto o retirarse.

—Caballeros —digo por último—, alguien tiene que ceder. No voy a continuar el caso con las objeciones de ambas partes. No voy a desestimar la acusación formal. Y no voy a permitir que la fiscalía presente sus argumentos preliminares en los diarios y obligue al acusado a elegir un jurado de entre un grupo expuesto a dicha información.

—Los miro, a los tres: Tommy, Hobie y Singh, con sus grandes ojos de ciervo, y todos me miran con evidente perplejidad. El silencio, el silencio espectacular de doscientas personas enmudecidas, vela la sala del tribunal.

Hobie pide un momento y se aleja con su cliente. Mientras Nile escucha, el punto oscuro que ha dejado el aro que se sacó para dar buena impresión se nota con claridad cuando se echa el pelo hacia atrás, nervioso.

—Podríamos ofrecer una alternativa que nos permitiría comenzar —anuncia Hobie. Regresa al podio y utiliza su masa física para mover a un lado a Tommy. —Mi cliente y yo estamos dispuestos a proceder con el juicio sólo ante el juez, sin intervención del jurado.

Una corriente de algo —conmoción, consternación— me enciende la cara. Esta vez, por fin, me contengo y muestro una expresión serena.

—¿Señor Molto? —logro preguntar—. ¿Cuál es su posición respecto de un juicio sin jurado?

—Su Señoría —interviene Hobie—, ellos no tienen derecho a posición alguna. Si usted no lo acepta, el acusado no puede obligarla, de eso nos damos cuenta; pero no es asunto del estado.

—Por cierto que tiene razón, señor Tuttle. Pero dadas las revelaciones que ha hecho el tribunal, en realidad yo no ejercería mi arbitrio para aceptar un juicio sin intervención del jurado si el estado, por alguna razón, considerara que no se trata de una decisión prudente. ¿Señor Molto?

—Jueza, lo único que sé es que esta mañana me levanté preparado para ocuparme de este caso. Estoy de acuerdo con el señor Tuttle. No tenemos derecho a sostener ninguna posición. Y si Su Señoría estuviera dispuesta a proseguir con los argumentos preliminares y los testigos, me sentiría muy feliz. —Al oír a Tommy insistir de nuevo en seguir adelante, al final capto el tenor de todo esto. Los fiscales tienen un problema con el caso. Por ahora han arreglado las cosas como han podido, pero con el tiempo va a ir de mal en peor. Tal vez uno de sus testigos haya cambiado de opinión. ¿El Pesado, quizá? Alguien importante.

¿Pero significa eso que yo tengo que decir sí a un juicio sin intervención del jurado? Los jueces más viejos siempre te dicen: "Nunca se apresure". Tienen docenas de dichos: "En las transcripciones del taquígrafo del tribunal no hay cronómetro"; "La Cámara de Apelaciones no va a revocar una sentencia por una demora en los argumentos". Tengo la vista fija en las páginas abiertas de mi registro judicial. Es de un tamaño exagerado, con lomo rojo encuadernado en tela, pesadas páginas con renglones verdes, y una tapa revestida con cuero áspero marroquí negro. En el lomo han impreso mi nombre en letras de oro. En la más extraña de las costumbres de tribunales, el libro me fue regalado cuando asumí el cargo: el diario de una jueza, un lugar donde tomar notas privadas acerca de cada juicio. Las páginas abiertas frente a mí se hallan en blanco, tan indeterminadas como yo.

"Decide", me digo, como lo hago con tanta frecuencia. En este trabajo se espera reflexión. No indecisión. Mi trabajo, al fin y al cabo, se trata sencillamente de eso: decidir, decir sí o no. Pero es una ardua tarea para el que nació ambivalente. No existe otra ocupación que yo conozca que revele de manera más segura las fallas de una personalidad, que la de ser juez. Los quisquillosos se vuelven aún más coléricos; los silenciosamente injuriados se tornan locos por el poder o abusadores. Para alguien que pasa un momento de tortura ante el armario al elegir la ropa que va a usar cada día, este trabajo puede resultar enloquecedor. Se supone que yo debo dejar que las conclusiones fluyan como si fueran naturales y predeterminadas, como si fuera tan fácil como nombrar mi color preferido (el azul). Pero ahora aguardo, como lo hago a menudo, en la silenciosa esperanza de que surja alguna alternativa, algún pensamiento o sensación determinante. Los años siguen pasando y la vida me da cada vez más esta impresión: que las elecciones en realidad no existen como yo creía de chica, cuando esperaba que el majestuoso poder de la adultez proveyera claridad y agudeza de discernimiento. En lugar de ello, la elección y la necesidad resultan indistinguibles. Al final me descubro invadida por el rencor —al que todavía considero peculiarmente femenino— de ser víctima de la circunstancia y el tiempo.

—Señor Eddgar —digo y le indico que se adelante. Explico a Nile qué significa tener un juicio sin intervención del jurado, que sólo yo decidiré si él es o no es culpable, y le pregunto si está dispuesto a renunciar a su derecho a un jurado.

—Eso es lo que queremos —responde. Tal vez porque es la primera ves que suena la voz de Nile desde el comienzo de este proceso, la respuesta me desconcierta. ¿Qué significa "lo que queremos"? Va a conseguirlo, no obstante.

—El juicio se hará sin intervención del jurado. ¿Qué idea de actividades tienen, caballeros? —Después de discutirlo, Hobie y Molto deciden que les conviene dedicar el resto de la mañana a pactar acuerdos, para convenir en ciertos hechos, ahora que no hay necesidad de aleccionar —o embaucar— a un jurado. —Si se molestan en presentar los argumentos preliminares, los escucharé inmediatamente después de mi sesión para fijación de fianzas de las dos de la tarde. —Le indico a Marietta, sentada en el primer peldaño del podio, que llame a un receso.

La sala del tribunal vuelve a la vida con un murmullo urgente. ¡Un juicio sin intervención del jurado! El tribunal se prepara y policías y periodistas se mezclan, intercambiando especulaciones mientras se dirigen al vestíbulo. Yo converso con Marietta sobre las medidas destinadas a eximir a los setenta y cinco ciudadanos que han sido convocados como presuntos miembros del jurado. Luego recojo mi registro judicial y el del tribunal. Un día por vez, me digo. Ya cansada, bajo agotada los escalones.

—¿Puedo hablar contigo, jueza?

Cuando miro hacia atrás veo a Seth Weissman, agazapado en cierta forma tímida junto a la esquina frontal de mi podio. Algo pequeño me aprieta el corazón, pero me sorprende sobre todo la manera en que se ha dirigido a mí. Debe de haber sido menos peculiar ser jueza allá en la Era de los Buenos Modales, o incluso hace treinta años, cuando las líneas de la autoridad eran más absolutas. En estos tiempos el respeto y la reverencia pueden parecer directamente inanes. Las personas que eran adultas cuando yo era chica se paran unos cuantos centímetros debajo de mi podio y, en su actitud más suelta, se dirigen a mí llamándome "jueza". Oírlo del primer hombre fuera de mi familia que me dijo "Te amo" eleva a alturas de vértigo lo inverosímil de estas costumbres.

—Seth —digo—, ¿cómo estás?

Algo —una sensación de la trascendencia del tiempo— recorre su expresión.

—Calvo —responde, evocando con una sola palabra al muchacho que conocí: gracioso, vulnerable, siempre dispuesto a aceptar una mano amiga.

Trato de poner cara seria, pero no dura.

—¿Y yo debo decir "No lo noté"?

—Yo preferiría que me dijeras que te alegra verme.

—Y me alegra, Seth.

—Bien —dice, y luego calla un instante—. Sólo quería pedirte disculpas. Ya sabes, la acústica resultó bastante asombrosa.

Hago un ademán de perdón. Me pregunta cómo estoy.

—Ocupada. Loca con mi vida, como todos los demás. Pero bien. ¿Y tú, Seth? Imagino que estarás orgulloso de tu éxito.

Él le resta importancia. Hace más de diez años vi por primera vez una columna firmada por Michael Frain. Estaba segura de que el nombre era una coincidencia. El Michael que yo conocía nunca podría haberse convertido en maestro del comentario agudo. Después, un año más tarde, vi una foto, que era inconfundiblemente de Seth. ¿Qué diablos...?, pensé. ¿Como ocurrió esto? Preguntas cuyas respuestas todavía quiero saber.

Desde entonces, a veces he mirado la foto en cierto modo extraña y las columnas que la acompañan, y he sentido curiosidad por saber algo de este hombre del que me separé con los habituales sentimientos confusos, pero sin remordimientos muy profundos. Me gustaba Seth. Lo perdí. Hubo una media docena de otros de los que podría decir lo mismo, incluido, si me pongo sentimental, Charlie. A veces —en especial cuando algo que él escribe me causa gracia— he recordado con nitidez su voz un poco monótona, su acento del Medio Oeste. En otros momentos me decepciona. Eterno buscador de risas fáciles, en ocasiones es demasiado rápido para atacar blancos ya gastados por la mofa pública, y de vez en cuando despliega ciertas opiniones políticas retrógradas y nada generosas, las de un ex izquierdista demasiado ansioso por demostrar que ha aprendido con los años. En sus mejores momentos, sin embargo, sabe ser rápido y penetrante, escribir una o dos líneas que parecen resumir toda la tristeza del mundo. ¿Qué puede haberlo causado?, me pregunto. O, peor aún, imagino que todo estaba ya en aquel muchacho dulce y gracioso que pasó como un torbellino por mi vida, al que no presté mucha atención porque me encontraba demasiado ocupada hurgando en mi mundo interior. ¿Cómo se me pasó por alto? ¿Dónde estaba escondido? Estas preguntas permanecen todavía.

—Siempre fuiste gracioso —le digo—. No me di cuenta de que también eras sabio.

—Puedes crear muchas ilusiones con ochocientas palabras.

—Ah, eres muy bueno en lo que haces. A todos les gusta lo que escribes. Mi secretaria de actas actúa como si yo hubiera salido con Mick Jagger.

—Espera a que me oiga cantar.

Me río con ganas.

—Todavía eres chistoso —comento, y él parece complacido de ver que su personaje es tan bien recordado.

De pronto la puerta posterior se abre de un golpe y Marietta entra en la sala del tribunal. Se dirige a mi podio con un manojo de órdenes, pero nos ve y se queda por completo inmóvil. Se da vuelta con rapidez, dejando la sala como estaba, vacía y silenciosa.

—Así que supongo que escribirás una columna sobre todo esto, ¿no? —pregunto. Mi dedo índice traza un círculo en dirección a la sala.

—Tal vez. Es una coincidencia asombrosa, ¿no? O como quieras llamarlo. ¡Todos juntos! Tenía que venir a verlo.

—Deduzco, por la manera como trataste a Hobie, que todavía son amigos...

Se ríe de eso, también. Así fue como Seth se enteró del caso, sospecho: por Hobie; pero mientras le pregunto por el abogado defensor me doy cuenta de que tal vez ya haya dejado ir esta conversación más lejos de lo debido. Le tiendo una mano y le digo que debo marcharme.

—¿Sería una locura de mi parte invitarte a tomar un café? —me pregunta.

—Una locura, no. Pero tal vez inapropiado.

—No tenemos por qué hablar del caso.

—No podemos hablar del caso. Es por eso que voy a despedirme. El caso terminará, y entonces hablaremos.

—¿Hay alguna regla al respecto, o algo así? Te pregunto, no más.

—Podrías calificarlo de regla. Tengo la costumbre de tratar de asegurarme de que nadie tenga nada de que preocuparse. Todo el tiempo trabajo con abogados a los que conozco bien, pero en general durante un juicio no converso de manera social con ellos... ni con sus íntimos amigos.

—Sonny, de veras, no tengo el menor indicio sobre este caso. Te soy sincero: Hobie me tiene en una celda de aislamiento.

Los dos volvemos a darnos vuelta abruptamente; Marietta ha entrado una vez más en la vacía sala del tribunal, ahora por la puerta del frente, y se acerca decidida a mi podio.

Sus ojos oscuros miran hacia aquí con astucia zorruna y yo les devuelvo una mirada que la hace salir de nuevo, veloz como mercurio.

—En serio, Seth, es maravilloso verte. Y ansío sentarme a conversar contigo en cuanto termine este caso, para enterarme de todo lo que has hecho.

—¿Y tú?

Creí que ya habíamos hablado del tema, pero le respondo que estoy bien.

—¿Casada?

Vacilo un poco, insegura de cuándo retirarme.

—Creo que ya he pasado esa etapa.

—¿Chicos? ¿Tienes hijos?

—Una hija que acaba de cumplir seis años.

¡Seis! Está impresionado.

—Empecé tarde —respondo—. ¿Y tu, Seth? A juzgar por la columna, creo haber contado... ¿cuántos? ¿Dos hijos?

Una expresión dura le tensa la cara mientras continúo poniendo distancia. Me dice que su hija mayor estudia en la universidad. En Easton, aclara, su *alma mater*, declaración que hace surgir su sonrisa dubitativa, cohibida.

—Excelente facultad —agrega—. Muy buena formación. Ésa es otra de las razones por las que estoy acá. Quiero verla un poco más.

Vuelvo a asentir y digo algo cortés. Qué maravilla. Abro la puerta.

—Sólo... —dice, y calla. Se ha acercado un paso.

—¿Qué?

—¿Con cuántas personas logras una intimidad en la vida? —pregunta—. Me siento muy mal de haber perdido el contacto contigo.

—Ya nos pondremos al día, Seth. Pero no ahora.

—Claro.

Vuelvo a tenderle la mano. Él la toma, con una expresión confundida, derrotada, y me la estrecha apenas un poco más fuerte de lo debido antes de soltarla.

Un juicio sin intervención del jurado sigue siendo un juicio. Cuando termina, el acusado es tan culpable —o inocente—, y su condena a prisión es igualmente larga. Cuando yo ejercía como abogada siempre sentía, en el momento de la decisión, la misma intensa ansiedad que al enfrentar el veredicto de un jurado. Pero un juicio sin intervención del jurado por lo general se lleva a cabo sin la misma atmósfera de ardor o trampas legales. Con frecuencia, este tipo de juicio sirve a un abogado que cuenta con una defensa técnica, un argumento demasiado intrincado, u ofensivo, para que la gente común lo acepte libremente. Si es el juez el que toma la decisión, en lugar de gente de la calle, las actuaciones suelen ser más modestas, incluso, a veces, legalistas.

Sin embargo, esta tarde hay un aire alerta en la sala del tribunal. La sección de espectadores sigue repleta, pero hay más espacio en el pozo del tribunal, ya que los periodistas se han reubicado en la tribuna del jurado. Los dieciséis asientos se hallan ocupados por periodistas y dibujantes, mientras que una cantidad de personas llegadas a último momento se han ubicado en sillas sacadas de las mesas de los abogados, que Annie ha situado con discreción en las esquinas de la sala, contra la división de vidrio de la galería de los espectadores. En la primera fila, Stew Dubinsky recibe felicitaciones de dos colegas, que evidentemente le toman el pelo. Imagino de qué se trata: Stevie recibe más filtraciones que un plomero. Junto a Stew está sentado Seth Weissman, con su saco arrugado. Columnista de fama nacional, Seth es sin duda un centro de atención. A pesar del llamado al orden, uno de los tipos de la televisión se ha escurrido a lo largo de la baranda de la tribuna de los jurados para estrecharle la mano y hablar unas palabras que los entretienen a los dos.

Marietta grita el nombre del caso y los tres abogados se adelantan. Nile se queda cerca de la mesa de la defensa, donde se hallan apiladas dos cajas de documentos, cuadradas, de cuero.

—¿Todo dispuesto? —pregunto.

Todos responden que están listos para el juicio. Se hace lugar a las mociones conjuntas para excluir de la sala del tribunal a los testigos. Tomo aliento.

—¿Argumentos preliminares?

—Su Señoría —dice Hobie—. Quisiera reservar mi presentación hasta después de que la fiscalía haya mostrado sus pruebas. —Hago lugar a su moción. En uno de esos simples gestos de poder que me asombró descubrir me salían con tanta naturalidad, alzo mi mano hacia Molto.

—Con el permiso del tribunal —dice Tommy, y espera que la sala se tranquilice. Los otros participantes están ahora sentados y Tommy tiene el lugar para él solo. Bajo la luz intensa del podio, su cráneo brilla entre su cabello escaso, tirante de fijador. —Jueza, ya que el señor Tuttle no va a hacer su presentación por el momento, trataré de ser breve. Sé que querrá ver las pruebas usted misma. Así que permítame esbozar lo que demostrará el Pueblo.

"El estado demostrará que el acusado, Nile Eddgar... —Nile ha alzado la vista al oír su nombre y ahora sostiene incómodo la mirada del fiscal, al darse vuelta Molto. Me llama la atención que sus ojos sean del mismo azul penetrante que los del padre, pero temerosos y casi nunca quietos. —Demostraremos que Nile Eddgar fue no sólo partícipe en una conspiración de homicidio sino, de hecho, el principal instigador. Es una conspiración que salió trágicamente mal, pero aun así una conspiración para asesinar. Lo que demostrarán las pruebas es que Nile Eddgar le pidió a su coacusado, Ordell Trent, que asesinara al padre de Nile, el doctor Loyell Eddgar. El señor Trent es miembro de los Discípulos de los Santos Negros, jueza. Es un pandillero. Es un traficante de drogas. Es un delincuente reincidente. Y era amigo de Nile Eddgar.

—Objeción —interviene Hobie. Me complace verlo que se toma el trabajo de ponerse de pie, un gesto de respeto que los abogados suelen pasar por alto cuando no hay jurado presente. Su bloque de papel amarillo está abierto ante él sobre el óvalo de la mesa iluminada de los abogados. Nile, que toma sus propias notas, ha alzado la vista, un poco sobresaltado. —¿Culpable por asociación?

—Ha lugar —digo con tranquilidad. No es algo muy importante;

Hobie trata meramente de quebrar el ritmo de Tommy. Hasta Molto lo reconoce, y acepta mi decisión con indiferencia.

—Nile Eddgar y el señor Trent, cuyo alias de pandillero es "el Pesado", se conocieron —continúa Molto— porque el señor Eddgar, o Nile, como llamaré al acusado para distinguirlo del padre, Nile era el supervisor de libertad condicional del señor Trent. Nile Eddgar era, y estoy seguro de que esto no se discute, el supervisor de libertad condicional del Pesado en estos mismos tribunales. Y de alguna manera, y esto lo oirán del señor Trent, él, el Pesado, y Nile desarrollaron una relación personal, una suerte de amistad. Y como resultado de este contacto estrecho, al fin sucedió que el Pesado también llegó a conocer al padre de Nile, el senador del estado por el Distrito 39, el doctor Loyell Eddgar. El doctor Eddgar, que es un ministro religioso ordenado, así como profesor universitario, además de representante electo para el Congreso, prestará declaración por el estado.

¿Tal vez también sea líder de los boy-scouts, y además ayude a ancianas a cruzar la calle?, me digo sonriendo para mis adentros ante el himno de alabanza de Tommy respecto de su testigo.

—La relación del doctor Eddgar, la relación del senador Eddgar con el Pesado es complicada y será descripta en la declaración. Pero baste decir, jueza, que había en ella aspectos políticos. El senador Eddgar le dirá con toda franqueza que la política estaba involucrada. Sea como fuere, como también el señor Trent conocía al senador Eddgar, éste constituía un frecuente tema de discusión entre Nile y el señor Trent, y con el tiempo salió a la luz que Nile Eddgar, el acusado, estaba resentido con su padre. Odiaba al padre, jueza.

"Ahora bien, las pruebas mostrarán, jueza, que un día de septiembre, durante la semana del Día del Trabajador, Nile Eddgar urgió al senador Eddgar a encontrarse con el Pesado. Nile le dijo al padre que el Pesado tenía algo importante para hablar con él. Y el senador Eddgar accedió al encuentro. Lo que no sabía era que su hijo, Nile Eddgar, había prometido pagar 25.000 dólares al Pesado si éste disponía el asesinato del padre. No sabía que Nile Eddgar había dado un anticipo de 10.000 dólares. —Tommy, con sus notas apuntadas en hojas amarillas, alza la vista hacia mí por primera vez. —El Pueblo, jueza, ofrecerá en prueba el dinero en efectivo que Ordell Trent recibió de Nile Eddgar, dinero en el cual se han identificado las huellas dactilares de Nile Eddgar.

Novedad. Movimiento en la tribuna del jurado. Tomo mi primera nota en el registro judicial: "¿Huellas dactilares?". Un áspero tono sibilante de susurros recorre toda la sala del tribunal, pero es llevado a una inmediata conclusión por otro golpe del mazo de Annie, que escruta la sala con una expresión amenazadora. Tommy, mientras tanto, ha hecho una pausa y mueve los hombros, disfrutando del impacto que ha causado.

—En verdad, jueza, el testimonio del señor Trent sobre esto se corroborará no sólo con pruebas de huellas dactilares sino con registros telefónicos que muestran una larga lista de comunicaciones entre Nile Eddgar y él, incluyendo una llamada al señor Trent veinte minutos antes de que tuviera lugar este asesinato.

"Y usted oirá los detalles de ese plan de asesinato, no sólo de Ordell Trent, del Pesado, sino de una joven pandillera, una menor llamada Lovinia Campbell. La señorita Campbell, jueza, tiene quince años, y usted, jueza, oirá pruebas de que el Pesado le dijo que, a pedido de Nile Eddgar...

Hobie se ha puesto de nuevo de pie.

—Objeción.

—¿Fundamentos?

—Afirmo de la manera más enfática que eso "no" es lo que mostrarán las pruebas. El señor Molto sólo está argumentando.

—No ha lugar. No sé si es sólo argumentación o no. Señor Molto, sin duda usted recordará su obligación de limitarse a describir las pruebas. —Sonrío, un gesto que Tommy encuentra momentáneamente desconcertante. Hobie retorna a su asiento, satisfecho de haber mostrado su oposición.

—La señorita Campbell le dirá que el Pesado le describió el plan. Un plan en que las pruebas mostrarán que en verdad se mencionó el nombre de Nile Eddgar. El plan, jueza, era que la señorita Campbell, miembro de la operación de narcóticos del Pesado, saliera al encuentro del senador Eddgar. Ella estaría allí cuando el senador Eddgar llegara en el auto al punto acordado. Cuando el auto se aproximara, ella haría una llamada por teléfono celular y diría una palabra en código. Luego saludaría al senador Eddgar y le diría que iba a buscar al Pesado. Y saldría de esa zona. Y mientras el senador Eddgar esperaba en su Chevy Nova blanco, aparecería alguien andando en bicicleta, que daría vuelta por la esquina y barrería el auto del senador Eddgar con disparos de un arma automática. La señorita Campbell se acercaría entonces al coche, en apariencia para ayudar al senador Eddgar, para ver si estaba vivo, y al tender la mano hacia el cuerpo, la señorita Campbell, según el plan, plantaría un paquete de drogas en la mano del senador Eddgar. Y después cundiría la historia de que el senador Eddgar era un comprador de drogas blanco, que sus visitas a la zona eran por razones de drogas, no por razones políticas, y que fue asesinado por accidente, en un tiroteo perpetrado por una banda rival. —Tommy espera de nuevo para permitir que surtan efecto los detalles, el horror, la astucia de estos cáculos. Sabe que el relato suena creíble. La bicicleta se ha convertido en el vehículo asesino de estos tiempos: maniobrable donde los autos policiales no pueden entrar, fácil de ocultar detrás de un matorral, y no identificada por chapas de patente.

"Ése era el plan, jueza. No salió bien. Esa mañana el senador Eddgar no pudo ir. Habían surgido otros compromisos en la Cámara legislativa. Y lamentablemente, jueza, fue la señora Eddgar. Ella vive en Marston, Wisconsin, jueza. Vivía. Pero aunque el doctor Eddgar y ella se divorciaron hace muchos años, mantuvieron una relación cercana y la señora se hallaba aquí, para visitar al senador y al hijo de ambos. Venía con frecuencia a Tri-Cities con ese propósito, jueza, a menudo visitaba el condado, y esa mañana el senador Eddgar, cuando lo llamaron a ocuparse de otros asuntos, acordó con la occisa... acordó con la señora Eddgar que iría ella a la calle Grace. Como dije, jueza, la relación del senador Eddgar con el señor Trent tenía aspectos políticos, y él no quería ofender al señor Trent al no asistir a esa reunión. No pudo comunicarse por teléfono, así que June Eddgar accedió a ir y disculparse en nombre del senador.

"Y así fue, jueza —dice Tommy—, y así murió. Las pruebas mostrarán que cuando June Eddgar llegó a la zona, cuando se dieron cuenta de que la que estaba en el auto era ella, y no el marido, todos, Lovinia Campbell y Ordell Trent, trataron de hacerla marchar enseguida, pero era demasiado tarde, jueza, para detener este plan que Nile Eddgar había puesto en marcha. La bicicleta llegó demasiado rápido para que el que la manejaba viera las señales que le hacía la señorita Campbell para que se detuviera. La propia señorita Campbell fue herida por los disparos, jueza. Y June Eddgar fue asesinada. Y estoy seguro, jueza, de que el señor Tuttle le dirá que Nile Eddgar no se proponía matar a la señora Eddgar. En verdad, jueza, ofreceremos una declaración que hizo al agente que fue a informarle de la muerte de la madre, en la que Nile Eddgar admitió que se proponía matar al padre, no a ella.

—¡Objeción! —interrumpe Hobie, con ambos brazos levantados—. ¿"Admitió"? Su Señoría, eso es argumentación, evidentemente. El acusado no hizo nada semejante.

—Ha lugar.

—Lo lamento, jueza —dice Molto antes de que yo pueda reprenderlo. Sus ojos pequeños y movedizos desvían la mirada, sabiendo que lo han sorprendido en falta. —La cuestión, jueza, es que reconocemos que el acusado ha perdido a su madre, lo cual sin duda le ha causado cierta angustia y cierto dolor. Pero, eso, como usted sabe, no es excusa ante los ojos de la ley.

Con estas palabras, mi atención vuelve a caer en Nile. Esta mañana, cuando llegué, sentí una familiaridad momentánea con él, al pensar en mi madre y en una infancia vivida a la sombra de los compromisos políticos. Pero ahora experimento una perspectiva más distante: Nile es raro. Por el momento está ocupado con su anotador. Los abogados defensores suelen tratar de encontrar un punto focal como éste para sus clientes, pues saben que es mejor que no muestren ninguna reacción al juicio. Pero Nile me da la impresión de hallarse más allá de cualquier plan o disciplina. Hay en él una torpeza constante. Tiene el vientre prominente y, cuando camina, se mueve sobre los talones, en un andar haragán, embotado. En realidad, para ser alguien que se ganaba la vida en estos tribunales, parece notablemente confundido. Esta mañana, cuando se paró ante mí, la cabeza se le movía de un lado a otro como la de una gallina, y es evidente que se siente incómodo con la ropa que se puso especialmente para presentarse en el tribunal. El nudo de la corbata está demasiado grande y torcido, y el cuello de la camisa no se queda en su lugar. Sin embargo, Nile es un acertijo que deberé resolver yo. ¿Qué hizo? ¿Qué se proponía? Es la tarea más básica al juzgar, pero en este caso me resulta inquietante y enorme.

Molto continúa.

—Lo que demostrarán las pruebas es que Nile Eddgar planeó asesinar, que tomó medidas sustanciales con el objeto de llevar a cabo dicho plan, y que como resultado ocurrió un asesinato. Éstas son las pruebas del Pueblo, jueza. Y esperamos que, una vez que usted las haya oído, resuelva que el Pueblo ha probado más allá de una duda razonable que el acusado Nile Eddgar es culpable, como se lo acusa, de conspiración para cometer homicidio. —Tommy me hace un gesto cortés con la cabeza, convencido de que ha hecho un buen trabajo, y así es.

Mientras tanto, en la tribuna del jurado, otra conspiración se prepara. Varios periodistas se han arracimado y tratan, en apresurados susurros, de alcanzar su consenso habitual sobre las partes de la presentación de Molto que resultan de interés periodístico. Al lograr este acuerdo se aseguran de que ningún editor pueda quejarse de que su reportero se haya perdido una primicia o haya dado un mal enfoque a su artículo. Puedo imaginar lo que se están preguntando: ¿Qué opinas de ese asunto de que el padre y el pandillero tengan algún trato político? ¿Y qué te parece lo de las huellas dactilares en el dinero? Yo misma me lo pregunto. Tomo unas cuantas notas más.

—De nuevo, señor Tuttle, ¿el acusado reservará su declaración?

Hobie asiente desde su silla; luego se pone de pie y asiente otra vez. Acordamos comenzar con las pruebas mañana. Molto promete traer un testigo para llenar un par de horas de la mañana antes de que comiencen mis otras audiencias del martes. Una vez dispuesto esto, Annie golpea de nuevo el mazo. El primer día del juicio de Nile Eddgar ha terminado.

—Veo que has renovado tus viejas relaciones —comenta Marietta mientras cruzo su pequeña oficina, situada a la entrada de mi despacho. Aquí el espacio es subsumido por el escritorio, de caoba lustrosa y casi tan grande como el mío, ubicado en ángulo para permitir un pequeño mueble archivo haciendo juego. Junto al secante, fotos de sus hijos y nietos en un marco, bajo una lámpara de bronce. Un filodendro artificial, anidado en montoncitos lanudos de musgo de *sphagnum*, descansa en una esquina del escritorio, cerca de un arbolito de Navidad de plástico, de treinta centímetros de alto, moldeado con carámbanos y chupetines, agregados la semana pasada. Sobre el secante, Marietta ha colocado un pequeño televisor portátil, cuya pantalla, no más grande que un compacto, se llena de imágenes coloridas. Ella escucha las telenovelas durante todo el día mientras está aquí, literalmente con un solo oído, mediante un cable negro que sale del aparato y desaparece entre los densos rulos oscuros de su lado izquierdo. No hemos hablado desde que irrumpió en la sala del tribunal esta mañana, pero la calculadora mirada de soslayo que ella se permite por un breve instante en dirección a mí es suficiente para establecer el tema.

—De veras, Marietta —digo—. Todas esas entradas y salidas... ¿De qué se suponía que se trataba todo eso?

—Necesitaba unos archivos, jueza —me responde—. Quería decirte que lo había visto allá afuera, pero llegaste tan tarde que no tuve oportunidad. —Al mencionar mi tardanza, los ojos castaños de Marietta se alzan de nuevo con astucia. —De todos modos, parece que volviste a los viejos tiempos.

—No fueron viejos tiempos, Marietta. Fue algo muy breve. Él se disculpó por fastidiar a Tuttle, y yo le expliqué que en realidad por ahora no puedo conversar con él.

Se queda atónita.

—Todos tienen que conversar —dice.

—Marietta, él es muy amigo de Hobie. Son buenos amigos desde la infancia.

—Por Dios, jueza. "Conoce al abogado defensor." No existe ninguna regla así. Jueza, eso pasa todo el tiempo. En este edificio todos conocen a todos. Son todos primos y maridos y novias y novios. —En el aspecto técnico, tiene razón, por supuesto. Pero en este caso ya estoy caminando sobre cáscaras de huevo. Y la ética no es justamente lo que Marietta tiene en mente. Yo veo cómo es esto. Marietta ha construido todo el drama en su cabeza; es como los programas frívolos que ve en su televisor. Algún Rhett Butler vuelve a la escena explicando que ha estado prisionero los últimos veinticinco años.

—Marietta, te has hecho una idea equivocada. Él está casado. Está casado desde siempre. Además, conozco a su esposa, dicho sea de paso. Ella estaba también en California.

Sacudiendo la cabeza con énfasis, Marietta insiste en que me equivoco.

—Marietta, leo la columna todos los días. Él habla sobre su esposa todo el tiempo. Me mencionó a Lucy esta mañana.

—No —replica Marietta—. En la revista *People* o una de ésas... Creo que está por divorciarse, lo leí.

—Seguro que fue *The Star*, Marietta. Tal vez *The Enquirer*. Poco después de esos artículos sobre el bebé de dos cabezas o de que George Bush había contraído sida.

Ofendida, Marietta arruga los labios y vuelve los ojos hacia el televisor. Me siento a la vez provocada y arrepentida, de modo que me escabullo por el umbral hacia mi despacho.

—Vas a terminar con un policía —dice Marietta en voz baja a mis espaldas.

—¿Qué?

—Ya me oíste. Lo veo venir. Trabajo en estos tribunales desde hace veinticinco años, jueza. He visto media docena de muchachas como tú, que no miran a nadie, y todas acabaron con algún policía, porque esos tipos no aceptan que les digan que no. —Comienza su lista. Jan Fagin, de la Defensoría del Estado, y Marcie Lowe, fiscal. Tengo ganas de gritar. Algunas personas, muchas, logran relaciones cordiales con su personal pero no incluyen consejos para las penas de amor. ¿Qué diablos fue de los límites? Pero hace rato que he pasado el punto en que podía cortar esto con Marietta. He transcurrido demasiadas horas absorbiendo ansiosa los cuentos de la última infidelidad de Raymen, como para restringir nuestras intimidades ahora.

Aunque estoy lista para replicar a Marietta, surge alguna imagen de Lubitsch, uno de esos hombres oscuros y corpulentos, como Charlie, de quien en años anteriores siempre pensé que eran mi hado, y quedo paralizada por el miedo —la esencia misma de la superstición— de que éste resulte ser uno de esos comentarios tontos, casuales, que, de alguna manera aún desconocida para la ciencia, se convierten en destino. Cuando descubrí a los muchachos, o viceversa, cuando mi acné pasó y en los últimos años de la escuela secundaria me descubrí de pronto atractiva para los varones, una de las cosas que me sorprendió fue que me gustaba mucho que me abrazaran, estar rodeada. Los hombres con los que soñaba eran todos oscuros y corpulentos. Aunque fueran, en realidad, más bien rubios y huesudos, como Seth, así era como yo los veía... Una razón más por la que estaba predestinada a Charlie.

—Marietta, estás acabando con mi paciencia.

—Yo decía, no más, jueza.

—Es bastante decir por el momento, ¿de acuerdo?

Sus mandíbulas se mueven en señal de descontento, pero asiente. Hemos peleado cien veces por este motivo. Contenciosa por naturaleza, corto por lo sano: ¿acaso ella cree que una mujer necesita de un hombre para tener una vida significativa? Al discutir este punto, nos separan los abismos de las clases sociales. Las verdades feministas que yo considero tan fijas como las reglas de la física no tienen mucho sentido para Marietta. Mientras me sermonea, sus formas redondas —el peinado lleno y circular, su figura suave— rebosan de desdén. "Ah, ya he oído todo eso, jueza. ¿Pero de veras dices que te molestaría que algún tipo amara cada centímetro de tu piel?"

Es más complicado que eso, respondo siempre. Escapé de mi matrimonio sin sentir un desdén duradero por los hombres. De hecho, antes de que naciera Nikki a veces la ayuda de otras madres —sus manos auxiliadoras, sus palabras tranquilizadoras— me agobiaban tanto que había momentos secretos en que sospechaba que era una de esas mujeres que se sienten más cómodas con los hombres, con sus bromas y sus rivalidades. Incluso ahora, me pregunto si no fue algo de eso lo que me llevó al Derecho y las peleas del ejercicio jurídico.

No obstante, en ciertos aspectos no he comenzado a pensar en mí misma como una mujer no casada. No es que sienta la más remota conexión con Charlie, pero no puedo asumir de buena gana el esfuerzo y la ansiedad que a veces acompañan a la carencia de pareja. Cuando viajo en ómnibus a los tribunales, observo con una distancia casi científica a las mujeres más jóvenes que, pese a ser solteras, se concentran tanto en los detalles: el delineador de ojos y la base correctos, el pelo peinado y recogido y fijado con precisión escultural, el dobladillo, las costuras... Esas mujeres que buscan en los negocios de ropa durante por lo menos una hora diaria. Es tal alivio no preocuparse por eso, no porque una haya hecho el juramento, al cual se aferra de la manera irracional de la fe religiosa, de que una mujer no debe permitir que la juzguen sobre esa base (un credo que, después de todo, no ha persuadido a estas jóvenes), sino porque una está en otra etapa, otro lugar, un plano diferente, donde tus conexiones son conocidas, fijas, donde no eres, como estas muchachas, un átomo que espera formar parte de la molécula. Aunque terminé con Charlie, no obstante no siento ganas de volver a eso, como si se tratara de un rencor perturbador que por fin ha sido olvidado.

Además, he descubierto que ser una madre sola y salir con hombres son cosas mutuamente excluyentes. Suponiendo que tuviera tiempo para conocer un hombre, ¿cuándo lo vería? Las noches y los fines de semana son los únicos momentos que tengo para compartir con Nikki. Mis pocos y desinteresados esfuerzos en general han resultado incómodos y embargados de culpa. Vivir sin sexo, perspectiva que nunca me pareció especialmente seductora o necesaria, es, con franqueza, más fácil de lo que imaginaba. Me asaltan pensamientos anticuados: que la abstinencia debe de resultar más fácil para las mujeres que para los hombres. Sin embargo, hay momentos, en especial en el ómnibus, cuando me encuentro muy cerca de extraños, hay instantes de añoranza que tienen la profunda pureza de la música.

—Hablemos de mañana, Marietta. ¿Qué has preparado para las audiencias?

Consulta la pantalla de la computadora. Si comenzamos temprano, a las nueve de la mañana, tendremos un par de horas de declaraciones antes de que yo deba sumergirme en las audiencias de la mitad de la semana. Aunque todos los días me encargo de fijar fianzas y otras emergencias, los asuntos de rutina —sentencias, instrucción de cargos, admisiones de culpabilidad— están programados para los jueves, por la mañana o la tarde, de modo que los juicios puedan llevarse a cabo otros días, sin interrupciones constantes.

—Creo que Molto tiene preparada una custodia —agrega—. Esa chiquita... la que se suponía que pusiera drogas o algo así.

—Tommy hizo una buena presentación preliminar —comento. Marietta hace una mueca. —¿Qué, Tommy no es tu estilo?

—Es uno de los tipos que se enredan solos. Como esta mañana. ¿Qué bien le hizo todo lo que dijo? —Se refiere a que la filtración de información al *Trib* no fue sólo un truco bajo sino estúpido, ya que era muy improbable que yo le permitiera salirse con la suya. Es evidente que Marietta no cree ni por un segundo que Tommy no haya sido el informante de Dubinsky. —Además... —añade, pero enseguida lo piensa mejor, sea lo que fuere lo que iba a decir. Marietta, que interviene alegremente en mi vida personal sin invitación, es demasiado profesional para expresar sus opiniones sobre casos pendientes.

La invito a proseguir, pero aun así se toma unos momentos para elegir sus palabras.

—Jueza, él dice que el muchacho se proponía matar al padre. ¿Pero no fue el padre el que pagó la fianza de Nile? ¿No figuraba en el registro del tribunal? Recibimos un extenso informe respecto de la fianza, pero después no hizo falta hacer nada más, porque el padre ofreció la casa en garantía. ¿Recuerdas? —Yo no lo recordaba, hasta ahora. —¿Qué clase de sentido tiene, jueza? —pregunta—. ¿Que el hijo haya tratado de matarlo, y luego el padre pague para sacarlo? La mayoría de la gente lo piensa un poco antes de tomar semejante decisión. El muchacho mató a la madre, y el padre lo sacó con fianza en veinticuatro horas. ¿Por qué?

Porque no cree que Nile sea culpable. Ésa es la respuesta lógica, supongo, pero me la guardo para mí y respondo, de manera más circunspecta, que quizá lo sepamos por boca de la defensa.

—¿Qué te pareció Hobie, ya que estamos? ¿También lo conoces a él? —pregunto—. Hábil, ¿no?

—Ah, es un tipo bravo, ése. Y frío. ¿Y tú lo conoces, jueza?

—Sí. —Sacudo la cabeza una vez en gesto de asombro.

—Chico rico, ¿no?

—¿Hobie? Más rico de lo que era yo. —Eso significa "rico" en los Estados Unidos: alguien que posee más dinero que uno. El padre tenía una farmacia en U. Park, Gurneyís, que sigue siendo un famoso punto de reunión. Hay un gran quiosco de diarios y, en la actualidad, un bar exprés.

—Me doy cuenta —comenta Marietta—. Me doy cuenta todas las malditas veces. Los pies ni siquiera tocan el piso cuando camina de un lado a otro de la sala del tribunal. "¿Cómo andas, nena?" Como si le importara un comino cómo me fue alguna vez. Sólo lo dice para que nadie note lo bien que lo pasa cuando se levanta en el tribunal y habla como si fuera blanco. —Asiente para cimentar su juicio. Pienso lo que pienso siempre: Por Dios, qué duros pueden ser entre ellos. —¿Y hace años que no lo ves, jueza?

—No, ya sabes cómo son las cosas, Marietta. Cuando dejas de ver al tipo, tiendes a perder también a los amigos de él.

Pasa un segundo.

—¿Y por qué, exactamente, dejaste de ver al tipo, jueza? ¿Te hizo daño? Debe de haber sido algo así, si no le has hablado en veinticinco años. —Sus ojos recorren la pantalla fulgurante con fingida intensidad, en la esperanza de que yo no repare en que hemos llegado una vez más al tema favorito de Marietta. Temerosa de volver a ofenderla, muevo la cabeza en gesto vago, pero muy rara vez logro distraerla con tanta facilidad. —No fue al revés, ¿no?

—No, Marietta. En realidad, no. —¿O sí? Por un segundo tiemblo de miedo, hasta que el pasado vuelve a ponerse en foco. —No. Lo principal, Marietta, es que Seth más o menos se perdió de vista. Y yo entré en el Cuerpo de Paz. Lo último que supe de él fue que lo habían secuestrado.

—¡Secuestrado! —Esta declaración sobresalta a Annie, que acaba de entrar en la oficina exterior. Las llaves que cuelgan de su ancho cinturón negro tintinean mientras ella avanza unos pasos, examinando la situación.

—Sí, secuestrado —dice Marietta, resoplando—. Jueza, desde el viernes por la noche que no oigo nada tan interesante.

—No fue así, Marietta. Es una historia loca. Y nunca supe mucho al respecto. —Miro de manera bastante desdichada a cada una, y de pronto me siento vulnerable al arco extraño de mi vida. Las dos mujeres, las dos dependientes de mis estados de ánimo, me observan atentas. El tiempo, pienso. Por Dios, el tiempo.

—Éramos jóvenes —digo.

1969 - 1970

SETH

Cuando tenía veintitrés años y atravesaba una época de locura, dispuse mi propio secuestro. En realidad no me secuestraron. Fue una especie de truco, pero a consecuencia de ello mi vida cambió tristemente. Murió un hombre y yo adopté otro nombre. En los años transcurridos desde entonces, siempre he sentido que me fue robado mi yo.

Era 1970, todavía el apogeo de la década de los 60, ese período en que los Estados Unidos se hallaban en medio de la guerra y la conmoción. El combate bramaba no sólo en Vietnam sino aquí, en el país, donde a los jóvenes como yo, que nos oponíamos a la participación de los Estados Unidos, se los consideraba abiertamente enemigos del gobierno y de nuestra manera de vivir. Este papel me complacía en muchos aspectos, pero daba a mi existencia un persistente aire de renegado.

Cerca de abril de 1970 había recibido mi aviso de reclutamiento, y me vi obligado a elegir entre la conscripción —y la probabilidad de una gira forzada por las selvas de Vietnam— o el exilio en Canadá. Cada una de estas alternativas me parecía insoportable, ya que mi oposición a la guerra era inconmovible. Por otro lado, era hijo único, abrumado por los muchos reclamos de mis padres. Aun a 3.000 kilómetros de distancia de ellos y mi hogar, en el condado de Kindle, los sentía cerca —como si tuviera su aliento caliente en mi espalda—, fenómeno que me causaba a veces furia, a veces resignación. Eran ambos sobrevivientes de campos de concentración y se habían conocido en Auschwitz, ya perecidas sus respectivas familias: el marido de ella, la esposa y el hijo de él. Mi padre tenía casi setenta años; todavía era robusto y no había perdido sus sutiles poderes de mando, pero ya estaba condenado a declinar. Aún más me preocupaba mi madre, una persona descontentadiza que parecía mantenerse en pie sólo apoyándose en mí.

Cuando era chico, la sensación del dolor de mi madre me oprimía siempre el corazón, y yo había crecido sintiendo el deber constante de no aumentar su sufrimiento. Mi partida con mi novia a California, el otoño anterior, la había postrado de pena. El exilio en serio, como nunca se cansaba de recordarme mi padre, sería para ella —para los dos— como revivir horrores intolerables.

Enfrentado a la presión de solucionar esto, permití que otras relaciones de mi vida se desintegraran. Tuve una pelea fea con mi mejor amigo desde la infancia, Hobie Tuttle, que cursaba el primer año de la facultad de Derecho en la zona de la Bahía. Pero mi mayor agonía, como suele suceder, se debía al amor. La primavera anterior, en 1969, me había enamorado desesperadamente de una joven —fuerte, morena y hermosa—, Sonia Klonsky, a quien había conocido en un viaje nocturno desde el condado de Kindle al Distrito de Columbia, rumbo a una de las primeras marchas del Comité de Movilización de Estudiantes en Washington. En esa época, los dos éramos estudiantes universitarios avanzados, a punto de graduarnos, ella en la Universidad de la ciudad, y yo, de la renombrada y pomposa facultad de Easton. Con su apariencia llamativa, su piel morena y su tormentosa abundancia de pelo negro, su cintura fina y su busto pleno, y, lo más importante, su aire de franca seriedad, Sonny me deslumbraba.

Nunca había estado enamorado. De hecho, nunca he tenido gran éxito con las mujeres. Mis puntos de vista sombríos y mis maneras sardónicas me volvían atractivo de algún modo, supongo, pero bajo la tensión de la atención femenina sostenida yo tendía a mostrarme como simplemente raro. Todas mis relaciones se agotaban al cabo de unas cuantas semanas. Así que mi pasión por Sonny me resultaba un gran shock: el ardor, el deseo infantil de estar cerca, la novedad asombrosa de que la soledad humana, que yo tomaba como una condición elemental, podía desvanecerse como los reactivos en un tubo de ensayo. Mi mente y mi corazón giraban alocados en la magia de los detalles: por ejemplo, que los dos éramos zurdos. Cuando estábamos solos, ella me llamaba "bebé". Saber que yo ocupaba un sitio en la vida de una mujer tan inteligente, tan hermosa, tan seguramente destinada a dejar su huella en el mundo, era algo que me golpeaba tres veces por día con el impacto grandioso de la revelación divina.

Esta devoción, sustancia de las leyendas, habría resultado perfecta de haber sido mejor recibida. Sonny disfrutaba de mi compañía, de mi humor idiosincrásico, de mi temerario compromiso con lo que ella creía lo correcto, de mi lado indócil, experimental. Pero prohibía toda conversación sobre el amor. En septiembre de 1969 se preparaba para ir a la zona de la Bahía, donde la habían aceptado en la Universidad Miller Damon, en un programa de filosofía acelerado, interdisciplinario, llamado Pensamiento Crítico Moderno y Filosofía. Yo andaba desanimado, hasta que al final me sugirió que la acompañara a California, un paso que yo había contemplado sin decírselo, dado que Hobie se mudaría al mismo lugar.

—¿Porque necesitas que alguien te lleve en el auto? —le pregunté, siempre tratando de atraparla.

—Seth.

—No, en serio. ¿Qué seremos? ¿Compañeros de habitación?

—Viviremos juntos.

Palabras peligrosas entonces para un hombre y una mujer, llenas de un atractivo subversivo que yo nunca podía rechazar. Así que fuimos al oeste en mi Escarabajo vw amarillo, en una caravana de dos autos con Hobie y su nueva novia, Lucy McMartin. Grande y bien parecido, de habla fluida y graciosa, Hobie era un éxito con muchas mujeres, y Lucy había abandonado su primer año en Easton para seguirlo. Lucy era linda a la manera de Betty Boop, una chica blanca de cara pecosa, cuerpo estrecho, siempre vestida con ropa moderna seleccionada en negocios de segunda mano: chalecos de cuero y una gorra de visera corta como las que usaban los Beatles en Help! Hobie opinaba que Lucy era dócil, de carácter dulce e inteligente, aunque crónicamente ingenua, pero a ella en general la abrumaba Hobie, con sus arranques lunáticos. A sus espaldas, la llamábamos "bárbaro", ya que ésa era su respuesta refleja a cualquier pregunta, desde "¿Cómo estás?" hasta su opinión sobre la Ofensiva Tet.[1]

Entrar en el pueblo de Damon, California, fue muy semejante a cruzar la frontera nacional. Más allá del campus habitaban mujeres que usaban faja y hombres que lucían como si les hubieran cortado el pelo con un sacapuntas, pero aquí, a lo largo de la calle principal de Damon, el bulevar Campus, la cultura de los jóvenes florecía en una atmósfera de bazar. Los elementos transitorios del pueblo —estudiantes y personajes de la calle, hippies, fugitivos del hogar y gente que vivía en comunidades— ahora superaban de lejos en número a los residentes nativos, las familias de los profesores y diversos latinos malhumorados que habían visto desparramarse el bulevar Campus invadiendo los alrededores de las librerías, los lugares de reunión de los estudiantes y los mercados con nuevas boutiques que vendían vestidos teñidos en batik y adornos de macramé. El tránsito, denso a toda hora a causa de los turistas papamoscas, pasaba titubeante, mientras los artistas callejeros —mimos y bongoseros y flautistas— hacían lo suyo, y la gente de Damon, con ropa cómoda y batas floreadas de la abuela, paseaba por la avenida entre los hippies de pies descalzos y sucios de tierra, cada uno inevitablemente acompañado por un perro mestizo cuya traílla era un pedazo de cuerda. En las paredes de los edificios se veía pintado con aerosol el símbolo de la paz, el círculo dividido en tres, mientras que palabras más ásperas alababan a la Liga Nacional de Fútbol Americano en Vietnam, y a Huey Newton,[2] entonces en la cárcel, acusado de haber matado a un agente de policía. A menudo aparecía entre los graffiti, en tonos fosforescentes, un mandato en letras redondas que simplemente urgía: "Sean libres". Al llegar con Sonny descubrí todo esto, la conmoción, el conjunto, los lemas inspiradores; sentía la vida de mi generación —histórica, dinámica, trascendental— como un torrente que me fluía por los brazos. Aquél era el nuevo mundo, de forma aún incierta, pero sin duda mejor que el que nos habían dado nuestros padres.

El primer fin de semana que pasamos en la ciudad, Hobie nos llevó a ver *Dionysus '69*, una obra de teatro en que los miembros del elenco se entremezclaban, desnudos, con el público. La noche siguiente fuimos al Fillmore West, un ambiente rebosante de máxima amplificación, sudor y compra y venta de drogas, donde unos coloridos efectos visuales con forma de amebas pululaban sobre enormes pantallas de proyección, y diversos maniáticos del rock iban y venían con un aire perdido. A Hobie, en particular, le gustó el ambiente de la zona de la Bahía: tantas cosas locas y nuevas por conocer, tantas drogas nuevas que tomar. Primer ciudadano de la contracultura, usaba camisas estampadas con lunares de colores, enormes como pomelos, broches-botones más grandes que sus zapatos, y anteojos de aviador de vidrios ahumados. También se había dejado crecer el pelo hasta ostentar un enorme Afro globoso, aunque algo a regañadientes, ya que en Easton había estado en constante desacuerdo con los tipos del Black Power,[3] que lo criticaban por vivir con un tipo blanco.

Hobie y yo nos habíamos criado juntos en University Park, el único barrio del centro urbano de Tri-Cities que cualquiera habría calificado de cosmopolita y tal vez uno de los pocos de los Estados Unidos que, durante los años de nuestra infancia, podía pasar por racialmente integrado. Los negros habían llegado a U. Park durante la Guerra Civil, traídos por Underground Railroad,[4] pero enseguida fueron aislados mediante la estratagema de levantar cuatro parques públicos alrededor de la pequeña zona en que residían. Sin embargo, a partir de la década de 1930 poco a poco fue tornándose aceptable que los negros de buena posición —médicos, dentistas, abogados, algunos empresarios— habitaran en las partes blancas del parque. Esto disminuyó en cierta medida los valores de la tierra, y mi padre, siempre en implacable persecución de una ganga, no pudo resistir. Así fue como me mudé a una cuadra de Hobie Tuttle. De chicos tuvimos poco contacto; Hobie iba a una escuela católica y, siempre enorme, se lo consideraba casi un matón. Sólo en los primeros años de la secundaria nos descubrimos de pronto. Él era todo un personaje, que admitía abiertamente sus ideas estrafalarias sobre la ciencia, las chicas, sus padres.

En la secundaria atravesamos juntos diversas etapas. Por un tiempo fuimos *beatniks* y nos aparecíamos todos los días con boinas y anteojos oscuros y pulóveres negros de cuello alto. Pasábamos las noches de los fines de semana en el sótano de la casa de Hobie, comiendo pizza, escuchando discos de Mort Sahl y Tom Lehrer, y debatiendo los temas filosóficos de la adolescencia masculina, como por ejemplo si cada vagina, como los copos de nieve, era única. En el curso preparatorio para la facultad nos volvimos bastante notorios en el campus de Easton, como actores y cantantes. Hacíamos nuestro espectáculo de trovadores, un negro y un judío, poniendo caras tipo Al Jolson.

Tanto Lucy como Sonny se mostraban tolerantes con nuestros extraños números. El departamento que habitábamos Sonny y yo en Damon quedaba a sólo una cuadra del de Lucy y Hobie.

Así que llegamos, y en menos de un año fui entregado a la fatalidad. Vuelvo a mirar a ese joven con vincha de cuero labrado a mano, bigote a lo Sargento Pepper, una mata de pelo rubio largo hasta los hombros que mi padre, en correcto acento vienés, jamás se cansaba de comparar con la cabellera de Jesús, y me siento debilitado de vergüenza. A pesar de mi diploma de una importante y famosa institución del Medio Oeste, en gran medida yo estaba a la deriva. Durante uno o dos años, en la facultad, alimenté la idea de que Hobie y yo llegaríamos a ser comediantes, pero yo no era lo bastante gracioso; en esos tiempos hablaba de escribir guiones de películas *underground* y había batido todos los récords viendo innumerable cantidad de veces *Jules et Jim* y los filmes de Jean-Luc Godard. En su mayor parte, consideraba que el reclutamiento había construido barricadas a mi alrededor, pero por momentos, en especial cuando estaba fumado, reconocía cuán grande e indistinto parecía mi universo, cuán perdido me encontraba dentro de mí mismo. Me hallaba expuesto a caer bajo la influencia de cualquier sugestión fuerte, y en ocasiones actuaba sin ninguna prudencia. Sabía con certeza sólo unas cuantas cosas: que estaba enamorado. Que quería que el mundo fuera mejor de lo que era. Y sin embargo mis pasiones me parecían lo bastante intensas como para iluminar el planeta. Y ahora que la Tierra es de algún modo más opaca, miro hacia atrás con un corazón solitario, debilitado no sólo por el remordimiento sino también por la añoranza.

Sonny tenía su beca y yo me mantenía con tareas precarias típicas de la época, cupones de descuento y una variedad de tareas eventuales. Vendía *The Good Times* en el bulevar Campus y después conseguí hacer la distribución de una publicación rival llamada *After Dark*, que en el fondo no era más que una revista de sexo, cuya tapa presentaba cada semana una borrosa lámina en color de una belleza desvestida, de busto prominente, que echaba humo por las máquinas expendedoras en las que yo colocaba los ejemplares. Mi principal ocupación, no obstante, resultó ser la de cuidar a un chico de seis años llamado Nile Eddgar. Sus padres vivían en el mismo edificio de departamentos que Sonny y yo, una construcción victoriana color marrón, que tenía en un extremo una extensión redondeada que se elevaba tres pisos hasta un tejado puntiagudo. La construcción interna era miserable —las paredes estropeadas y el alfombrado devastado de un típico barrio de estudiantes—, pero nuestro departamento contaba con una cocina amplia y muchos toques victorianos elegantes, incluido un relieve en el yeso.

Mi trabajo con Nile lo encontré por puro accidente. El día que nos mudamos, golpeé a la puerta del departamento de arriba, buscando un martillo, y me abrió el padre de Nile, Loyell Eddgar, cuya apariencia de astro de cine sin duda contribuyó a su carisma. Era una versión más delgada y baja de Bruce Jenner, el atleta olímpico del momento, con el mismo pelo largo y lacio bien peinado, y una hermosura semejante a la de una muñeca Barbie. Me llamaron la atención sus ojos, de un azul límpido extraordinario, de mirada pálida y obsesionada como la de un místico. Eddgar, sin embargo, no tenía nada de sosegado en su manera de ser: en aquel momento se quedó rígido, como víctima de un choque eléctrico. Cuando le expliqué lo que necesitaba, se quedó firme en el umbral, y sin duda me habría cerrado la puerta de un golpe de no haber sido por una suave voz sureña que sonó a sus espaldas. Se aproximó una mujer de aspecto agradable, vestida con vaqueros y camisa de cambray; su pelo color bronce, peinado en una cola de caballo, y su sonrisa medida reflejaban autodominio y excelente educación.

—¿Quiere pasar? —me preguntó June Eddgar en cuanto nos presentamos. Tal como resultaron las cosas, su intención no era compensar la antipatía del esposo, sino hacerme una oferta de trabajo. June me explicó que tanto ella como su marido, profesor de teología en Damon, trabajaban todo el día. El cuidador anterior, nuestro vecino del piso de abajo, Michael Frain, había renunciado sin previo aviso el día anterior, para dedicarse a supervisar un laboratorio en el Centro de Investigaciones Aplicadas. La mujer estaba desesperada, y deseaba que yo pudiera encargarme de cuidar a Nile, después de la escuela y algunas noches.

La idea de trabajar de niñero me parecía bastante ridícula. No tenía hermanos menores y además lo consideraba un trabajo para chicas. Por otro lado, en aquel momento no tenía medio de subsistencia, y ello, aun a medio país de distancia, me volvía vulnerable a mi padre y su perpetua locura respecto del dinero. Él era economista, un experto en el manejo del dinero, y había dedicado a ello el trabajo de toda su vida, su conciencia misma. El dinero, como resultado, era el terreno frecuente de nuestros muchos conflictos. Sólo después de haber aceptado el ofrecimiento de June descubrí en qué me había metido.

—Ah, muchacho. Ahora eres empleado del presidente de Cien Flores —me informó aquella noche el asesor departamental de Sonny, Graeme Florry. Nos hallábamos en la primera de esas reuniones que pronto llegué a considerar terribles: las fiestas del Departamento de Filosofía, donde los estudiantes graduados charlaban de temas inteligentes mientras se evaluaban mutuamente. Graeme, un inglés alto y rubicundo, usaba una barba escasa que le bordeaba la mandíbula, y unos anteojos de abuelita, estrechos, con cristales de tinte amarillo, que sugerían alguna orientación psicodélica. Yo no tenía idea de lo que quería decir con lo de Cien Flores o por qué se mostraba tan alterado.

—Pregúntale al FBI, compañero, a la seguridad de Damon, a la policía del pueblo. Conocen bien a Cien Flores, según calculo. Se autodenominan "consejo revolucionario", creo. Black Panthers.[5] White Panthers. Weathermen.[6] Brown Berrets. Todos los grupos, todas las diversas clases de locos que asienten de manera vigorosa cuando cualquiera empieza a hablar de tomar las armas. Un tipo traicionero, ése. Créeme. El año pasado ordenó una ejecución. ¿Lo sabías? Lo dijo un pobre diablo que estuvo implicado. Por Dios, espero que no estés con el FBI.

Le aseguré que no. Graeme tomó otro trago de whisky para aquietar sus preocupaciones.

—Era uno de los Panthers, al que creyeron informante. La policía lo encontró en una zanja allá por la Bahía. Le inyectaron heroína al pobre tipo, a la fuerza; le metieron un buen pedazo de polvo en el bolsillo para que la policía creyera que era una sobredosis de adicto. Y que no les importara un bledo. Y así fue.

Graeme reseñó brevemente la historia de Eddgar. Descendía de unos hacendados sureños —el abuelo se había criado entre esclavos—, un ambiente de nobleza y codicia que Eddgar reconocía con franqueza y denunciaba con regularidad. Lo ordenaron ministro religioso y, hasta que comenzó a ejercer, fue un promisorio profesor en la Escuela de la Divinidad y mostraba un interés erudito en comparar las enseñanzas de los Evangelios con la doctrina marxista. Pero después de las marchas y sentadas por la libertad que se produjeron a mediados de la década de los 60, comenzó adherir más al *Libro rojo* de Mao que a las Escrituras. Había sido sospechoso, a través de su organización radical, de inspirar revueltas la primavera anterior, cuando unos grupos separados de estudiantes negros y blancos que ocuparon edificios universitarios fueron expulsados por una falange de policías urbanos, hecho que causó que hirieran de un balazo a un guardia universitario.

En esos primeros tiempos, Sonny había oído comentarios semejantes sobre los Eddgar —que habían tomado parte en el planeamiento de una fuga de la prisión de Soledad; que una facción de la Junta Directiva del Cuerpo Docente quería expulsar a Eddgar de la universidad—

y repetidas veces me urgía a abandonar mi trabajo con ellos. La propia Sonny era hija de una organizadora obrera, Zora Klonsky, que durante un breve período, durante la Segunda Guerra Mundial, había prestado servicios como presidenta de un sindicato de plomeros de astilleros del condado de Kindle; yo la veía de manera más prosaica, como la única verdadera comunista viviente que había conocido en mi vida, y —en lo más íntimo— una loca grave. Pero cualquiera fuera su sanidad mental, Zora era una sindicalista. Había roto ventanas de fábricas pero nunca había montado una fuga carcelaria, nunca había disparado un arma de fuego. Los Eddgar eran demasiado para Sonny.

—Están en la pesada —me advertía. A mí no me preocupaba. Por un lado, me había enterado, aquel mismo día, mientras June me examinaba, de que ambos Eddgar eran graduados de Easton, sureños fugitivos que habían soportado cuatro años de inviernos del Medio Oeste; sentimentalmente supuse que ello constituía un vínculo que me mantendría a salvo. Más allá de eso, me sentía intrigado. Dados los resultados deprimentes del proceso político del año anterior —el motín policial ante la convención demócrata; la elección de Richard Nixon y su subsiguiente negativa a poner fin a la guerra—, mucha gente de izquierda argumentaba que era hora de actuar más allá de las protestas civiles y comenzar con la acción militante. En Manhattan, las bombas habían diezmado la sede de reclutamiento de las fuerzas armadas en la calle Whitehall y el edificio de los tribunales criminales. SDS (Students for a Democratic Society, Estudiantes a favor de una Sociedad Democrática), la organización izquierdista más prominente en muchos campus, se había dividido a causa del tema de la violencia, y en el otoño de 1969, la facción sobreviviente de Weathermen organizó en Chicago los Days of Rage (Días de Furia), en que docenas de radicales saquearon las calles, destrozaron ventanillas de autos con cadenas y se pelearon mano a mano con la policía. En California del Sur, Juanita Rice, hija de un prominente industrial y recaudador de fondos para los republicanos, fue sacada a punta de pistola de su escuela secundaria por un grupo denominado Liberation Army (Ejército de Liberación), que la secuestró para pedir rescate. Yo consideraba contraproducentes y extremas estas acciones, pero no podía sofocar una chispa de entusiasmo ante la noción de dar nueva forma al mundo comenzando todo de cero. En medio de mi sensación de deriva, de estar suspendido, los Eddgar parecían representar la realidad, la vida, aquello que yo aún sentía que comenzaría de un momento a otro.

A lo largo de los años me he preguntado, por supuesto, por qué no funcionó la relación entre Sonny y yo. ¿La época? ¿Acaso la asusté con todas mis locas pasiones? ¿La asfixié? Este discernimiento, como una dulce inspiración, permanece tentatoramente fuera de mi alcance. Pero, de un modo o de otro, vivir juntos era difícil. Llevarlo a cabo. Día a día. Ninguno de los dos tenía en realidad la más remota idea de cómo estar con otro. La madre de Sonny, Zora, no vivió nunca con un hombre desde el nacimiento de su hija, y desde temprana edad yo sabía que la relación tensa y sofocada de mis padres era algo que no quería repetir. En consecuencia, de un modo virtual todo lo que había entre nosotros se relacionaba con definiciones: quién lavaba los platos, quién hacía los planes sociales, cómo mantener limpio el departamento. Todo ello era motivo de peleas.

Y algo de lo que emergía en esas discusiones no podía ser desechado como mera adaptación. Yo la consideraba como la persona más "pareja" que conocía, plena y adulta de una manera envidiable. Sonny era equilibrada y rigurosamente lógica en toda circunstancia, al tiempo que mantenía maneras afectuosas y francas. Era rápida para reír de las bromas, aunque más lenta para hacerlas; se manejaba con facilidad con los extraños, era amable con la gente en la calle y con sus respectivos perros. Mi principal contribución, hasta donde me imaginaba, era agregar un elemento combustible a una vida un poco demasiado recluida, adrede.

Sin embargo, al vivir con Sonny descubrí que abundaba en mociones misteriosas y fundidas entre sí que desafiaban tanto su comprensión como la mía. Era propensa a accesos maníacos, períodos de aislamiento en que miraba fijo como una zombie, así como a apegos adolescentes: escritores, compañeros de clase, prendas que eran la pasión de una semana y después jamás volvían a mencionarse. Y era susceptible. Las críticas de los profesores sobre sus trabajos, o incluso cuando no se mostraban de acuerdo con un comentario que ella hacía en clase, la ponían malhumorada y combativa conmigo. Al escucharla hablar en aquellas detestables fiestas departamentales, llegó a parecerme muy *sui generis* la manera en que se presentaba: jamás mencionaba su lugar de nacimiento, ni de su infancia, ni de su padre, Jack Klonsky, que había muerto en un accidente en los muelles antes de que ella cumpliera dos años, ni contaba que a partir de aquel momento Zora, mientras viajaba y trabajaba, la llevada a pasar cortas temporadas en la casa de la tía Henrietta. Como una escultura, Sonny no presentaba acceso evidente a su espacio interior. Desesperado por encontrar algo a que agarrarme, yo a veces estudiaba sus notas de clase cuando Sonny no estaba o inspeccionaba las notas marginales de los libros que ella leía, los pasajes que destacaba. ¿Cómo debía interpretar aquel signo de exclamación? ¿Qué reflexión la hizo anotar "comprendo"?

Respecto de ningún tema era más desconcertante que en cuanto a sus estudios. A veces la preocupaban el Departamento de Filosofía y su política de café, las proclamas de su joven asesor, Graeme Florry, y los complicados reinos del pensamiento que le exigían que dominara para sus clases. Luego venían períodos en que declaraba que era todo una pérdida de tiempo. La filosofía no era más que palabras, decía, o repetía una observación de Nietzsche menospreciando la empresa filosófica. Para Aristóteles, la filosofía y la ciencia eran una y la misma cosa. Ahora, decía ella, había mil otros campos de estudio, desde la psicología hasta la física, de los que dependíamos para saber más sobre la verdad.

—Son las cosas reales, hacer cosas, lo que admiro —me decía—, no las ideas sobre ellas. Eso es lo que trato de decir. No puedo vivir así, hablando de categorías imaginarias o convirtiéndolas en más de lo que son.

Con bastante frecuencia, como medio de desalentarla, yo le pedía que me resumiera sus lecturas, como una madre pájaro que masticara esas materias pesadas y me alimentara con ellas en bocados livianos. Para acelerar el proceso de la graduación, el Pensamiento Crítico Moderno exigía que todos los estudiantes completaran una propuesta de tesis para el final del primer término lectivo, lo cual significaba que el trabajo comenzaba enseguida, a un ritmo furioso. La emergente tesis de Sonny versaba sobre un filósofo llamado Brentano, que enseñaba que la conciencia era, en su raíz, una serie de imágenes desprovistas de toda abstracción. Sonny iba a tratarlo como el puente insospechado entre los psicólogos de profundidad, como Freud, y los existencialistas como Sartre. Para esto releía filósofos alemanes del siglo XIX. Una de sus fijaciones pasajeras fue un término —de Nietzsche, creo—, *Traumhaft*, respecto de que todas las creencias —religión, amor, la regla de oro— no eran más que un sueño sin justificación comprobable, en la moral o la ciencia. Nuestras vidas, afirmaba él, nuestras costumbres, no eran en realidad más que un aprendizaje impuesto por el hábito. Nos manteníamos —decía Nietzsche— flotando dentro de la sensación, pero en todo lo demás nos hallábamos anclados, estábamos libres pero aterrados, como los astronautas en la Luna cuando dejaron sus cápsulas y se pararon en el espacio.

—¿Lo captas? —me preguntó Sonny. Era un domingo por la tarde, y nos hallábamos, como a menudo sucedía los domingos, en la cama, nuestra hora de refugio antes de que volviera a empezar la marcha forzada de la semana. Sonny no se vestía en todo el día. Comíamos una mezcla de desayuno y almuerzo y a veces hasta cenábamos en el colchón Goodwill, apoyado directamente en el piso. En los períodos de entre medio, revisábamos la tesis y hacíamos el amor. Cuando Sonny se adormecía, yo tomaba las secciones que ella había estado leyendo. Por la tarde, Sonny se dedicaba a sus textos asignados.

—Pesado —respondía yo—. Muy pesado. Pero es mentira.

—¿Por qué es mentira, bebé?

—Porque no es así. No para mí. Es decir, toda esta mierda airada y volcánica que siento... Todo está conectado con todo. El reclutamiento.

Mis padres. La guerra. Tú. No estoy flotando. Ni mucho menos. ¿Y tú?

En nuestro dormitorio había una ventana redonda, como un ojo de buey. Su existencia nos había parecido un típico capricho victoriano sin sentido, hasta una noche, una semana antes, cuando la luna llena había aparecido allí y llenado la habitación con luz tan fantasmal, aunque intensa, que me costó dormir. Perdida en sus reflexiones, Sonny en aquel momento miró en esa dirección.

—Eso es lo que siento —dijo—. En gran medida.

—¿*Traumhaft*?

—*Traumhaft*. Hay veces en que me pregunto... ¿Conoces a Descartes? En ocasiones siento curiosidad por la existencia de todos los demás. Como Descartes. ¿Cómo sé que no están en mi imaginación? ¿Cómo sé con certeza que hay algo además de mí? Y aun así, me pregunto si en realidad puedo alcanzar lo que está fuera de mí. Parece haber un abismo tan terrible... incluso entre lo que siento y lo que puedo decir de ello. No puedo...

—¿Qué?

—¿Salir? ¿Tiene sentido? —Me escrutó con su mirada angustiante, sus ojos oscuros. —¿Soy demasiado rara?

—No. Comparada conmigo, no.

—No. La verdad.

—En serio —respondí—. Escucha, estoy aquí. Te lo juro. —Le tomé la mano. —Esto es aquí —le dije, y caí sobre ella.

El sexo era a menudo la respuesta. Sigue siendo la relación física más intensa que he conocido en mi vida. Para Sonny, las palabras eran instrumentos de escrutinio crítico, y hablar, por lo tanto, resultaba peligroso. En la cama, era de algún modo más libre de dar lo que con frecuencia permanecía inaccesible. Era una partícipe bien dispuesta en la mayoría de los experimentos que yo urdía a partir de toda una vida de fantasías insatisfechas: plumas y esponjas vegetales; un gran consolador rojo que entró brevemente en nuestras vidas. Nuestro favorito era un ejercicio tántrico que llamábamos El Juego de Tocar. Desnudos y fumados, nos sentábamos uno frente al otro a oscuras, con los ojos cerrados y las piernas dobladas al estilo yoga. Las reglas nos permitían tocar sólo con las yemas de los dedos; nuestros cuerpos no podían encontrarse. Nada de rozarse con las rodillas, nada de besos. Y los genitales eran inalcanzables; no se los podía acariciar hasta llegar a un punto de dolor en que se tornaba irresistible. En cambio, nos pasábamos las manos por el cuerpo durante lapsos interminables. Yo me estremecía cuando ella me acariciaba la piel de atrás de la rodillas o las puntas de los dedos de los pies. Nos deteníamos durante largos lapsos en la zona temblorosa de encima de los labios, en un delirio inducido por las drogas y las sensaciones, con las bocas apenas separadas mientras temblábamos ante el contacto del otro, de nuestros seres.

· · ·

En el departamento de los Eddgar, las fogosas personalidades de la revolución iban y venían: los Laboristas Progresistas con su ropa obrera de sarga; las prendas de cuero de la Colectividad de Empleados de Campus; Martin Kellett, con sus desaliñados rulos pelirrojos; y, por supuesto, los famosos Black Panthers de Oakland, que aparecían con anteojos ahumados y boinas y sus sacos de tres botones, de cuero lustroso. El más prominente de los Panthers era Eldridge Cleaver.[7] Casi siempre lo representaba Cleveland Marsh, también famoso en Damon, donde había sido un jugador estrella de fútbol americano en la universidad. Actualmente Ministro de Justicia del Panthers' Party (Partido de los Panteras), Cleveland era un tipo voluminoso, con un aspecto aterrador e insolente. Era compañero de clase de Hobie en los primeros cursos de la facultad de Derecho, y Hobie, un conocido fanático por las celebridades, siempre corría a su encuentro cada vez que aparecía Cleveland, como para fortalecer un poco la relación de ambos, que no iba más allá de un "Hola, hermano".

Los miembros de Cien Flores aparecían en la casa de los Eddgar para realizar reuniones, o de vez en cuando llegaban en forma individual a horas extrañas a susurrar con Eddgar en el porche de atrás sobre alguna intriga demasiado delicada para hablarla por teléfono. A Eddgar le obsesionaba la seguridad. Suponía, tal vez con razón, que su organización y él eran blancos constantes de atención e infiltración de los servicios de inteligencia. Era por eso que años antes había sacado a Nile de la guardería y me echó de su casa cuando nos conocimos. Una vez por día, los Eddgar revisaban el departamento en busca de micrófonos ocultos. June usaba un aparato llamado Centinela Privado, que parecía un voltímetro con una lamparita, y Eddgar la seguía, enchufando un micrófono en una radio AM-FM y el televisor. Charlaban sin cesar —en general citaban frases del *Libro Rojo*—, mientras movían el dial de los canales por toda la banda UHF o todo el espectro de la radio, a la caza de alguna reacción delatora.

Según los rumores que circulaban sobre él en el campus, Eddgar tenía cuidado de nunca emitir ninguna directiva revolucionaria por su cuenta. Hasta las órdenes más alevosas —matar al soplón de Oakland o ayudar en la fuga de Soledad— supuestamente habían sido dadas a Cien Flores por algún medio misterioso.

Yendo y viniendo con Nile, o visitando a June para conversar sobre el cuidado que debía dársele al chico, de vez en cuando yo captaba algo de las reuniones de Cien Flores. Los revolucionarios se embarcaban en feroces disputas sobre doctrina, se trataban de "camaradas", invocaban los nombres de Gramsci, Fanon, Sorel, Rosa de Luxemburgo y Bakunin, discutían sobre Lin Piao y el papel de China en Biafra. Mientras tanto, June se escabullía con diferentes personas para pasear por allí cerca en el auto de alguien, donde podían comunicarse de manera segura. Antes de estos paseos, June y el pasajero se registraban la ropa en busca de aparatos grabadores, pasando cada uno las manos por el cuerpo del otro de manera tan indiferente que las conversaciones no se interrumpían.

La única ocasión en que cedió un poco la preocupación de Eddgar por la seguridad fue con respecto a los arreglos para el cuidado de Nile. June decía que el chico tenía "problemas para dormir" e insistía en que cada noche se lo acostara en su propia cama. Yo me daba cuenta de que los Eddgar habían discutido por ello, pero como en apariencia June me consideraba digno de confianza, yo me quedaba en el departamento de ellos, solo con Nile, en las noches en que el matrimonio salía con sus "células" o grupos afines. Eddgar mantenía conmigo una distancia deliberada, para estar seguro, supongo, de que no me enterara de demasiadas cosas.

En verdad, Eddgar no se trataba con mucha gente en Damon. Daba sus conferencias y hablaba en reuniones políticas públicas; actuaba apasionadamente en la Junta Directiva del Cuerpo Docente, pronunciaba discursos que parecían copiados, en tono y —peor aún— en extensión, de los de Fidel Castro. En lo demás, se mostraba lejano. Era algo así como un privilegio si me hacía algún gesto de reconocimiento cuando lo veía por el Departamento de Teología, adonde yo iba con regularidad por las mañanas para asistir a reuniones del Comité de Movilización de Estudiantes para el Fin de la Guerra, en las que se coordinaban el planeamiento local de diversas manifestaciones de alcance nacional que tuvieron lugar ese otoño.

A principios de noviembre, yo estaba allí mimeografiando observaciones sobre la resistencia al reclutamiento cuando la máquina se rompió. Rezongué y luché con el reacio aparato, hasta que alguien se me acercó y me ofreció una mano. Cuando miré, vi a Eddgar. En honor al Departamento, llevaba una camisa a cuadros y una corbata contrastante, y lucía casi vulgar. Bajo un brazo llevaba papeles para la clase que estaba a punto de dar. Aceptó mi gratitud sin comentarios, pero se tomó un instante para mirar el material mimeografiado, todavía desparramado encima de la máquina. No pudo haber leído mucho, ya que estaba al revés, pero pareció captar lo suficiente y se alejó con una sonrisa pequeña que me irritó.

—No es gracioso, viejo —le dije—. Está bien, no estás de acuerdo, pero no es gracioso.

Percibí que había tocado un punto que Eddgar no esperaba. Alzó una mano pálida en un gesto remoto de concesión.

—No desecho las buenas intenciones, Seth. —Esbozó una sonrisa tirante mientras citaba a Mao: —"Quienquiera que se ponga del lado del pueblo revolucionario es un revolucionario".

—Pero tú piensas que con eso es suficiente, ¿no? ¿Con las buenas intenciones?

Retrocedió un poco y me observó con detenimiento.

—Seth —dijo al fin—, hablas como si trataras de envolverme en una discusión que sostienes contigo mismo. —Percibí al instante que tenía razón. Ese tipo de susceptibilidad, como habría de aprender, nunca pasaba inadvertida a Eddgar, que en ese momento dio un paso hacia mí. —Te comprendo, Seth —dijo en voz baja—. Creo que sí. Te he visto aquí, yendo de un lado a otro con la gente de Movilización. Veo lo que estás haciendo. Y confieso que yo mismo lo he pensado. Pienso en todas esas hojitas mimeografiadas con oraciones que solíamos imprimir en sótanos de iglesias en Misisipí. Si fueras cristiano, diría que me haces evocar todas las pasiones de un joven activista cristiano.

Creo que Eddgar estaba haciendo uno de sus raros esfuerzos por mostrarse chistoso. Tal vez sabía que yo me consideraba bastante gracioso e intentaba tratarme en mis propios términos. Pero el comentario contenía un matiz perturbador. Para comenzar, nunca me sentía muy cómodo cuando alguien mencionaba mi origen judío, pues ello evocaba las eternas advertencias de mis padres respecto de que mis relaciones gentiles jamás me permitirían olvidar aquella diferencia. En mi interior, yo ansiaba un nuevo mundo en que se borrara la necesidad de tanta inhibición. Además, Eddgar sabía poco de mí, y eso parecía revelar las actitudes duraderas de un muchacho pueblerino sureño que no había olvidado las lecciones recibidas. Arrugó la frente y comentó que lo que había dicho no había salido nada bien. Nos quedamos allí, los dos temerosos de lo que daríamos a entender si nos marchábamos en aquel momento. El vacío me dio coraje.

—¿Qué sucedió? —Le pregunté de repente—. Me refiero al joven activista cristiano. ¿Por qué cambió? —A los veintidós años, la novedad de cómo resultaban las vidas me atrapaba como una novela de suspenso.

—¿Qué sucedió? —se preguntó Eddgar. Caminaba mientras pensaba, y lo seguí hasta un patio abierto. Aunque era otoño en la región de donde yo venía, Miller Damon rebosaba de viñedos y cactus en flor y hiedras de hojas lustrosas que trepaban por los ladrillos color arena de los edificios bajos con tejados color terracota. La exuberancia del lugar aún me resultaba extraña. Altos eucaliptos con troncos descortezados formaban una línea selvática al borde del campus, y sus hojas daban un aroma mentolado a la brisa. En el fondo del campus, hacia la Bahía, las colinas color bronce eran quebradas aquí y allá por robles solitarios.

—Sucedió la enseñanza —respondió Eddgar al fin—. La docencia. En su mayor parte, no obstante, me inclinaría a decir que fue Misisipí. Ésa fue la fuerza que intervino. —Parecía ligeramente asombrado al evocar a la persona a la que ya había renunciado de manera tan evidente.

—¿Perdiste la fe? —le pregunté con indiferencia, como alguien que nunca ha creído mucho, pero por su expresión sorprendida vi que no podría haber sondeado más hondo si hubiera preguntado qué pasaba en la cama entre June y él. Continuamos caminando un momento por los rombos de mármol de Carrara dispuestos debajo de una explanada bordeada de columnas.

—Cada semestre —dijo al fin— hay un estudiante que a la segunda o tercera clase cree que puede hacerme una zancadilla. Y me pregunta: "¿Cómo puede afirmar que el cristianismo, que venera la vida del espíritu, tiene algo en común con el marxismo, que reconoce sólo el mundo material?". Pero no es eso lo que enseña el marxismo. ¿Crees que el Che no es espiritual? ¿Que Mao o Marx no creyeron, no reverenciaron, en verdad, la vida del espíritu? El marxista cree que el espíritu sólo puede encontrar expresión en este mundo material, y en Misisipí, poco a poco, llegué a entender ese punto de vista.

"Poco a poco, digo. La noche en que se aprobó la Ley de los Derechos Civiles, en 1964... Aquella noche me sentí extático. Sentí que se habían reivindicado años, décadas de esfuerzos bienintencionados, que el mundo por fin había cambiado. Y, ya sabes, dos años después volví a Misisipí y en esa gente no había ni una sola cosa diferente. Dios sabe que no me hacía falta ir a Misisipí para verlo. Podría haber caminado por el sendero de la casa de mi padre y visto a la gente que ha estado cortando tabaco en sus campos durante generaciones. Pero tenía que ir a Misisipí a verlo, no sé si me entiendes, y lo vi. Las mismas chozas. La misma ropa colgada en las cuerdas. Los chicos descalzos, bañándose en grande tinas de lata. Sin agua corriente, salvo la que surge de la tierra. Las mismas diez horas en el campo, a doce centavos la hora. Aún no había una escuela en veinte kilómetros a la redonda. Ah, sí que hablaban un poco de cambio cuando yo preguntaba. Pero había que imaginárselo.

"Y luché conmigo mismo. Al ver esa mugre, miraba a esos bebés, esos bebés preciosos, y me preguntaba: "¿Cómo te digo, después de todo este trabajo, después de este gran triunfo, cómo puedo decirte que no habrá nada mejor mientras vivas? ¿Cómo puedo tener derecho, de dónde lo saco, para decirte que esperes?".

"Ya ves, de veras no podía consolarme con esperanzas para las generaciones futuras, porque ello significaba aceptar esa miseria, la miseria de la nena a la que veía en aquel momento. Y no podía aceptar el soborno de los religiosos: el cielo —dijo con cierto desprecio—, los pobres recibidos en la gloria... porque después de todo, después de todo, no era sólo el Reino de los Cielos el que Jesús dijo que tendrían los mansos... Dijo que heredarían esta Tierra. ¿Acaso sólo se burlaba de ellos? De modo que ésa era la cuestión: ¿Cómo contemporizo con esta generación, con cualquier chico? ¿Qué mandato de la ley, de Dios, en las enseñanzas de quién, de Cristo o de Marx o de Adam Smith, dónde explica cómo obtiene un gobierno la autoridad moral para ordenar a los pobres que languidezcan en la mugre, que esperen y esperen la tierra que es de ellos, mientras la consumen los ricos? Lo que me pasó, Seth, fue que mi fe o mi conciencia o mi sensibilidad moral me dijeron que en esta vida no hay más lógica que la revolución. —Sus ojos dramáticos eran grandes y claros como los de un lobo. Siempre albergué sentimientos ambiguos respecto de Eddgar. Siempre reconocí que era muy teatral. Pero cuando terminó su relato de ardor y dolor personal, mientras se marchaba solo bajo los arcos de la explanada, yo apenas respiraba.

Todos los días, cerca de las tres y media, el pequeño y gordinflón Nile Eddgar volvía a su casa del primer grado y se convertía en responsabilidad mía. June le había cortado el cabello castaño en forma de taza, pero habría sido una exageración calificarlo de "bonito". Era un alma de movimientos lentos, que no sonreía, una turbulencia de faldones de camisa, mejillas sucias y uñas sucias. Después de devorar un bocado que le había dejado la madre, Nile languidecía, hijo de la revolución, frente a mi televisor. Los padres le prohibían la televisión y habían llegado al extremo de deshacerse de su aparato, pero de algún modo me encontré impotente para mantener a Nile alejado de los diales. Se sentaba fascinado, acariciando uno de los pocos juguetes que le permitían, Babu, un lindo oso con un manto de brillosa piel sintética. Rara vez lograba interesarlo en la lista de actividades infantiles sugeridas por June: el parque, la biblioteca, proyectos de la escuela. Parecía no tener amigos, en parte porque Eddgar, temeroso de los espías del gobierno, no le permitía visitas a familias que él no había aprobado. De modo que Nile daba vueltas de un lado a otro, diciéndome a menudo cuánto más le gustaba Michael Frain, el estudiante graduado de física que vivía en el departamento contiguo al que ocupábamos Sonny y yo, que había cuidado de Nile durante los dos años anteriores. Con frecuencia se escabullía, se escondía en el departamento de Michael y esperaba que volviera, y entonces lo seguía por todas partes, resistiendo a mis esfuerzos por atraerlo.

La relación de Nile con Michael me resultaba humillante. Yo sabía que era un desastre como niñero; me apresuraba a considerarme herido por mi infancia, aunque conservaba pocos recuerdos de los intereses infantiles, mientras que Michael, que se mostraba mudo, virtualmente paralizado, con los adultos, podía entrar junto con Nile en los ritmos de los juegos de niños. Yo solía encontrarlos en una casa construida en un árbol del jardín de atrás o en el parque, haciendo ruidos raros y poniendo caras feas, o inmersos en juegos cuyas reglas cambiaban momento a momento. "Supongamos que yo soy el tipo que quiere el tesoro... No, ahora el malo eres tú... Bueno, entonces los dos somos buenos, y estos otros tipos... No, espera..."

Como Nile estaba loco por él, Michael al fin fue infiltrándose en nuestra vida. Venía de un pueblito de Idaho, y su persona contenía el misterio árido y silencioso de esas llanuras altas y vacías. Michael hablaba despacio y sólo después de considerable reflexión, con una voz monótona que se elevaba al final de cada oración. Tartamudeaba un poco, también, de modo que uno se preguntaba si tal vez lo habían obligado, a fuerza de burlas, a guardar silencio en la casa o en la escuela. Su apariencia, según me decían, era un poco como la mía —alto y delgado, con una nariz prominente—, pero él poseía una fragilidad que nunca vi en mí. Su cabeza tenía un aspecto delicado como un recipiente de porcelana; su piel se tensaba sobre el cráneo, con el rastro purpúreo y sinuoso de una vena prominente cerca de la sien. El pelo, de largos rizos rubios, ya comenzaba a ralear.

Al principio consideré a Michael un tipo desdichado, con la regla de cálculo que le colgaba del cinturón en una funda plástica. Pero con el tiempo lo descubrí extraordinariamente generoso. Se ocupaba de Nile cuando podía, y también me ayudaba a mantener la ridícula ficción que yo había inventado para mi madre, según la cual Sonny y yo vivíamos en departamentos diferentes. La idea de que yo cohabitara con una mujer era demasiado para mi madre. En su visión del Viejo Mundo, el requisito moral habría sido el casamiento, pensamiento imposible tanto porque Sonny no era judía como porque representaría un desgarramiento más en la trama fuerte que me unía a ella. En cambio, hice instalar en nuestro departamento un segundo teléfono, que sólo atendía yo, cuando llamaban mis padres. Con el permiso de Michael le di a mi madre la dirección de él, y revisaba su correspondencia todos los días por si me enviaba una carta.

No obstante, lo que más nos atraía de Michael a Sonny y a mí fuera tal vez el estómago. Sabía cocinar, una habilidad de la que nosotros decididamente carecíamos. Con el wok, Michael era un maestro. Reconocía la temperatura del aceite caliente mediante el método de echar una escalonia en la superficie y observarla arrugarse. Como era siempre tarea mía darle la cena a Nile, y Nile ansiaba la compañía de Michael, por lo general comíamos los cuatro juntos. Yo hacía las compras. Michael era el chef. Sonny lavaba los platos. Para reducir costos juntábamos nuestros cupones de estudiantes para comida, y también tomábamos algunas cosas de la heladera de los Eddgar. Los fines de semana se nos unían con frecuencia Hobie y Lucy. También ella era una magnífica cocinera, y agregaba toques exóticos de cilantro y ajíes que encontraba en los mercados de la calle Mission, o berro que descubría creciendo silvestre junto a la cancha de golf del parque Golden Gate.

Michael también comenzó a unírsenos para algo que llamábamos "la Hora Delirante". En la facultad, Hobie y yo siempre terminábamos el día juntos, compartiendo un porro con nuestros compañeros, y más o menos habíamos mantenido viva la costumbre en Damon. En nuestra sala, entre los muebles usados y andrajosos, mirábamos todos un programa de Walter Cronkite que daba las noticias locales. Fumábamos marihuana o bebíamos vino, y hacíamos comentarios presumidos en respuesta a Nixon o Agnew o Melvin Laird cuando aparecían en la pantalla del televisor. Michael pasaba del porro, pero siempre parecía disfrutar las observaciones de última hora de Hobie y mías.

Por lo general, durante esos primeros meses en California, cuando terminaba el noticiario, yo iniciaba el entretenimiento, recitando estrafalarias fantasías de ficción científica que ventilaban mis sombrías obsesiones y que yo insistía en que podían convertirse en películas. Había una sobre un faquir que de algún modo perdía su capacidad para caminar encima de carbones calientes; otra hablaba de un mercenario despiadado de Vietnam que llegaba a gobernante de una nación de los mares del Sur y hallaba un final escalofriante cuando los nativos descubrían el juego de su magia. Una noche Michael nos dijo que el universo se estaba expandiendo pero que algún día alcanzaría su límite y se contraería como una banda elástica. Según la teoría, esto causaría que el tiempo corriera al revés. A partir de ese momento pasé una cantidad de noches imaginando cuentos sobre este universo invertido en que el efecto precedía a la causa, en que la gente al nacer brotaba de sus tumbas como tulipanes y se volvía cada vez más joven, en que uno sabía las lecciones de la vida antes de tener experiencia y perecía mientras los padres vivían la cima de la pasión. Michael se divertía en especial con mis improvisaciones desenfrenadas sobre los principios primeros de la física.

Pasaba la mayor parte del tiempo en el Centro de Investigaciones Aplicadas Miller Damon —el CDIA—, que estaba ubicado en las colinas del sur del campus. Dentro de sus muros, científicos de elite conducían experimentos en física de alta energía, muchos de ellos patrocinados por el Departamento de Defensa, con la esperanza de que los ayudaran en la guerra. De acuerdo con diversos informes, éstos incluían esfuerzos para crear aparatos nucleares en miniatura, perfeccionar sistemas de guía por láser para proyectiles de mortero y bombas y —el proyecto sobre el que más se rumoreaba en el campus— el uso de microondas en el campo de batalla. Esto permitiría al ejército dejar de tratar de sacar de sus redes de túneles al NLF (National Liberation Front, Frente Nacional de Liberación), un deber peligroso, a menudo letal, detestado por nuestros militares. En cambio, los soldados podrían simplemente utilizar un aparato portátil y cocinar vivos a los malditos norvietnamitas. Estos rumores horrendos nunca eran negados, y como resultado el invento era blanco de repetidas manifestaciones. Los manifestantes tomaban la calle por asalto y eran repelidos con regularidad por falanges de policía de seguridad universitaria armados con cascos y escudos.

—Eh, viejo —dijo Hobie una noche durante la Hora Delirante—, este asunto de asar a los amarillos en los túneles... ¿es real?

—Es información clasificada —dijo Michael de inmediato, respuesta que acalló la habitación. Luego movió un hombro. —Estoy trabajando un poco en eso. Sólo un poco. En uno de los laboratorios. Investigan mucho en microondas. Uno oye cosas.

—Horror —murmuró Hobie—. ¿Y tú, amigo? —preguntó—. ¿Tu mierda es clasificada?

—Es clasificada —respondió Michael, con un tono que para él pasaba por humor extravagante.

Como guardián de la contracultura, Hobie sospechaba siempre de la gente "normal" y estaba seguro de haber atrapado a Michael.

—¿Crees que Eddgar sabe que hay un científico fascista cerca de su hijo? —me preguntó en cuanto Michael se marchó.

—¿Fascista? ¿De donde sacaste que es fascista?

—¿No lo oíste? "Ésa es información clasificada." ¿Qué puede estar haciendo que sea clasificado? ¿Crees que está estudiando el proceso de la paz? Apuesto a que Eddgar no lo sabe.

Hobie ridiculizaba los compromisos políticos, y por lo tanto Eddgar presentaba un blanco especialmente tentador. El padre de Hobie, Gurney Tuttle, integraba la junta ejecutiva del NAACP[8] del condado de Kindle, y durante toda la escuela secundaria y los primeros años de facultad yo iba del brazo con él y la madre de Hobie, Loretta, en las marchas y manifestaciones para la aprobación de la Ley de Derechos Civiles, durante aquellos tiempos dulces e inspirados en que creíamos que las leyes correctas derribarían todas las barreras. Hobie se divertía con todos nosotros. Su preocupación era el reino interior. Leía *El libro tibetano de los muertos* y *Nightwood*[9] y las novelas de Herman Hesse. Escuchaba discos de Charles Mingus y tomaba increíbles cantidades y variedades de drogas. Su credo era que el pensamiento era cultura y la cultura era el vicio que nos contenía a todos. Cualquier cosa convencional, cualquier actividad que la gente hubiera probado antes, ya fueran sentadas o incluso la revolución, era un caso perdido, una deprimente repetición de las limitaciones del pasado.

—Michael es un buen tipo —respondí.

Lucy, a quien nadie dejaba de gustarle, también habló a favor de Michael. Era de Acuario, dijo. Se trataba de un cumplido, aunque yo no sabía por qué. Ella había encontrado trabajo en un quiosco del Muelle de los Pescadores, donde hacía cartas astrológicas, actividad que consideraba con délfica seriedad y que Hobie, en su propia cara, trataba como un asunto risible.

—Solamente es callado —dijo Sonny.

—¿Callado? —preguntó Hobie—. A veces, cuando estoy con él, me siento como en una película de Bergman.

Por mucho que yo deseara defender a Michael, no se podía negar el elemento críptico. Era radioaficionado y tenía en su departamento tres o cuatro radios, grandes cajas ruidosas. Esta actividad era lo primero que lo había llevado a especular sobre el movimientos de ondas y energía, el reino invisible del mas lejano espectro de la luz. La madre de Michael murió cuando él tenía diez años. Nunca hablaba de eso, pero yo a menudo lo imaginaba de chico en su pueblito de Idaho, solo, medio huérfano, despierto a la noche, haciendo girar los diales y escuchando los ruiditos del código Morse, las voces entrecortadas por la estática en otros idiomas. De manera típica, era sólo un escucha; no enviaba mensajes propios. Decía que lo había intentado una o dos veces, pero nunca fue lo bastante rápido con la jerga crepitante de las ondas aéreas. En una ocasión en que yo estaba buscando a Nile, golpeé a la puerta de Michael y, al no obtener respuesta, entré, sólo para encontrarlo sentado allí con sus auriculares, místicamente absorto en esas vidas no vistas y los temblores de sonido que emitían desde sitios casi tan lejanos como el cielo.

En nuestro lado de la Bahía, el 14 de noviembre de 1969 el tiempo era caluroso y claro. El Comité Nacional de Movilización de Estudiantes había programado manifestaciones locales en todo el país, con la esperanza de despertar interés en las marchas masivas que tendrían lugar el día siguiente en San Francisco y Washington, D.C. Mi propio interés en parar la guerra se volvía cada vez más personal y desesperado. Durante todo el otoño había soportado una serie de deprimentes llamados telefónicos de casa, en los que mi madre, con su fuerte acento, me leía las últimas malas noticias de mi junta de reclutamiento. Primero me negaron mi solicitud de objetor de conciencia; después me ordenaron presentarme para un examen físico previo. En respuesta, yo hablaba de abandonar el país, y mi madre, a tres mil kilómetros de distancia, lloraba. Mi padre tomaba el teléfono y me ordenaba cesar de hablar de planes tan inconscientes. Los dos terminábamos siempre gritando.

Tal vez sea en vano tratar de explicar a una época las pasiones de otra. Ahora logro entender, como signo del desapego de la madurez y la apertura a la razón, que mis puntos de vista sobre Vietnam hasta pueden haber sido errados. Pero no lo digo en serio. Se formaron en aquel entonces con la dureza de los diamantes, y en realidad ni siquiera la superficie puede rayarse. Yo llevaba conmigo pocas imágenes de Vietnam. No veía su belleza húmeda y exuberante, el verdor de sus montañas ni la depravación indiferente de las tropas drogadas que hacían volar a los tenientes o tenían encuentros envilecedores con ex muchachas campesinas, ahora zombies sexuales, en los lugares de comercio carnal de las ciudades. Para mí era la visión más vaga, en primer plano, de los noticiarios de cada noche: soldados sudorosos manchados con pintura de camuflaje, que acechaban tensos entre las hojas enormes de las selvas tropicales asiáticas; chozas en llamas y madres campesinas vestidas de negro que corrían con sus bebés calvos mientras los bombardeos levantaban polvo a lo largo de la tierra. Lo malo de Vietnam no estaba en el suelo sino en el aire: en los principios, mucho más que en lo particular. Yo visualizaba un corazón negro, una selva amortajada en una noche permanente, donde la conciencia y la razón ni siquiera alcanzaban la luz resbaladiza de los rastreadores suspendidos en el aire. Y no me engañaba: la ira de esa época no se debía simplemente a quién acertaba con su predicción sobre el futuro de Asia del sur, o al tema del derecho del pueblo nativo a controlar el destino de su país, ni siquiera al debate sobre si Ho Chih Minh era más noble que los matones patrocinados por los Estados Unidos. En mi mente, en mis huesos, la protesta contra la guerra representaba a toda una generación en combate contra los puntos de vista rígidos de nuestros padres, en especial acerca del papel de los hombres, la necesidad de que los hombres fueran guerreros, patriotas, conformistas, ciegos seguidores de generales entrados en años y otros personajes mayores. El tema furioso era qué nos sucedería a todos nosotros, padres e hijos, si se olvidaban las leyes de nuestros padres.

El 14 de noviembre, alrededor de cinco mil personas nos reunimos en el sendero seco del campus, levantando polvo camino al Centro de Investigaciones Aplicadas. Bromeábamos en el aire cálido, hacíamos flamear banderines y cantábamos lemas. "Uno. Dos. Tres. No queremos esta guerra sucia." "Retírate, Nixon, como debería haberlo hecho tu padre." "Tiren ácido, no bombas." Aunque estaba abrumada por sus clases, Sonny me acompañaba. Pese a la liberación femenina, la guerra encerraba una especial desigualdad de género, ya que sólo se reclutaba a los varones. La contraseña del día era: "Las chicas les dicen sí a los muchachos que dicen que no". Siempre sentí que el momento en que había conquistado a Sonny, la primavera anterior, fue cuando le confié que de veras pensaba ir a Canadá, un paso que ella prometió apoyar.

Un juicio había obligado a la universidad a permitirnos la entrada en los terrenos del CDIA, y se abrieron sus portones de hierro con puntas de lanzas doradas. Éramos miles, y marchamos por el sinuoso sendero de asfalto que atravesaba los parques y arbustos precisos, hasta una plaza de cemento que enfrentaba el Centro de Investigaciones. El edificio, de ordinario invisible salvo desde cierta distancia, se cernía allí como Oz. Era de un diseño futurista con grandes pilares aflautados de estuco color arena y enormes ventanas protegidas del sol por un tejado saliente. Entre el edificio y la multitud, los agentes del Cuerpo de Seguridad de Damon se ubicaron en tres filas parejas. En el medio del parque, una única fuente cuadrada lanzaba un rocío segmentado que salpicaba al azar. Los policías llevaban fajas fosforescentes especiales cruzadas sobre el pecho, para mejor reconocerse entre sí en medio de la confusión, y cascos especiales con visores de plexiglás levantados como los de las máscaras de los soldadores. Llevaban largos bastones a los costados, y un enorme escudo de plástico descansaba a los pies de cada oficial, como un perro obediente.

El resultado fue mucho mayor que lo que cualquiera de nosotros, en el Comité de Movilización, habíamos previsto. El tiempo, un bienvenido alivio de una reciente temporada fría, hizo que fuera un buen día para interrumpir las clases. Yo rara vez me permitía admitir el grado al que las manifestaciones se habían vuelto un deporte para la gente de mi edad. Nuestra generación, que había vivido de segunda mano a través del televisor, parecía encontrar una emoción especial en el espectáculo en vivo. Pero el clima político también era provocador. A consecuencia del Día de la Moratoria, en octubre, en el que habían cerrado varios campus y muchos negocios de todo el país, Richard Nixon había emitido un discurso desafiante anunciando que una "mayoría silenciosa" de estadounidenses mantenía su negativa a retirarse de Vietnam. La fealdad de la guerra que Nixon quería continuar había sido subrayada por los informes, publicados aquella semana, acerca de un joven teniente, William Laws Calley,[10] arrestado en Fort Benning por sospecha de haber asesinado a quinientos aldeanos vietnamitas.

Mientras sonaba la música, la multitud se reunió en el vasto césped del CDIA. Sonny y yo nos hallábamos hacia el fondo, echados sobre un enorme toallón de playa. Detrás de nosotros, la gente arrojaba Frisbees a sus perros, mientras el contingente habitual de Organización Nacional para la Legalización de la Marihuana echaba humo al viento y el aroma delator caía sobre las fuerzas de seguridad, imposibilitadas de abandonar sus puestos o arriesgarse a provocar una confrontación.

Cerca de las tres y media de la tarde comenzaron los discursos. Las manifestaciones sobre el Día de la Moratoria se proponían mostrar la envergadura de la oposición a la guerra, y hablaron brevemente representantes de todas las organizaciones participantes: grupos eclesiásticos, comités universitarios, sindicalistas, comerciantes contra la guerra, mujeres por la liberación femenina, morenos y negros, estudiantes de todas las tendencias, desde radicales hasta republicanos de McCloskey. En este panteón se había incluido a Cien Flores, a pesar de las objeciones respecto de que su finalidad no era la paz. A manera de escenario improvisado, los oradores habían montado un cartel del CDIA, un enorme bloque de cemento de tal vez dos metros de alto, y cerca del final de la tarde Loyell Eddgar se presentó allí. Las diversas entidades que comprendía Cien Flores se habían identificado con brazaletes rojos decorados con caracteres chinos. Cuando anunciaron a Eddgar, una cantidad de partidarios se abrieron paso a la fuerza entre la multitud hacia el frente. Unos sesenta miembros del Partido Laborista Progresista pasaron cerca de donde estábamos sentados Sonny y yo. Todos vestían pantalones caqui, y pasaron apresurados, con la cabeza inclinada, las manos en los hombros de la persona de adelante, las coletas de los brazaletes dobladas en el mismo ángulo preciso. Cantaban:

> Mao es rojo
> El rojo es Supremo
> Mao aplastará
> la máquina bélica

Yo nunca había escuchado hablar a Eddgar, y al principio tuve la impresión de estar experimentando algún truco de perspectiva, al ver desde cierta distancia a alguien a quien sólo conocía de cerca. Allí estaba esa figura delgada, vestida con una camisa y unos pantalones sencillos; su cabello denso y oscuro lucía brilloso de sudor, y los tendones y músculos de su cuello y su mandíbula sobresalían mientras hablaba. Pero poco a poco me di cuenta de que era otro. Parado en el bloque de cemento, proyectando su voz a través de un megáfono que amplificaba su respiración, Eddgar estaba transformado por la pasión revolucionaria. En el espíritu de la revolución cultural, llamaba a la destrucción de todas las elites.

—Debemos hacer de esta universidad un lugar que mejore el mundo en lugar de destruirlo. No necesitamos estudiar para cocinar a nuestros enemigos. Debemos dejar de educar a los hijos de la clase dominante y de excluir a las personas negras, morenas, rojas y amarillas que entran en nuestras aulas más a menudo para limpiar nuestros pupitres que para sentarse tras ellos como estudiantes. —Conducida por miembros de Cien Flores que todavía trataban de llegar al frente, la multitud comenzó a vitorear las oportunas pausas de Eddgar con coros como: "¡Ya mismo!".

—Debemos tomar el poder para decidir sobre nuestra vida, quitárselo a la gente a quien sólo le importa la vida de ellos —gritaba Eddgar—. Debemos, como nos enseñó Mao, "causar problemas, y fallar; causar problemas otra vez, fallar otra vez... hasta que ellos perezcan".

De pronto, en alguna parte cercana al frente, gritó una mujer: un sonido chocante, aterrado. Estaba ocurriendo algo. Todos lo sabíamos.

—Esto no es bueno —dijo Sonny, y me hizo levantar. Alrededor de nosotros se levantaban todos.

Eddgar, que había guardado silencio por un momento, gritó otra cita por el megáfono:

—"Es bueno que nos ataque el enemigo, ya que ello prueba que hemos trazado una clara línea de demarcación entre el enemigo y nosotros."

Entonces vi la primera piedra en el aire, viajando en un arco largo hacia los enormes vidrios de las ventanas del frente del edificio. El ambiente cerrado, los policías equipados para enfrentar disturbios, la atmósfera cargada y atrincherada de campo de batalla de la universidad me agitaron tanto que creo que una parte de mí se elevó junto con esa piedra en vuelo. Pero la parte pensante ya se hallaba en agonía. La ventana cayó enseguida; una cascada de vidrios se estrelló sobre los policías, que reaccionaron de manera inmediata. Después afirmaron que hubo más ataques, pero yo sé que fue en ese momento cuando vi balancearse las cachiporras. Hubo una intensa confusión, alaridos agudos, golpes feroces, mientras la gente huía.

Desde atrás, donde estábamos Sonny y yo, la confusión que se produjo cerca del escenario tuvo por un momento una cualidad remota. Alcanzábamos a ver que la multitud retrocedía en filas de a veinte o treinta en fondo mientras la línea de policías caía sobre ellos. Entonces, de pronto, las ondas de movimiento aterrado se acercaron, después nos rodearon: caras fundidas unas con otras y voces penetrantes y pelo que flotaba. Cuando alcancé el sendero que volvía a los portones, una joven tropezó en el asfalto, justo a mi lado, y la ayudé a levantarse. Tenía un tajo abierto en la frente, en medio de un cardenal palpitante. La sangre le corría por la cara y ya le había formado costras en el pelo. Se pasó la mano con gesto tentativo y gritó fuerte cuando se vio los dedos; luego salió corriendo, evidentemente temerosa de que le pegaran de nuevo. Por el movimiento alocado de la muchedumbre, uno podía sentir que la policía se venía encima, blandiendo las cachiporras.

Por un momento, mientras todos corríamos hacia los portones, parecía que el pánico había cedido. Yo había perdido a Sonny en algún lugar, así que me paré en el sendero alquitranado, aullando su nombre, sin obtener otra respuesta que los gritos de una docena de personas que, como yo, intentaban encontrar a alguien de quien habían quedado separados. Luego, sin advertencia, se elevó otro coro histérico. Con la segunda andanada, reconocí el sonido aullante de los cartuchos de gas lacrimógeno en el aire. Los pequeños rastros de humo, de apariencia inocua a la distancia, se disolvían al elevarse desde el suelo, pero los estudiantes sabían lo suficiente como para huir con una nueva y enloquecida intensidad. Al fondo de la colina se veía gente que trepaba la cerca de hierro, y las puntas de lanza que se movían un poco en aquellos puntos en que la multitud se agolpaba contra la verja. Arriba, los pájaros que habían probado el gas chillaban, volaban como locos en círculo, desesperados de dolor.

Cerca del portón la escena era horrible. Vi una mujer con la cabeza atrapada contra un poste de concreto, por completo incapaz de moverse durante un instante, hasta que desapareció de repente. Del otro lado de los portones, la gente corría, gritando y llorando, vociferando amenazas contra la policía. Una vez que alcancé el sendero de grava, me volví de nuevo, buscando a Sonny entre las caras doloridas y manchadas de tierra. Mientras pasaban, como flotando, noté a unos cuantos que habían tenido la previsión de empapar trapos en agua, que se metían en la boca para mitigar los efectos del gas. Había incluso tres o cuatro personas, todas vestidas con la ropa caqui del Partido Laborista Progresista, que se habían colocado máscaras antigás de goma. Se me acercó una mujer con la cara de monstruo verde de la máscara, se detuvo, se la sacó y, por improbable que resultara, me besó. Era Lucy.

—Estamos con Cleveland. Estábamos. No se dónde están él y Hobie. —Miraba en todas direcciones.

—¿Cleveland Marsh? —El compañero de Derecho de Hobie. No habría esperado ver a un líder de los Panthers en una marcha por la paz... ni a Hobie, además. Lucy me besó otra vez y se fue corriendo, barrida por la corriente de la muchedumbre en movimiento.

Esperé otros diez minutos, más o menos, deseando ver a Sonny. Entonces el viento cambió de dirección y terminé absorbiendo una bocanada de gas. En plena huida, me dirigí hacia el campus. Fui al sitio donde había estacionado el Escarabajo, pero Sonny no estaba allí. Al cabo de un rato me fui, suponiendo que habría vuelto a casa. Después comprobé que había salido mucho antes y me había dejado el auto.

Sin saberlo, continué caminando, tratando de tranquilizarme, diciéndome que Sonny se encontraba bien y esperando verla camino a casa. Del otro lado de las luces intensas del bulevar Campus la noche se había cerrado suavemente sobre las calles y los edificios de estuco, sobre las casitas de techos de tejas. Lejos de la conmoción, del pánico, volví a sentir mi corazón. El hombro me dolía por razones que no lograba recordar. El clima se iba poniendo frío con rapidez y se percibía que vendría niebla, que espesaba el aire aunque todavía no resultara visible. Tenía el estómago revuelto por el gas y los ojos me ardían de manera considerable. Sabía que no debía frotármelos, y seguí caminando así en la noche fresca, soltando lágrimas que me secaba con cuidado con la manga.

Cuando llegué a nuestro edificio, oí un ruido como de pies que se arrastraban: pasos rápidos, una voz, algo furtivo. Tuve la impresión de que era más de una persona. Me di vuelta con un brazo levantado y grité:

—¿Quién anda ahí?

Eddgar salió de atrás de la escalera exterior de madera que servía como escape en caso de incendio. Permaneció en la sombra, del otro lado del rayo de luz que arrojaba el aparato de la entrada. Respiraba pesadamente. Un hilo de sudor le relumbraba en la sien. Y había perdido la camisa por el camino. Llevaba sólo una camiseta de color, y se lo

veía más delgado que lo que yo había imaginado. Había huido de alguna parte. De alguna parte donde supuestamente no debía estar, pensé.
Conjeturé que había corrido para adelantarse a la policía, de modo de
poder afirmar que se hallaba en su casa en el momento de la manifestación. Debía de haber venido por callejones, temeroso de que la policía
estuviera vigilando los autos de los miembros de Cien Flores, o de no
poder avanzar con bastante velocidad en el tránsito intenso.

—Seth —me dijo; tenía la cara levantada hacia la luz, en actitud
temeraria—. Está bien —dijo por encima del hombro. Luego me miró
de frente y en un gesto silencioso con la cabeza me indicó que fuera
hacia las escaleras. Caminé despacio hacia el rellano de nuestro
departamento, pero sabía que no iba a entrar. Me volví a observar.

Debajo de mí, Eddgar dio unos golpes en los tablones del muro
exterior, como una especie de señal, y dos personas salieron del costado
del edificio: Martin Kellett, el líder sindical del campus, con sus pesadas
botas de motociclista, y una persona pálida y delgada que me pareció
era una mujer. Tenía el pelo alborotado, color agua sucia, y vestía una
camisa de franela, abierta. Ella y Kellett llevaban una camilla enrollada,
como de un campamento de boy-scouts, un pedazo de lona suspendido
entre dos varas. Eddgar dio entonces un paso al costado, y los otros se
agacharon debajo de la escalera de madera. Kellett le habló a alguien
con tono consolador:

—Calma, Rory. Tranquilo, camarada. Allá vamos.

Un hombre gritó, y Kellett y la mujer emergieron agachados del
espacio negro de abajo de la escalera. En la camilla yacía un hombre.
Incluso bajo esa luz mínima, pude ver que el pie estaba torcido en un
ángulo inhumano.

—La camioneta estará atrás —le dijo Kellett a Eddgar.

Eddgar se fue con ellos. El portón se cerró de un golpe y el cerrojo
volvió a su sitio con un ruido fuerte. Oí el ruido de la camioneta que se
acercaba, y la explosión de grava cuando volvió a arrancar. Luego Eddgar
reapareció bajo la luz. Me vio en las escaleras y subió con lentitud.

—Se rompió una pierna —me dijo.

Yo sabía que era mejor no preguntar. Algo había sucedido. Algo
malo. Algo que la Seguridad de Damon querría saber. Pero lo que más
me molestó fue el modo como Eddgar me palmeó el hombro y siguió
su camino, sin dignarse a mirar atrás. Sabía que no tenía nada que
temer de mí.

5 de diciembre de 1995

SONNY

*INFORME Y EVALUACIÓN DE SERVICIOS PREPROCESALES
SOBRE NILE EDDGAR*

*Tema: Nile T. Eddgar
Jueza: Klonsky
Cargos: Violación de los artículos 3 y 76.610 de la Ley Revisada
del Estado(Conspiración para Cometer Homicidio)*

*A pedido de su abogado, el Sujeto fue sometido a los Servicios
Preprocesales (en adelante, SPP) para evaluación y recomendación
concernientes a la aptitud del Sujeto para que se le permita salir
bajo fianza mientras aguarda el juicio pendiente. A causa del
empleo del Sujeto en la Oficina de Libertad Condicional del
condado de Kindle (OLCCK), este asunto fue remitido a la abajo
firmante, de la Oficina de Libertad Condicional del condado de
Greenwood, que no tiene relación con el Sujeto.*

Los martes, cuando Cindy Holman es la encargada de llevar al grupo
de chicos al jardín de infantes, Nikki y yo esperamos siempre listas. Yo
llegué temprano y tuve tiempo de permitirme un momento de
curiosidad, así que saqué del archivo judicial el informe de SPP, que
Marietta mencionó anoche. Había permanecido allí sin leer después de
que Eddgar pagó la fianza de Nile, un copioso resumen de información
y energía convertido en irrelevante por el veloz curso de los sucesos del
tribunal.

OBSERVACIONES GENERALES: El Sujeto fue entrevistado en la

Cárcel del condado de Kindle (CCK) el 13 de septiembre de 1995, en presencia de la Defensora del Estado, Gina Devore. El Sujeto intenta actualmente conservar los servicios de un abogado particular, pero firmó el Formulario 4446 —Renuncia de Derechos de SPP— con el fin de permitir a su nuevo abogado presentar una petición de reducción de fianza.

El Sujeto es de sexo masculino, blanco, de 31 años. Mide 1 metro 83 centímetros y pesa 120 kilos. Parece alerta y se mostró colaborador durante toda la entrevista. Describe su salud como buena. El Sujeto fue observado fumando cigarrillos, que según dice le causan problemas bronquiales crónicos. Un análisis rutinario de orina realizado en CCK dio negativo en cuanto a la presencia de opiáceos y otros narcóticos. Se informaron rastros de tetrahidrocannibinol (THC), después de la entrevista del Sujeto, lo cual sugiere un posible uso de marihuana.

EDUCACIÓN: El Sujeto asistió a la facultad en forma intermitente hasta hace tres años. Afirma tener un diploma de la Universidad Comunitaria del condado de Kindle (confirmado) y cuenta con suficientes horas en áreas relacionadas con trabajo social para obtener su diploma de Bachiller. No le ha sido concedido un título de mayor grado debido a que no pudo completar los cursos de ciencias requeridos. El Sujeto afirma tener un diploma de duodécimo grado, de Easton (confirmado).

EMPLEO: El Sujeto ha sido empleado durante casi dos años como supervisor de libertad condicional en el Departamento de Libertad Condicional del condado de Kindle (DLCCK). Los deberes del Sujeto incluían en general la supervisión de las actividades de clientes que han sido liberados de la penitenciaría y cuya sentencia por el Tribunal incluía un período de liberación supervisada o libertad condicional. El Sujeto controla la adaptación a la familia, empleo, asistencia a programas para superar dependencia química, etc. Su salario es de 38.000 dólares anuales. Otros empleos previos fueron esporádicos, ya que el Sujeto estaba completando su educación. (Véase más arriba.)

El expediente personal de DLCCK sobre el Sujeto, que fue revisado por la abajo firmante, muestra que el Sujeto ha tenido en general buena evaluación. Sus trabajos escritos llegan tarde con frecuencia, causando quejas de ciertos jueces, pero se relaciona bien con los clientes. Un supervisor declaró que el Sujeto es a veces demasiado compasivo. En su primer año de empleo, el Sujeto fue puesto en situación de observación debido a que no se presentó a trabajar en tres ocasiones en un mismo mes. Su asistencia ha sido regular desde entonces.

Joseph Tamara, jefe de DLCCK, declara que el Sujeto se halla actualmente en licencia administrativa. Recibirá su salario pero no se le permitirá trabajar mientras estén pendientes los presentes cargos. Si se lo absuelve de todos los cargos, dice Tamara, el Sujeto tendría derecho a retornar a su empleo.

HISTORIA Y ANTECEDENTES FAMILIARES: El Sujeto es soltero. Desde que ocupó su cargo en DLCCK, ha mantenido residencia en Duhaney 2343 (confirmado), en DuSable. El Sujeto reconoce que continúa pasando algunos fines de semana y muchas noches de la semana con su padre en el condado de Greenwood. El Sujeto declara que nació en Damon, California, el 19 de noviembre de 1963. Su padre era profesor universitario; su madre trabajaba fuera de la casa en diversas actividades.

En 1971, sus padres se separaron y subsiguientemente el Sujeto se mudó con su madre a Marston, Wisconsin. La madre del Sujeto volvió a casarse, con el doctor William Chaikos, médico veterinario, en 1975. El Sujeto admite que su adaptación social fue mediocre en la escuela y que no se llevaba bien con su padrastro ni sus dos hermanastros. El Sujeto declara que en esta época su madre tenía problemas personales que no reveló, aunque más tarde fueron identificados, en una entrevista con el padre del Sujeto, como abuso de sustancias ilegales. Por lo tanto, a la edad de 11 años, el Sujeto se mudó al condado de Greenwood para establecer residencia con su padre, que era profesor en la Universidad de Easton. El Sujeto dice que continuó teniendo un rendimiento mediocre en la escuela y experimentaba también otros problemas. (Véase más abajo.)

El padre del Sujeto, Loyell Eddgar, senador del estado, también fue entrevistado el 13 de septiembre, por teléfono. El doctor Eddgar caracteriza a su hijo como altamente inteligente pero no bien motivado. Dice que tuvo que alentar a Nile para que completara su educación. Dice que, a pesar de los problemas en la escuela, Nile mantenía una relación estable con ambos progenitores. Aunque el senador Eddgar reconoce que Nile ha experimentado diversos problemas de adaptación, afirma que desde que se integró a DLCCK su hijo ha sido productivo y en apariencia se lo veía más contento. El senador Eddgar ayudó a Nile a obtener su puesto actual. El senador Eddgar se negó a discutir detalles del presente delito, a pedido de la Oficina de la Fiscalía del condado de Kindle (FCK).

A la madre del Sujeto, June Eddgar, no pudo entrevistársela, ya que falleció como resultado del crimen del que se acusa actualmente al Sujeto.

HISTORIA CRIMINAL: Fueron solicitados los antecedentes de la Fuerza Policial Unificada del condado de Kindle, y los informes del FBI. Durante la entrevista, el Sujeto admite que cuando era menor de edad fue objeto de dos reconvenciones en una comisaría por hurtos en tiendas, y uno por destrucción de vida silvestre. El Sujeto agrega que fue esta experiencia lo primero que lo llevó a interesarse en la actividad de supervisor de libertad condicional.

SITUACIÓN ECONÓMICA: El abogado del Sujeto declara que el Sujeto intentará, mediante la actuación del nuevo abogado patrocinante, solicitar se fije una fianza adecuada. Comparecerá directamente ante el Tribunal en el momento de la audiencia para la fijación de fianza.

CONCLUSIÓN: SPP concluye que el Sujeto es un candidato apropiado para la fianza. Aunque el Sujeto está acusado de un delito muy grave para el cual el gran jurado ha encontrado que existe una causa probable, tiene prolongados vínculos con la comunidad, carece de historial de crímenes violentos y de antecedentes criminales como adulto.

María Guzmán Tomar
Jefa, Servicios Preprocesales
Supervisora de libertad condicional
del condado de Greenwood
18 de septiembre de 1995

El "Sujeto", pienso, es siempre un candidato apropiado para fianza. SPP es parte de CETA, un programa de adiestramiento laboral integrado por personas que apenas se hallan más allá de la pobreza ellas mismas. Su simpatía hacia los prisioneros se manifiesta abiertamente; el mensaje de SPP suele ser el mismo de Moisés: Dejen ir a mi pueblo. La extensión de este informe —tres páginas— y la velocidad con que fue preparado —una semana— representan un tributo a las sensibilidades políticas de este tema y la cantidad de casos suburbanos del condado de Greenwood. Aquí, en Kindle, a menudo estamos un mes esperando un solo párrafo. No está claro si la señora Tomar no se enteró de que Nile ya salió bajo fianza o decidió que era políticamente aconsejable completar su informe de todos modos. Pero es evidente que no tuvo indicio alguno de que Eddgar pagaría la fianza de Nile. ¿Por qué lo hizo, entonces?

—Estamos todos listos, jueza —dice Marietta, asomándose por la puerta posterior del despacho.

En la sala del tribunal, tenemos un comienzo indócil. Hobie acusa a Molto de cambiar el orden de las pruebas. Tommy le ha dicho a Hobie que el primer testigo sería Lovinia Campbell, la joven cómplice que terminó como una de las víctimas del tiroteo, pero Molto dice que los delegados de trasladados no la han traído, como sucede a menudo. Hobie opina que no es más que una excusa.

—Señor Tuttle —digo—, tengo que aclararle que esto ocurre todo el tiempo. —Annie vive quejándose por teléfono de esta falla de la cárcel en enviar los prisioneros que necesitamos. De algún modo nunca hay nadie que se ocupe de eso. Mil reclusos van y vuelven todos los días, los pasean por el sótano de este edificio por la pasarela que une la cárcel con los tribunales. Uno salió bajo fianza. Otro no llegó nunca de la comisaría donde lo arrestaron. Y en un sistema en que todo —la fianza, el encarcelamiento, las sentencias— se vuelve más difícil a medida que se repiten los delitos, es un suceso diario descubrir que al acusado no le han dado su verdadero nombre. Con frecuencia la toma y comparación de huellas dactilares, que se hace en McGrath Hall, el Departamento Central de Policía, revela que un acusado tiene un historial cargado, con cuatro o cinco alias. Kamal Smith es Keeval Sharp, Kevin Sharp y Sharpstuff. Para agravar todo eso, el inglés de Annie no ayuda mucho.

—Su Señoría —dice Hobie—, creo que no están preparados para presentar a la testigo. Creo que ella les está causando problemas.

—Jueza —contesta Molto—, no hubo ningún problema hasta que la testigo se encontró con el doctor Tuttle. Quisiéramos presentarla, pero no está aquí; no llegó del Instituto de Menores. Ahora no podemos cambiar la situación. Tenemos algunas estipulaciones que leer, y otro testigo que ya se dirige hacia acá. Eso es todo lo que podemos hacer.

—Señor Tuttle, ¿no está usted preparado para el testigo que el estado se propone llamar a declarar?

—Sí, lo estoy —responde con indiferencia.

—Entonces, ¿qué es lo que pretende?

Se encoge de hombros como si no lo supiera, y sin más se retira a la mesa de la defensa, jugueteando con su bloque de notas y simulando no advertir mi mirada irritada. A poca distancia, Molto y Singh conferencian. ¿Es Lovinia el problema de Tommy? ¿Es ella la razón de que esté tan ansioso por comenzar? Eso es lo que parece.

Tras acercarse a la mesa de la fiscalía, Rudy Singh llega al podio. Su flojo traje gris es demasiado liviano para la estación.

—Hemos llegado a un acuerdo en cuanto a las estipulaciones, con la venia del tribunal —anuncia. Rudy tiene una voz musical y modales pretensiosos. Es un tono más oscuro que Hobie, delgado, con tupidas cejas negras y rasgos perfectos. Me da la impresión de uno de esos príncipes bonitos y mimados que parecen producir todos los grupos étnicos del mundo.

Rudy lee lo que se ha acordado. En esencia, se ha aceptado el informe del patólogo policial. June Eddgar murió de múltiples heridas de bala en la cabeza. Gases presentes en la sangre y el tejido pulmonar indican que la muerte fue inmediata. Diversos detalles concernientes al estado de su digestión y datos informados por los agentes presentes en la escena del crimen llevan al patólogo a opinar que el momento de la muerte se produjo entre las seis y cuarto y las siete de la mañana del 7 de septiembre. La señora Eddgar, según el patólogo, estaba mirando directo hacia el lugar desde donde se produjo el tiroteo cuando fue alcanzada por los disparos.

—Así queda estipulado —entona Hobie.

—El Pueblo y el acusado, Nile Eddgar, estipulan, además, que los restos examinados por el doctor Russell eran en verdad los de June LaValle Eddgar, nacida el 21 de marzo de 1933.

—Estipulado. —El caso por homicidio es válido. Una víctima muerta por medios violentos.

A continuación, Rudy lee el resumen de una serie de registros telefónicos. Aquí, en la era de las computadoras y los múltiples códigos de área, la compañía telefónica conserva medios magnéticos que registran cada llamada realizada desde cada número. Estos resúmenes muestran que en agosto y principios de septiembre Nile casi no dejó pasar veinticuatro horas sin llamar a un número de *pager*. El testimonio, sin duda, confirmará que el *pager* era el del Pesado. Se lo discó repetidas veces desde el departamento y la oficina de Nile, y desde la casa del padre de éste en varias noches y fines de semana.

Después, Rudy recita el acuerdo de las partes acerca del informe del experto en huellas dactilares. Una de las cápsulas servidas recogidas en la escena del crimen muestra una huella parcial de Gordon Huffington, alias Gorgo. A Huffington no ha podido encontrárselo para realizar comparaciones actualizadas.

—¿Está fugitivo? —pregunto—. ¿Huffington?

Singh mira a Tommy, luego a Hobie, antes de responder. Hobie hace un ademán para mostrarme que no podría importarle menos la respuesta de Rudy.

—Sí, Su Señoría —responde Rudy.

—¿Y la teoría del estado es que los disparos los hizo él?

De nuevo, una pausa. Molto se pone de pie; su boca pequeña se estremece por la mortificación de mis frecuentes preguntas.

—No se tocó este tema en las presentaciones preliminares —explico—. Sólo trato de orientarme.

—Supuestamente, fue el partícipe de la conspiración que hizo los disparos —responde Tommy—. Y está fugitivo.

Asiento. Pero en el caso presentado por el estado hay un agujero: no han encontrado al verdadero asesino. Esto va a favorecer a la defensa.

Singh reanuda la lectura. Da a su voz un floreo destinado a informar que hemos alcanzado un punto dramático. El Grupo No.1 de Pruebas del Pueblo consiste en las Pruebas 1A y 1B, contenidas en una bolsa de plástico. Singh las alza en el aire, desplegando una larga manga de plástico azul semejante al envoltorio de mi diario de los domingos. El Grupo de Pruebas 1B consiste en 177 piezas de moneda corriente de los Estados Unidos, 23 billetes de cien dólares y 154 billetes de cincuenta dólares. Lo mismo que la bolsa azul, los billetes están envueltos en papel grueso y sellados con cinta adhesiva resistente, en la cual se ha escrito repetidas veces, con letras rojas: "Prueba". Cuando los recibió el laboratorio, los billetes de 1B estaban atados con una simple banda elástica común y se hallaban contenidos en la Prueba 1A, la bolsa azul. Ochenta y nueve billetes de la Prueba 1B fueron sometidos a examen en busca de huellas dactilares: los billetes de la parte superior e inferior del fajo —un billete de 10 dólares y otro de 50— y 87 billetes escogidos al azar, cada uno identificado en la estipulación por los números de serie.

La lectura de Rudy continúa en forma monótona. Las estipulaciones acordadas plantean puntos de comparación y detalles específicos, y se explayan en particular en cuanto al llamado Método Supercola, en el que se emplea cianoacrilato, que se utilizó para revelar las impresiones de la bolsa de plástico. Pero no hay manera de pasar por alto lo más significativo: las huellas dactilares de Nile fueron identificadas en los billetes exteriores del fajo de dinero, y sus huellas, así como las del Pesado, también fueron descubiertas en la bolsa de plástico azul en la que estaba envuelto el dinero.

Cuando era fiscal, demoré años en aprender que siempre me convenía mucho más un acuerdo previo entre las partes respecto de ciertos puntos, pues eso evita las cien maneras en que fallan los testigos: lapsos de memoria o deslices de la lengua, la observación fatal en una formulación de repreguntas. En especial sin jurado, es probable que Tommy esté haciendo exactamente lo que debe. Pero también le está permitiendo a Hobie sacar ventaja de la situación, al restar importancia a un testimonio bastante perjudicial. Después de todo, ¿qué excusa hay para que un supervisor de libertad condicional intercambie billetes grandes con uno de sus clientes? Incluso los periodistas, que susurraban despacio al comienzo del recitado de Rudy, van callando poco a poco a medida que emergen los detalles sobre las huellas dactilares. En la sala del tribunal ahora todos saben que el caso ha pasado más allá de la etapa de la acusación. Por muy monótona que se la anuncie, el estado ha ofrecido verdaderas pruebas contra Nile Eddgar.

Como su primer testigo, la fiscalía llama al detective teniente Lewis Montague, de la Zona 7 de Homicidios, que supervisó la investigación del caso. Cuando su declaración esté completa, Montague entrará y saldrá de la sala del tribunal para asistir a los fiscales: contactando testigos, recuperando pruebas. Es el policía del caso. Interrogado por Rudy Singh, de manera ordenada y enérgica, Montague describe lo que encontró la mañana del 7 de septiembre: uniformes, cordón policial amarillo, ambulancias y patrulleros. Se presentan fotos. Imágenes del cuerpo, que me entregan. Las hojeo y anoto los números de prueba. No hay cara, sólo sangre. Qué horror, pienso. Pero no es June. Al cabo de la cuarta o quinta foto se me ocurre pensar que ella debía de haber engordado bastante. En el desorden de papeles ya apilados aquí, sobre mi secante de cuero, encuentro un informe. ¡Setenta y siete kilos! Me siento mortificada por June. La mujer a la que conocí tenía una envidiable sensualidad adulta, con la que siempre contaba, incluso en medio de la revolución.

—¿Examinó usted a la víctima? —pregunta Rudy.

—Esperamos al Pp. —El patólogo policial. Montague se digna echar un vistazo hacia mi lado y agrega, con tono confidencial: —Estaba fuera de línea, jueza. Evidentemente. —Es decir, muerta. Los policías siempre se sienten muy incómodos cuando el tema es morir. Tienen mil eufemismos. "Con expresión de letra Q" es uno que de vez en cuando me obliga a reprimir una sonrisa; significa que el occiso fue encontrado con la lengua colgando fuera de la boca.

—¿Y tuvo usted ocasión, detective, de observar a una joven que fue luego identificada como Lovinia Campbell?

—La señorita Campbell estaba en el pavimento cuando yo llegué, a unos quince metros de la señora Eddgar. En la escena del crimen había un grupo de paramédicos que se disponía a retirarla.

Montague detalla la posición de la muchacha. Se presenta una foto de una mancha de sangre, luego un esbozo esquemático de la calle. Montague hace una X y una Y para indicar las posiciones de Lovinia y June Eddgar. La declaración es precisa, desapasionada. Montague describe el trabajo de otros agentes, a los que supervisó. Los técnicos en pruebas que registraron el interior del vehículo encontraron la cartera de June, la cubrieron de polvo para detectar huellas dactilares, luego revisaron el contenido. Un agente uniformado pidió información sobre la chapa del Nova y recibió un informe de que el auto se hallaba registrado a nombre de Loyell Eddgar en la ciudad de Easton. Por último,

Montague dice que dirigió una investigación por el barrio. Cuando le fueron informados los resultados, ordenó a los investigadores de Homicidios que intentaran localizar a un individuo.

—¿Y cuál era el nombre de ese individuo? —pregunta Rudy.

—Ordell Trent.

—¿Y Ordell Trent fue identificado con algún otro nombre?

—El Pesado —responde Montague—. Ése es su alias como pandillero.

—Y volviendo su atención, señor, al 11 de septiembre de 1995, cuatro días después, ¿tuvo usted ocasión de conocer al Pesado?

—Lo conocí ese día, en la Zona 7.

—¿Y quién más se hallaba presente, si es que había alguien?

—El abogado de Trent. Jackson Aires.

—¿Y usted recibió algo del Pesado ese día? —Rudy ha vuelto a la mesa de la fiscalía y busca en la caja de cartón donde el estado guarda sus pruebas. Sobre el cartón blanco, los fiscales han escrito el nombre del caso, "El Pueblo contra Eddgar", y en letra lo bastante grande como para un cartel callejero —y por cierto para que lo hubiera notado un jurado, de haberlo habido—: "CONSPIRACIÓN PARA COMETER HOMICIDIO". Rudy vuelve a levantar el Grupo No. 1 de Pruebas del Pueblo, los 10.000 dólares en que se encontraron las huellas dactilares de Nile. Montague dice que recibió el dinero del Pesado, y que luego lo inicialó y lo sometió al examen de huellas.

—Y, si tiene la amabilidad, ¿cuál fue el resultado de ese examen, teniente?

Inflamado, Hobie se pone de pie.

—Su Señoría, yo he hecho un acuerdo respecto de las estipulaciones previas. ¿De qué se trata esto?

—Su Señoría —responde Rudy con tono majestuoso—, me limito a tratar de establecer el proceso de la investigación del teniente Montague. —De hecho, lo que intenta es subrayar su mejor prueba, y es por eso, en primer lugar, que Hobie aceptó el acuerdo. Hago lugar a la objeción y Singh termina.

Montague vuelve apenas la cabeza, esperando a Hobie. Sentado por debajo de mi podio, a poca distancia, Lew Montague es la imagen del reposo. Lleva una chaqueta azul y una camisa con el cuello abotonado; su pelo largo y negro está peinado con prolijidad. Parece endurecido por la experiencia, por sus años de levantar sangre y entrañas de las calles de los barrios bajos. En la silla de los testigos, se sienta casi con flojedad. Montague ha sido interrogado y reinterrogado casi una vez por semana durante la última década, y ha llegado a dominar por completo el lenguaje corporal de la credibilidad. Mantendrá la calma. En ningún momento elevará la voz. Sus respuestas serán breves. Un policía como Montague, un verdadero experto en el estrado, podría virtualmente condenar a cualquiera que eligiera, apoyar la teoría flogística o la quema de brujas en la hoguera.

—Sólo unas preguntas, detective —dice Hobie. Viste otro traje elegante; tiene la barba recortada y sus uñas relucen con esmalte transparente. Se dirige hacia Montague y enseguida, en apariencia asaltado por algo, retrocede. Toma de manos de Rudy las bolsas plásticas que contienen el dinero, la Prueba del Pueblo No. 1. La correa del reloj de Hobie, un enorme pedazo de oro, se deja entrever brevemente por debajo de sus gemelos franceses.

—Ahora bien, cuando usted envió este dinero al laboratorio policial del estado, ¿por casualidad les pidió que buscaran alguna otra cosa, además de huellas dactilares?

Montague arruga apenas la frente. De inmediato capta la intención de Hobie. Mi amiga Sandy Stern me ha dicho a menudo que un abogado defensor es como una persona que palpa una pared en la oscuridad en busca de un interruptor de luz. Hobie, al parecer, está buscando fallas procesales, espera que el estado haya realizado tests científicos sobre los cuales no le han avisado. Siempre existe la vaga esperanza de poder liberar a un acusado, no porque sea inocente, sino porque el estado ha sido injusto.

—No —responde Montague a la pregunta sobre la realización de otros tests.

—¿Así que no buscaron si había, por ejemplo, huellas de sangre en este dinero?

—No.

—¿No intentaron ver si había, por ejemplo, algún rastro de pólvora?

—¿Pólvora? —Montague se contiene. —No.

—¿Podrían haber efectuado esos tests?

—No veo por qué.

—¿Pero podrían haberlo hecho?

—Claro.

—¿Podrían hacerlo ahora?

—No —responde Montague—. No, espere. Sí, se podría. Iba a decir que no porque el dinero fue tratado con ninhidrina —el hediondo agente químico color púrpura que se usa para revelar huellas dactilares—, pero sólo enviamos la mitad. El laboratorio... —Montague alza una mano, pero el gesto agrio de su boca lo dice todo.

—¿A veces el laboratorio pierde el rastro de las cosas?

—Sí —admite Montague, feliz de no decir más.

Hobie asiente con expresión grave, como si se tratara de una concesión importante. No me sorprende ver que tiene algo de embaucador. De joven, era siempre muy enfático, incluso cuando estaba fumado o mal informado. Sus primeras preguntas a Montague revelan, de manera predecible, una suerte de estilo tenso: hace una nueva pregunta porque hizo la primera, deja que su ego deambule libre en el aire denso de la sala del tribunal. Como abogada en primera instancia, yo me sentía siempre asfixiada; nunca fui una gran actriz. Era más del estilo de Tommy, alguien que tenía que cumplir con su trabajo, pero como resultado no era propensa al tipo de crasos errores que parecen la consecuencia inevitable de la libre asociación de Hobie.

—Este individuo, Ordell... el Pesado —continúa Hobie, cambiando de tema—. Usted indicó que lo conocía como pandillero. ¿A qué pandilla se refería?

—¿Quiere decir a qué pandilla pertenece? En la torre IV de la calle Grace, tienden a ser los Discípulos de los Santos Negros. La mayoría está en una banda llamada los Arrolladores T-4.

—¿Y el Pesado es líder de esa banda?

—Doctor, una banda no está organizada como una comisaría o una empresa. Los líderes pueden variar de un día para otro, según a quién consideren más hábil: quién mató, quién robó, quién les dio una paliza a los Maníes. La verdad, esto no es lo mío. Se matan entre ellos, y yo me entero de lo que debo. De lo contrario... —Alza una mano con un resplandeciente anillo de rubí en el meñique, y no se molesta en terminar la oración. Montague es de la escuela de Joe Friday: nada más que los hechos. El tipo de pregunta que le hace Hobie es para los sociólogos y los periodistas, personas que creen que hay motivos dignos de comprender más allá de la plena maldad. Lo peor de todo es que las preguntas dan a entender que Montague tiene un interés abstracto en personas a las que, a decir verdad, desprecia en grado sumo. Como reacción, echa una mirada oblicua a los fiscales. Molto, con su traje desaliñado, codea a Rudy y éste se pone de pie, mientras Tommy continúa susurrándole qué es lo que debe decir.

—Jueza, estas respuestas exigen que el testigo especule y declare por oídas. El detective Montague no es un pandillero.

—¿Las preguntas se relacionan con el ambiente del Pesado? —le pregunto a Hobie, y afirma ansioso con la cabeza, complacido de que yo haya comprendido. No hago lugar a la objeción. La defensa tiene derecho a mostrar que el principal testigo del estado no llegó al tribunal recién salido de la escuela secundaria. En la mesa de la fiscalía, Tommy se encoge de hombros. Sólo quería aliviar a Montague, que en apariencia se sentía acosado.

Habiéndosele concedido cierta libertad, Hobie reformula su última pregunta, y pide a Montague que describa la estructura de liderazgo de los DSN, tal como él la entiende. Montague reacciona igual que antes, moviendo la boca en gesto de franco disgusto.

—Una vez más, doctor, esa gente no nos da una planilla de organización. Y este grupo en particular —dice Montague— tiene alguna relación con otra pandilla, los Santos de la Noche. Hubo algunos arrestos y condenas hace... digamos, unos doce años. Y ésta, se podría decir, es la organización sobreviviente, aunque a esta altura es mucho más grande.

—¿Grande hasta qué punto, teniente?

—Por Dios. —Montague se peina unos cuantos pelos de la melena negra que brilla bajo las fuertes luces de la sala. —Por lo que he visto, por los cálculos de la fuerza policial, la cantidad de integrantes de los DSN anda por los cinco, seis mil. —Un murmullo proveniente de la sección prensa sigue a este dato. Al echar un ligero vistazo hacia allí, me sobresalto un poco al distinguir a Seth Weissman, a quien todavía no había visto hoy. Tiene los brazos apoyados en las sillas de cada lado, y la mirada fija en mí, de manera algo desconcertante. Cuando su mirada se cruza con la mía, me saluda con una sonrisa, que le devuelvo de manera vaga. ¡Por favor!, pienso, aunque no estoy muy segura de si la crítica va dirigida a él o a mí.

—¿Y el Pesado está a cargo de esas seis mil personas?

—No, según entiendo. El jefe de los Santos de la Noche era Melvin White, tres veces reincidente, conocido en las calles con el apodo de Harukan. Ahora uno de sus hijos, Harukan-el (que supongo quiere decir "el hijo de Harukan"), o Kan-el, es supuestamente el jefe de la organización. Pero hace muchos años que está en la penitenciaría estatal de Rudyard. Así que hay un tal Jeffrey Wilson, o Jeff T-Roc, al que en general se lo reconoce como el pez más gordo de los DSN. O así tengo entendido.

—¿Y estoy en lo cierto en cuanto a que este Kan-el es elegible para libertad condicional?

—Libertad supervisada. O libertad condicional, pero con otro nombre. Eso es lo que he oído. Según recuerdo, se postuló dos veces. Ya sabe cómo es: presenta la solicitud, le es denegada. No es un candidato favorecido, digamos.

—¿Existe cierta oposición de parte de la comunidad policial?

—Así es —responde secamente Montague.

—Jueza —interviene Tommy—, ¿cuál es la relevancia de todo esto? —Le digo a Molto que quiero oír objeciones sólo del abogado que interrogó al testigo, refiriéndome a Singh; luego le indico a Hobie que explique su línea de interrogación. Dice que sólo intenta establecer dónde encaja el Pesado en la organización en relación con Kan-el y T-Roc.

—Entonces haga esa pregunta —le concedo.

—En algún puesto debajo de ellos —responde Montague cuando Hobie le formula la pregunta—. El Pesado dirige el grupo T-4.

—¿El Pesado estaba en un nivel superior a esta señorita Campbell, la jovencita a la que le dispararon?

—Así lo entiendo. —Montague, aunque en apariencia impasible, no puede resistir agregar algo. —Usted la ha visto con más frecuencia que yo. —Al oír estas palabras, Hobie se queda inmóvil. Cada abogado tiene su manera de hacer las cosas; Hobie las hace moviéndose. Es corpulento y da la impresión de tratar de ocupar la sala entera como para garantizarse la atención. Camina entre las mesas, se dirige a los testigos, baja la cara oscura y barbada sobre el hombre al retirarse. Es efectivo. Por momentos descuidado, pero astuto y elegante. Ahora aprovecha en pleno el lapso de Montague, mirando fijo al testigo un momento antes de solicitar que se borre el último comentario. Acepto la moción y él continúa con otro tema.

—Ahora, detective, el señor Singh le hizo un par de preguntas sobre la investigación que usted condujo el 7 de septiembre después del asesinato de la señora Eddgar. ¿Lo recuerda?

—¿Si dirigí una investigación?

—Correcto. Cuando usted investigó en el barrio, ningún agente le informó que nadie mencionara el nombre de Nile Eddgar, ¿verdad?

—No que yo recuerde.

—Mencionaron al Pesado, ¿correcto?

—Correcto.

—¿Pero no a Nile?

—No.

—Después tenemos a esta Lovinia Campbell. La jovencita que estaba tirada en la vereda. ¿Cómo la llaman en la banda?

—Bicho —responde Montague.

—Bicho. ¿Usted habló con ella?

—Muy brevemente.

—¿Y le preguntó a Bicho qué había pasado allá?

—Lo hice.

—¿Y Bicho le dijo que Nile Eddgar había conspirado para asesinar al padre o a la madre o a otra persona?

Tommy codea a Singh, que objeta afirmando que la pregunta obliga al testigo a hablar por oídas. No hago lugar. El estado planteó el tema de cuáles sospechosos fueron nombrados en la escena del crimen.

—No, no lo hizo —responde Montague, un poco hastiado.

—En verdad, teniente, lo que ella dijo fue que los tiros los disparó alguien que pasaba y que la señora Eddgar estaba en la línea de fuego... ¿No fue eso lo que dijo Bicho?

—Supongo que eso es lo que dijo. Ya sabe, se encontraba en estado de shock.

—¿En estado de shock? ¿Es una opinión "médica", detective?

Tommy se pone de pie.

—Jueza, está discutiendo con el testigo.

—En todo caso, creo que el detective está discutiendo con el señor Tuttle, señor Molto. Y creo que éste es el testigo del señor Singh, e incluso en un juicio sin jurado, ya le he dicho que no quiero preguntas en equipo. —Hago un gesto a Hobie para que prosiga.

—El hecho aquí, teniente, es que esta Lovinia, o Bicho, no mencionó ese día a Nile Eddgar de ningún modo, ¿no es así?

—Mencionó a Nile unos cuantos días después, cuando habló con el agente Fred Lubitsch en el Hospital General.

Hobie hace un ademán exasperado. La pregunta se refería a lo que Lovinia dijo el 7 de septiembre. Montague mira con furia a Hobie. Ya no queda ninguna duda de que Lovinia Campbell es un problema para el estado, o que Montague culpa a Hobie por sus problemas. En teoría, un abogado defensor tiene derecho a entrevistar a cualquier testigo de la fiscalía, pero en general, cuando el testigo ha hecho un trato con el estado, su propio abogado desalienta su cooperación con el acusado. Eso mantiene contentos a los fiscales y evita el riesgo que pudiera surgir del hecho de contradecir lo que el testigo le ha dicho al estado. De algún modo, sin embargo, Hobie habló con el abogado de Bicho, o incluso obtuvo la ayuda de la chica, y a la policía y los fiscales no les gusta. Ahora estoy segura de que es por eso que Hobie sacó a relucir el tema de Lovinia esta mañana: para que yo me formara la idea de que Montague no había hecho más que alardear.

—Vamos, detective —digo, tras hacer borrar también su última respuesta. Mientras tanto, anoto: "¡Lubitsch!". No es de sorprender que Fred supiera que el caso era una bomba.

—Bicho no mencionó a Nile ese día —contesta Montague al fin, cuando le leen la última pregunta que formuló Hobie.

—Lo cierto es —dice Hobie— que cuando usted estuvo allí, en la escena del crimen, lo que oyó fue básicamente esto: el Pesado y un individuo que disparó al pasar, ¿correcto?

Hobie muestra una expresión algo socarrona, desafiando a Montague a disentir pese a mis advertencias. El detective parpadea y luego responde:

—Correcto.

—Ahora, teniente, usted tenía un agente... ¿Kratzus? —Hobie busca el informe policial en la mesa de la defensa.

—Kratzus —confirma Montague.

—Kratzus fue a informar a Nile de la muerte de la madre, y usted fue a ver al senador Eddgar para averiguar cómo era que la señora Eddgar estaba manejando el auto de él, ¿correcto?

—Correcto.

—¿Y al final encontró usted al senador Eddgar en su casa, en el condado de Greenwood?

—Así es.

—Donde le contó una gran mentira, ¿verdad?

—¡Objeción! —Ambos fiscales se ponen de pie.

—Su Señoría —dice Hobie con aire inocente—, figura aquí mismo, en el informe de Montague. Dice...

—¡Jueza! —chilla Tommy—. Jueza, el senador Eddgar no está en el banquillo. Cuando él declare, explicará este encuentro con la policía. No tiene nada que ver con las preguntas al teniente Montague.

Tommy tiene razón, por supuesto, pero no puedo evitar preguntarme por un instante sobre qué mintió Eddgar. Que es la razón por la cual Hobie tomó este curso de acción. Muy astuto. Siempre lo fue. Le digo que se ha extralimitado mucho por el momento, y él deja el informe junto a Nile, sobre la mesa de la defensa. Nile, con su corte de pelo destartalado y su ánimo errabundo, ha observado la mayor parte de las acciones de esta mañana con la boca apenas entreabierta, como si le sorprendiera en grado sumo que esté ocurriendo esto.

—Bien —prosigue Hobie—. La cuestión es ésta: el 7 de septiembre, en términos de la investigación que usted realizó, teniente, lo más importante era encontrar al Pesado, ¿no?

—No sé nada de "lo más importante". No sé lo que quiere decir. Yo quería encontrarlo, y a eso le puedo responder que sí. —Los ojos oscuros de Montague me miran un instante, para asegurarse de que he notado cuán complaciente se ha vuelto después de mi represión.

—¿Y lo encontró?

—Al final, sí. En la calle corrían rumores, y el 11 de septiembre vino a la Zona 7 a someterse a interrogatorio.

—Con el abogado que lo representaba, ¿verdad? ¿El señor Jackson Aires? ¿Eso fue lo que usted declaró?

—Eso es lo que declaré.

—¿Y habló usted con el señor Aires antes de ver al Pesado?

—Esa mañana tuve varias conversaciones con el señor Aires.

—Usted y Aires hablaron sobre lo que podría decir el Pesado si se entregaba y qué clase de trato podían alcanzar, ¿correcto?

—Sí. Así fue como sucedió —dice Montague en un tono destinado a recordarle a Hobie que así es como se ha hecho siempre.

—Y, sin repasarlo todo palabra por palabra, lo fundamental es que el doctor Aires le hizo saber que el Pesado estaba dispuesto a declarar que el asesinato, todo el asunto, había sido idea de su supervisor de libertad condicional, Nile Eddgar, ¿correcto?

—Algo bastante parecido.

—¿Y a usted eso le resultó bastante interesante, ¿verdad?

—¿"Interesante"?

—¿Sabía usted que el asesinato de June Eddgar figuraba en todos los diarios?

—No sé. No leo mucho los diarios. —De Fred Montague, un individuo cínico y duro, tiendo a creer esta afirmación más que de otros. Con su rostro desprovisto de toda expresión, parece no sentir entusiasmo por casi nada. Para él, uno atrapa a los criminales porque es mejor que dejarlos sueltos. Dudo de que alimente, siquiera en sueños, ideas de un mundo mejor.

—Fue un caso importante —sugiere Hobie.

—Todos son importantes, doctor.

—Ah, ¿de veras, detective? Usted sabía que la fiscalía estaría dispuesta a hacer un bonito trato con el Pesado si usted acusaba a Nile Eddgar, ¿verdad? El hijo de un político prominente. Todos verían sus nombres en el periódico. Y a la gente de la fiscalía no le desagrada, ¿verdad?

Tommy sacude a Rudy para que se ponga de pie y objete; durante todo el enunciado de la pregunta ha estado meneando la cabeza, con la respuesta ya lista.

—Se ha hecho una idea equivocada, doctor. Molto aprobó el trato —dice Montague—. Y no creo que a sus superiores les haya gustado mucho. Uno o dos daban la impresión de preferir desistir del caso.

Molto se hunde un poco en la silla. Ansioso de sumar puntos, Montague ha hablado de más. Ahora todos sabemos por qué a Tommy le cuesta llevar adelante este caso: pasó por encima de los políticos oficiales y ahora lo están haciendo cargar su propia cruz.

—¿Así que era Molto el que quería ver su nombre en el periódico? —pregunta Hobie.

Rudy vuelve a ponerse de pie. Su mano color teca se mueve para subrayar su objeción, pero Montague continúa hablando.

—Él quería hacer lo correcto —afirma—. Mi capitán y yo llevamos el caso ante Molto. Ninguno de los dos pensaba que el cliente de usted debía salir impune de esto.

—Entonces fue usted el que quería el trato —puntualiza Hobie.

—Yo quería el trato —reconoce Montague. Hobie es muy inteligente para preguntar a qué se debía la ansiedad de Montague, pues se da cuenta de que ello provocaría un relato lírico sobre la credibilidad del Pesado. Además, para los veteranos jurídicos que hay en la sala, de cualquier modo los motivos de Montague resultan obvios. La caída de los poderosos siempre deleita a los policías, que en general se consideran vasallos no apreciados que mantienen el mundo a salvo para los figurones que ocupan los sitios de poder.

—Muy bien —dice Hobie—, muy bien. —Con la confesión que deseaba, camina de un lado a otro, lleno de entusiasmo. —Usted estaba dispuesto a hacer este trato con el Pesado, aunque su investigación no le había dado ningún motivo para pensar que Nile Eddgar estuviera involucrado en el crimen.

—Yo no diría eso —replica Montague con sequedad.

Hobie se inmoviliza, de espalda al testigo. Como se dirige a un punto de llegada predeterminado, demora un momento en absorber lo que ha dicho Molto.

—¿Usted sospechaba de Nile Eddgar? ¿Para el 11 de septiembre lo estaba buscando?

—Sí, diría que sí.

La gran conclusión que Hobie había planeado —demostrar que nada implicaba a Nile hasta la aparición del Pesado— se ha desmoronado. Yo había captado a lo que quería llegar: a que toda la investigación se había conducido de acuerdo con la información del Pesado. Él sugería que los fiscales y la policía, hambrientos de la excitación de un caso candente, habían actuado, respecto de lo dicho por el Pesado, con menos escepticismo del debido.

—Usted sospechaba de Nile Eddgar —repite Hobie—. ¿Por qué? ¿Porque había hablado con un agente cuando éste fue a informarle que la madre estaba muerta? Usted no estaba ahí, ¿verdad?

—Oí comentarios.

—¿Y fue por eso que sospechó?

—En parte. —Ahora Montague se muestra sereno y confiado. Está sentado un poco más derecho en la silla, mientras Hobie tropieza. Tuttle ha perdido las formas, formula dos o tres preguntas al mismo tiempo, discute con Montague y olvida guiarlo. Es como un terrier que tironea de la bocamanga de un pantalón aunque cada vez reciba una patada.

—¿Y cuál era la otra parte? —pregunta—. Lovinia Campbell no le dijo nada, ¿verdad? ¿Y tampoco se enteró de nada en la investigación en el barrio?

—Hablamos con el padre.

—¡El padre! ¿El senador?

—Así es.

—¿De modo que fue el padre el que hizo que usted sospechara de Nile?

—Básicamente —responde Montague—. Sí.

Y con la misma rapidez algo sucede en la sala del tribunal. Es como el instante extraordinario, en el teatro, en que un actor sale a saludar, y el personaje que ha sido durante horas de pronto se desgarra como una segunda piel. También Hobie es otra persona. Alza la cara a un ángulo refractario, y por un breve instante se permite una sonrisa apretada que le cruza los labios, como un lagarto que corre como una flecha bajo el sol. Al parecer ha obtenido la respuesta que deseaba, y mientras tanto me asustó mucho, porque me embaucó como a Montague, como a todos los demás. Hobie demora al testigo un momento más; luego mira directo hacia mí y dice con calma:

—Nada más.

Una vez por mes, como una cuestión de solemne compromiso, almuerzo o ceno con mi amiga Gwendolyn Ries, sin nuestros respectivos hijos. Es una mujer grandota y jovial, enfática por naturaleza, una de esas personas que se consideran con orgullo un elemento de la fuerza de la vida. Usa demasiado perfume, demasiado maquillaje, demasiadas joyas; su cabello tiene un tono rojizo demasiado brillante para llamarlo "*henna*". Hoy aparece con pantalones de gaucho y un chaleco de lana de telar sudamericano, adornado con botones dorados en forma de lagartijas.

Desde el nacimiento de su hijo, Avi, ya de ocho años, Gwen, radióloga, trabaja cuatro días por semana. Hoy se ha tomado la mañana para hacer compras, por lejos su pasatiempo preferido, y corre del taxi al restaurante, con los brazos repletos de bolsas llenas de cajas doradas y plateadas. Nos encontramos en Gil, un sitio de renombre y sin duda el que sirve la mejor comida cerca de los tribunales. Hace años a este lugar se lo conocía como el Club de Hombres Gil, y conserva una atmósfera de Viejo Mundo, con su espléndido interior decorado con objetos de más de un siglo de antigüedad. El vasto salón es una magnífica caja de madera: la barra, los pisos, las mesas, los paneles del cielo raso son todos de roble, veteado y barnizado, acentuado por diversos artefactos de bronce lustrado y grandes arañas de hierro forjado suspendidas de pesadas cadenas. Una de las únicas ventajas de la vida judicial es que acá siempre puedo conseguir asiento. En cuanto llega Gwen, ella y yo pasamos junto a la larga cola de abogados y otros concurrentes habituales de tribunales, amontonados detrás de una cortina de terciopelo rojo, hasta una de las muchas mesas cuadradas para dos, alineadas en hileras dobles en el centro del restaurante. En beneficio de la privacidad, las mesas se hallan separadas por elegantes divisiones de madera amarillenta, en las cuales algún artesano habilidoso grabó hace tiempo unas agradables imágenes de escenas de montaña alemanas. Los mozos, bruscos, vestidos con chaquetas negras, y los clientes ocupados hablan en voz fuerte. Con sus sólidas superficies, Gil es una cascada de ruido.

Gwen abre todas las cajas. Yo admiro cada artículo, aunque las dos sabemos que no me pondría la mayoría de estas prendas exóticas ni aunque me las regalaran. Ya estamos acostumbradas a nuestras diferencias, que yo a veces valoro y a veces tolero con la disciplina de alguien que a los cuarenta y siete años siente que está aprendiendo a ser una amiga. Nunca he tenido muchas relaciones íntimas. Mi madre, que vivía batallando contra propietarios y porteros, saltaba de departamento en departamento, y me inscribía en una escuela diferente cada otoño; y de adulta, tomé mi propio camino de idas y venidas, de modo que dejaba personas atrás a medida que atravesaba mis muchos cambios. Desde luego, tengo colegas y conocidos. Creo que me consideran una persona amistosa, franca, incluso simpática. Me dan la bienvenida en muchos lugares. El poder judicial, como un faro, atrae invitaciones a miles de funciones, actividades del Colegio de Abogados, cenas políticas, programas de la facultad de Derecho. Y aunque fui hija única, tengo una semblanza de vida familiar, a través de mi primo Eddie, el hijo mayor de mi tía Hen y mi tío Moosh, que siempre me ha tratado como una hermana honoraria. Hablo con él o su esposa, Gretchen, todas las semanas, y Nikki y yo pasamos las vacaciones con ellos y sus cinco hijos.

Pero lo cierto es que me ha resultado difícil conectarme. Por esta razón las alianzas de la maternidad me resultan un dulce alivio. ¿Es sólo mi imaginación o a esta altura de la vida las mujeres se sienten mejor entre ellas? Parecería como si en la sala de partos todas hubiéramos aprendido algún secreto crucial sobre el amor y la amabilidad. Mi vecina, Marta Stern, hija de Sandy y también abogada, se ha convertido en una amiga especial. Y hay dos o tres más.

Pero regreso en el tiempo sólo con Gwen, a quien conozco desde la escuela secundaria. Ella era optimista, alerta, una de esas chicas efusivas y propensas a reírse fuerte a las que yo admiraba, alguien que parecía tener una relación promisoria con todas las personas de la escuela East Kewahnee. Yo me sentía muy honrada con su amistad, y durante años me esforcé por no notar que nunca me invitaba a su casa. Al final, a través de otros chicos que eran vecinos de ella, me enteré de que la madre atravesaba las etapas finales de una esclerosis múltiple. En unas cuantas ocasiones, después de que aprendimos a manejar, yo pedía prestado el Valiant de mi tío y llevaba a Gwen hasta su casa, y entonces entreví a la señora Ries por la ventana. Estaba debilitada por la enfermedad, con las manos afectadas, el pelo sucio y enredado y una mirada perturbada, sentada en su silla, con una manta doblada con precisión sobre las rodillas. El contraste con Gwendolyn era extraordinario. Y recuerdo haber reparado en el andar lento de mi amiga al cruzar el césped y aproximarse a su casa, aunque casi siempre deseaba correr. Veía que su postura física se cargaba con el peso de saber que en el centro de su mundo yacía un problema que nadie más podía compartir y del cual ella no podía escapar. Y recuerdo haber comprendido con exactitud lo que teníamos en común, ya que durante esos años yo esperaba —siempre, secreta y eternamente— que nadie supiera que era la hija de Zora Klonsky, latosa y fanfarrona, una persona a la que sólo yo entendía, una mujer notoria en Tri-Cities a principios de la década de los 60 por su conducta en una reunión del concejo municipal en la que le había pegado a un concejal derechista por oponerse a tratar con fluoruro el agua potable.

—Mierda —dice Gwen ahora, mientras casi terminamos la comida. Aparta la solapa de colores intensos de su chaleco, toma su *beeper* del cinturón y hace una mueca al leer el visor. El hospital. Desaparece en busca de un teléfono. Hemos pasado la mayor parte del almuerzo, como siempre, hablando de nuestros hijos. Somos las madres de mayor edad de la escuela primaria, y las dos estamos solas. Nikki va al jardín de infantes; Avi, a segundo grado. A mí me preocupa que la señora Loughery, un alma benévola que habla con los adultos con el mismo cantito sonso con que se dirige a los chicos, no esté exigiéndole suficiente a Nikki. Mi hija ya es capaz de leer oraciones simples y sumar mentalmente. Gwen me dijo que me lo tomara con calma. Nikki y Virginia Loughery se llevan bien, consejo sobre el que reflexiono con aire sombrío cuando de pronto me atraen unas voces que vienen del otro lado del panel, a mi derecha. Dos hombres que, según me doy cuenta enseguida, están hablando de mi caso. Uno acaba de decir con claridad: "Molto".

—¿Qué pasa? —pregunta el primero.

—Algo anda mal. Y te diré qué. De este tipo, Molto, se comenta que pasó demasiadas veces por el detector de metales.

—Lo está haciendo bien —opina el primer hombre—. Ayer estuvo muy bien. —Las voces son conocidas. Abogados, supongo. Tienen que ser abogados. Creo que el primero, a quien he escuchado más, ha actuado en un caso conmigo. Un buen tipo. Muy bueno. Una oleada de sensaciones positivas es lo único que me acude cuando evoco su recuerdo.

—Eh —dice el segundo—. Ahora me acuerdo. Por Dios... casi lo expulsaron del Colegio en la década de los 80. ¿Andabas por aquí cuando Nico Della Guardia era fiscal? Molto estaba sentado a la derecha de Dios en aquel entonces. Creo que solía escribir las pruebas de Nico en la escuela secundaria. Así que cuando Nico ganó, Tommy se convirtió en el Rey del Momento. Y los dos arruinaron un caso de asesinato. Por Dios, no logro recordar qué fue. —Oigo sus nudillos golpeando sobre la mesa. —Sabich —dice el hombre.

—¿Quién?

—Es muy difícil de explicar. Pero se dio a entender que ellos falsearon las pruebas. Así que los sabuesos de la prensa echaron a Nico del cargo. Con ayuda. Mucha ayuda. Nico se había acarreado la antipatía del alcalde en el ínterin. Y luego el Colegio de Abogados le inició una investigación a Molto. Típica: cuatro meses, seis meses, ocho meses, diez meses. Dos años. No pasó nada. De modo que continúa ahí. Todavía es fiscal. Pobre infeliz. ¿Qué otra cosa va a hacer para ganarse la vida? Su nombre es mierda en la calle. Lo único que sabe hacer es cobrar su cheque verde. Así es Molto. Y en este caso camina como un sonámbulo. Es un perro apaleado. Averigüé en mis archivos: hace tres años que no se ocupa de un caso. No es más que un hombre amargo que espera cobrar la pensión del estado.

—¿Y entonces qué quieres decir?

—Digo que el caso está arreglado. ¿No oíste a ese policía que declaró hoy? El fiscal y sus compinches quieren mandar este asunto al diablo. Mandaron a ese pobre tipo de Molto a poner la cara porque sería capaz de perderse hasta para buscar el baño de hombres.

—Por Dios, Dubinsky —dice el primer hombre. ¡Stew Dubinsky! El reportero judicial del *Tribune*, el hombre al que la fiscalía filtró ayer la historia de que Eddgar era el blanco del asesinato. Siento el inmediato impulso de marcharme. No debería escuchar discusiones sobre este caso, y muchos menos de alguien que podría convertir mi acto de escuchar a hurtadillas en una *cause celebre*. Pero no veo mesas desocupadas cerca y en el plato de Gwen todavía hay un trozo de lenguado. Además, ella me mataría si yo descuidara sus tesoros. Así que miro directo hacia adelante con expresión impasible, pero las voces, elevadas en la estridente atmósfera del restaurante, siguen sonando perturbadoramente claras de mi lado del panel.

—Dios —repite el primer hombre—. Arreglado. ¿Nadie te dijo nunca que eres paranoico?

—Todo el tiempo —responde Stew—. Así es como sé que ellos forman parte del complot.

—Santo cielo. Ve a ver *JFK* de nuevo. —Quienquiera que sea esta persona, tiene el número de Stewart. Siempre anda husmeando por el tribunal y dando a entender en sus notas que los verdaderos hechos se han ocultado en una oscura conspiración de silencio. —¿Cómo está tu ensalada? —pregunta el amigo de Stew.

—Mierda —responde Dubinsky—. Esto no es comida. ¿Por qué habré dejado que pidieras por mí? Espinaca y agua mineral. Me siento como un maldito gnomo.

—No pareces un gnomo, así que sigue masticando. —Stew ha perdido la batalla. Su vientre tiene las dimensiones de un embarazo avanzado, y su cara está envuelta en papada. El otro debe de ser un viejo amigo, para hablarle tan a la ligera sobre su físico. —¿Y qué te pareció lo de hoy? —pregunta ese hombre—. ¿Qué piensas del asunto del final, lo de Eddgar?

—Seis punto cero por Impresión Artística. Cero punto cero por Sustancia.

—Aclárame un poco.

—Tú no observas a esos tipos día a día, como yo. Es un melodrama estándar de la defensa, como soltar conejos en el tribunal. Eddgar es un nombre importante, así que Hobie cree que de ese modo levantará más polvo. Pero es una cortina de humo, créeme. Sé de lo que estoy hablando.

Mi evaluación no ha sido muy diferente. La habilidad ha sido impresionante, incluso abrumadora, pero no resulta una sorpresa que el blanco del plan de asesinato tuviera cosas que decir que atrajeran las sospechas sobre Nile. El otro hombre mantiene sus dudas. Dice que Hobie parecía estar en lo cierto.

—Escucha, ¿por qué me preguntas a mí qué es lo que está haciendo? —dice Stew—. Habla con Hobie.

—Te lo repito: no quiere decirme nada sobre este caso. Ni una palabra. Recorrí dos mil kilómetros y a la noche me siento en el hotel Gresham a jugar con una computadora.

¡Es Seth! ¿Con Dubinsky? Qué interesante. En medio de mi espionaje, oigo dentro de mí una súbita nota discordante, un pensamiento fugitivo sobre el cual reflexionar más tarde.

—Bueno —continúa Dubinsky—, califícame de desconfiado.

—Ya te califiqué de paranoico.

—Paranoico, está bien. Pero mírate... Crees que Eddgar es el mellizo perdido de Darth Vader. Sus electores lo admiran.

—Mierda —responde Seth—, eso no habla muy bien del electorado estadounidense. Pienso en Eddgar en el Senado del estado y no puedo creer que no estemos en una película de ciencia ficción.

Dubinsky relata el surgimiento de Eddgar en la política local hace más de una docena de años. Eddgar se volvió "verde" y forjó una coalición de anticapitalistas, ecologistas y defensores de los derechos de los animales cuando una gran empresa de cosméticos hizo una donación a uno de los laboratorios de la universidad. Eddgar dirigió manifestaciones en contra.

—Las chicas de la facultad no querían que murieran conejos para que se fabricara delineador de ojos. Por Dios, ni siquieran usaban maquillaje —dice Dubinsky—. Después de eso, lo eligieron para el Concejo Municipal de Easton primero, luego para alcalde. Después se le abrió una banca en el Senado. Se postuló para interventor, hace dos años. Casi ganó.

—¿La gente no sabe nada sobre él? ¿Su historia? —pregunta Seth.

—Eh, ya sabes, los datos me los diste tú. Yo hice los artículos. Dos veces, en realidad. Pero ser un ex radical es muy... ¿qué?

—¿Oportunista?

—Sus antecedentes lo vuelven digno de confianza, en cierto modo. Creo que de eso se trata. Demuestran que tiene un compromiso con la reforma. Y además, Eddgar nunca quemó nada por aquí. Por Dios, en la década de los 60 estaban todos locos. Y, de todos modos, no es como si estuviera representando al condado de Orange. Su distrito es un pueblo universitario, más algunos complejos habitacionales de la zona este de Kindle. Hasta Lincoln perdería ese distrito si Eddgar se postulara como republicano.

—No me imagino a ese tipo dando palmaditas en la espalda y estrechando manos con una sonrisa, sin embargo.

—No, no. En esas reuniones donde todos respiran uno encima del otro y buscan el anillo más grande para besar, a él lo veo casi todo el tiempo encogido contra el empapelado, mordiéndose un labio. Pero ya sabes, es un profesor.

—¿Alguna mujer? ¿Alguna vez apareció con alguna compañera?
—Pasa un momento. Tal vez haya una expresión de incomodidad en

Dubinsky, divorciado desde hace largo tiempo, según recuerdo. Su propia vida social no debe de ser muy emocionante, pero Seth insiste. —¿Se habla algo?

—Ah, mierda —contesta Stew—. La gente habla o no habla. Nada, en realidad. No sé: muchachos, chicas, cualquier cosa. Por Dios, es un tipo viejo. ¿Tiene sesenta y pico? Sesenta y cinco, sesenta y siete. Supongo que se ha retirado de esa sección.

—Sí —dice Seth—. Sólo sentía curiosidad. ¿Alguna vez te contactaste con June?

—Claro. ¿Recuerdas? ¿Durante la elección? Cuando Eddgar se postuló para interventor. Tú me diste esa idea, y la investigué. Ella estaba en ese pueblito de Winconsin...

—Correcto.

—Le dije que quería hablar sobre Eddgar. Hizo una pausa de cinco minutos y después contestó: "Estoy demasiado vieja para recordar eso". En lo demás, bastante cordial. Dispuesta a contarme cualquier cosa que yo no quisiera saber. Sonaba como una vieja borracha. Ya sabes, una señora entrada en años de mediana edad, a la caza de cualquier mariposa que le vuele por el cerebro. Después, recibí una llamada de un asistente de Eddgar. Porque yo estaba "metiéndome en su vida personal". Y yo me dije: "Mierda, denme un respiro. Este tipo tiene secretos que quiere guardar; déjenlo unirse a la CIA".

—Tiene secretos —dice Seth, como reflexionando.

—Eso me dices siempre. Pero, haya sido lo que fuere, la cuestión es que ahora ya pasó. Por Dios, hasta le dan premios. ¿Cómo se llama? Eso de las mujeres...

—¿La Liga de Mujeres Votantes?

—Exacto. Dos veces. Al mejor legislador. Corazón Sangrante del Año. Del siglo. ¿Lo has visto en la Cámara? Está en su elemento. Deberías verlo en su oficina, con cuatro teléfonos que suenan al mismo tiempo y el personal que entra y sale corriendo, los políticos importantes, la gente interesante que viene a besarle el trasero. O sea, el tipo es "el" tipo. Un gran manipulador. En cuanto al otro lado de las cosas, ya sabes, ser elegido... Hacer que lo amen... Creo que en realidad odia las campañas. ¿Pero lo demás? ¿Los tratos? En eso se mueve alto. Y logra lo que quiere. Tenemos un nuevo plan de justicia para menores. Ahora presenta un programa en el que el estado paga 250 dólares a los chicos pobres que terminan la escuela secundaria. Premios para la Preparación para la Facultad, lo llama. Guarderías infantiles. Asistencia para salud mental. Y es el zar de la reforma penal, de las prisiones. Cuando cualquier alcaide lo ve venir, empieza a lloriquear, y él les repite todo el tiempo en la cara: ¡adiestramiento laboral!, ¡adiestramiento laboral!

Justo cuando Dubinsky, del otro lado de la división, estalla en una carcajada por la broma que ha hecho —tal vez la observación más inapropiada que he oído hasta el momento—, reaparece Gwendolyn. Me levanto enseguida y la recibo a cierta distancia de la mesa.

—¿Has terminado? —le pregunto.

Ella quiere café, así que le propongo tomarlo en la barra.

—¿Qué tiene de malo la mesa?

Me llevo un dedo a los labios. Cargamos sus paquetes hasta la barra de Gil, donde los abogados y funcionarios de la ley se entremezclan en una jovial escena de viernes por la noche. Es otra habitación deslumbrante, algo más penumbrosa, centrada en la barra de roble, donde unos pilares y viñas tallados rodean un espejo biselado que se eleva doce metros por encima de las botellas de whisky. Apilamos las bolsas de compras a lo largo del apoyapiés de abajo de la barra y nos montamos en los taburetes. Mi explicación a Gwen acerca de los ocupantes de la mesa contigua a la nuestra se interrumpe un instante cuando aparece nuestro mozo griego, de cejas tupidas, seguro de que no pagamos la cuenta.

—¿Te refieres al columnista? —pregunta Gwen—. ¿Tu viejo amor? ¿También él anda por acá? —Gwendolyn ha preguntado una o dos veces por el caso, a causa de los artículos aparecidos en el diario, pero no se ha enterado de ninguno de estos sucesos. —Vaya —exclama—, que cinematográfico. ¿Y qué aspecto tiene? —Se yergue en el taburete con la esperanza de ver algo por encima de la división de vidrio del restaurante. Gwendolyn tiene una actitud audaz respecto del amor y, en particular, del sexo. Ha hecho el amor con colegas en el Salón de los Doctores. En privado, considero esta actitud como una bravata feminista poco convincente, sobre todo desde que he seguido su consejo en unas cuantas ocasiones durante el último año y cada vez encontré ajena y triste la experiencia. Ella se ha casado tres veces, la más reciente con un doctor israelita varios años más joven, a quien estaba entrenando. Lo conoció, tuvo un hijo con él y lo echó de su casa en un período turbulento de dieciocho meses.

—Tiene el aspecto de andar bordeando los cincuenta, lo mismo que yo —respondo ahora.

—No seas agria, querida.

—Discúlpame. Estoy un poco sensible. Marietta anda fastidiándome otra vez. No dejará de comerse las uñas hasta que yo reanude mi relación con él.

Gwen revolea los ojos.

—Eres la única mujer que conozco que se divorció y todavía tiene que aguantar a una suegra.

—Es una locura —digo—. Esto ya es bastante complicado. Presidir este caso. Me siento como Humpty-Dumpty a punto de caerse de la pared. —Por encima del borde de su taza de café exprés, la cara rojiza de Gwendolyn muestra una expresión de asombro.

—Para comenzar, ¿como fue que caíste en esta situación? De un modo o de otro, ¿no saldrá alguien a decir que tu decisión se basa en lo que sientes por ese muchacho o su familia?

Le explico las circunstancias. Yo tenía libertad de aceptar el caso si quería. La semana anterior al juicio hasta tomé la precaución de describirle mi situación a Brendan Tuohey, el Juez Jefe. El solo imaginarme en una situación espinosa pareció encender un breve placer bajo el taimado barniz de su cara angosta y rosada, pero se mostró tranquilizador. "Tú eres la jueza adecuada, Sonny —me dijo—. Ya conoces el dicho: 'Si no puedes diferenciar entre tu trabajo y tus amigos, no mereces ni a uno ni a otros'. Eso viene junto con la toga. Además, si no presides el caso, nadie de la División Criminal querrá hacerlo. Después la Corte Suprema me hará pagar a mí la cuenta de poner a alguien espantoso." Me obsequió con una larga historia sobre los gastos desmedidos en que incurrió el tribunal cuando la Corte Suprema designó un juez de la región septentrional llamado Farrell Smedley para presidir el juicio por fraude a Marcelino Bolcarro, hermano del ex alcalde.

—¿Pero por qué lo querías? —me pregunta Gwen.

—¿Qué cosa?

—El caso. ¿Por qué querías presidirlo? Parece muy confuso. —Sus ojos oscuros, rodeados por capas absurdas de delineador, sombra rojiza y rímel, se fijan en mí con firmeza al tiempo que apoya la cara en una mano que emerge de un brazalete de baquelita amarilla, una reliquia de la década de los 50 que encontró en un negocio de artesanías.

—¿Nostalgia?

—Tú no eres nostálgica. No conozco a nadie a quien crecer le haya gustado más. Te estremeces cuando menciono la escuela secundaria. Apenas me recordabas. —Por supuesto, es una exageración, pero es cierto que perdí el contacto con Gwen, como con tantos otros. Después, en 1983, me sometí a una mamografía de rutina. En una de esas extrañas vueltas de la vida, la radióloga del Bethesda que descifraba la película era Gwendolyn. Apareció en mi casa en persona, me tomó la mano, lloró cuando yo lloré después de la biopsia, y me prometió que llegaríamos juntas al otro lado de la experiencia, tal como lo hicimos. Otra parte del pasado que no deseo recordar.

—No sé —digo—. ¿Conoces a alguien de nuestra edad que no mire hacia atrás, hacia esa época, sin sentir que hizo algo asombroso, como partir a las Cruzadas? —A menudo he evocado las experiencias de Gwendolyn en Madison. Actuaba desnuda en el escenario en musicales de rock, y aún disfruta de ese recuerdo.

—¿Sabes qué es? —Gwen me apunta con una uña larga, manicurada con un tono caqui. —Es Zora. Estás elaborando lo de Zora.

—Siempre estoy elaborando lo de Zora. Lo hago hasta cuando envío a Nikki a la escuela cada mañana.

Se encoge de hombros. Yo también, pero Gwendolyn ha ejercido su acostumbrado poder para incomodarme. La meto en un taxi y me siento deprimida, siento de nuevo que me inclino hacia un lado y otro como cautiva de fuerzas misteriosas y que cometí un error al aceptar este caso. Todos los demás saben algo —sobre mí o el caso o lo que sucederá con él—, algo que me ha eludido por completo. Dubinsky hizo su propia predicción sarcástica, según lo último que oí antes de levantarme de la mesa. Estaba hablando sobre el papel de Eddgar como defensor legislativo de la reforma penal.

"Eddgar va a esas prisiones dos veces por mes, las inspecciona y hace transpirar a los alcaides", dijo Stew. Después sonó su risa, aguda y nasal, siempre un poco irónica, fuerte incluso del otro lado de la división. Había una idea que le divertía mucho.

"Ahora también puede ir los domingos", dijo Dubinsky.

Otoño de 1969

SETH

Conmocionado por el millón de manifestantes que se reunieron en el Mall el 15 de noviembre para protestar contra la guerra, a la semana siguiente el Congreso aprobó el sistema de reclutamiento por sorteo. Ahora, en lugar de sufrir años de riesgo continuo, los hombres elegibles enfrentarían una sola noche, en que se decidiría su destino. Algunos irían; algunos quedarían libres. Yo tomé el sorteo como lo que era, un esfuerzo innoble por dividir y desmovilizar a los jóvenes. Pero en privado estaba cerca del júbilo. Días antes tenía toda la seguridad de que me reclutarían, y ahora contaba con una posibilidad de escapar.

El sorteo se realizó el 2 de diciembre, a las cinco de la tarde, hora de California. Lo miramos en nuestro departamento. Estaban Lucy y Hobie, y también Michael. Sonny se sentó a mi lado, teniéndome la mano. El noticiario local pasó a Walter Cronkite y el suceso en vivo desde Washington. Lucían como yo me imaginaba a una corte marcial: un puñado de viejos parados en una plataforma. Un congresal sacó la primera bolilla de la esfera rotatoria. Un coronel entrado en años leyó en voz alta una fecha, el 14 de septiembre, y la anotó en una pizarra situada a sus espaldas. Mediante el sorteo se dispondría cada día del año en un orden fortuito, y ésa a su vez, se convertiría en la secuencia en la que serían convocados los jóvenes. Si uno había nacido el 14 de septiembre, lo reclutarían en el primer turno. Por otro lado, si el cumpleaños de Hobie o el mío salían por encima de determinado número —el 200, nos figurábamos, dados los muchos aplazamientos registrados en University Park— quedaríamos liberados.

Miembros de la Junta Asesora Juvenil del Servicio Selectivo del Presidente Nixon tomaron del tambor las pequeñas balas restantes. Eran hombres en edad de reclutamiento, con un corte de pelo que les dejaba al descubierto las orejas, tipos que apoyaban al sistema, y a quienes yo despreciaba. Uno de ellos sacó mi cumpleaños, el 12 de marzo. Fue el decimoquinto número seleccionado. Recibiría el aviso de reclutamiento para abril, como muy tarde.

—La suerte de los irlandeses —dije, pero el chiste era malo y mi tono, peor. No sé cómo, me puse de pie. Desde atrás, Sonny me envolvió el pecho con ambos brazos. —Me embromaron —le dije.

Continuó el noticiario local, que mostró la lista de números de D.C. en una lista que iba pasando en la parte inferior de la pantalla. Yo miraba estupefacto, tratando de imaginar mi futuro y odiando todo lo que había en los Estados Unidos. En Hartford estaban enjuiciando a dos estudiantes por difamación criminal por publicar una caricatura obscena de Nixon en el periódico universitario. Mark Rudd y los Weathermen habían sido procesados en Chicago por los Días de Furia. Y proseguía la saga de Juanita Rice, que en ese momento cautivaba la atención de California. La muchacha había sido vista en varias ocasiones en diferentes partes del estado, mientras sus captores emitían diversos comunicados exigiendo cinco noches de tiempo en la televisión nacional. Desde el momento en que se difundió la noticia, el secuestro de Rice había resultado de irracional preocupación para mi madre. Al haber oído comentarios sobre mis amistades radicales en el edificio, estaba convencida de que también podrían secuestrarme a mí. Supongo que era una especie de mecanismo de defensa, un peligro que podía descartar... al contrario de Vietnam.

Mientras tanto, Hobie seguía sentado en silencio frente al televisor, mirando pasar los números. Se proponía evitar Nam tanto como yo, pero tenía un enfoque diferente. Juraba que se presentaría al examen físico vestido con ropa de mujer y afirmaría que tenía relaciones homosexuales con todos los comunistas negros prominentes, desde Patrice Lumumba a Gus Hall. A veces también se ataba a la pierna un bloque de concreto, con la esperanza de agravar una lesión causada jugando al fútbol en la escuela secundaria. Ahora, mientras mirábamos el noticiario, una vez que los números pasaron el 275 supimos que no tendría que realizar ninguna de esas payasadas. Aunque inconsolable y celoso, me obligué a levantarme para besarlo en la frente.

—La suerte de los irlandeses —dijo Hobie. Su fecha de nacimiento salió después del 300. El último en salir fue Michael, con el 342. Aunque había crecido segando y enfardando en el campo, Michael había sido eximido del servicio militar por fiebre del heno y asma. No era justo, pero muy pocas cosas lo eran en aquel tiempo.

Mi madre y mi padre habían aguardado el sorteo con esperanzas casi lastimosas. No tuvieron coraje para llamar hasta la tarde siguiente. Eras las seis y un minuto, hora central, es decir, el minuto mismo en que las tarifas de larga distancia se reducían. Por extremas que fueran las circunstancias, mi padre jamás violaba su dogma personal acerca del dinero.

Cuando telefoneaban mis padres los domingos, mi padre y yo apenas hablábamos. Él hacía unas cuantas preguntas correctas acerca de mi salud o el tiempo en California, y luego le pasaba el teléfono a mi madre, que elaboraba con esfuerzo una lista de preguntas; yo sabía que había estado armándolas durante toda la semana. Con una oleada de sentimientos sofocantes, los visualizaba a los dos, mi madre aferrando un bollo de pañuelos de papel, tocándose la boca con los dedos, y mi padre lo bastante cerca para oír algo, pero con la cabeza escondida tras un diario para demostrar que no le interesaba mucho. Pero éste era un momento de confrontación con su hijo renegado, un desafío del que mi padre nunca se retiraba.

—Creo que esta decisión no garantiza nada —sentenció al final, cuando le dije que ya no me quedaba otra elección que ir a Canadá—. Hay alternativas.

—¿Como por ejemplo?

—Tengo el nombre de un médico. En apariencia está familiarizado con todas las reglamentaciones.

—Ah, magnífico. Voy a sobornar a un médico para que me encuentre algo fallado. ¿Es ésa la idea?

—La idea es que este hombre piensa como tú y te ayudará.

—Sí, claro. ¿Qué otras ideas se te han ocurrido? —Imaginaba que mi madre lo había hecho acudir apresurado al teléfono en cuanto él llegó del trabajo, todavía con el grueso traje de lana puesto. Junto a él descansaba su portafolio, que, de chico, yo asociaba con las alforjas de un vaquero.

—Hablé con Harold Blossman. Me dijo que su hijo se unió a la Reserva Naval. Hay un período de entrenamiento, y después quedas libre para hacer tu camino. Escribir películas, lo que sea.

—¿Y qué pasa si me llaman?

—¿Si te llaman?

—Ya sabes, si activan la unidad. Entonces uno huye y lo califican de traidor.

—Al parecer, eso no es frecuente.

—¿Y si ocurre?

—Entonces enfrentarás el hecho cuando llegue el momento, Seth. Por Dios, no puedes hacer planes para el resto de tu vida respecto de un asunto así.

Estas conversaciones de compromiso, difíciles de contradecir, tendían a aterrarme. En mi apasionada desaprobación de la guerra, había encontrado una cosa —tal vez la única— que sabía era correcta y por completo mía. Creer con tanta fuerza y no actuar en consecuencia, capitular a las necesidades de mis padres, equivalía a condenarme a mí mismo a una lobreguez en la que jamás encontraría mi propio perfil.

—Estoy contra esto. Tú no comprendes. Estoy contra esta máquina de guerra. Quiero resistir. No quiero escabullirme para que algún chico portorriqueño del Extremo Norte pueda morir por mí. No quiero fingir que serviré en las fuerzas y permitir que me torturen en el entrenamiento básico y luego huir si quieren embarcarme a Nam. Ir a luchar en la guerra que quieren otros es otra forma de esclavitud involuntaria. Hay una sola alternativa.

—No hay ninguna alternativa.

—Papá, esto es algo contra lo cual hay que pelear. Creí que lo entendías. —Yo sabía que mi argumento era inútil. Mi padre y yo estábamos de acuerdo en que en la historia había lecciones, pero no sobre quién era quién. Él se burlaba de los paralelos que yo trazaba entre nuestro gobierno nacional y la Alemania de la década de los 30. Era a los estudiantes de Columbia a quienes mi padre comparaba con el *putsch* de la cervecería; los Panthers, a sus ojos, eran los camisas pardas.

—Tu madre sentirá que su vida ya no tiene sentido —dijo al fin—. Deberías mostrar algún sentimiento por ella. No necesito recordártelo. —A medida que pasaban los años, mis conflictos con mi padre giraban todos en torno del bien de ella. Lo que él quería, lo que no quería, no era nunca, supuestamente, por su propio interés. Él era el vocero de ella, su defensor. Le rogué que no empezara con eso.

—¿Y Hobie? —preguntó mi padre—. ¿Qué hará él? ¿Huirá contigo? —Mi padre y Hobie siempre tuvieron una relación peculiar, una suerte de extraña longitud de onda propia. Mi padre alimentaba la habitual y esnob apreciación vienesa por el intelecto elevado, y escuchaba los comentarios agudos de Hobie con una sonrisa seca y aprobadora que jamás encontraba para mí. Cuando le dije que a Hobie le había salido número alto, se mostró aliviado. —Así que este paso lo darás solo —señaló—. ¿Y cuándo será?

—No lo sé. Por el momento no.

—Ya veo. Entonces podemos esperar que recuperes el juicio, ¿no?

No respondí. Había entrado Sonny en la habitación, y estaba parada a mi lado, escuchando tensa la conclusión de mi conversación. Cuando colgué el teléfono, la miré.

—Hay *alterrnatifas* —dije, imitando el acento de mi padre. Toda mi vida me había burlado así de mis dos progenitores, incluso en la propia cara de ellos, sin concentrarme nunca en averiguar por qué estas mofas les resultaban aceptables. Sin embargo, para mis padres era de vital importancia que yo fuera un legítimo estadounidense, que me sintiera de lo más cómodo en el país... y seguro. Ellos hablaban inglés en mi presencia, y hasta me habían dado un nombre que para mi eterno desconcierto ninguno de los dos pronunciaba de la manera correcta. Yo era "Set" para el acento checo de mi madre, y "Sess" para mi padre. Este apasionado deseo de ellos de adaptarse constituía mi única vía de escape en un hogar en que la corrección carente de humor de mi padre y las ansiedades de mi madre casi no me dejaban otro refugio. Cuando yo afirmaba que algo era "estadounidense" —las armas de juguete, cuando tenía seis años; la costumbre de mirar demasiada televisión; mi sentido del humor poco común—, ellos cedían. Y era por eso, en gran medida, que parecía haber tanto en juego en mi decisión de abandonar los Estados Unidos.

—¿Se le ocurrió alguna idea nueva? —preguntó Sonny.

—No —respondí. En verdad, había otros cursos de acción que se adecuaban a mi régimen moral. Podía pasar a la clandestinidad. Se necesitaban documentos falsos —en especial el número de seguridad social—, pero era en realidad el vivir fugitivo, con la constante ansiedad de la captura, lo que me resultaba inaceptable. Estaba también la alternativa más noble de reconocer el juicio. Brad Kolaric, un sujeto al que conocí en Easton, lo había hecho y se hallaba en aquel momento en la penitenciaría federal de Terre Haute. Pero las historias de violaciones carcelarias me impedían dormir por la noche, y no consideraba que el gobierno debiera encarcelarme a mí por los errores de ellos. El exilio parecía ser mi única alternativa.

—Tal vez pueda ofrecerme a cambio de Juanita Rice. Tal vez me secuestren los gitanos y me lleven lejos con ellos. Mi madre siempre me contó que roban chicos.

Sonny había oído la misma historia de boca de su tía Hen.

—¿Crees que tienen un límite de edad? —le pregunté.

—A lo mejor...

—Mierda. Creía tener la solución. Podrían llevarme a Canadá... —Miré a Sonny. —Qué deprimente —le dije.

—No hay respuesta, bebé.

—Un secuestro —dije.

Sonny me dirigió una sonrisa melancólica.

—No me parece.

—Eh, mira, ya sé lo que me inquieta. No es Canadá en realidad. Es abandonarlos. Así es como lo ven ellos. Si supieran que estoy a salvo en un lindo país, pero retenido contra mi voluntad... —Hice un ademán como de salir navegando. Más que del gobierno, lo que yo necesitaba era huir de la muda condena de mis padres en cuanto a que yo pudiera atreverme a olvidar lo que no debía olvidarse nunca.

Sin duda, esa noche soñé con los números. Cifras frágiles que surgían en mis sueños durante toda mi infancia y en general aparecían, para mi horror, en alguna parte de mi cuerpo: bajo la bocamanga de un pantalón, en el centro de mi frente cuando me veía en un espejo. Al contrario de mi padre, que usaba mangas largas en toda ocasión, incluso en lo más intenso del verano —era una persona que, hasta donde logro recordar, jamás nadó en público—, al contrario de él, mi madre no hacía esfuerzos excepcionales por ocultar los caracteres verde azulado tatuados en su antebrazo, unos centímetros por encima de la muñeca. Las marcas, tan claras, siempre me resultaron notables; desfigurantes de una manera inerradicable y vaga, pero valiosas y especiales porque eran de ella. Recuerdo más de una ocasión, cuando era muy chico, en que me mojaba un dedo en la boca y sin objeción de parte de ella trataba de borrar los números. Cuando le preguntaba qué eran, se limitaba a responder, siempre: "¿Ésos? Son números". Y cuando yo escribía números —los garabateaba, en realidad— en mi cuerpo, con lapicera, ella me llevaba de inmediato al lavabo.

A medida que aprendía a leer, recuerdo haber observado que las cifras tenían una forma peculiar: escritos a mano con un estilo que me daba la impresión de ser extranjero. Había como unas colitas en los cincos y un guión que cruzaba la mitad del siete. Y alrededor de esa edad empecé, al fin, de alguna manera no manifestada en palabras, a relacionar los números con ese enorme e indescriptible horror, esa niebla negra que yacía en alguna parte del pasado que siempre era objeto de silenciosa alusión en la casa de mis padres.

Mi padre nunca permitía conversación alguna sobre los campos de concentración. Si aparecía algo por televisión, lo miraba con atención callada y firme. Pero no lo mencionaba por propia voluntad, y desalentaba a mi madre con miradas de severa reprobación. Y aun así las pocas imágenes que vi —de los cuerpos desnudos y esqueléticos, los cadáveres cianóticos apilados y tan profundamente carentes de vida— permanecieron, en forma de espectros. Vivían conmigo de un modo inalterable, formaban parte de la elevada tensión de mi hogar, donde reinaba en todo momento una atmósfera semejante a la cuerda tensa de un instrumento que espera ser tocado.

Gran parte de lo que yo sabía provenía de lo que había leído —en forma casi inconsciente— o de lo que mi madre me contaba. En mi adolescencia me enteré de los pocos detalles que se me permitieron saber, en gran medida a manera de respuesta a la incesante pregunta que yo le hacía: ¿qué le pasaba a él, ese hombre, mi padre? Las historias que me contaron, con las pinceladas más despojadas, eran tan ajenas al envoltorio seguro de University Park —sus calles coronadas por olmos añosos, sus valores confiados y persistentes, y su constante *ethos* social de debate calmo e intelectual— que demoré en verdad años en absorberlos, una suerte de absorción de mi propia experiencia que tuvo lugar en una medida infinitesimal, como una medicación administrada en la sangre por vía endovenosa, gota a gota. Y aun así siguen siendo para mí la quintaesencia misma del horror: cómo el marido de mi madre había desaparecido de su lado para siempre, mientras los clasificaban por sexo en una de las líneas de Birkenau. Cómo el hijo de seis años de mi padre fue asesinado de un tiro ante sus propios ojos en Buchenwald.

El trabajo inhumano. Comidas de pasto hervido. La naturaleza insondable de lo que significaba haber sobrevivido a esa negrura extrema.

Yo evitaba debidamente pensar de manera consciente en mis padres como víctimas de cualquiera de esas barbaridades, y nunca tomé en cuenta la marca que esa experiencia había dejado en mí. Sonny había embarcado literalmente cientos de libros de su casa. Yo me había llevado sólo cuatro o cinco: *El diario de Anna Frank, Ascenso y caída del Tercer Reich*; Talcott Parsons; la biografía de Hitler escrita por Alan Bullock. Unos cuantos volúmenes solitarios agrupados en un extremo de un estante entre las bibliotecas de tablones y bloques de concreto erigidas a lo largo de todas las paredes libres de nuestro departamento de Damon. Aun viéndolos uno junto al otro, yo no lograba descubrir qué los conectaba. Para mí no eran más que buenos libros, consumidos durante la época universitaria en horas de aislado descanso de las furias del estudio. No veía relación alguna entre el pasado de mis padres y mis pasiones políticas. No reconocía el trato fútil que había negociado en silencio conmigo mismo: que si el mundo podía reformarse, corregirse, si yo sabía que nunca habría otro Holocausto, estaría libre de las cargas que me habían puesto encima. Todo ello era invisible para mí. En cambio, durante aquellos años experimentaba una fobia inexplicada que me llenaba de tal pánico que siempre me veía obligado a salir de la habitación cada vez que veía escenas de películas de vaqueros en las que marcaban ganado.

Como consecuencia de la refriega ocurrida en el CDIA, los manifestantes —de los que se informó que llevaban el brazalete rojo de los miembros de Cien Flores— habían causado disturbios en el campus. Destrozaron las ventanas de casi todos los edificios del cuadrángulo principal y vaciaron sobre los ladrillos frascos de vidrio con sangre de oveja. En Ryerson, la principal biblioteca para estudiantes no graduados, arrojaron una bomba de humo a través de la ventana del sótano. Permaneció cerrada durante cuatro días y retiraron cientos de miles de volúmenes, para protegerlos del persistente hedor. Habían tirado otra bomba por la chimenea del cuartel general del Cuerpo de Seguridad de Damon. Según los informes, el que la arrojó, en su apresuramiento, se había resbalado por el tejado y caído a tierra, de pie, justo ante las ventanas de la comisaría. Los policías afirmaban que lo habían recogido otros radicales con brazaletes, que se lo llevaron, con un pie o un tobillo o una pierna, gravemente herido. Habían registrado todas las salas de emergencias de toda la zona de la Bahía, pero el individuo no fue identificado.

En el campus y el bulevar, durante días la conversación se centró en los motivos por los que todo había salido mal. La policía del campus anunció que Eddgar se hallaba bajo investigación por incitar la revuelta, y afirmaba que la cita que había pronunciado, extraída de *El libro rojo*, era la clave para que comenzaran a volar las piedras. Pero yo hablé con docenas de personas que se hallaban al frente de la multitud, y estaban seguros de que la policía había atacado primero, pegándole con un garrote a una mujer cuyo perro se había acercado inocentemente a la línea policial. Presionados, la mayoría de los testigos admitieron que sólo habían visto la cara ensangrentada de la mujer. Nadie parecía recordar las cachiporras cayendo sobre ella. Algunos decían que llevaba un brazalete de Cien Flores, y otros lo negaban. A la mujer no pudieron encontrarla. Eddgar negó con calma haber desempeñado papel alguno en la provocación.

—¿Cuán tonto crees que soy, Seth? —me preguntó cuando al fin intenté hablar con él al respecto, a la semana siguiente—. ¿De veras crees los *apparatchiks* del cuerpo docente? Las teorías de la administración... bueno, la verdad es que son divertidas. No estoy bromeando. Me pintan como el archimanipulador, el gran planeador que domina a montones de rebeldes *lumpen*. ¿Y sin embargo quieren afirmar que sería capaz de pararme ante el público y lanzar contraseñas a una turba? ¿Acaso te parece un intento bien pensado para subvertir a alguien que no sea yo mismo?

Yo sabía que este discurso estaba ensayado, que ya lo había pronunciado docenas de veces. Apenas la semana anterior había oído a Eddgar citar a Sun-tzu ante June. "La guerra es engaño", había dicho. Eddgar nunca explicó —ni yo me atreví a preguntar— cómo llegó al pozo de nuestras escaleras el que arrojó la bomba de humo, con la pierna rota. Pero quería creerle cuando me negó haber orquestado la violencia.

Sonny era mucho más escéptica. Todo el tiempo discutíamos a causa de Eddgar.

—Por lo menos no es como los locos del bulevar Campus, que dicen: "¿Cómo puedo mejorar el mundo para mi propia conveniencia?" —le expliqué una noche—. Él no dice: "Cambiemos todo, pero asegurémonos de que todavía haya mucho LSD y montones de películas entretenidas de James Bond y alguien que me haga la limpieza". Yo creo que él se ha dicho: "Si yo fuera pobre, si fuera un desposeído, si fuera, como dice Fanon, uno de los desdichados de la Tierra, ¿cómo reaccionaría? ¿Qué haría? ¿Soportaría esta basura un solo instante?". Y es honesto cuando dice que la respuesta es no. Él querría destrozar todo lo que le impidió ser igual y libre.

—¿Y tú estás de acuerdo con él?

—¿De acuerdo? No. No del todo. Pero estoy más con él que contra él. "Cualquiera que se ponga del lado del pueblo revolucionario es un revolucionario." ¿Correcto? —Sonreí con expresión traviesa y Sonny me respondió con una mueca. —Por Dios —continué—, ¿por qué tengo que explicarte todo esto? Eres tú la que fue criada como comunista.

—No me criaron "como comunista". No es como ser bautista, bebé. Mi madre pertenecía al partido. No yo. Y eso no la convierte en una especie de fanática estalinista como es Eddgar. Para él, ella sería trotskista.

Sonny siempre defendía con ferocidad a su madre. Durante el período en que fue presidenta del sindicato de plomeros de astilleros local, durante la Segunda Guerra Mundial, Zora había aparecido en la tapa de *Life* con su soplete de acetileno reflejado como la Lámpara de la Libertad en el visor bajado de su máscara de soldadora. Entonces era famosa. Pero como era comunista, y mujer, la excluyeron de la cúpula de liderazgo, y luego del sindicato, una vez que volvieron los hombres. En el apogeo de los años de McCarthy, Zora empacó alimentos enlatados y mantas en dos maletas, esperando que el ejército la llevara en cualquier momento, junto con Sonny, a los campos de concentración.

Sonny se mostraba alegremente tolerante para con las excentricidades de su madre. Zora tendía a llamar de repente y mantenía a su hija pegada al teléfono durante una eternidad. Sonny se sentaba en el dormitorio, aun cuando tuviéramos invitados en el departamento o personas que nos esperaban en algún lugar. Por costumbre, Sonny jamás discutía con la madre. Guardaba silencio. Y Zora hablaba.

—Bueno, ¿qué dijo?

—No mucho.

—¿En una hora y media?

Sonny meneaba la cabeza. Explicar estaba más allá de sus poderes.

—Ya la conoces.

En verdad, no la conocía. Había visto a Zora en muy pocas ocasiones. Era una mujer menuda, de no más de un metro cincuenta de estatura, que siempre fumaba Chesterfield. Tenía un ojo albino, usaba anteojos de vidrios gruesos y apenas llenaba el vestido. Recuerdo que me impresionaron los músculos de sus antebrazos. Una muchacha dura, se diría. Las pocas veces que Sonny me llevó, Zora no me dirigió una sola palabra, ni siquiera "hola". En cambio, pronto se lanzaba a un relato, para beneficio de Sonny, de algún reciente ultraje que había sufrido: desempleo, problemas con el dueño del departamento, un dirigente sindical convertido en lacayo de sus superiores. Pequeña y rápida, corriendo de un lado a otro, Zora me recordaba a un hamster enjaulado. Gritaba, escupía palabras, agitaba las manos en el aire, mientras continuaba hablando a enorme velocidad y volumen.

Sonny la consolaba incansablemente. Le enviaba dinero siempre que podía, y también mantenía comunicaciones con la inmensa familia polaca —los Milkowski—, con los que la madre, en general, no se hablaba. Para mí, era evidente que Zora, con su apariencia salvaje, sus maneras erráticas, sus hábitos egocéntricos, estaba bastante loca. Pero, según pronto advertí, no era una opinión que pudiera compartir con libertad.

Una noche, tarde, en el piso de arriba terminaba una reunión de uno de los grupos de Eddgar, mientras Sonny y yo yacíamos en la cama, fumados y amorosos. Con el objeto de confundir a la vigilancia de la policía de Damon, los radicales solían salir de lo de Eddgar en todas direcciones, y tres o cuatro de ellos bajaron por las escaleras, haciendo ruido con sus botas de trabajo, y pasaron justo delante de nuestra ventana abierta. Dejamos de movernos, esperando que las voces fuertes se alejaran en la noche. Uno de los últimos comentarios que oí fue el de alguien que se jactaba de los policías que iba a liquidar el día que llegara la revolución. En el ensueño de la marihuana, me descubrí considerando la pregunta que la vida en el ambiente de Eddgar iba imponiéndome poco a poco.

—¿Crees que va a haber una revolución? —pregunté—. Es decir, ¿en serio?

Debajo de mí, Sonny gimió.

—Por supuesto que no.

—Ah.

—Seth... Yo crecí con esto, bebé. Es una discusión demente. Si no hubo ninguna revolución en los Estados Unidos en la década de los 30, cuando el 15 por ciento de la fuerza de trabajo estaba desempleada, ¿cómo podría suceder ahora?

Repetí, con intención en cierto modo experimental, lo que le había oído decir a Eddgar en cuanto a elevar la conciencia de la clase trabajadora.

—Estos tipos de las líneas de montaje que creen amar a George Wallace en realidad están esquivando la desesperación de su propia vida.

—Seth, ésa es la gente que mi madre ha organizado toda la vida. He escuchado a Zora explicarles que no reconocen su desesperación, y ellos la echaron del pueblo.

—Así es Zora.

Sonny retiró sus caderas de abajo de mí y de pronto me quedé solo.

—¿Qué significa eso? —me preguntó.

Sabía que me hallaba en terreno riesgoso, pero de algún modo me sentía provocado, tal vez por su indiferencia a mis esperanzas.

—Quiere decir, sin ánimo de ofenderte, que tu madre puede causar impresiones algo extrañas.

—¿O sea?

—"¿O sea?" Por Dios, no seas lerda, maldición. Que todos esos trabajadores tal vez rechacen a Zora, no lo que ella dice.

Entonces se encendió la luz, una luminosidad dolorosa. Sonny, cuya calidez rara vez la abandonaba, estaba fría como una piedra.

—No hables así de mi madre —dijo.

Me protegí los ojos.

—Está bien.

—Nunca.

—Entiendo.

Apago la luz y me dio la espalda.

—Sonny.

Rehuyó mi mano.

Al final me dormí, pero cerca de una hora después me desperté. Alguna sensación, acaso la de esperar orientarme, me indicó que no me moviera con demasiada rapidez. Poco a poco tomé conciencia de Sonny, que estaba a mi lado, respirando pesadamente, sacudiéndose con pequeños temblores. Al cabo de unos minutos me di cuenta de que sus manos se hallaban por debajo de su cintura, terminando lo que yo había empezado. Permanecí allí en la oscuridad, inmóvil, sin saber qué hacer, pensando si le resultaría humillante que yo interviniera, o si, como sospechaba, ni siquiera lo deseaba. Me limité a escuchar, mientras su respiración alcanzaba el clímax y cesaba brevemente mientras su cuerpo se estremecía con su propio toque, y luego continuaba serena a medida que iba sumiéndose en el sueño.

La nueva alianza de Hobie con Cleveland Marsh, que de manera nada característica los había llevado a ambos a la manifestación del CDIA, había comenzado una noche, durante el otoño, en que Hobie se encontraba cenando en nuestro departamento. Al subir las escaleras a una reunión en lo de los Eddgar, Cleveland había visto a Hobie en nuestro umbral, donde estaba acechando, como de costumbre, con la esperanza de intercambiar alguna palabra con su ilustre compañero de clases. Con su pulóver negro de cuello alto y sus anteojos oscuros, Cleveland pasó veloz, pero luego lo pensó mejor y, ya unos cuantos escalones más arriba, extendió un dedo en dirección a Hobie. Un cartucho calibre 45, bruñido y recubierto en cobre, le colgaba del cuello como un amuleto.

—Hola, hermano —saludó—. Tenemos algo que estudiar para Contratos, ¿sabes? ¿Tal vez tengas ganas?

A mí me inquietaban un poco mis contactos pasajeros con Cleveland. No porque él fuera manifiestamente iracundo. Dejando a Hobie de lado, todos los jóvenes negros a los que conocía vivían enojados, una actitud que requería poca explicación en 1969 —un año después del asesinato de Martin Luther King— y en uno de cada ocho estadounidenses que habían votado a George Wallace para presidente. Pero yo me había criado con gente negra; había marchado, los había tomado de la mano, había salido con chicas negras. Conocía sus iglesias y sus prédicas, los pasos de baile, las jerarquías de la clase media negra. Sabía qué era diferente y qué no. Cleveland era la primera persona negra a la que conocía que se negaba de manera impenitente a mirar más allá del color de mi piel. Me veía con la mirada siniestra e insensible que uno echaría a una serpiente.

No obstante, a Hobie le entusiasmaba la camaradería de Cleveland. Éste había nacido en Marin City, el complejo habitacional situado al pie del Golden Gate, y había participado en la Conferencia de la Costa Oeste, representando a Damon. En la primavera de 1968 había aparecido repetidas veces en los noticiarios nacionales, primero cuando anunció que se había unido a los Panthers, y luego cuando lo aceptaron en la facultad de Derecho de Damon entre protestas del cuerpo docente y los ex alumnos, que objetaban sus puntos de vista políticos o su capacidad. Hobie consideraba a cualquiera que hubiera aparecido en televisión como si descendiera de un reino más elevado. En esto, supongo, salía al padre, Gurney, que tenía encima del mostrador una hilera de atesoradas fotos de astros del béisbol, músicos de jazz y boxeadores. Además, la relación de Hobie con Cleveland pronto adquirió una dimensión predecible. Poco después de la manifestación del CDIA, Hobie llegó a la Hora Delirante con un paquetito que abrió en cuanto Michael se fue.

—Se llama cocaína —nos dijo a Sonny y a mí, mientras deshacía una pequeña piedra blanca sobre un espejo de bolsillo. Sonny era siempre demasiado seria para disfrutar de verdad cualquier tipo de droga. Describió la casi ruina de la carrera médica de Sigmund Freud cuando inadvertidamente provocó la adicción de sus pacientes a esta sustancia milagrosa, y se retiró de la habitación, disgustada. Pero con Hobie el santo y seña era probar cualquier cosa enseguida. En general, no quedé impresionado.

—Es bárbara —dijo Lucy—. Salvo la pajita. Pasa por la nariz de todos...

—¿De donde la sacaste? —le pregunté a Hobie.

—Los Panthers están metidos en una mierda increíble —me dijo mientras aspiraba y movía la cabeza para absorber mejor la sensación—. Esto, hermano, es una forma muy avanzada de recaudar fondos con fines políticos. Tienen un tipo, hermano, que estampa gotas de ácido en pastillas y las envuelve en celofán. Parecen aspirinas, cuando las miras. Una operación muy astuta.

—Hobie hasta fue a la casa de Cleveland —comentó Lucy—. ¡Tiene chicos! Era todo muy raro. ¿Le contaste a Seth? ¿Que había todas esas armas? Y...

Con su manaza, Hobie le había tomado la rodilla. Sus ojos me miraron relampagueantes, con expresión tentativa.

—Son unos locos paranoicos, ya sabes. "Casas seguras" y toda esa mierda. Miran *Yo soy espía* y cosas así. Ya conoces el lema: "Soy correcto y soy un hermano negro, pero los demás, nada". Yo tuve que jurar por los dioses zulúes. —Sonrió. Demoré un segundo en entender que lo que quería decir era que no iba a hablar del tema. Hobie y yo en general no teníamos secretos, sobre todo en lo que concernía a sus hazañas. Pero Cleveland seguía siendo un tema delicado.

Una tarde, poco después de finalizado el año, Hobie tocó el timbre y se quedó abajo con su poncho verde provisto por el ejército. Ya habían llegado las lluvias, chaparrones frescos y ocasionales, pero más a menudo caía una llovizna y una niebla densa que me hacía sentir que una mano fría me aferraba los huesos. La llama azul de la estufa de la pared no se apagaba nunca.

—¿Quieres manejar tú? —me gritó Hobie. Íbamos a jugar al básquet en el campus. Mientras caminábamos entre los charcos hacia mi auto, divisé el viejo Dodge Dart de Hobie, deteriorado y oxidado, en un rincón del terreno cubierto de grava. El coche estaba pintado a medias de manera psicodélica, y los guardabarros delanteros, con espirales de color. Le pregunté qué le pasaba.

—Nada. Sólo que tengo unas cosas adentro.

Hobie mostraba una expresión incómoda impropia de él, así que pasé a su lado para inspeccionar. El auto estaba lleno de bolsas de arpillera húmedas, apiladas en los asientos de adelante y atrás. Hobie, que me había seguido, señaló el cielo y me dijo que estaba lloviendo.

—Hobie, no seas imbécil. ¿Qué es esto, la Gira Mágica y Misteriosa? ¿Qué diablos tienen ahí, viejo?

—Bolsas de arena.

—¿Bolsas de arena?

—Y son pesadas, las malditas. No sé si Nellybelle podrá llevarlas colina arriba hasta Shattuck. —Nellybelle era su auto, bautizado en honor al jeep del ayudante de Roy Rogers.

—¿Recibiste información de Noé? ¿Vamos a tener otro diluvio?

—Es sólo un favor, viejo. Nada más. Ayer me quedé charlando un poco con Cleveland después de Contratos, y me preguntó cuándo venía acá, a verte. Y si me molestaba parar en un negocio de autopartes (hasta me dio la dirección de un par), y comprar una lata de ácido para baterías y veinte bolsas de arena. Me dio el dinero y todo. Raro, ¿no? Me dijo que dejara el auto sin llave. Alguien lo va a venir a buscar.

—¿Eddgar? —Cleveland no conocía a nadie más en el edificio.

—No pregunté. Es sólo un favor. Hoy por ti, mañana por mí.

—Hobie, mejor que te cuides el culo.

Protestó al oír este comentario, sobre todo viniendo de mí, admirador y empleado de Eddgar.

—Vamos. ¿Ácido para baterías y bolsas de arena? Por favor, Jack. ¿Por qué tendría que ponerme nervioso? —replicó.

—Bueno, ¿qué diablos van a hacer con eso?

Se encogió de hombros.

—Lo único que me imaginé es algo relacionado con el invierno. Ya sabes, en esta época del año Gurney siempre le pone ácido a la batería y arroja algunas bolsas de arena en el baúl. Pero va a haber un cambio de clima de los mil diablos en California, y es para eso que se está preparando.

—Tal vez los Weathermen le hayan hecho un pronóstico adelantado.

Más tarde, cuando volvimos, tuve el cuidado, según instrucciones de Hobie, de no estacionar junto a su auto y lo observé cruzar el terreno hasta Nellybelle. Todavía llovía. Cuando subió, se volvió hacia mí, bajó el vidrio de la ventanilla para que pudiera verlo, y moduló con la boca dos únicas palabras: "No están".

Un miércoles de enero, por la tarde, entré en el departamento de Michael Frain, buscando a Nile, y encontré a Michael en la cama con June Eddgar. Eran alrededor de las cuatro. En el campus, en otra reunión del Comité de Movilización de Estudiantes, me había asaltado el súbito miedo de que June olvidara que yo tenía libre aquel día, y que Nile, como resultado, quedara sin nadie que lo cuidara. Gritando el nombre del chico, había atravesado a la carrera todos los lugares del edificio en donde era probable que estuviera. Tuve la seguridad de haber oído que desde el dormitorio Michael respondía: "Acá estoy".

Cuando abrí la puerta, June estaba sentada en la cama, con la sábana contra el pecho y apretándose con la otra mano el puente de la nariz. Acostado junto a ella, Michael me daba la espalda. No pude ver más que sus hombros flacos y un punto claro y calvo entre sus rizos largos. Pero aun así lo reconocí. Después de todo, era el departamento de él.

Dije exactamente una palabra: "Ay", y me di vuelta. Busqué dentro de mí alguna idea de qué hacer a continuación y al final, como un tonto, volví a llamar a Nile.

—Te dijimos: "Acá no está" —respondió June detrás de mí. Ahora se hallaba en el umbral, desvestida. Me enfrentaba descalza, con total confianza en sí misma, mientras yo miraba lo que sin inmutarse me revelaba: miembros de delgada fortaleza, el oscuro triángulo femenino, un vientre apenas curvo algo ajado por el parto, su naturaleza atrevida. Liberado de la cola de caballo, el pelo color bronce le caía hasta los hombros. —Nile está con Eddgar —agregó, consciente del descaro de nombrar a su marido en semejantes circunstancias. Luego cerró la puerta.

June siempre me había parecido esquiva. Las leyendas del campus la pintaban como una revolucionaria parásita, totalmente gobernada por Eddgar y las exigencias de la doctrina. Corrían rumores asombrosos: de que a pedido de Eddgar se había acostado con toda la cúpula de los Panthers en Oakland; que había corrido serios riesgos al contrabandear armas para la fuga de la cárcel del condado de Marin. Hacía rato que yo intuía que el cuadro no era correcto. Ella casi nunca pasaba ante un espejo sin una prudente mirada a la buena figura que veía allí, se enderezaba el cuello de la ropa, se acomodaba un aro torcido; todavía conservaba algo de reina social sureña. Los estudios de June en Easton giraban en torno del teatro, aunque, en el espíritu de la revolución cultural, en aquel momento trabajaba en una planta de salmón enlatado de East Bay. Sin embargo, por momentos continuaba exudando el aire dominante y enigmático de una estrella. Siempre me apoyaba una mano en el hombro y se las ingeniaba para que yo le hiciera favores —correr al almacén, echar enjuague en el lavarropa—, aunque ambos sabíamos que estos mandados no formaban parte de mi trabajo. Hasta Eddgar, a veces, parecía cauteloso de ella.

Las dimensiones de las relaciones de los Eddgar, siempre oscuras para mí, ahora me resultaban insondables. Pero nadie más, según resultó, se conmovió tanto con mi descubrimiento como yo mismo. Sonny, a quien se lo conté aquella tarde, de hecho se rió.

—¿Quieres decir que no te parece el escándalo del siglo? —le pregunté—. ¿No lo encuentras perverso? No me mires así. Es raro. Ella tiene un hijo, y es quince años mayor que Michael. Es decir... —No logré encontrar las palabras adecuadas.

—Por Dios, qué rígido eres. —Siempre me desalentaba comprobar que la liberación de Sonny acerca de los temas sexuales fuera mucho mayor que la mía. A la mayoría de las chicas con las que me había criado les habían inculcado la virginidad de manera obsesiva, pero Zora era una librepensadora y en los últimos años de la adolescencia Sonny parecía haber descubierto un bienvenido solaz en la atención que le prodigaban los hombres.

—¿Rígido? —pregunté—. ¿No piensas en Eddgar?

—¿Qué hay con él? Tal vez no le importe. Tal vez le guste.

—¿A Eddgar? —En Damon había muchos discípulos del amor libre, pero me resultaba difícil imaginar que Eddgar fuera uno de ellos. —Piensa esto: apuesto a que ella es la que convenció a Eddgar de que pueden confiar en Michael. Ya sabes, aunque él esté enganchado en Investigaciones Aplicadas y todo eso. Apuesto a que así fue.

—¿Y?

—Bueno, es como que, para ella, todo el movimiento revolucionario está concentrado en las caderas.

Me debatí unos cuantos días pensando si mencionarles o no a Hobie y Lucy lo que había visto. Él era un peligro con los secretos, en especial cuando podía usarlos contra alguien, como Eddgar, a quien quería poner en su lugar. Pero el chisme era demasiado sensacional para guardármelo, y al final lo compartí en la Hora Delirante. Resultó que los dos ya lo sabían.

Lucy asintió con aire estoico.

—Es triste para él, la verdad —dijo—. Para Michael. —Con el tiempo, Lucy había logrado, mucho más que el resto, atraer a Michael. Ella jamás le caía mal a nadie, pues era sincera y apasionada. Los hombres, en especial, daban la impresión de abrir el corazón ante ella, acicateados por el modo en que sus pequeños ojos castaños, todo su ser, parecía entregarse a cualquier cosa que tuvieran que decir. Para Michael, tan cerrado, este interés ávido e incondicional debe de haber resultado especialmente bienvenido. Lucy y él solían cocinar juntos, los fines de semana. Los demás nos dedicábamos a otras cosas mientras ellos trabajaban felices en la cocina, murmurando entre sí como niños. Lucy charlaba con tono jovial, con el movimiento natural de un manantial fresco. No se me había ocurrido, hasta aquel momento, que hubieran existido confesiones en sus conversaciones.

—Ella quiere dejar a Eddgar —explicó Lucy.

—¿Dejarlo? —Yo no imaginaba que la relación fuera más allá de una aventura pasajera.

—Lo de June con Eddgar no es nada. Na-da —repitió, con un énfasis que sugería sexo—. Desde que nació Nile —agregó. La intimidad de este detalle me hizo sospechar enseguida que June —o Michael— sólo estaba inventando excusas.

—¿Qué sentido tiene? —pregunté—. ¿Por qué sigue con el tipo? Lucy alzó los hombros delgados.

—Le dijo a Michael que Eddgar es como el mayor actor que haya conocido.

—¿Actor? —Había oído con frecuencia similares comentarios sobre Eddgar: que era un camaleón, un simulador. Pero no lo esperaba de June.

—Fue un cumplido, creo —aclaró Lucy—. Ya sabes, un gran actor convierte a Shakespeare en aún más grande de lo que es. O tal vez quiso decir que él es mejor sobre un escenario.

—Ese tipo ni siquiera sabe quién es si no está en un escenario —opinó Hobie, que escuchaba y fumaba un porro en su sitio habitual en la alfombra.

Todo aquello me perturbaba. Ni Michael ni June me hablaron nunca una palabra de su aventura, pero sentía que el silencio que manteníamos todos nos convertía —a mí, en particular— en conspiradores contra Eddgar, e incluso, tal vez, contra Nile. La situación entera sugería cosas sobre el amor, el mundo de las mujeres y los hombres, que yo no comprendía, o tal vez incluso ni siquiera deseaba saber. Después de lo sucedido, siempre me sentí incómodo cuando Michael y June estaban juntos, simulando indiferencia.

. . .

—Por lo que he oído, las fiestas de Graeme son de veras locas —me comentó Sonny mientras nos acercábamos a la pequeña vivienda victoriana de la ciudad donde vivía Graeme. Era fines de enero, cerca del final del semestre. Percibí que Sonny había sopesado si decirme algo o no. Yo llevaba una botella de dos litros de vino en una bolsa de papel, y ella vestía un chal negro y una pollera larga hasta el piso, hecha con una vieja bandera estadounidense. El pelo, recién lavado, se le volaba con el viento de la ciudad. Recordé lo que pensaba siempre: que era espléndida. —Ya veremos, ¿no? Pero a lo mejor no quiero quedarme mucho.

—Es compañero tuyo. —Yo pensaba que, para comenzar, era amable de mi parte el asistir, pero Graeme había prometido que no sería como las fiestas habituales de su Departamento, con gente que hablaba de Foucault como si fuera un íntimo amigo. Sonny encontraba muy intrigante a Graeme. Era irónico y complejo, igualitario en sus maneras, y ella admiraba sus innovadoras, aunque grandilocuentes, teorías estructuralistas. Graeme afirmaba que las sociedades occidentales atravesaban un cambio epistemológico, de la estructura generadora de la cual derivaba todo pensamiento en la cultura, una especie de corsé del cerebro que se aflojaba y cambiaba de forma sólo en momentos históricos críticos, uno de los cuales era aquél.

—¡Sonny! —gritó Graeme cuando entrábamos. Ya estaba alegre. Alzó los dos brazos, con un resto de porro en una mano reluciendo entre una espiral de humo fragante. Se acercó a abrazarla y, sin dirigirme una sola mirada, la llevó a la sala y al medio del denso gentío parloteante de la fiesta.

Poco a poco me di cuenta de que Graeme había dicho la verdad en un aspecto. Esa fiesta no era en absoluto como aquellas a las que solíamos ir. Una energía expectante, de alto voltaje, cargaba el aire, y la gente tenía un aspecto mucho más osado que el contingente de Damon: mujeres sinuosas con minifaldas y el pelo planchado, hombres con collares de mostacillas. Vibrantes *ragas* de cítara salían gimientes de unos altoparlantes ocultos entre la profunda exuberancia humana de la habitación.

Aquella noche la gente casi no habló de política —la guerra de Loyell Eddgar—, que era el asunto central de conversación en la universidad. Allí había un solo tema y frecuentes referencias a aventuras báquicas ocurridas con anterioridad. Los invitados discutían de manera incansable las relaciones abiertas, y concluían siempre que cualquiera que se negara a tomar parte en ellas no era simplemente atrasado sino peligroso. Una muchacha con la que me topé mientras estábamos sacándonos los abrigos afirmó el dogma de los Weathermen: que uno de los propósitos de la revolución era el de destruir la monogamia.

Esa joven, que se llamaba Dagmar, permaneció a mi lado durante casi toda la velada. Era alumna de uno de los cursos de Graeme para no graduados. Era rubia, con una cara de mejillas prominentes y unos pechos imponentes, apenas ocultos por un top elástico que usaba sin corpiño. Sólo más tarde se me ocurrió que Graeme pudiera haberle inspirado su papel como acompañante, o distracción, mía.

Cada vez que trataba de encontrar a Sonny con la mirada, ella parecía inabordable. En todo instante había una docena de personas alrededor de Graeme; su silueta larga y su cabeza rubia continuaban agachadas sobre Sonny, y su brazo le rodeaba los hombros. En determinado momento me liberé para ofrecerle una bebida. Había mescal y tequila, y una tremenda cantidad de marihuana. En la primera oportunidad en que alzó la vista, quedó como sorprendida de verme, pero enseguida me tomó la mano de una manera tan indigna, tan cargada de disculpas, que hui de inmediato con Dagmar.

Cerca de medianoche, en realidad cuando dieron las doce, un grupo de hombres y mujeres andaban por la sala por completo desvestidos; las oscuras regiones púbicas y las partes que se balanceaban resultaban chocantes e incongruentes, mientras proseguían los tintineos y charlas de la fiesta. Un momento después, alguien apagó la mayoría de las luces.

—¿Estás preparado? —preguntó Dagmar.

—¿Para qué?

—Para lo que está pasando. Vamos, Seth. No lo arruines.

Tocó la pesada hebilla de mis vaqueros, y yo di un salto hacia atrás, en gesto defensivo. Dagmar tomó a mal esta reacción; me echó una mirada feroz y se ocupó de sí misma. Su pequeña minifalda cayó al piso, y luego se sacó también las medias enterizas. Las sombras oscilantes de una lámpara la revelaban por instantes. Borracho y fumado, atontado por la fiesta, me costó lidiar con el filo cruel de esta invitación. Los pechos de Dagmar eran muy grandes pero de pezones pequeños, azulados por una densa red de venas. Nos enfrentamos sin hablar, y después ella se apartó con una sacudida insolente de su pelo rubio y sucio. Oí el definido resonar de sus pasos cuando subió las escaleras.

Recorrí el primer piso. Sonny y Graeme no estaban. Abandonado, consideré la idea de subir por la escalera que conducía a los dormitorios. Sumamente confundido por lo que podría encontrar a continuación, avancé. Me alivió no ver rastro de Sonny en el cuarto de Graeme. Pero la mayor parte del grupo que andaba desnudo por la sala se hallaba allí, seis o siete hombres y mujeres que se aplicaban pintura el uno al otro con las manos. Uno tipo mostraba una erección impresionante, que una joven envolvía en un tono verde fosforescente que sacaba de un pomo. Otros dos grupos se hallaban inmersos en diversos estados de la relación sexual. En la cama de agua, tres personas, dos hombres y una mujer, se entrelazaban en una maraña de piernas y traseros, en algo que tomé por un trance poscoito, mientras que abajo, en la semiprivacidad de la alfombra, otra pareja se hacía el amor. El tipo, que estaba arriba, tenía una panza tan enorme que casi daba la impresión de ser un objeto extraño entre él y la mujer ubicada debajo. Cuando ella se volvió hacia mí, reconocí a Dagmar. Me dirigió una sonrisa brumosa y alzó una mano, todavía regordeta como la de un bebé, aunque el cuerpo se le sacudía con las enfáticas embestidas del gordo. Pensé que me estaba saludando y le respondí con timidez; entonces me di cuenta de que en realidad me invitaba a participar.

—O subes al ómnibus o te bajas del ómnibus, muchacho. —Graeme me tomó del codo. Estaba en una posición improbable, vestido sólo con los calzoncillos y unas medias elásticas con ligas. Sobre el esternón le crecían unos cuantos pelos sueltos. Trató de llevarme hacia la puerta, pero yo casi no podía moverme. La habitación olía a pis de gato, y sólo en aquel momento distinguí, dentro del colchón de agua, unas formas borrosas que reconocí como peces de colores. Graeme desapareció un momento. Cuando regresó, Sonny habló a mis espaldas.

—Ven aquí, bebé. —Se paró en el vestíbulo angosto, amarilleado por una pantalla de papel china que cubría la única lamparita. Se la veía pudorosa y calma con su falda de bandera.

—Una de esas mujeres me pidió que me acostara con ella. —Me sentía tan desubicado que esta frase intentaba ser una suerte de explicación de mi conducta.

—"Mujeres". ¿Cuál?

Volví al dormitorio para señalar, pero ahora la puerta estaba cerrada y Graeme había desaparecido.

—¿Lo hiciste?

—Por Dios, no. —Me sentía lento. —¿Y tú y Graeme? —pregunté.

Me pareció que sacudía la cabeza.

Encontramos el chal de Sonny abollado en otra habitación, abajo, y nos fuimos en silencio. Me quedé de pronto inmóvil en el sendero de afuera, con la cara hacia las estrellas y la húmeda noche urbana. Era como el toque de una toalla fría, un alivio desembriagador tras el aire rancio y humoso del chalé.

—Dios —dije—, qué estúpido soy. El tipo nos invitó catorce veces a esta fiesta, y jamás se me pasó por la mente lo que se proponía.

—¿En cuanto a qué?

—En cuanto a que, en tu caso, tiene sus ideas propias sobre la conquista de la dicotomía cuerpo-mente.

No dijo nada.

—¿Seguro que no te acostaste con él?

—No. Te dije que no.

—¿Pero lo pensaste?

—Me estás fastidiando, Seth. —Avanzó por el sendero y yo la seguí despacio, mientras el ruido y la música de la fiesta disminuían. —¿Se supone que debo estar en contra? —preguntó—. ¿Se supone que piense que es inmoral o malo? No tuve ganas. Él es viejo. Es raro. No es mi estilo, ¿de acuerdo?

—Sí, pero lo que trato de entender es dónde estamos parados.

—Acá es donde estamos parados, bebé. Vivo contigo. Duermo en la misma cama contigo. ¿Quieres un cinturón de castidad, también? ¿Quieres tener la llave? —Como solía ocurrir la mayoría de las veces que comenzábamos a conversar sobre nuestros sentimientos, íbamos desviándonos con rapidez hacia el terreno más seguro de la política, donde las doctrinas se hallaban determinadas de antemano y donde Sonny podía acabar con ligereza cualquier legítima discusión.

—Pero lo que quiero decir... Mira —murmuré sin convicción—. Te amo.

—¿Por qué siempre dices lo mismo?

—¿Y si te digo que porque es cierto?

—¿Eso qué significa?

—¿Significar? Quiere decir que creo que eres inteligente. Significa que el viaje mayor de la galaxia eres tú. Significa lo que significa siempre.

—Me asusta. Tienes veintidós años. No sabes lo que dices.

—Está bien, así que me vas a enseñar, ¿no? Bueno, dime lo que siento.

Silencio. Yo no estaba satisfecho, desde luego, de haber ganado la partida.

—Así que éste es el trato, ¿de acuerdo? Yo te amo y tu no me amas.

—Ah, Seth. No empieces de nuevo. Es muy aburrido. —Dejó caer los brazos, y una punta del chal descansó en la vereda mientras permanecíamos de pie bajo un farol callejero. Nuestras voces resonaban de una manera extraña en el súbito aislamiento de la calle, donde las casitas de un solo piso trepaban la colina como una escalera.

—Es la verdad. Lo digo en serio. ¿Qué somos, tú y yo? Un entretenimiento?

—Es la vida, Seth. Es vivir. Yo te disfruto, me importas. Es mejor estar contigo. En general. —Entonces siguió caminando. Se detuvo un momento cuando encontró más palabras. —Seth, me enloqueces para que te diga que te amo, porque no puedes decírtelo tú mismo.

—Ah, sí, claro —contesté—. Genial. Me alegra increíblemente que me lo digas.

—Seth, tú no entiendes. A veces siento que quieres tanto de mí que te gustaría ser yo. —Meneó la cabeza con vigor, segura de haber dado en el blanco. La aferré de un brazo cuando se volvió para seguir avanzando.

—¿Y qué? —le dije de repente—. ¿Y qué? Supongamos que es cierto. Por lo menos yo sé lo que admiro. Eres la persona más coherente, más lúcida...

146

—¡Eso! —gritó—. Ése es el problema. No sabes nada de mí. Para ti soy una persona imaginaria.

—Dios santo —exclamé—. ¿De qué hablas? Prácticamente te he estudiado. He escuchado a tu vieja. He conocido a tus amigos. A tu tía. He leído los anuarios de tu escuela secundaria. Trato de sonsacarte todo lo que puedo sobre tu infancia. ¿Y crees que me equivoco? Ése es el problema, señora. Tienes miedo de que te conozca. No quieres que nadie descubra la mierda que tú misma no quieres conocer.

—Qué pesado —dijo. Se retorció en dolorida incredulidad. Habíamos terminado. Fue la primera en llegar al auto, y yo medio esperaba que me abandonara. En cambio, llegamos al puente de la bahía en silencio; el único ruido era el del pequeño motor del Escarabajo, que, a tantas revoluciones por minuto, emitía un sonido como si los cambios estuvieran dando vueltas dentro del carburador. Al final encendí la radio —KSAN—, donde, por supuesto, estaban pasando un ingenioso arreglo de piano de "¿Qué es esta cosa llamada amor?".

6 de diciembre de 1995

SONNY

Con el mismo overol azul de mangas cortas que usan los reclusos varones, Lovinia Campbell es escoltada por los delegados de traslados desde los calabozos y camina sola hasta el estrado de los testigos con una facilidad suelta y hosca. Es una muchacha delgada y oscura, con cutis perfecto y ojos prominentes. No es de sorprender que la llamen Bicho, salvo que el apodo disminuye su belleza. Tiene el aspecto exótico y agresivo de algunas modelos de la actualidad, de rasgos grandes y orgullosa de ser más que meramente bonita, aunque esta joven parece no tener mucha conciencia de su apariencia llamativa.

Interrogada por Tommy, cuyo grueso traje gris da la impresion de haber estado guardado en un cajón, la muchacha declara que tiene quince años y pronto cumplirá dieciséis. Cuando Molto le pregunta la fecha de nacimiento, ella mira hacia el cielo raso de la sala del tribunal para recordarlo con precisión. Se halla sentada en el banquillo de los testigos, con las manos en el regazo y los hombros algo encorvados, en actitud defensiva.

—¿Y dónde reside actualmente? —le pregunta Tommy—. ¿Dónde vive?

—A veces me quedo con mi mamá.

—No, me refiero a ahora. ¿Está en el Instituto de Menores?

—Ajá.

—¿Y cuánto hace que está ahí? ¿Desde septiembre?

—Ajá —dice Lovinia—. Desde que salí del hospital. —Se rasca la nariz y mira a Tommy con ojos alertas, la boca apenas entreabierta, sentada hacia adelante para oír la pregunta siguiente. No obstante, no es Tommy el que habla.

—Su Señoría —dice Hobie con una voz de bajo profundo. Con énfasis digno de una ópera, alza las manos en gesto implorante. —Si el señor Molto no puede establecer la residencia de la testigo sin inducir la declaración, bien podríamos hacerle prestar juramento a él.

—Está bien, señor Tuttle. —Hobie sabe que a Tommy le espera un camino difícil, y está anunciando que no le va a facilitar el viaje. Le recuerdo a Tommy que no haga a su testigo preguntas que sugieran la respuesta, y asiente resignado. Él y Lovinia recorren los detalles del pacto que ha hecho la muchacha con el estado. Ha reconocido su responsabilidad —una admisión de culpabilidad, en términos de menores— en la conspiración para cometer homicidio y se la ha pronunciado delincuente. Permanecerá en instituciones de menores hasta que cumpla dieciocho años. No obstante, no se la juzgará como adulta, y ni siquiera tendrá antecedentes criminales cuando salga. Es un buen pacto, algo que sin duda Hobie va a subrayar. Tommy aborda el tema de los DSN, el apodo de pandillera de Bicho, su grupo, su relación con Ordell Trent.

—¿Y cuál era su relación con el Pesado dentro de los DSN?

—El Pesado no es nada mío —responde—. El único de los DSN que es pariente es Clyde, mi hermano, pero está en la jaula. —"La jaula" es uno de los muchos eufemismos para designar a la prisión de máxima seguridad de Rudyard.

—No —dice Tommy—, no, ¿qué hacía usted para el Pesado dentro de la banda?

Al reconocer su error, Lovinia fija la mirada en sus zapatos.

—Dileaba.

—¿Eso qué significa?

—Vender.

—¿Vender qué?

—Más que nada, humo y anfetas. A veces, merca. —Es decir, crack y anfetaminas, y ocasionalmente cocaína en polvo.

—¿Quiere usted decir que vende drogas para el Pesado?

—Está induciendo a la testigo —objeta Hobie, y Lovinia responde que sí.

—Mientras esté aclarando preguntas anteriores, lo permitiré —digo.

Tommy asiente. Una para su lado.

—¿Y vende usted para el Pesado en algún sitio en particular?

—Mayormente en la calle Grace y Lawrence.

—¿Del otro lado de la Torre IV?

—Ajá, más o menos por ahí.

—Muy bien —dice Tommy. Como se siente algo más sereno, deja la mesa de la acusación y avanza unos pasos por la alfombra.

—Ahora, señorita Campbell, ¿conoce a un hombre llamado Nile Eddgar?

—Ajá —responde ella. Esboza una sonrisa, esta muchacha, esta cómplice de asesinato, y de inmediato se vuelve de su edad, feliz, incluso un poco tonta. Mira con desconfianza. —Conozco a Nile desde hace un tiempo.

—¿Y lo ve en el tribunal? Por favor, señálelo y diga la ropa que tiene puesta. —Aunque en la sala todos los ojos están ya vueltos hacia él, Nile, en otro de sus raros momentos, parece inconscientemente alegre. Se ha dado vuelta por completo en su silla giratoria, con las gastadas botas de vaquero —¡botas de vaquero!— plantadas en la carpeta. Muestra una sonrisa estúpida, como si esta joven estuviera aquí para entretenerlo. Lovinia no es capaz de sostenerle la mirada, incluso al alzar la mano para identificarlo.

—Está allá, junto al tipo grandote —dice Bicho. Esta descripción de Hobie provoca la risa del tribunal, incluso mía. Sorprendida por las carcajadas mientras su brazo delgado aún pende en el aire, Bicho baja la cabeza una vez más, abyectamente. Como en la mayoría de las muchachas de su clase, su cráneo es una masa aglutinada de pelo estirado, mechones opacos, rígidos como los de un erizo, que van en una sola dirección. El Afro, el peinado de la liberación, ha desaparecido hace rato, una olvidada moda más del pasado no respetado.

—Señorita Campbell —digo—, es cierto que es un hombre grandote. Usted no dijo nada malo.

Hobie se pone de pie con gesto grandioso.

—Lo concedo, Su Señoría. Más grande de lo que debería.

Lovinia asiente, algo apaciguada por estas palabras tranquilizadoras. Es, como muchos de estos chicos, una buena niña, desvalida en el fondo.

Tommy prosigue.

—¿Cómo conoce a Nile?

—Él anda por ahí —dice ella—, dando vueltas.

—¿Por dónde?

—La Torre IV —responde.

—¿Cuándo lo vio usted por primera vez en las cercanías de la Torre IV?

Vuelve a revolear los ojos al cielo raso y contesta que supone que fue alrededor de marzo.

—¿Y con qué frecuencia vio a Nile por esa zona después de marzo? ¿Una vez por semana? ¿Dos? —pregunta Tommy.

—Algo así.

—Jueza Klonsky —interviene Hobie—. Está induciendo.

Tommy lo intenta de nuevo, preguntando simplemente:

—¿Con qué frecuencia?

Bicho no lo sabe con certeza. Los ojos de Tommy se cierran un breve instante. Le dice algo a Rudy, sentado detrás de él, y Rudy se encoge de hombros. Imagino que están debatiendo si recordar a la testigo que antes dijo otra cosa. Pero ése es siempre el último recurso para el estado. Una vez que atacan a los testigos a los que han llamado, es como si admitieran que no tienen un camino directo hacia la verdad. Tommy decide aventurarse a continuar.

—¿Y Nile solía estar con alguien en particular cuando usted lo veía?

—Parecía que andaba con el Pesado.

—¿Estaba con el Pesado?

Algo le cruza la expresión y sus ojos se desvían, tal vez hacia la mesa de la defensa.

—Usted sabe, es como que anda controlando muchas cosas diferentes —agrega.

Tommy arruga el entrecejo. Se agacha y conferencia con Rudy una vez más, luego abre una carpeta que hay sobre la mesa de la fiscalía y la mira fijo un momento.

—Señorita Campbell, ¿recuerda haber descripto a Nile como "el perro faldero" del Pesado, según palabras textuales?

Lovinia contesta a la pregunta con un gesto vago.

—¿Un "perro faldero" es un buen amigo? —insiste Tommy.

—No sé nada de ningún perro —dice Lovinia.

A la mesa, Rudy mueve una de sus manos largas y delgadas, como indicando: "Continúa". No es algo importante, y ella ya dio antes la respuesta que quería Tommy. Pero Molto echa una mirada oscura a Lovinia un segundo más antes de aceptar el consejo de su joven colega.

—Permítame enfocar su atención, señorita Campbell, en el 6 de septiembre de 1995. ¿Recuerda haber sostenido una conversación con el Pesado?

Hobie hace una objeción estándar por obligar a la testigo a hablar de oídas. Él y Molto debaten en detalle si se ha hecho una presentación de conspiración, pero, dadas las huellas dactilares de Nile en el dinero, al final me pronuncio por el estado.

—¿Recuerda aquella conversación con el Pesado? —pregunta Tommy, empezando de nuevo.

—Más o menos —responde Bicho.

—"Más o menos" —repite Tommy. Alza los ojos a Dios. Ahora camina de un lado a otro. —¿Dónde habló usted con el Pesado?

—Creo que en la pieza del 17.

—¿En un departamento del decimoséptimo piso de la Torre IV?

—Ajá.

—¿Y qué dijo el Pesado?

—Me dijo que a la mañana, muy temprano, íbamos a liquidar a un tipo en mi esquina.

—¿Qué clase de "tipo"? ¿Él le describió al "tipo" al que iban a "liquidar"?

—Un tipo blanco.

—¿Le dijo que la banda de ustedes iba a liquidar a un tipo blanco?

—Ajá.

—¿Le dijo quién era el tipo?

—Dijo algo de que era como pariente de Nile, me parece.

—¿Qué pariente? ¿Dijo qué parentesco tenía el tipo blanco con Nile?

Ella mueve la cabeza de un lado a otro, insegura. Del otro lado de la sala del tribunal, Molto está quieto, los labios hacia adentro de la boca. Ahora lo sabe con certeza: ella va a hacérselo. También Rudy lo sabe. Ya ha tomado la carpeta que Molto consultó antes. Cuando Tommy vuelve a la mesa, se la saca a Rudy y la abre de golpe.

—Señorita Campbell —dice—, ¿recuerda haber hablado con unos agentes de policía el 12 de septiembre? ¿Y el 14 de septiembre? ¿Y el 29 de septiembre? ¿Lo recuerda?

—Me parece que estuve hablando con la policía todo el tiempo.

—¿Recuerda que el 12 de septiembre usted habló con los agentes Fred Lubitsch y Salem Wells, en el Hospital General del condado de Kindle? ¿Y que el 14 de septiembre usted fue dada de alta y habló con ellos en la zona de admisión del Instituto de Menores? ¿Y que volvió a verlos allí el 29 de septiembre? ¿Recuerda todo eso?

Alza los hombros y los deja caer, resignada.

—¿Y recuerda haber dicho en cada una de esas ocasiones que el Pesado le dijo que iban a liquidar al padre de Nile?

—Tal vez dije que era una especie de pariente, "como" el padre.
—En este breve intercambio de palabras, la juventud de Lovinia la ha abandonado. La muchacha avergonzada por las carcajadas del tribunal e intimidada por el entorno ha desaparecido. Ahora tiene puesta su máscara callejera. Se sienta erguida en la silla.

—Señorita Campbell, ¿se encontró usted con el doctor Tuttle hace dos semanas?

Hobie se levanta de inmediato.

—Su Señoría, ¿qué se quiere insinuar con esto?

—Tendrá que permitir escuchar la pregunta, para saberlo.

—¿Y no fue sólo después de la reunión entre usted y el doctor Tuttle que de repente comenzó a decir que no podía recordar qué clase de pariente de Nile era la persona a la que el Pesado dijo que iban a liquidar?

—Sólo puedo decir lo que recuerdo. Usted me lo ha dicho un montón de veces —le responde Bicho a Tommy.

—Se lo pregunto de nuevo: ¿No le dijo usted al agente Lubitsch que el Pesado dijo que iban a liquidar al padre de Nile? —Tommy blande por un segundo los informes policiales que sostiene, enrollados, en una mano. Ya ha mostrado muchas veces esos informes. Se han relizado una docena de apasionadas sesiones en las pequeñas salas de entrevistas del Instituto de Menores, con sus ventanas con barrotes y sus radiadores descascarados. Con tono amenazador, Tommy le ha recordado lo que los policías informaron que Bicho les dijo, y le advierte: si lo hace enojar, el pacto que ha hecho con el estado sale por la ventana, la tratarán como a una adulta, pagará cárcel por homicidio, tal vez también un lapso por falso testimonio. Molto espera, mientras evoca el recuerdo mudo de estas amenazas.

—Casi no me acuerdo —contesta Lovinia—. Tal vez dije eso.

—Bien —dice Tommy. Por fin ha llegado a algo. Se endereza la chaqueta y busca sus notas. —¿El Pesado le dijo a usted quién iba a liquidar al padre de Nile?

—Objeción a "el padre de Nile" —interrumpe Hobie—. Todavía no contamos con esa declaración.

—No ha lugar. —Hobie se comporta como una peste. A juzgar por la presentación preliminar, el estado cuenta con suficientes pruebas de que Eddgar era la verdadera víctima del crimen. Pero Hobie, según conjeturo, influyó de algún modo en este punto de la declaración de Lovinia, sólo para poner obstáculos a la fiscalía. Todavía no logro decidirme acerca de Hobie. Ya ha hecho algunas cosas memorables: el modo como engatusó a Montague e influyó en Lovinia. Pero no parece tener ningún propósito o estrategia generales. Stew lo dijo ayer: son todas tácticas destinadas a distraer. Pese a su habilidad, veo que Hobie es sólo un abogado fanfarrón más, encantador pero siempre actuando e improvisando, más interesado en causar una constante conmoción que en dirigir una sinfonía.

—Gorgo, me dijo —responde Bicho—. Dijo que iba a venir un tipo blanco y que preguntaría por el Pesado. Y entonces se suponía que yo tenía que decir que iba a buscar al Pesado, pero en cambio tenía que llamar a Gorgo.

—¿Y cómo se suponía que debía llamarlo?

—Por el plegable.

—¿Usaba usted un teléfono celular para los negocios de drogas?

—Ajá.

—¿Y cuál era el número?

Lovinia lo dice.

—Y después de que llamara a Gorgo, ¿qué se suponía que debía hacer usted?

—Borrarme.

—¿Salir de allí?

—Ajá. Irme.

—¿Y el plan consistía en algo más? ¿Se suponía que usted hiciera algo más?

—Ajá. Después de que agujerearan al tipo y todo eso, el Pesado me dijo que yo tenía que ir al auto y ponerle un papel al tipo.

—¿Y con "papel" se refiere a un pequeño paquete de narcóticos envuelto en papel metalizado?

—Ajá —responde—. Merca. —Cocaína.

—¿Y el Pesado le dijo que la idea era dar la impresión de que a ese hombre blanco lo había asesinado alguien que pasaba, mientras él estaba comprando cocaína?

—Objeción. Está induciendo a la testigo.

Atrapado, Tommy se desmorona un poco. Lovinia continúa por su cuenta.

—El Pesado me dijo: "Tiene que parecer que pasaron por ahí los Faci mientras este tipo estaba comprando".

—¿Se suponía que usted debía decirle eso a la policía? ¿Que el crimen lo habían cometido los Facinerosos?

—Ajá.

Complacido consigo mismo, Tommy vuelve hacia Rudy, que le recuerda una pregunta más.

—¿Y mediante las palabras "liquidar" y "agujerear" y "pasar por ahí" usted entendió que el Pesado le estaba diciendo que a ese tipo blanco lo iban a asesinar con un arma de fuego?

—Ajá.

—Bien. Ahora, señorita Campbell, después de que el Pesado le explicó todo eso a usted, ¿tuvo usted alguna otra conversación con él, allí en la pieza del 17?

—No, señor. No que recuerde.

Tommy respira una vez, con fuerza, por la nariz.

—¿Usted le preguntó por qué era necesario matar a ese pariente de Nile?

Ella niega con la cabeza, con mucho más vigor que el que ha mostrado hasta ahora.

—¿Él no le dijo que iba a cometer ese asesinato para Nile?

—¡Objeción! —grita Hobie poniéndose de pie—. ¡Objeción, Su Señoría! No existe una base de buena fe para hacer semejante pregunta.

—Planteó lo mismo, en volumen similar, durante la presentación preliminar de Molto. Tommy lo mira con intenso odio. Su opinión es obvia: Hobie ha sobornado a la chica. En un punto tan crítico, decido intervenir. Me inclino hacia Bicho.

—¿Oyó al señor Molto, señorita Campbell? Dice que el Pesado le dijo a usted que estaba actuando para Nile. ¿Dijo eso?

—No —responde Lovinia—. Yo nunca diría nada contra Nile.

La sala se queda inmóvil. La testigo de Tommy ha traspasado el límite. Preparado para esto, Molto se muestra resuelto.

—¿No declaró usted el 14 de septiembre al agente Lubitsch, y aquí lo leo textualmente: "Le pregunté al Pesado por qué teníamos que hacer eso con el padre de Nile, y él me respondió: 'Lo vamos a hacer para Nile'"? ¿Dijo usted eso?

—No —contesta Lovinia.

—¿Reconoce usted esta declaración? —Tommy se le aproxima, agitando los papeles como una bandera.

—Yo no la escribí. Ésa no es mi letra.

—Es la letra del agente Lubitsch, ¿no? ¿Y él no escribió exactamente las palabras suyas mientras usted hablaba? ¿Y no firmó usted esta declaración? ¿No es ésta la firma de usted?

—Eso es lo que yo escribí, eso de ahí, mi firma. Pero no escribí nada de lo demás.

—¿No es su firma lo que hay debajo de todas estas palabras?

—Es solamente mi nombre.

—E inmediatamente antes de su nombre, dice: "Firmo esta declaración libre y voluntariamente, bajo ningún tipo de coerción, y juro que lo antedicho es verdadero y correcto".

—Yo no entiendo eso —afirma Lovinia, abriendo mucho sus hermosos ojos oscuros. Su actuación es inmejorable.

—Y, señorita Campbell, ¿no fue después de su encuentro con el doctor Tuttle que usted desconoció esta porción de su declaración, donde afirmó que el Pesado le dijo que esto se hacía para Nile?

—Tampoco entiendo lo que me está diciendo.

—Le estoy diciendo que está mintiendo.

—No —replica Lovinia—. Esto de acá, lo que digo ahora, es la pura verdad. Y nunca voy a decir nada contra Nile.

—¿No volvió usted a decir ayer, señorita Campbell, en la presencia del señor Singh y el detective Lubitsch y yo mismo, cuando la entrevisté en el Instituto de Menores, no repitió usted de hecho que recordaba que el Pesado le había dicho que todo esto se hacía para Nile?

—¿Fue en ese momento cuando todos me dijeron que si lo embromaba a usted me iba directo a H-1? —Homicidio en primer grado.

Tommy se queda inmóvil en medio de la sala del tribunal, con los ojos cerrados. La pesadilla de los fiscales y abogados: que un testigo importante se dé vuelta. A la mesa de la defensa, Hobie toma notas como un loco. A sus espaldas, su atontado cliente sigue con los ojos fijos en la chica, con la misma sonrisa errática. Sólo ahora Bicho toma conciencia de la atención de Nile, y de nuevo se mira los zapatos.

—¿Almuerzo? —le pregunto a Molto.

Con evidente gratitud, asiente con un gesto de la cabeza.

Annie golpea el mazo una vez para anunciar el receso, y los espectadores se levantan, las voces elevadas con el primer momento emocionante del juicio. Yo me quedo en mi sitio a tomar unas notas sobre Bicho en el registro judicial, insegura aún de lo que pienso de ella o el modo como los abogados se han batido a duelo a causa de su testimonio. Marietta aparece con los expedientes de dos nuevas custodias, ambos casos de la Defensoría del Estado. Tienen audiencias programadas para las dos de la tarde, pero Gina Devore ha abordado a Rudy Singh en la esperanza de hacerlos ahora. Ella tiene otra audiencia esta tarde, ante el juez Noland. Complazco a Gina, y las llaves tintinean y las puertas se golpean cuando los delegados de traslados van a buscar a los prisioneros.

De inmediato llegamos al Crimen del Día. Rogita Robbins sale del calabozo caminando con indolencia, pequeña y obesa, con pelo anaranjado y muchas marcas en la cara. Casi me descompone escuchar la descripción del caso. Rogita y su hombre, Fedell, son Facinerosos de Fielderis Green. Tenían una cita con una muchacha, Tawnya, encargada de cuidar de la mercadería de aquella noche, múltiples dosis de droga en polvo. Cuando llegaron al departamento de Tawnya, Fedell se encontró con que tanto ella como la droga habían desaparecido, y en represalia exorcizó toda su furia sodomizando a los hijos de Tawnya, un varón de ocho años y una nena de nueve. Fedell fue arrestado hace meses. Atrapado por pruebas de ADN y huellas dactilares, fue condenado a sesenta años por el juez Simone, cuyos casos heredé cuando él pasó a otro juzgado. Rogita estaba en libertad, y fue detenida en custodia en un atraco a un negocio. Es probable que no pacte, según explican Gina y Rudy, ya que el estado no le ha aplicado todo el peso de la ley. Los fiscales cuentan sólo con la nena y el nene para que declaren contra Rogita. Aun siendo madre de dos chicos, ella ayudó a Fedell sosteniendo a ambas víctimas.

—Un millón, al contado —dictamino.

Gina me mira. Con cien mil bastaría para mantener a Rogita entre rejas.

—Un millón —repito.

Gina echa hacia atrás su peinado enrulado de escuela secundaria, pero dudo de que, si cambiáramos lugares, su dictamen fuera diferente. Me agrada Gina. Es una mujer menuda y atlética, una gimnasta en cierto momento, si la memoria no me falla. Siempre impresiona verla —aunque apenas mide un metro cincuenta, incluso con los tacos altos— cuando enfrenta a sus clientes, que en general la superan en estatura. Pasó un tiempo de que no disponía abogando por la fijación de fianza para Timfony Washington, un joven decente arrestado por prender fuego al porche trasero del departamento de la novia. Gina habló con el contratista que empleó a Tim como operario y lo convenció de que diera un adelanto de 1.500 dólares en efectivo a cambio de ciertos beneficios, y, el viernes por la noche, entregó el dinero a la madre y las hermanas de Timfony con instrucciones de pagar con dicha suma la fianza en la cárcel a las ocho de la mañana del lunes. Pero no llegó a suceder, porque durante el fin de semana el dinero dejó de existir: gastado, robado, desaparecido, uno podía suponer lo que quisiera, según las cuatro o cinco historias diferentes que contó la familia. En la cárcel, Timfony acusó a Gina de robarle y se puso tan ofensivo que hubo que reprimirlo.

Cuando terminamos, la sala del tribunal se encuentra casi vacía. Unos cuantos rezagados, entusiastas entrados en años que no tienen prisa por llegar a ninguna parte, intercambian chismes detrás del vidrio, donde Seth ha permanecido junto al extremo más cercano de la tribuna de los jurados. Pensando en la pregunta que al fin me acudió a la mente después de haberlo oído hablar con Dubinsky ayer, me acerco a él.

—¿Qué pasa? —le pregunto al ver una aguja en su mano izquierda. Entonces me doy cuenta de que está cosiendo un botón de su chaqueta. Ha hecho un terrible desastre; hay hilo por todas partes.

—Ya ves por qué dejé mi carrera de cirugía. —Corta el hilo con los dientes. —Creí que no podíamos hablar —agrega.

—Y así es.

—Ah.

—Sólo quiero hacerte una pregunta.

—Me lo esperaba. La respuesta es que no lo sé. —Sus ojos, de un gris verdoso intenso, se estrechan de manera misteriosa. No tengo idea de a qué se refiere. —Olvídalo —dice, y alza una mano, invitándome a hacerle la pregunta.

—No he podido dejar de notar que vienes todos los días a sentarte aquí con Stew Dubinsky. Quería saber cuán bien lo conoces.

—¿A Stew? Nada más que desde el jardín de infantes. Nos criamos juntos en U. Park.

—¿Todos? Es decir, ¿Hobie, Stew y tú? —No tenía la más remota idea de cómo iba a seguir con el tema una vez planteado, pero lo hice en forma bastante decente. Parezco sólo curiosa. La vida está llena de estas pequeñas y extrañas conexiones.

—Hobie no nos acompañó en la escuela primaria. Fue a St. Bernard.

—¿St. Bernard? —pregunto, sólo por decir algo.

Cuando yo estaba en cuarto grado, mi madre hizo el primero de sus periódicos viajes fuera de la ciudad, y vivió tres meses en Carolina del Norte, mientras intentaba organizar una planta troqueladora. En el intervalo mi tía Hen me puso en St. Rita, a una cuadra de distancia de su casa. Yo ya comenzaba a desarrollarme, mucho más que todas las demás, y mi piel se había puesto horrible. Me encantaba el uniforme y la oportunidad de lucir como las otras chicas. En comparación, la disciplina, el catecismo, las monjas que golpeaban las reglas en las tapas de los pupitres perdían importancia. Cuando Zora regresó, sin embargo, le dio un ataque. ¿Una escuela católica? ¿Acaso Henrietta había perdido la cabeza?

—¿Hobie es católico? —pregunto ahora.

—Sólo la madre, Loretta, pero es bastante religiosa. Le dio la dosis completa. Recuerdo que cuando recién comenzaba a conocerlo, en sexto grado tuvimos una discusión fenomenal porque se negaba a creer que sus padres tuvieron relaciones sexuales para concebirlo. —Seth se ríe al evocarlo. —La verdad es que lo hice llorar.

—¿Entonces fueron todos juntos a la secundaria, tú y Hobie y Stew?

—La secundaria de U. Park —dice.

Un pequeño estremecimiento me recorre, la malévola satisfacción de la antigua fiscal que encuentra fundamento para sus sospechas. Esperando mostrarme discreta, le sonrío.

—¿Eso era todo? —me dice—. ¿Y cuál es el problema con Stew?

—Nada importante. Algo que se me pasó por la cabeza cuando estaba en mi podio. —Él le mencionará mi pregunta a Stew, tal vez a Hobie. Y está bien. Si se trata de lo que temo, entonces quiero que sepan, en especial Hobie, que estoy tras ellos.

—No, en serio —insiste Seth—. Quítate el peso de encima. Dime qué me he perdido en los últimos veinticinco años. ¿Algo dramático?

Ahora la sala del tribunal está vacía y silenciosa. Uno de los fornidos polacos encargados de la limpieza, cordial, mudo, y virtualmente analfabeto en inglés, ha llegado a través de los corredores y está vaciando el canasto de papeles detrás de mi podio.

—No considero dramática la vida, Seth. Cualquier cosa menos eso. ¿Y tú? Tú eres el rico y famoso. ¿Qué te ha pasado de dramático?

—No soy famoso. No de verdad. Y tal vez ni siquiera sea muy rico pronto. —Sus ojos y su cara se retraen un poco con la incomodidad que subyace a esta declaración críptica; luego se obliga a mirarme directo a los ojos. —Lucy y yo nos separamos —me dice.

Le digo que lo lamento. Lo único que se puede decir.

—Bueno... —responde—. La vida. El amor. La gran ciudad. Hemos hablado de volver a unirnos. Creo que lo haremos. Pero fue una racha bastante difícil. —Suspira al pensarlo. Yo debería haberlo sabido al discutir con Marietta; ella siempre se da cuenta de las cosas.

—¿Lucy está bien?

Asiente.

—Creo que sí. Todavía luce como si tuviera quince años. Hay días en que hasta diría que actúa de ese modo, también, pero ha vivido veinticinco años conmigo, así que tiene un buen justificativo. —La broma no parece elevarle el ánimo. —¿Así que vives en U. Park? —me pregunta—. ¿Sabes? Mi padre aún sigue allí.

—¿Tu padre? Por Dios, debo de estar perdiendo la memoria. Tengo la imagen de que ya era un anciano hace veinticinco años.

—Y lo era. Ahora está decrépito. No te molestes en buscar una palabra más amable. Tiene noventa y tres años; está visiblemente deteriorado. Todavía va a la oficina un par de veces por semana. Y sigue lleno de mierda.

Era una relación difícil, la de Seth y el padre. El viejo era frío, inamovible. Un sobreviviente del Holocausto. Aguantó, pero quedó marcado.

—¿Y tu madre? —pregunto.

—Murió, en un geriátrico. De Alzheimer avanzado. Terrible. No era más que un cuerpo en una cama.

—Ah, sí. —Me doy una palmada en la frente. —Fue tema de una cantidad de columnas tuyas, ¿no?

—¿Columnas? Diablos, fueron dos años de tratamiento.

Siempre fue un muchacho vulnerable, dulce, gracioso, insólitamente sensible respecto de sus necesidades, para ser un hombre de esta época. De manera irresistible, misteriosa, veo que le he tocado el hombro. Por supuesto, pregunta por Zora, y le doy la triste noticia: también muerta. Espero decírselo con tono estoico y maduro, pero todavía siento un nudo, un grito interior, cada vez que me veo obligada a reconocerlo.

—Murió de cáncer de pulmón hace cuatro años.

Hace una mueca.

—Dios. Recuerdo los cigarrillos. Chesterfield, ¿no? Cáncer —dice.

—Yo también tuve cáncer —le confieso—. Me preguntaste por algo dramático. Supongo que eso lo fue.

—No me embromes —contesta—. ¿Cáncer? Qué mierda.

—Fue una mierda, pero no estoy embromándote.

—¿De pulmón?

—No, no. De mama. Me amputaron un pecho, hace casi doce años. —Casi nunca doy esta información, en especial a un hombre, con tan completa neutralidad. En cierto aspecto mínimo, siempre siento como que estoy dando una advertencia, una actitud que persiste a pesar de que, cuando dejé la fiscalía, tomé el dinero de mi jubilación y, con el constante aliento de Gwendolyn, lo invertí en una reconstrucción. Esto me causó un conflicto terrible. Odio la idea de disculparse por estar enfermo. Y me había adaptado. Los sábados, paseaba por allí sin siquiera molestarme en rellenar la otra taza de mi corpiño. Después volví a quedarme sin pareja. Y para Nikki era más fácil. Ella había comenzado a notarlo, y me preocupaba el tener que explicarle. Incluso las pequeñas son muy rápidas para espiar ese vacío. ¿Y qué tranquilidad podía darle en realidad?

Seth dice las palabras adecuadas, menciona a todos los que conoce a los que les está yendo bien, las estadísticas de recuperación con las que se halla familiarizado. Se nota que le duele pensar lo que tuve que pasar.

—¿La quimioterapia fue tan mala como dicen? —me pregunta.

—No me apliqué quimio. Tuve suerte. No había nódulos linfáticos. Y todavía quería intentar tener un bebé. Me aplicaron radiación, mucha radiación. Fue bastante terrible. Pero detestaba más la idea de operarme; es algo tan barbárico... Eso de cortarte un pedazo... Toda la experiencia me volvió loca. Fue un poco decepcionante; creí que ya estaba lo bastante madura como para enfrentar cualquier cosa.

—Yo no me hago las mismas ilusiones. —Levanta un dedo. —Estamos todos locos, igual que antes, Sonny. Sólo hay menos oportunidades de mostrarlo.

Esta frase me gusta. Mi risa rebota en los bancos vacíos. Parada ante Seth, con mi toga, siento algún eco de las habituales relaciones del tribunal, donde tantos hombres alzan la vista hacia mí esperando algún tipo de clemencia. He observado a Seth una o dos veces, apoyando el mentón en la mano sobre la baranda de roble de la tribuna del jurado, mirándome con una expresión tan estúpida, feliz y —enfrentémoslo— adolescente, que siento que el corazón me late en una combinación de shock y consternación, y desvío la mirada. Sus sentimientos dan la impresión de hallarse ligeramente fuera de su pleno control, como una nariz resfriada. Sin embargo, él me agrada. Me complace ver que ha conservado cierto encanto básico. Sería horroroso pensar que he perdido mi tiempo también con él, en particular desde que ya hace rato que he llegado a esa conclusión con respecto a Charlie.

—Hace un instante creí que querías saber qué fue de Michael Frain —dice—, cuando me dijiste que querías preguntarme algo... Supuse que en algún momento tendrías que preguntarlo.

—¿Puedo preguntarlo?

—Ya te di mi respuesta. —Cuando me dijo que no sabía.

—Bueno, ¿es nada más que eso, Seth? Siempre pensé que era una elección muy extraña para un seudónimo.

—Es toda una historia —responde—. Algún día te la contaré.

—¿Y nunca supiste nada más de él?

—Dudo de que esté vivo. —Lo dice con un tono adusto, apagado, que me habla de problemas.

—Bueno... —digo, y levanto la mano para despedirme.

—¿De veras vas a rehuirme mientras dure este juicio?

—Me propongo intentarlo.

Cuando vuelvo a saludarlo con un ademán, me toma los dedos y con la otra mano me da una palmadita en los nudillos, un pequeño gesto que afirma que aún persiste algún contacto entre nosotros. La retiro, con una sonrisa lacónica, y me doy vuelta enseguida, hacia donde, para mi desgracia, me enfrento a Marietta, que acaba de entrar por la puerta de atrás. El Juez Jefe Tuohey está en el teléfono, me anuncia. Tomo la llamada en mi escritorio y le aseguro a Wanda, la oficiosa secretaria del juez, que asistiré a la reunión de jueces que se realizará hoy, dentro de unas horas.

Cuando termino, Marietta ha vuelto a adoptar su postura estándar de la hora del almuerzo, tras su escritorio de la oficina exterior, con la atención fija en el diminuto televisor que sostiene en el regazo, mientras come un sandwich envuelto en la bolsa de papel marrón en que lo ha traído. La banda metálica que une sus dos auriculares brilla entre sus rulos abundantes, y unas migas desconsideradas le salpican la falda y el tono amarronado del suéter. No obstante, desde la puerta abierta reparo en que sus ojos lánguidos se vuelven hacia mí.

—Ni una palabra —le digo.

Guarda silencio apenas unos segundos.

—La gente nunca olvida cuando estuvo enamorada —comenta de pronto, como para sí misma.

—Ah, termina con eso, Marietta —la reprendo desde unos pasos de distancia. Mira para otro lado, pero aprieta la mandíbula para mostrar que no va a ceder terreno. —No era amor —le explico—, al menos para mí. —Hace una leve mueca. Estoy blasfemando. Pero con el tiempo mi comprensión se ha vuelto asombrosamente clara. —Él me adoraba —continúo—, y la desagradable verdad es que yo amaba eso. —Nunca me sentí más espléndida, más admirada, que en aquellos meses que pasé con Seth. Pero la atención de él resultaba agotadora, porque me necesitaba mucho. Seth estaba demasiado cerca. La vida con él corría siempre el riesgo de volverse sofocante.

—Bueno, creí que ustedes dos no se hablaban —comenta Marietta en defensa propia.

Annie acaba de entrar y en silencio ocupa la silla de respaldo recto ubicada en un rincón de la oficina de Marietta. Lleva un libro de texto y termina con pudor de comer una manzana.

—Tenía que preguntarle algo. —Les explico que descubrí que Hobie y Dubinsky son amigos desde la escuela secundaria.

—¿Y? —pregunta Marietta.

Le digo que eso significa que la idea que sugirió Molto hace dos días, de la que yo me mofé, es en realidad posible: Hobie puede haber sido el informante de la misma filtración de la que culpó al estado el primer día del juicio, es decir, el artículo que revelaba que Eddgar era el verdadero blanco del tiroteo. Con esta noción logro atraer la atención de ambas mujeres. Marietta se quita los auriculares. Annie se apresura a afirmar que se trata de una conspiración.

—Ese Dubinsky —dice— es un mal tipo. —Recuerda un incidente, hace dos o tres años, durante el juicio Termolli, en que acusaron a un ejecutivo petrolero y su amante de asesinar a la esposa del hombre. El juez, Simon Norfolk, encontró a Dubinsky con una oreja pegada a la puerta de la sala del jurado, durante las deliberaciones. Norfolk arrojó a Stew al calabozo durante varias horas, por desacato, hasta que llegaron los abogados del *Trib* en masa, citando a gritos la Primera Enmienda.

—Sí —dice Marietta—, pero el otro día hiciste la pregunta adecuada, jueza. ¿Qué beneficio obtiene la defensa al permitir que se filtre esa información?

Annie interviene en voz baja:

—¿Tal vez el juicio sin participación del jurado? —sugiere. Es lo mismo que pensé yo.

—Piénsalo, Marietta —digo—. Tommy tiene que empezar, porque espera mantener acorralada a Lovinia. Hobie lo sabe, ya que es él el que causó el problema con ella. Así que le pasa su historia al diario, alega a los gritos que así no puede conseguir un jurado imparcial, y luego, en gesto magnánimo, acepta un juicio sin intervención del jurado para que podamos empezar, porque se da cuenta de que en condiciones normales yo me mostraría reacia a hacerlo en un caso en que conozco a tantos de los partícipes. ¿Recuerdas el comentario de Nile cuando le advertí lo que significaba renunciar al jurado? "Eso es lo que queremos todos."

—Aaah —murmura Annie—. Aaah. Qué solapado.

—Lo que no logro entender es qué cree que va a obtener de un juicio sin jurado.

Marietta ríe.

—Jueza, no me estoy burlando de ti ni nada parecido, pero ya sabes que existen muchos abogados defensores que trabajan en esta corte que podrían haberle dicho: "Si logras que ella acepte un juicio sin jurado, obtendrás un buen arreglo". Es la realidad, jueza.

En este edificio, de los jueces que antes fueron fiscales se espera que demuestren la lealtad de un infante de marina hacia su antiguo puesto. Muchos creen que ser fiscal aquí es comparable a tener experiencia en combate, y que cada tribunal es una zona de guerra, civilización contra barbarie. Pero la retórica con la que me hice en las cortes federales era constitucional, no militar: todavía tengo presentes los derechos, los principios inevitables en los pactos entre los individuos y el estado. Los abogados defensores me consideran una aliada natural... y Marietta, una renegada.

Se para, con su falda tableada, que es de otro tono amarronado, arroja a la basura la lata vacía de gaseosa y luego me echa una mirada áspera, que transmite el mensaje que no dirá de otro modo. Hobie actuó así porque cree que es más probable que yo, y no un jurado, absuelva a Nile. ¿Quién sería más compasivo para con Nile: doce personas insensibles elegidas de la calle, o yo, alguien que lo conoció de chico y, mejor aún, que conoce de primera mano los problemas de un chico que siempre ocupó el segundo lugar para sus padres, cuya principal preocupación era la política? Es eso a lo que apostó Hobie. Yo estoy aquí porque soy la hija de Zora. Siempre. Inevitablemente. Como dijo Gwen ayer. Marietta se va, incapaz de reprimir un ligero movimiento de la cabeza que expresa su asombro ante las cosas de que no me doy cuenta.

El juicio se reanuda con altercados. Hobie quiere que se someta a un examen de laboratorio el dinero que el estado presentó ayer. Alega que Montague reconoció que en los billetes no se habían efectuado pruebas en busca de sangre, por ejemplo, o pólvora. Rudy objeta en nombre del estado.

—Su Señoría, esas pruebas deben realizarse antes del juicio.

—Hice unas llamadas telefónicas —replica Hobie—. Puedo lograr que las pruebas se hagan en veinticuatro horas. Montague admitió que el estado no necesita los billetes que no sometieron al laboratorio. ¿Qué daño puede hacer?

—¿Y qué relevancia tiene? —interviene Tommy—. Si hay sangre o pólvora en el dinero, ¿qué?

—Bien —responde Hobie—, entonces el estado tendrá que explicar cómo llegaron allí.

Tommy objeta, y con razón, pero hago lugar a la moción. Es inofensiva, y en este trabajo la sabiduría aceptada indica que hay que permitir que el acusado obtenga sus pequeñas victorias. Muestra imparcialidad a la Cámara de Apelaciones.

El estado completa su interrogatorio a Lovinia sin incidentes. Con calma inquietante, Bicho describe el tiroteo del 7 de septiembre: cómo se aproximó el auto de June, cómo Lovinia llamó a Gorgo y luego, cuando vio que era una mujer, y no un hombre, la que bajaba el vidrio de la ventanilla del Nova, llamó al Pesado. La mujer y ella estuvieron solas durante cinco minutos.

—¿Sostuvo usted una conversación con la mujer?

—Ella me pedía hablar con Ordell. —Al pronunciar el verdadero nombre del Pesado, Bicho hace una pausa para sonreír. El Pesado llegó enseguida, dice, y la mujer y él conversaron un momento. Después salió Gorgo del callejón. —Me hirieron —agrega con la compostura de un soldado.

Tras haber sobrevivido a la última parte de este interrogatorio, Tommy se retira a la mesa de la fiscalía con una mirada lúgubre, esperando lo que suceda a continuación, sea lo que pudiere ser. Hobie se pone de pie para repreguntar.

—Bicho —dice. Con su traje fino, de una tela gris que yo juraría es cachemira, camina por la sala, con las manos en los bolsillos. La ha llamado "Bicho". No finge no conocerla. —Permítame hacerle unas preguntas sobre el tiroteo. ¿Dice usted que no oyó lo que el Pesado le dijo a esa señora?

—No. Me parece que no se entendían.

—¿Una discusión?

—Algo así.

—¿Ella se marchó de la zona?

—No. Se quedó ahí parada, afuera del auto, y seguía hablando con el Pesado.

—Y entonces apareció Gorgo y disparó. Ahora, cuando sucedió eso, ¿dónde estaba el Pesado?

—Vino conmigo.

—Fue con usted, y dejó a la señora Eddgar junto al auto, ¿correcto?

—Sí, señor.

Hobie ha montado en un atril el esquema de calles, la Prueba No. 3, donde Montague hizo las X y las Y para mostrar la ubicación de los cuerpos. Ahora indica que Lovinia había bajado a la calle, a unos quince metros del vehículo de June Eddgar, y que el Pesado estaba cerca de Bicho.

—¿Y qué hizo el Pesado?

—Creo que trataba de hacerme agachar.

—¿Antes de que Gorgo disparara?

—Creo. Fue todo muy rápido. Muy rápido.

—¿Pero dio la impresión de que el Pesado trataba de hacerla agacharse, como si supiera que Gorgo iba a disparar?

—El otro tenía una T-9. Estaba clarito que iba a tirar. —Todos ríen.

—¿Pero usted vio al Pesado tratando de detener a Gorgo?

—Estaba detrás de mí.

—Bueno, Bicho, ¿recuerda haber oído o visto al Pesado hacer algo para parar a Gorgo?

Ella mira a Hobie con ojos entrecerrados. Por mucha que sea su deslealtad hacia la fiscalía, su lealtad hacia el Pesado permanece intacta.

—No puedo decirle eso —contesta.

—Pero usted sí trataba de detener a Gorgo, ¿no es verdad?

—Sí, señor.

—¿Y él disparó, de todos modos?

—Me disparó a mí.

—Ya lo ha dicho. ¿Y el Pesado resultó herido?

—No.

—¿Se agachó a tiempo?

—Se agachó al lado de los autos.

—Muy bien. —Hobie alza la cara para estudiarla, gesto equivalente a una cesura musical. No queda del todo claro si en verdad está sugiriendo algo o simplemente es una táctica. El misterio de esta defensa no anunciada persiste un momento, como humo, en el aire de la sala del tribunal. Luego Hobie echa un vistazo a sus notas y cambia de tema.

—Bicho: el señor Molto, o Tommy, aquí presente, le habló de algunas de las cosas que el Pesado le dijo a usted. Permítame preguntarle en primer lugar: sea lo que fuere lo que el Pesado le diga, ¿siempre le dice la verdad?

—No, señor.

—¿No siempre es sincero con usted?

—Casi nunca. Depende del humor que tenga. A veces es pura charla, nada más. —Su enfática declaración despierta una oleada de risas.

—Y el señor Molto afirmó que ayer usted dijo, a él y a los agentes de policía y al señor Singh, que el Pesado dijo, el 6 de septiembre, que este asesinato se cometía para Nile. ¿Recuerda que Molto dijo eso?

—Se estaban poniendo pesados conmigo.

—¿Estaban enojados?

—¡Y cómo! —responde Bicho, e inspira nuevas risas. A la muchachita comienza a gustarle actuar un poco para su público. —Insistían mucho —agrega.

—Pero permítame poner algo en claro, Bicho. Cuando usted dice que el Pesado estaba haciendo algo "para" otro, ¿significa que lo estaba haciendo "por orden de" esa persona?

La pregunta, lamentablemente para Hobie, la confunde. Mira de un lado a otro de la sala, en busca de indicios. Luego se resigna a ser lo que es, una nena.

—Puede ser... algo así. La gente dice muchas cosas, ya sabe.

Alcanzado, atrapado por primera vez, Hobie lo intenta de nuevo.

—¿Pero podría significar algo diferente?

—Objeción —interviene Tommy—. La pregunta encierra la respuesta.

—Mire, pongamos esto en claro —dice Hobie. Se ha apoyado en la mesa de la defensa y permanece allí, como un maestro contra un pizarrón. Alza ambas manos. —Muy en claro, Bicho. El Pesado no le dijo nunca que estaba haciendo eso para Nile, ¿verdad?

—No, señor. Yo nunca diría nada contra Nile.

—¿Pero usted sí habló con la policía?

—Demasiado —responde ella con tristeza.

—Demasiado —repite él—. ¿De veras no recuerda lo que le dijo a la policía en una u otra de esas ocasiones?

Ella mueve los hombros delgados.

—Tiene que responder sí o no —le indica Hobie.

—Es como que dije lo que decían ellos.

—¿Es eso lo que sucedió ayer? ¿Esos cuatro hombres estaban enojados y le repetían lo que usted había dicho antes y la amenazaban con que iba a ir a la penitenciaría si no volvía a decirlo?

—Ajá. Molto y los otros me decían: "Diga la verdad", y después empezaron a leer sus informes, y me decían que si yo no lo decía acá era una mentirosa, e iba a tener que pagar tiempo por lo peor. —Homicidio en primer grado.

En este tribunal todos han presenciado escenas similares. Lo interesante, sin embargo, es que Hobie está desandando camino. A pesar de las acusaciones de Tommy, Bicho siguió adelante con lo que Hobie quería. Él sabe que no es probable que yo acepte el testimonio de Bicho en cuanto a que nunca dijo lo que figura en la declaración firmada que le hizo a Lubitsch en el hospital.

—Volvamos adonde comenzamos —dice Hobie—. Ahora, ¿el señor Molto le recordó a usted el pacto que hizo su abogado con el estado? ¿Lo recuerda? Fue un buen pacto para usted, ¿no es verdad?

—Mucho mejor que H-1. —Más risas llegan desde la sala.

—Sólo quiero estar seguro de que la jueza Klonsky entienda cómo se sentía usted con el pacto que hizo. —Alza la vista para cerciorarse de que le presto atención, cosa que rara vez resulta un problema para Hobie en cualquier tribunal, puedo apostarlo.

—Usted le dijo al señor Molto dónde estaba viviendo cuando la arrestaron. A veces con su mamá, ¿fue eso lo que dijo?

—Vivo un poco con mi mamá. A veces con mi tía, también, o alguna amiga.

—¿Y su mamá fue a verla mientras estaba arrestada?

—No —responde Lovinia—. No nos hablamos mucho. A lo mejor ni siquiera sabe dónde estoy, me parece. —Se encoge de hombros, en un esfuerzo de hosca indiferencia que todavía la traiciona de algún modo. Según he aprendido, estos chicos saben. Por las comparaciones con la televisión, con la publicidad, por las expresiones de nuestras caras. Ellos saben que representan un grado de carencia tal, que hasta los más desesperados, al verlos, agradecen no tener aun menos.

—¿Usted y ella no se llevan bien?

—Ella es una puta drogadicta. Nada más que eso. —Sus ojos se desvían a un costado. Ahora su blandura ha desaparecido. Su declaración, aunque emitida en voz baja, rezume veneno. Hobie, con sabiduría, deja pasar un momento, para que yo observe una vez más esta visión de cómo viven los pobres. Ésa es la herencia más lúcida y noble de la hija de Zora Klonsky, y me la permito con toda libertad, mientras me pregunto qué quiere decir realmente no tener. No es la falta de lujo, algo que todos podemos soportar con comodidad: conducir un auto viejo, o hacernos un sandwich con un fiambre barato en lugar de salmón ahumado. Y no es tampoco la falta de estima, la sensación de haber salido segundo, que a veces me embarga cuando me encuentro con amigos de la facultad de Derecho que eligieron la prosperidad de las grandes empresas y me arrojan a la cara referencias a viajes a Toscania y Aruba y esa clase de deliciosos excesos que Nikki y yo no veremos nunca. "Pobre" significa lo que tal vez ha significado para la madre de Lovinia: competir con los hijos por lo poco que queda, esos chicos de nariz llena de mocos que mendigan dólares para comprar menudencias estúpidas, una bolsa de papas fritas, una coca, cuando uno necesitaba tanto esos seis dólares que tenía en la cartera, sólo para divertirse un poco un sábado por la noche. Y no dejan de repetir: "¿Me da? ¿Me da?", hasta que uno quiere darles una bofetada por hacer, una y otra vez, eso que uno oye como una única y terrible pregunta: ¿A quién quieres realmente: a ti o a mí?

—Usted ya ha pasado algún tiempo en el Instituto de Menores en ocasiones anteriores, ¿no? —pregunta Hobie—. ¿Un par de semanas el año pasado, por vender drogas?

—Ajá.

—Y cuando siguió vendiendo drogas, sabía que era muy probable que volviera, ¿correcto?

Mueve otra vez los hombros.

—Parece que eso les pasa a todos.

—¿Así que el pacto que hizo usted con el señor Molto le pareció conveniente?

—Sí, muy bueno. —Hobie vuelve a caminar, más lento. Esta táctica ha sido muy astuta. Un techo, tres comidas diarias, un lugar de pertenencia: Lovinia tiene muchas razones para querer estar en el Instituto.

—¿Y cuándo fue la primera vez que alguien del estado le habló de hacer un trato? ¿Fue cuando el detective Lubitsch fue a verla el 12 de septiembre? —Con un gesto impaciente, Hobie le indica a Nile que le dé las copias de los informes policiales. Todavía un poco hipnotizado, Nile despierta y busca con torpeza en la gran caja de materiales.

—Ah, sí. Me habló mucho. Íbamos a hacer un buen trato.

—¿Usted conocía a Lubitsch desde hacía algún tiempo?

—Está en Tic-tac. Me agarró dos veces.

—¿La arrestó?

—Ajá.

—¿Y se portó bien con usted, Bicho?

Ella le dirige una expresión compleja que sugiere sus dudas de hasta qué punto puede hablar con libertad en estas circunstancias.

—No me pegó ni nada —dice.

Más risas.

—Es mejor que otros, ¿no?

—Palabra —responde.

—¿Y usted estaba en el hospital el 12 de septiembre? Allí fue adonde Lubitsch fue a verla, ¿correcto?

—Ajá. Porque me habían disparado.

—Porque le habían disparado —repite Hobie lentamente, mirándome de nuevo con sus ojos oscuros—. ¿Y usted tuvo fiebre?

—¿Fiebre? Ajá.

—¿Le dieron medicación para el dolor?

—Me parece que me dieron de todo.

—¿Y la policía la interrogó de todos modos?

—Ajá.

—¿Usted tenía abogado?

—No, señor.

—¿Estaba su mamá con usted?

—No.

—¿Llevaron un oficial de menores?

—No sé qué eran todos. Nadie me dijo nada.

—Así que Lubitsch fue a verla. ¿Y le dijo que podían hacer un trato? ¿Fue eso lo que dijo?

—Sí, creo. Ya sabe, todo lo de esta señora se me puso confuso, una mierda. —Los ojos de Lovinia se dirigen como una flecha hacia mí y murmura: —Perdón.

—¿Y usted le dijo a Lubitsch al principio, cuando le preguntó, lo que había sucedido?

—No. Dije que no sabía nada. Que habían pasado los Maníes.

—Pero al final usted dijo otra cosa, ¿no? ¿El señor Molto leyó algunas de las declaraciones?

—Me parece que sí.

—Le parece que sí —repite Hobie. Sabe adónde va, es el amo de esta niña. A mí me pasó algo parecido en una o dos ocasiones cuando era fiscal, y fue una agonía estar sentada ahí mientras el abogado defensor llevaba a mi testigo al destino que se le antojara. Me hacía evocar esas tristes melodías *country & western* en que el cantante gime al recordar cómo su amor se fue con otro después del gran baile. —Quiero preguntarle sobre eso, pero primero dígame esto, Bicho. Antes de que usted cambiara su declaración, ¿el detective Lubitsch le dijo que el Pesado había hablado con la policía?

—Ajá. Me dijo que era del estado y cómo le estaba yendo.

—Le dijo que ahora era testigo del estado. ¿Y le dijeron todo lo que él había dicho sobre el crimen?

—Ajá. Algo así.

De nuevo. Hobie mira hacia mi lado. Ahora gana puntos con rapidez, y quiere estar seguro de que todo quede grabado.

—Ahora, Lovinia, hablemos de la banda, los DSN. ¿Cuándo la anotaron? —Le pregunta cuándo se convirtió en miembro de la banda, usando con inteligencia la jerga de las pandillas, no sólo para hacéserlo más fácil a ella, sino para dar a entender una vez más que ha dedicado algún tiempo a conversar con Bicho.

—Yo diría que hace mucho.

—¿Años?

—Cinco, por lo menos.

—Bien. ¿Dónde se ubica usted? ¿Abajo o en el medio?

—En el medio —responde.

—Pero el Pesado está arriba, ¿no?

Ella afirma una vez con la cabeza, temerosa de la pandilla y su accionar.

—Si él dice que hay que vender drogas en Grace y Lawrence, usted lo hace, ¿correcto?

—Casi siempre.

—Si él dice que hay que liquidar a alguien, ¿usted dice no?

—No, señor.

—¿Alguna vez usted le dio una paliza a una chica de la banda porque el Pesado se lo dijo?

Se queda un momento paralizada, y desvía la vista antes de responder.

—Una sola vez. A una chica que se llamaba Tray Weevil. Estaba haciendo locuras.

—Bien. ¿Alguna vez usted se acostó con alguien porque el Pesado se lo dijo?

A la chica no le gusta nada este tema, el sexo. Mira directo a la puerta del calabozo de donde ha salido. Hobie ha ido por fin demasiado lejos con ella.

—No sé —responde al fin, con los ojos fijos aún en la nada.

—Muy bien, pero usted obedece las órdenes del Pesado, ¿no?

—Él es de los de arriba.

—Así que, cuando Lubitsch dijo que el Pesado estaba cooperando y le contó lo que declaró el Pesado, usted repitió exactamente lo que ellos le dijeron que había dicho el Pesado, ¿correcto?

—Algo así. —En la mesa de la fiscalía, Tommy se dedica a arrojar su lapicera al aire y atajarla, un truco típico destinado a distraerme. Lo reprenderé por esta actitud, pero al cabo de veinte años casi forma parte de la naturaleza de Tommy, y es evidente que se siente furioso por lo que está pasando entre Bicho y Hobie y es incapaz de pensar con gran claridad. En lo que a él concierne es todo un invento, basura que ha urdido Hobie y que la chica repite como un loro. Pero hasta Tommy reconoce la significancia. Las declaraciones de Lovinia a la policía no significan nada si no hizo más que repetir lo que creía que había dicho el Pesado.

—¿Le prometieron a usted que harían un trato, que la dejarían quedarse en el Instituto de Menores si usted decía lo que dijo el Pesado?

—Más o menos.

—Usted no tuvo alternativa, ¿verdad?

—No, señor. En especial desde que metí la pata con la caja de las mentiras.

Hobie se queda inmóvil, mirándola.

—¿Quiere decir que la sometieron al detector de mentiras?

—Ajá.

—¿En el hospital, el 12 de septiembre?

—Ahí mismo, mientras estaba acostada en la cama.

Hobie me mira.

—Su Señoría, necesito hablar con usted y la fiscalía.

Tommy y Rudy se arrastran hasta mi podio.

—No sé nada de esto —dice Molto, que cierra los ojos un instante y suspira, dolorido.

—Jueza, si existe una prueba de polígrafo, tengo derecho a un informe. Tengo derecho a investigar esto. Su Señoría, esto es una evidente violación de producción de prueba en forma extrajudicial. —Tengo mis dudas sobre la supuesta sorpresa de Hobie. Ha entrevista a Bicho de manera demasiado completa como para haberse perdido este detalle. Sospecho que su actitud escandalizada es teatral. Pero tiene razón. —Jueza Klonsky, podría haber fundamentos para eliminar la declaración de la testigo.

—¿Qué es lo que desea? —le pregunto a Hobie.

—El informe.

—No hay ningún informe —dice Molto.

—Entonces quiero al examinador —insiste Hobie—. No podemos completar la declaración de la testigo sin saber de qué se trata esto.

Doy dos pasos para poder ver a Bicho en el estrado de los testigos y preguntarle quién le hizo la prueba del polígrafo.

—Lubitsch —me dice, para mi sorpresa. Las cejas escasas de Molto también se arquean.

—Fred Lubitsch no puede hacer esa prueba —dice Molto. Rudy lo interrumpe y se lo lleva aparte. Susurran acaloradamente, mientras Hobie y yo apartamos la vista para permitir algo de privacidad de los fiscales. Mientras se prolonga el silencio, le pregunto a Hobie si está casado.

—En este momento, no, jueza. Soy tres veces perdedor —dice—. Estoy solo. —Suelta una risa breve y enseguida recupera la expresión sobria. De algún modo, en este fragmento de conversación, veo una clara semejanza con Seth, no simplemente por los matrimonios zozobrados, sino en la actitud: los ojos sombríos, la niebla oscura de las cosas que no salieron bien. Habiendo tenido tan elevadas esperanzas para el mundo, ¿somos la generación adulta más infeliz hasta el momento? Hobie me cuenta que tiene dos hijas, que la mayor estudia en Yale. Entonces regresan Singh y Molto.

—Tendremos a Lubitsch aquí por la mañana —anuncia Molto.

—¿Ahora hacemos un receso?

Los abogados acceden. Desde el estrado de los testigos, los delegados de traslados retiran a Lovinia, que, a pesar de la mirada fija y la sonrisa tonta de Nile, aún no se atreve a mirarlo.

Invierno de 1970

SETH

Los primeros meses de 1970 fueron terribles. En California atravésabamos la primera parte de la estación, o como le llamen. Habían florecido las acacias y otras plantas junto a las carreteras. Pero todas las personas a las que yo conocía estaban pésimo.

El hogar de los Eddgar era un alboroto. La Junta Directiva del Cuerpo Docente votó a favor de conducir audiencias, a partir del 1º de abril, para determinar si había o no que expulsar a Eddgar por incitación a la revuelta en el CDIA. El papel de mártir le sentaba bien a Eddgar. Ira, sacrificio, disciplina: se exigían todos sus atributos favoritos. Sus apariciones en público se caracterizaban por un intenso y osado entusiasmo. Denunció con voz estridente el caso de la universidad contra él como un artificio destinado a sofocar el disenso. Pero en su casa, su ánimo era más ambiguo. No ocultaba su preocupación por haber sido delatado. A June se la veía aún más abatida, evidentemente deprimida por el golpe que estaban por asestarles las autoridades. Adquirió el hábito de citar frases extraídas de diversos dramas griegos que había interpretado en la facultad.

Yo continuaba cuidando de Nile y también había avanzado algo en *After Dark*. Ahora barría la oficina y además me levantaba a las cinco, cuatro mañanas por semana, para llenar las máquinas expendedoras de revistas de la zona de la Bahía. El editor de *After Dark* era un tipo calvo y barrigón que usaba pantalones de poliéster, llamado Harley Minx. Me caía bien; lo encontraba casi conmovedor en su franca desesperación por experimentar la vida de lujuria imaginada en su periódico. En momentos de ocio en la oficina, yo le contaba algunas de mis fantasías de la Hora Delirante, y Harley me había persuadido de escribir un par de ellas. Decidí publicarlas como una especie de tira cómica, por entregas; cada cuento se extendía tres o cuatro números y la acompañaban ilustraciones de historieta *underground* semejantes a las de R. Crumb. La columna se llamaba *Viajes de película* y, salvo el afectuoso apoyo de Harley, no atrajo atención alguna. No obstante, ver mis palabras en letras de molde me resultaba embriagador.

La serie inicial era protagonizada por un líder llamado A.B.1 y su hijo, I.B.2, y se desarrollaba en el año 2170. Para entonces, según yo sugería, la medicina habría logrado su máximo triunfo, permitiendo que los seres humanos vivieran para siempre. Como resultado, la Tierra y los planetas habitables se convertirían en una maloliente masa superpoblada. La procreación se permitiría sólo con autorización gubernamental, y sólo si uno de los dos progenitores accediera a morir veintiún años después. En mi historia, A.B.1, hombre de cierta importancia, decidía que no podía cumplir con ese trato, y por lo tanto se proponía poner en práctica la única alternativa permitida por la ley: sacrificar a su hijo. Al final de la primera entrega, A.B.1 convencía a I.B.2 de unirse a los Cuarenta Combatientes Celestes, sabiendo que el peligro e incluso la muerte a menudo acechaba a los integrantes de la milicia galáctica.

—Es como una parábola o algo así —dijo Lucy cuando llevé la primera edición a casa, en la Hora Delirante.

—Algo así —respondí. Sonny dejó a un lado el periódico con tristeza, y su mirada, cuando se cruzó con la mía, reflejaba dolor compartido.

—¿Qué pasa con el hijo? —preguntó.

—Pronto lo sabremos.

A esa altura yo me hallaba al final del juego con mi junta de reclutamiento, y empleaba todos los ardides posibles en la última esperanza de que una súbita decisión en las conversaciones por la paz en París permitiera que Nixon pusiera fin a la guerra. Había presentado un formulario para que se reconsiderara mi objeción de conciencia, y rechazado los resultados de mi examen físico. Cuando todo eso fracasara, podía transferir mi entrenamiento a Oakland; con ello ganaría unas cuantas semanas extra. Pero la cuestión —en la que jamás dejaba de pensar, incluso cuando hacía mis entregas del trabajo o me reía con Sonny— era que debería irme. Que ya me había ido. Cuando recibiera mi aviso de reclutamiento, dirigiría mi Escarabajo hacia el norte. Sería a fines de abril, en el mejor de los casos. Había reunido mapas de todos los clubes automovilísticos. Había hablado con la organización de resistencia. En la frontera diría que iba de visita, y después me quedaría. Conocía a un tipo que conocía a otro tipo, que me contrataría por un salario diario en un vivero de las fueras de Vancouver. Me dedicaría a cavar y plantar mientras durara la guerra. Después, ¿quién sabía? A menudo me ponía loco de furia. El pensar en abandonar los Estados Unidos —su loca turbulencia, en la cual me sentía entretejido como una fibra—, dejar a mis amigos, mi comida, mi música, no poder visitar a mis padres a medida que iban envejeciendo, me resultaba horrible. De algún modo me sorprendía que el mundo remoto de las abstracciones políticas de veras fuera a alterar mi vida. Pero no podía retroceder. Me había negado a ir a casa en las vacaciones, sabiendo que mis padres harían escenas insoportables, tratando de persuadirme y exigirme que cambiara mis planes. Mi fortaleza para resistir sus ruegos de verme los convencieron por primera vez de que en realidad yo iba a dar aquel paso.

Sonny atravesaba su propia crisis. Debía presentar su propuesta de tesis para el 1º de marzo. Cuando salía de pasar largas horas en la biblioteca, desaliñada y desolada, calificaba de desesperada su situación y afirmaba carecer tanto de ideas como de interés. Tenía ojeras, y manchadas de tinta las manos y los puños de su pulóver sin forma. Dos o tres veces por semana yo le brindaba apoyo con largas charlas estimulantes, en las que le recordaba cuán brillante y promisoria era. Pero rara vez la convencía. En febrero pidió una prórroga. Y dos días después, para mi asombro, sencillamente abandonó. Al leer la carta que le escribió a Graeme renunciando a su beca, sentí que me faltaba el aire. La seguí por todo el departamento, discutiendo.

—Tú entiendes de esto. Husserl. Heidegger. Te miro y veo cómo se te encienden todas las lucecitas. —Hice con los dedos gestos como de luces que parpadeaban, hasta que al fin sonrió.

—Al fin me he dado cuenta —dijo—. Estoy acá porque lo entiendo, porque soy buena para eso. Pero no es una razón para hacer algo. Esto no es para mí.

Estaba en la sala, guardando sus libros en los estantes, acomodando una porción de su vida que acababa de declarar pasada.

—¿Y qué es para ti? —le pregunté al fin.

Meneó la cabeza y dirigió una mirada vacía a nuestros muebles de segunda mano. Teníamos una carpeta imitación persa, de algodón belga color magenta, que desteñía cuando le echábamos agua, un viejo sillón-cama marrón que exigía dos personas para moverlo, y un sillón de orejas cuyo tapizado se había deshilachado, de modo que el relleno sobresalía entre los hilos de la fibra como un bulto herniado. Contra la pared se erguían las bibliotecas improvisadas.

—Quiero viajar. Ir a otros lugares. Estar en otra parte.

—¿Qué te parece Canadá? —le pregunté.

Iba a sonreír, pero se contuvo por mí, porque se dio cuenta de que se lo decía en serio.

—Podría —concedió. Nos quedamos en silencio. —Podría —repitió—. Podría hacer muchas cosas, Seth.

Cuando le pedí ejemplos sacó de su mochila de lona un librito informativo del Cuerpo de Paz, un folleto de papel lustroso que había tomado en el campus. En la tapa se veía a una joven radiante, de mejillas llenas, contra un fondo blanco y azul. Hasta yo veía cierta semejanza con Sonny.

—Tal vez no debiera ingresar —dijo Sonny—. Ya conoces la historia: es un programa de Kennedy, así que Nixon recorta los fondos. Pero creo que sería bueno ir a algún lugar completamente nuevo, sin desarrollar. Desconocido. Lo pienso y, no sé... me siento optimista. —Se llevó ambas manos al corazón.

—¿Para qué? ¿Qué diablos se supone que logrará esto?

—Es diferente, bebé. Quiero ver cosas diferentes. Explorar. Salir. Andar por ahí. Expandirme. Y no quiero justificarlo. ¿Entiendes?

—Sí, claro. —Me burlé:—Haz lo tuyo, hermana. ¿Sabes? Eres peor que yo. Yo vivo tironeado un día de un lado, un día del otro, pero lo admito. En cambio tú, ni siquiera sé a qué apuntas. Eres *Traumhaft*. Te escucho decir: "Esta opción. Aquella opción". Es casi como que te asusta seguir en serio adelante con tu vida.

—¿Y qué si es así? Por Dios, Seth, estás lleno de esa basura de la clase media.

—Ah, vete al carajo. ¿Crees que es malo comprometerse con algo? Yo no.

—Yo tampoco, Seth. Pero no puedo comprometerme sólo porque es una buena idea.

Estábamos en el dormitorio, con la ventana de ojo de buey y flores de lis de esmalte amarillo en las paredes. La calefacción chisporroteaba en el vestíbulo. Me desplomé con tristeza en la cama.

—¿Y nosotros? —dije tras otro silencio en el cual ninguno de los dos tuvo el coraje de mirarse—. ¿No piensas en eso?

—Por Dios, bebé, claro que lo he pensado. Por supuesto que sí. Pero no es cuestión de pensar. Tengo que "sentir" que es lo correcto. Ir allá... Podría, pero para mí es un paso enorme. Porque significa seguirte. Significa que es un asunto tuyo, no mío. Significa que estoy en el purgatorio porque lo estás tú. Hay tantos problemas... Tengo que elaborarlo. Tu me entiendes, sé que sí.

Yo no podía creerlo. El Futuro. El punto temible en que mi vida se hacía pedazos. Al final había llegado allí.

Un par de semanas después de Año Nuevo sonó el teléfono en la mitad de la noche. Al despertarme, pensé primero que algo le había pasado a alguno de mis padres. Pero la que sonaba no era la línea que usaban ellos. La que hablaba era Lucy, que me pidió que fuera para allá, con voz temblorosa de angustia.

—Un mal viaje —me explicó—. Muy malo.

Hasta donde yo sabía, Hobie nunca se había extralimitado con las drogas, aunque tomaba muchos alucinógenos: LSD, psilobicina, hongos mágicos. Le encantaba pedir prestada una motocicleta y pasear por los bosques del condado de Greenwood. Yo lo acompañé una vez y tuve una experiencia muy fuerte, en la que mi espíritu parecía salir flotando de mi interior y cristalizarse en las copas de los robles, donde relucía mágicamente mientras el reverso de las hojas giraba al viento. Pero la mayoría de las veces me mantenía lejos del ácido, temeroso de enfrentar a mis propios fantasmas.

Cuando llegué al departamento de ellos en la calle Grand, en Damon, encontré a Lucy escondida detrás de la puerta, ahuyentando al perro, un husky color crema al que llamaban Superblanco. Los exámenes del último período lectivo de Hobie habían dejado el departamento peor que si hubiera pasado un huracán. A lo largo de toda la facultad, Hobie había permitido que su padre, Gurney, se hiciera la predecible ilusión de que su hijo cursaría pronto la facultad de Medicina. Los que conocíamos a Hobie sabíamos que su único interés era poner las manos en un recetario propio. Al final optó por Derecho, tanto para apaciguar a los padres como porque había oído decir que exigían un solo examen en cada curso. No quería gastar su tiempo en ensayos y exámenes de mitad de período, sólo para que después lo reclutaran. Pero ahora que el sorteo lo había liberado, tenía que apresurarse a aprender algo de Derecho. Para los primeros exámenes faltaban apenas unos días. Sus libros y notas se hallaban desparramados por toda la sala, y en el lugar flotaba un olor rancio a cigarrillos, hábito que adquiría al final de cada semestre, y para el cual pedía a sus amigos que le guardaran, cuando viajaran a sus casas para las vacaciones de verano, los paquetitos de cuatro que regalaban las aerolíneas junto con la comida. Yo había visto esta rutina muchas veces en Easton: Hobie les rogaba a todos que le dieran los apuntes de las clases a las que no había asistido, los textos que no había comprado. Y al final siempre sus calificaciones eran más altas que las mías.

En aquel momento estaba sentado en el sofá de la sala, un mueble de segunda mano con brazos redondeados y tapizado floreado. Sollozaba. Le brillaban las mejillas y los brazos le colgaban fláccidos entre las rodillas. Al mismo tiempo, permanecía con la vista fija en el televisor, que, según las necesidades de su estilo de vida, se encontraba ubicado a apenas unos pasos de él. Daban una película vieja. Hepburn y Tracy.

Lucy me explicó que Hobie estaba soportando los resultados de jugar al químico con su propia cabeza: no sólo había tomado ácido, sino que, como complemento, había aspirado unas líneas de cocaína que le había dado Cleveland.

—Está como loco —dijo Lucy—. Arrojaba cosas. Aullaba.

—¿Está fijo en algún tema?

—Ya lo oirás. —Revoleó los ojos en una rara muestra de exasperación.

Cerca del sofá había una foto de la familia de Hobie, estrellada con marco y todo. Un cenicero vaciado. Me senté a su lado con cautela. Tenía puesta una camiseta de diseño propio, de las que vendía en Easton: un corazón y unos pulmones anatómicamente perfectos serigrafiados en tintas de colores intensos, encima de una leyenda en letras negras que decía: "Anímate a ser mi transplante".

—Bueno, señor Gordon, ¿algún rastro del perverso emperador Ming? —En sus ojos se podía ver que mi pregunta se perdía en alguna grieta de su cerebro. En cierta medida me gustaba cuando Hobie andaba por los aires y yo estaba sobrio, porque, por un breve intervalo, eso me hacía sentir el amo en nuestra compleja relación. —¿Qué te anda pasando por la pantalla, amigo, que estás tan infeliz?

—Ya sabes, viejo. —Debido al efecto de las drogas, estaba más blando, carente de su cáscara resistente habitual. Tenía la cara hinchada por el llanto.

—¿Eres tú? —le pregunté. Dos o tres veces, en "viajes" de ácido, Hobie había experimentado sensaciones de ser otra persona: una mujer del siglo XIV de Avignon que trabajaba en un telar de las tapicerías papales, y un campesino nepalés llamado Prithvi Pradyumna, cuya vida cotidiana, arando tras sus bueyes, era consumida por la implacable y amarga angustia de que a su hermano, y no a él, se le hubiera permitido ser monje. Ahora sus ojos parpadearon.

—Es todo malo —me dijo.

—¿Te refieres a las drogas?

—¿Drogas? ¿Qué? Sí, las drogas. Todo. Es todo una locura. Todas las drogas.

Yo estaba de acuerdo: tomaba demasiadas. Se lo dije. Enseguida se puso furioso conmigo.

—¡No! ¿Sabes por qué me vuelo desde hace cinco años, viejo? ¿Sabes? —Se levantó de golpe y me miró desde arriba. —¡Estaba matando el dolor! ¡Estaba ignorando los hechos! ¿Lo sabías?

—No.

—¿Lo sabías? —gritaba con sus enormes brazos estirados. Lucy se asomó desde la cocina. Ahora que yo había llegado, ella se había retirado. Estaba llorando, y su cara era un borrón de delineador corrido. —Viejo, hay algo que nunca quise decirme. ¿Y sabes qué es? ¿Sabes qué es?

—No.

—No sabes lo que es —le gritó Hobie al cielo raso. De pronto me encaró con tal fiereza que me encogí. —Soy negro —declaró, y por un instante se sumió en un espasmo doloroso de lágrimas—. ¿Sabes lo que significa ser negro? ¿Lo sabes?

Habiendo crecido en el hogar de mi padre, yo tenía una sensibilidad especial para el dolor brutal de la opresión. Comencé a recordarle mis esfuerzos, las reuniones, las marchas en que había participado con los padres de él. Mis palabras no hicieron más que enfurecerlo.

—¡No me hables de eso! ¿Crees que porque fuiste a marchar de un lado a otro de la calle pidiendo que la gente no sea tan malvada tengo que enviarte una maldita carta de agradecimiento? ¿Y qué se logró con eso, viejo? No fue nada más que un paseo al aire libre. —Pateó la mesita baja, un mueble miserable de madera barata y lastimada, que saltó contra mis rodillas.

—Ya sé que el mundo es una mierda, viejo. Pero está cambiando. Ya ha cambiado, por el amor de Dios. Dentro de veinte años no va a quedar un solo gueto en este país. La gente de raza negra...

—¡Negros! Negros, viejo.

Fue el padre de Hobie, Gurney, a su manera de tío, que me enseñó un día en su farmacia, cuando yo tenía nueve años, que dijera "de raza negra" y no "gente de color".

—Bueno, negros. Los negros, los negros pobres, son como inmigrantes que bajaron del barco en 1964. Son recién llegados. ¿Crees que no saltarán también al "crisol de razas"? Dejarán de hablar en dialecto y...

—¿Dialecto? Es nuestro idioma, viejo. Es nuestra cultura. ¡Mierda! No puedo hablar de esto contigo. —Tanto Lucy como el perro se pegaron a la pared cuando Hobie salió a las zancadas de la habitación. Al cabo de un momento lo encontré en el porche de atrás, una destartalada construcción de madera situada a la salida de la cocina, donde habían reforzado el piso para sostener el peso de una lavadora. Hobie estaba sacando ropa mojada de la máquina; tomaba dos o tres prendas y las revoleaba sin puntería al otro lado de la cocina. Una camisa dio contra la heladera; una colgaba a medias del reloj; un par de vaqueros dio contra la pared amarilla con un ruido sordo a agua y luego cayó al piso, dejando un rastro reluciente. Cuando me vio, Hobie me enfrentó enfurecido.

—¡Los Estados Unidos son un país concebido en el pecado original, y el pecado es la esclavitud!

—Ah, basta —le dije—. Deja de cargarme la mente con lo mal que lo han pasado los negros. Lo comprendo, ¿de acuerdo? Y ellos no son los únicos que han sufrido.

—Dime quién lo pasó peor.

—¿Quién? Ah, vete al carajo, Jack. Yo ni siquiera estaría parado aquí...

—Ah, eso. ¡Eso! Salvo que todo el maldito mundo blanco se juntó, hermano, y le patearon el culo a Adolf Hitler. Ahora miremos aquí, en los Estados Unidos de América, viejo: tenemos linchamientos y violaciones e incendios. Tenemos al KKK y los Consejos de Ciudadanos Blancos y a Orval Faubus.[11] Tenemos a Bull Conner soltando los perros contra adolescentes negros que sólo quieren sentarse a almorzar ante un mostrador a comer un sandwich, viejo. ¿Y todos los líderes europeos dijeron: "Esto es una amenaza para la civilización"? No me digas, viejo. Ya lo he oído mil veces: eso es diferente.

—Es diferente. Ni siquiera la esclavitud es aniquilación.

Desde su rincón, Lucy dijo que todo era terrible y preguntó por qué importaba qué era peor. Ninguno de los dos le prestamos atención.

—Nuestra esclavitud no terminó nunca —dijo Hobie—. Acá jamás seremos nada más que esclavos o hijos de esclavos. ¡Nunca! No hay olvido posible. —De pie junto al lavarropa, respiraba hiperventilando.

—Tú y yo no lo recordamos.

—¡Mentira! —chilló.

—Hobie, estás en un mal viaje.

De algún modo esto fue lo peor que yo había dicho hasta el momento. Me aferró con ferocidad de la camisa. Mientras yo trataba de soltarme, me pegó con fuerza con la frente. Uno de mis labios sangraba profusamente. Lucy me trajo un paño y hielo, y me senté a la mesa de la cocina a atender mi herida. Hobie pareció no notarlo. Se volvió hacia mí, sin dejar de gritar.

—¡Esto no es un maldito viaje! ¡Es mi maldita vida!

Después, contándole la conversación a Sonny, lo que me chocó, tanto como la furia de Hobie, fue la velocidad instintiva con la que yo había adoptado como propia la experiencia de mis padres. Me había indignado que Hobie, de entre todos, olvidara los solemnes reclamos morales de mi herencia.

Nuestra amistad nunca quedó del todo reparada. Yo conocía bastante bien a Hobie como para esperar sus disculpas, pero él no hizo intento alguno de reconciliarse. Sus apariciones en la Hora Delirante se tornaron escasas y Lucy llegaba a menudo sin él. Simplemente dejamos pasar el tiempo. La noche de mi cumpleaños, el 12 de marzo, lo intentamos de nuevo. Los cuatro fuimos a un pequeño restaurante vietnamita que Hobie había descubierto en San Francisco. Era un agujero en una pared del barrio de Van Ness, y se especializaba en arrolladitos Primavera y sopas. Los dueños, que eran católicos, habían adornado el lugar para la celebración de Mardi Gras con ramos de hojas doradas.

—Tres grandes cocinas, hermano —pronunció Hobie—. China. India. Francesa. Y en un solo lugar se han encontrado. Los mejores cocineros del mundo.

Lucy se había puesto, para la ocasión, un producto en el pelo que producía un efecto de chispas, y había llevado molinillos para cada uno. Sonny me regaló un ejemplar de *Abbey Road*. Todos bebimos cerveza china. Hobie dijo que era el mejor momento que había pasado desde que había dejado la cocaína. Yo —y en especial Sonny— nos complacimos con la noticia.

—De veras, viejo —dijo Hobie—. He superado por completo ese rollo de "lo blanco es lo mejor".

Contra el consejo de una voz interior, le pregunté qué quería decir.

—El problema estadounidense, viejo. La gente blanca viene destruyendo a la gente negra en todo el globo desde el siglo XVI, ocupando sus países, matándolos o haciéndolos esclavos. La guerra de Vietnam y la guerra en las llanuras de los Estados Unidos, viejo: la misma mierda. ¿Crees que es accidente que hayamos tirado la bomba A sobre los amarillos de Japón y no sobre los blancos de Alemania? Y ahora, viejo, si un solo planeta no es suficiente, van a colonizar la maldita Luna.

—Estos designios imperialistas, según afirmaba Hobie, se notaban en todas partes, no sólo en las grandes manifestaciones, como en Vietnam, sino en los sucesos en apariencia inocuos de la vida cotidiana. Hobie estaba convencido de que el azúcar refinado era producto de un oligopolio despiadado, los subyugadores de Cuba y Hawai, que habían purificado su producto con el objeto de volver adictos a los niños, mientras atraían al subtexto racista básico de la vida estadounidense convirtiendo en blanco un producto pardo. Lo mismo se aplicaba a la cocaína. —La pureza, la propiedad, la limpieza y la importancia. Este país tiene grabado en el cerebro que "lo blanco es lo mejor". Mira todos esos tipos que van a trabajar cada día, vestidos con camisa blanca y las manos lavadas con jabón blanco. Piénsalo, viejo —exigió—. Piénsalo.

Lo estudié un momento, y luego le dije que estaba hablando basura propia de los Black Panthers. Se mostró increíblemente provocado.

—¡Son negros poderosos! —gritó—. ¿No te das cuenta? Los Panthers son exactamente lo que los Estados Unidos no quisieron ver durante cuatrocientos años, viejo. Son hombres africanos, con sus armas voluminosas, que no corren, no se esconden, sino que dicen: "Un momento, hijo de puta, quiero lo que es mío".

—Estás loco —dije—. Has perdido el juicio.

—Viejo —me contestó Hobie—, ya no puedes ver. Si no soy un negro simpático con una cantidad de cosas graciosas que decir, no puedes aguantarme. Vamos —le dijo a Lucy, y salió.

Me quedé sentado un instante, disconforme conmigo mismo. Le eché una breve mirada a Sonny y Lucy, a manera de consuelo, pero al final lo seguí afuera. En la calle colmada de gente, de edificios bajos de colores pardo grisáceos, Hobie se hallaba de pie en la vereda, observando el tránsito que fluía como una corriente trepando las colinas de Van Ness.

—Si desmerecí tus creencias, lo lamento mucho, de verdad —le dije—. Yo tengo mis propios problemas por el momento. Pero te entiendo. Ya sabes, estoy contigo. Siempre he estado contigo.

—No lo estarás para siempre, viejo. Ningún blanco va a estar ahí para siempre.

—¿Por qué?

—Este país es para ti, viejo. Es para ti.

—¿Ah, sí? ¿Y es por eso que tengo que irme?

—Ah, el tiempo pasa.

No podía creerlo. Lo maldije.

—Está bien —repuso—. Sólo te digo cómo son las cosas. Sé que ahora estás en contra, porque van a reclutarte.

—Correcto. Y tú eres un filósofo no interesado en el tema. A ti te preocupa la opresión de los negros, porque eres negro.

—Pero la cosa, viejo —me dijo, golpeándose una palma con el puño de la otra mano— es que dentro de veinte años serás rico y gordo y blanco... y yo seguiré siendo negro.

—Y yo seré un maldito canadiense.

Sí, yo comprendía muy bien. Ahora estaba claro. Habíamos estudiado juntos en la facultad, las habíamos pasado todas. Habíamos sido niños, habíamos jugado intensos juegos de varones, fútbol en la tardes frías, luchas en las que él siempre se me sentaba en la garganta o me hacía sangrar la nariz. Habíamos cursado juntos la escuela secundaria, nos habíamos mostrado el vello púbico cuando empezó a crecernos. En la secundaria habíamos sido amigos de John Savio, que nos llevó en el Fairlane de tres velocidades de la madre, manejando a ciento ochenta kilómetros por hora hasta que el motor empezó a echar humo. En la facultad nos quedábamos despiertos toda la noche por lo menos dos veces por semana, atrayendo a cualquiera que nos gustara a nuestras discusiones sobre la existencia de Dios y las posibles implicaciones si resultaba que en realidad la vida en la Tierra era el infierno. Secretamente sabíamos que éramos los instigadores de una famosa pelea entre alumnos de primero y segundo año en Easton. Habíamos tomado fuertes dosis de cannabis y benzedrina esperando comprender lo que había querido decir Einstein cuando postulaba que la materia igualaba el tiempo. Las habíamos pasado todas. Pero no íbamos a superar esto.

Me convertí en un fastidioso con Sonny: Ven conmigo. En mi ansiedad, ella relumbraba como un objeto atesorado. Necesitaba el consuelo del amor, un cuerpo que abrazar, creer en ella. Si ella me acompañaba, yo podría irme.

Sonny continuaba jugando con la idea. Yo me daba cuenta de que quería verse como una persona valerosa, que pensaba como era correcto. Pero aceptó un empleo para atender mesas en Robson, un local del bulevar Campus en que servían jamón y huevos, y seguía adelante con su solicitud para el Cuerpo de Paz. A medida que se iba acabando el tiempo, yo insistía en personalizar las cosas. El verdadero tema, le repetía una y otra vez, era su compromiso conmigo. Ella se sentaba en la sala con los ojos cerrados, tratando de soportar mi estupidez.

—Seth, no es lo que yo sienta hacia ti lo que importa. Tengo veintidós años. Si tuviera treinta y dos, si tuviera cuarenta y dos y estuviéramos juntos, sería una cosa. Pero quiero tener una vida. Mi propia vida. Nunca te he mentido. Ni engañado. ¿O sí?

—Sonny, ahora no tengo alternativas.

—Lo sé, bebé, y es eso lo que lo vuelve difícil. Porque lo que estás haciendo es importante. Y yo lo apoyo. Pero pensándolo bien, he pasado horas, días... Y mira, ¿en qué se diferencia esto de si estuvieras haciendo alguna otra cosa importante, si hubieras comenzado un curso para graduados o encontrado un buen trabajo en otro lugar? Supongamos que alguien te hubiera ofrecido un empleo en Hollywood, para escribir guiones de películas. Irías, ¿verdad? ¿Esperarías que yo te siguiera?

La mayoría de estas discusiones acababan en peleas: amargas, acusadoras. Sin Hobie, yo me sentía desnudo, en especial a medida que mis padres se ponían más frenéticos. Una noche de marzo, tarde, Sonny y yo llegamos a casa después de ver una película en el campus, y oímos que el teléfono sonaba en nuestro departamento. Era mi madre, sin duda para retorcerme las entrañas. Me acorralaba, me llamaba casi a diario, ya fuera para implorarme que fuera a casa a visitarlos o para ver si mágicamente yo había adivinado alguna alternativa que me impidiera ir a Canadá.

—Ah, por Dios. —No estaba de humor.

—Llámalos después —sugirió Sonny. Pero atendí. Era mi padre. Sin molestarse con palabras de cortesía, fue directo al grano.

—Tu madre me ha informado que, si sigues adelante con este plan de emigrar, no le quedará otra elección que seguirte adonde quiera que te establezcas.

Por un momento ninguno de los dos dijo nada más. Era una ridiculez. Mis padres nunca se tomaron vacaciones, ni siquiera habían salido nunca del condado de Kindle, pues para ellos viajar había perdido hacía tiempo toda relación con el placer.

—Estás bromeando.

—No podría hablarte más en serio —contestó.

—Está loca —logré decir al fin.

—Compartimos una opinión —respondió mi padre. Mi madre, sin duda, se hallaba de pie cerca, con una mano apoyada en la boca mientras escuchaba.

—¿Has tratado de convencerla de lo contrario?

—Repetidamente.

—Tú no vienes, ¿verdad?

—¿Yo? Mis negocios, como sabes, están aquí. A mi edad, la posibilidad de comenzar de nuevo en otra ciudad, y mucho menos en otro país, es impensable. —La jubilación era inmencionable. Sin su sueldo, mi padre se sentiría aislado de su fuente vital.

—¿Y entonces?

—Tu madre está decidida.

—No debería viajar sin ti. ¿Quién la cuidaría?

Al principio, mi padre no respondió.

—No sé con exactitud qué se imagina. Por supuesto, tendrá al hijo cerca.

Emití un sonido de agonía pura.

—¿Aceptará hablar conmigo?

Él le habló un momento y luego me informó con severidad:

—No. No hay discusiones. Es asunto decidido. *Punkt.*

Yo comenzaba a flaquear, pero dentro de mí se escurría la sensación improbable de cierta simpatía por mi padre. Se lo oía sereno, casi jovial, pero yo sabía que, si mi madre se marchaba, se sumiría en las garras de sus propias peculiaridades, temeroso de aventurarse más allá de su casa, espantado de ira y paranoia.

—Seth, espero que esto te ilustre... —No pudo continuar. Se le quebró la voz, ya fuera de rabia o de la humillación de tener que persuadirme. Pero al final se obligó a terminar. —Espero que lo reconsideres.

Aguardé unos instantes, pero le dije al fin lo que le decía siempre: no me quedaba otra alternativa.

—¡Esto no es un plan! —gritó—. Es una locura. No tienes idea de lo que estás haciendo. ¿Cómo te mantendrás? —me preguntó, ya que para él siempre era ésa la pregunta principal—. No puedes mantenerte a ti mismo, y mucho menos a dos personas.

—Ella no vendrá —repliqué—. Sabes que no vendrá.

—Por el contrario —porfió—. ¿No puedes ver lo que está pasando?

Por supuesto, poco a poco, yo lo veía. Durante más de treinta años mi madre había aceptado la personalidad rígida de mi padre, sus mil reglas, como el precio de la seguridad de que él nos salvaguardaría, a ella y a mí. Ahora, si él no podía cumplir con esa promesa, ella se consideraría víctima de un fraude. No servía de nada hablarle sobre el daño que causaría a su propia vida, porque no le importaba. Hacía mucho que había accedido a una existencia en la que había cesado de anhelar satisfacción propia, como si eso sólo invitara a nuevos terrores. Su credo era simple: Mi hijo es mi país. Mi deber. Mi vida. Había sobrevivido únicamente como para no abandonar el futuro. Por atroz que pareciera, yo sabía que me seguiría. Mientras esa realidad iba reptando dentro de mí, mi padre continuaba con sus denuncias.

—¿Sabes lo que es ser un inmigrante sin un centavo y sin medios en un país que no es el tuyo? Yo puedo explicártelo. La guerra no es lo único intensamente desagradable de la vida, Seth. Te diré lo que le he dicho a tu madre: si eliges este curso de acción, si cruzas la frontera, no esperes recibir ayuda de mí.

—Eso ya lo sé, papá. Créeme.

—Tú siempre lo sabes todo, Seth.

—Jamás te pediré dinero. —Habíamos alcanzado ya el núcleo absoluto de lo que había entre nosotros. —Subraya el "jamás". ¿Me oyes? —No lo hizo; ya había colgado.

Alguien dijo que el dinero es la raíz de todo mal. Para mi padre era más que eso. En un principio profesor de Economía en la universidad, al final llegó a ser consultor de bancos y casas de corretaje. Como resultado, oí toda mi vida las justificaciones teóricas: cómo el dinero es el medio mediante el cual todos compiten por lo que quieren: cuanto más quieres algo, mas pagarás. Es la emoción que se ha tornado tangible, o al menos comparable, una suerte de río Ganges de la vida al cual van a parar todos los deseos. Una teoría perfecta, supongo, si se ignoran detalles como con cuánto tiene que empezar cada uno, o qué tenía en mente el compositor de canciones cuando declaró que las mejores cosas de la vida son gratis. Pero por lo menos reconoce que, si tienes dinero, en realidad deseas otra cosa. Lo que deseaba mi padre, no obstante, nunca me quedó claro.

Se llamaba Bernhard, de modo que lo confundían a menudo con Bernard Weissman, un constructor del condado de Kindle, de vasta riqueza, dueño de las torres Morgan, en DuSable, y de varios de los paseos de compras más grandes del país. "No, yo soy el Weissman pobre", decía siempre mi padre, en un tono que, dada su manera de hablar modulada, me resultaba ridículamente abyecto. Yo sabía que le iba bien —por los comentarios de sus conocidos de negocios a los que encontraba en la calle—, pero él no lo admitía y parecía morir por dentro cada vez que debía gastar un dólar.

En la facultad, un grupo de nosotros solíamos realizar Concursos de Tacañería Legendaria, en los que explorábamos un extraño terreno común en el que comparábamos, de manera competitiva, la mezquindad de nuestros padres. Mis principales rivales eran otros hijos étnicos, eslavos y griegos, aunque había un yanqui que solía participar en la carrera. Pero siempre ganaba yo. Mi padre se llevaba el premio. Nuestros compañeros rugían de risa cuando les contaba anécdotas: cómo mi padre, en lugar de reemplazar los arbustos siempreverdes del frente de nuestro sencillo chalé, los coloreaba con pintura en aerosol verde cuando morían algún invierno demasiado crudo. Cómo mi padre llevaba mercadería a los negocios, dos o tres días después de comprarla, cuando se le rompía un botón o se le deshilachaba un cuello, y regateaba para que se la cambiaran y le devolvieran parte del precio original. Cómo mi padre hacía esperar a clientes importantes, como banqueros, para poder ir a comprar una caja de papel higiénico a precio de liquidación. Cómo mi padre, a la noche, tarde, se lo pasaba doblando las abolladas bolsas de papel marrón del almuerzo que yo había llevado a casa al volver de la escuela, por instrucciones de él. Cómo mi padre puso un *timer* en la luz del baño porque de chico yo me olvidaba de apagarla, y cómo, en consecuencia, a menudo yo me encontraba, aterrado, sentado todavía en el inodoro mientras el lugar se oscurecía.

Sin embargo, no era la falta de posesiones sino la atmósfera lo que más importaba. Mi padre no estaba motivado por un desdén espiritual por las cosas materiales; no sentía ninguno de los placeres de la gente de medios reducidos, que disfrutan de las pocas cosas que pueden comprar. En la negativa a gastar de mi padre había una calidad compulsiva de avaricia, una suerte de apretón mortal en que encerraba al hogar y contra el cual yo siempre me rebelaba, que había causado mi peor disputa anterior con ellos, en la Navidad de 1963.

En mi casa nunca hubo una verdadera temporada festiva, en ninguna época del año. En Viena, mi padre había sido educado como librepensador. Se identificaba como judío y estaba siempre alerta al antisemitismo, que consideraba capaz de penetrarlo todo, pero incluso después de sus experiencias en la guerra —quizás a causa de ellas— desdeñaba toda forma de práctica religiosa. No ocurría lo mismo con mi madre. Tras haber perdido en los campos de concentración a todos sus seres queridos, tras haber visto cómo destruían todo lo más preciado, se aferraba con fervor a las costumbres, aunque de manera bastante discreta, ya que prefería no discutir con mi padre. Compraba carne *kosher*, no mezclaba leche y carne, y encendía velas los viernes por la noche. En las fiestas de fin de año celebraba de manera muda: un cortés Pesach Seder y un Yom Kippur rápido. Mi padre iba a trabajar. Por ella, me daban una educación religiosa en el templo Beth Shalom, adonde enviaban a sus hijos profesores de la universidad.

En Januká encendimos la menorá y mi padre y ella daban *gelt*: no monedas de chocolate envueltas en papel de aluminio, sino dinero de verdad. A los ojos de mi padre éste era un regalo con significado. Lo más cerca que llegábamos a cualquier otra forma de celebración festiva consistía en pasear en el auto por las calles nevadas en Navidad para admirar las decoraciones iluminadas de nuestros vecinos gentiles. Mi padre, por supuesto, aprobaba cualquier forma de entretenimiento que no exigiera gastar dinero, y a mí las luces siempre me encantaron: la intensidad, la festividad, toda la temporada de prodigalidad y generosidad.

El año en que cumplí dieciséis, tomé el billete de diez dólares que me había dado mi padre para Januká y de manera impulsiva compré un árbol de Navidad de aluminio de un metro veinte de altura. Lo adquirí en un local barato de artículos varios y lo hice colocar en su base de madera verde antes de que ninguno de mis padres lo viera. Chocada, mi madre se paró ante el árbol, que estaba montado en una mesita en mi dormitorio, un poco como un altar, y me retó en cada uno de los cuatro idiomas que hablaba.

Conscientemente yo me había persuadido de que, como no era observador, a mi padre no le molestaría el árbol. Por supuesto, apareció en mi cuarto a los pocos instantes de llegar a casa. Era un persona de altura media; mi estatura viene de la familia de mi madre, y creo que ninguno de nosotros podía acostumbrarse a que yo fuera ya cinco o seis centímetros más alto que él. Era uno de esos hombres calvos que se dejan crecer muy largo el pelo de un costado y se lo fijan encima del cuero cabelludo. Usaba anteojos de montura de metal y ese día tenía puesto un traje grueso de lana, de tres piezas. Se hamacaba sobre los talones.

—Ya veo —dijo mi padre con su fuerte acento. Con su talento para lo mas prosaico agregó: —¿Así es como gastas el dinero que te doy?

—Creí que era un regalo. —Yo estaba acostado en la cama, leyendo. —Un regalo significa que la persona se compra lo que quiere.

—No —replicó mi padre, con la vista fija en el árbol de Navidad. Meneó la cabeza en gesto reflexivo. —No regalos como éste.

Al día siguiente, cuando volví de la escuela, el árbol de Navidad había desaparecido. Ninguno de los dos me dio nunca una explicación. Y mi padre jamás volvió a regalarme otro dólar por su propia voluntad. La idea, supongo, era que fuera yo el que debía tomar la iniciativa de disculparme. Pero me negué. Ahora, mirándolo en forma retrospectiva, sé cómo vieron mi actitud. No como un simple rechazo, sino como un acto de vandalismo emocional. Yo ignoraba el dolor de ambos, sin duda. Pero no encontraba ningún placer en ello. Mi preocupación era yo mismo. Quería romper con la oscuridad, el aire viciado, el sufrimiento y el silencio de la casa de mis padres. Quería afirmar mi derecho a una vida en la que cada momento no estuviera envuelto en el recuerdo de los hechos más terribles, y quería pedirles, supongo, que reconocieran ese deseo en mí, que me dieran su bendición para ser diferente de ellos en ese aspecto fundamental. Pero no era éste el destino que ninguno de los dos había imaginado para mí, y semejante permiso, tal como resultó, jamás habría de ser concedido.

Después de aquello, sólo iba a la casa de mis padres a comer y dormir. Para lo demás me las arreglaba solo. Tenía una colección de diversos trabajos que realizaba después de la escuela y durante los veranos: empleado de una ferretería, ayudante de camarero, asistente de cocinero. Mi madre siempre me ponía veinte dólares en el bolsillo cuando mi padre no andaba cerca, pero no se molestaba en enfrentarlo. En la facultad financié mis gastos con un préstamo subsidiado por el gobierno federal. Para avergonzar a mi padre, fui al banco donde trabajaba, donde sabían lo rico que era, y cuando hube ahorrado dinero suficiente para un auto, compré un Volkswagen, el Hitlermóvil, sabiendo que eso lo volvería loco. Pero con el tiempo me di cuenta de que, dadas las elecciones imposibles, de todos modos yo había perdido. Había permitido que mi padre diera rienda suelta a su egoísmo fundamental. Y nunca me libré de la restricción de las expectativas de ambos. Mi madre jamás me quitaba de encima su mirada devota, jamás paraba de fastidiarme o rogarme de un millón de maneras silenciosas que redimiera su vida. Nunca fui libre. Y el peso de todo ello volvió a caer sobre mí en aquel momento en California, tras la llamada de mi padre.

Mientras Sonny observaba, colgué el teléfono. Primero me senté, después me acosté en la alfombra. Me cubrí la cara con las manos.

—Ah, secuéstrenme —grité—. Secuéstrenme, secuéstrenme. Que alguien me secuestre.

Cuando abrí los ojos, Eddgar estaba del otro lado de la sala, en el umbral de la puerta abierta del frente. De manera irónica, tenía dinero —unos cuantos billetes— enrollado en una mano. Había venido a pagarme el trabajo de aquella semana. Sin hablar, me contempló tirado en el piso, en agonía, con sus ojos perfectos de loco, sin parpadear, atentos.

—¿A qué te refieres? —me preguntó Eddgar a la noche siguiente—. ¿Con que te secuestren? —June y él acababan de regresar de una larga velada con sus abogados. Una cantidad de abogados de la Unión Estadounidense de Libertades Civiles (ACLU) y la facultad de Derecho de Damon se habían reunido para preparar la defensa de Eddgar, uniéndose a los viejos partidarios, izquierdistas de renombre que defendían a los Panthers desde hacía años. Yo tenía la sensación de que en el equipo legal había agudas divisiones acerca de la táctica, de si la inminente audiencia debía realizarse para hacer una declaración política o para salvar el empleo de Eddgar. Al llegar a su casa, a menudo los Eddgar daban la impresión de andar mal entre ellos. Ahora, mientras me escrutaba, a Eddgar ya se lo veía agotado, con unas ojeras tan oscuras que parecían moretones.

Yo le había explicado a June más de una vez las diferencias que tenía con mis padres, y no estaba de humor para volver sobre el tema en aquel momento. Pero la mirada de Eddgar se prolongaba. Percibí, como me había sucedido con frecuencia, el alivio momentáneo que para él significaba ocuparse de la vida de otra persona.

—Así que si alguien intentara secuestrarte, ¿tú irías? —me preguntó.

—No creo que mis padres lo creyeran.

—Yo diría que no —intervino June. Estaba bebiendo whisky y fumando. Sentada en el borde del sofá, sacudía las cenizas del cigarrillo más veces que lo necesario, golpeteando el filtro con el pulgar. Por alguna razón —tal vez practicando para la postura que afectaría en la sala de audiencias— había adquirido una apariencia menos llamativa, más aniñada, como de muchacha del campo. Tenía el pelo recogido con aros de ñame. Llevaba un vestidito de verano, y el largo de sus piernas lisas, sin medias, se destacaba mientras se hallaba sentada allí. Al inclinarse hacia el cenicero, se tironeó un poco del dobladillo, en reacción a mi inspección. —Por cierto que sospecharán —agregó.

Eddgar apretó la mandíbula. Bien podría habérsele encendido en el pecho un cartel que dijera: "Estoy maquinando".

—¿Y si pidieran rescate? —preguntó—. ¿Tu padre puede pagarlo?

—¿Pagarlo? Claro. Tal vez pudiera pagar mucho. Pero conociéndolo como lo conozco, no lo pagaría.

June rió.

—Seth, cuando empiezas a hablar de tu padre me recuerdas a Eddgar. —El padre de Eddgar era médico de profesión, pero se ganaba la vida como dueño de plantaciones de tabaco. De creer en sus descripciones, era un hombre de temperamento despiadado, rígido, implacable, un cristiano de corazón duro al que excitaba más la condena de los perversos que la eterna gracia de los salvados.

Por el momento Eddgar ignoró a June, impresionado por mi predicción de que mi padre se negaría a pagar un rescate. Alzó las manos.

—¡Entonces estás libre! —Por un instante alarmante, mi libertad pareció habitar en el espacio que se extendía entre las palmas abiertas de Eddgar. Después volvió a atraparme la temible desgracia de una realidad mejor conocida.

—Bueno, entonces pagaría para fastidiarme.

Los dos rieron de nuevo. Tomándose los muslos con las manos, June dijo que estaba exhausta y yo me retiré. Secuestro. Me reí de solo pensarlo. Afuera, mientras me acercaba al pie de las escaleras de madera, oí que Eddgar me llamaba. Se había asomado al rellano del piso superior, y se hallaba de pie bajo el intenso rayo de luz.

—¿Llamarían al FBI? —preguntó en voz baja.

—¿Mi padres? —Me sorprendió que siguiera con el tema, pero negué con la cabeza. Dada la historia de ambos, a mis padres les aterraba la policía. En más de una ocasión me encontré con ellos en el auto cuando se realizaba una revisión rutinaria de tránsito, y los había visto sumirse en la confusión y el pánico. A mi padre las manos le temblaban tanto que no podía sostener su carné de conductor, y después le hacía falta descansar media hora junto al cordón para recuperar su tenue asidero en el presente. No había perspectiva de que él —ni mi madre— recurriera nunca a las fuerzas policiales. —De ninguna manera —le aseguré a Eddgar.

Parado un piso más arriba, sonrió. Entre la creciente ansiedad de su propia situación, lo mío había logrado distraerlo. Se dio un golpecito con el dedo en la sien para darme a entender que iba a tenerlo presente.

. . .

Cuatro días después de recibir mi aviso de reclutamiento, Sonny me anunció que se mudaría. Era mediados de abril.

—No tiene sentido, Seth —me dijo—. Tengo que hacerlo así. Vamos a terminar odiándonos. —Ya peleábamos todo el tiempo, batallas sangrientas en las que yo hablaba de amor y ella de independencia.

Sonny se estremeció, como para demostrar su autodominio. Tenía que insistir en lo suyo, afirmaba. Lo "suyo" nunca se especificaba, pero yo entendía. No podía tenerla. Estaba solo. Si ella se quedaba en el departamento, yo seguiría esperando, postergando la partida, en lugar de enfrentar lo que era ya inevitable.

—Tengo que buscar a otra persona, de todos modos —me dijo—. No puedo pagar el alquiler yo sola.

—¿Adónde irás?

Alzó un hombro, como si no lo hubiera pensado mucho.

—Me quedaré en lo de Graeme por un tiempo. Él anda buscando a alguien que le alquile una habitación.

Fue un martillazo, peor que la mera deserción. Me di cuenta de que en una semana Graeme estaría en la cama de ella, si no lo había hecho ya.

—No es lo que pienso, ¿no?

—No —respondió—. Y de todos modos no te incumbe.

Empezamos de nuevo, por supuesto.

Al final, la ayudé a mudarse. Para mí era muy fácil cargar unas cuantas cajas en el Escarabajo todas las mañanas. Los otros elementos los dejaba ante la puerta de Graeme al dirigirme a After Dark. La observé desaparecer del departamento en etapas, como algo que se derrite.

La última mañana, un lunes, llenamos el Escarabajo y le pusimos un portaequipaje para cargar cosas en el techo. Aun así, quedaron un par de cajas que yo debería transportar después. Luego llevé a Sonny del otro lado del puente de la Bahía, lejos del sol y dentro de la bruma. En la calle me abrazó, aunque me negué a devolverle algún signo de afecto. "De modo que así es —pensé—, así es como termina esto." Un momento épico de mi vida, que siempre recordaría: ¿cómo puede estar sucediendo, como cualquier otro momento del eterno presente? Había sólo niebla, llevada como humo en los vientos oceánicos, y gaviotas cuyo grito áspero podía oírse aunque no se las veía. Reparé, marcándolo de por vida, en un sujeto delgado, de barba, con pantalones de bocamanga ancha y un suéter con escote en V, que bajaba por la escarpada colina con su andar pesado de costumbre, cargando el peso en los talones. Tuve una súbita visión de que algún día lo abordaría en otra calle: "Te vi cuando dije adiós".

—Llámame —me dijo Sonny—. Todo el tiempo. Prométeme que te veré antes de que te vayas.

Retiré sus manos de mi cara y las estudié: manos anchas y robustas, esculpidas con gracia trabajadora. Pensé que para el fin de semana me habría marchado a Canadá. Mi junta de reclutamiento me había obligado, en mi última jugada táctica, a mudarme transfiriendo el sitio de mi instrucción a Oakland. El 4 de mayo era el día, pero ya no tenía sentido esperar.

—La gente no se va de este modo de la vida de otra gente —dije. No estaba seguro de si era una protesta o una respuesta.

—Es una fase más, bebé. Los dos vamos a sobrevivir. Y nadie dice que sea para siempre. —Sonny solía hablar vagamente de volver a estar juntos en el futuro... después del Cuerpo de Paz, después de que yo pudiera volver al país. Esta noción —las esperanzas que nutría y mi certeza de que era cruelmente falsa— causaba el indeseado impacto de un sollozo a mitad de mi garganta cada vez que surgía el tema.

—Gracias.

—¿De qué?

Por decir bastantes mierdas intolerables, estuve a punto de contestar. Pero no pude controlarme y las palabras emergieron huecas. Por accidente, encontré el punto que quería tocar.

—Gracias, no más. Te amo. Fue bueno.

Me alejé en el auto. Siempre lo supe, me dije. Algún aparato interior a prueba de shocks, una caja negra cerca del corazón que registraba invariablemente lo que era cierto, jamás había dejado de tener en cuenta los hechos fundamentales: que yo no le importaba a Sonny, al menos de la manera entregada y elevada en que ella me importaba a mí. Yo lo sabía pero había seguido adelante, ciego y esperanzado, y ahora estaba pagando el precio. ¿Había en la vida algo más doloroso que la desigualdad? Unas cuantas cuadras más adelante, sufriendo en forma miserable, detuve el auto del otro lado del enorme parque cercano a Mission Dolores. Sabía que estaba de vuelta donde había comenzado, en la insoportable agonía de los jóvenes. En ese entonces no podría haberlo expresado en palabras, pero con el correr del tiempo puedo dar forma a ese grito interior: ¿Quién me amará por lo que soy? ¿El amor de quién me permitirá conocerme? Mientras lloraba, contemplaba las palmeras que se alzaban tiesas contra el cielo.

7 de diciembre de 1995

SONNY

—El testimonio es irrelevante —dice Molto, poniéndose de pie ante mi podio.

Este tipo. Posee la infalible capacidad de exasperarme.

—Señor Molto, fue usted el que se ofreció a traer al agente táctico Lubitsch. Ya lo hemos discutido y, según recuerdo, usted terminó con esa propuesta.

—Jueza, hemos tenido tiempo para pensar. No se hizo prueba de polígrafo. Así que no hubo violación de producción de prueba en forma extrajudicial. Y el testimonio es irrelevante.

—Señor Molto, tenemos una declaración bajo juramento de que sí se realizó una prueba de polígrafo, y si la testigo está equivocada, creo que a la fiscalía le encantaría establecer el hecho. —Me vuelvo hacia Hobie, que está junto a Rudy. —Doctor Tuttle, ¿todavía desea explorar este punto?

Mudo hasta este momento, Hobie se limita a responder con un gesto solemne de la cabeza.

—Llamen al testigo.

—Jueza...

—Basta, señor Molto.

Tommy comienza a apartarse, luego vuelve.

—Ya que estamos, jueza, en cuanto este asunto de no entregar informes científicos, él nos dijo ayer... —Tommy indica con un dedo a Hobie; está demasiado irritado como para llamarlo por su nombre. —Nos dijo que iba a someter el dinero a pruebas para verificar la existencia de sangre o pólvora, y que tendría un informe para esta mañana.

Hobie lo corta en el acto.

—No hay pólvora, no hay sangre. Les devolveré el dinero ahora mismo.

—Ahí tiene su respuesta, señor Molto. Ni pólvora ni sangre. ¿Quién interroga a Lubitsch? Es su turno, doctor Tuttle.

Tommy, con su cara oscura y estropeada, me mira fijo, malhumorado. Hace veinte años que se dedica a esto, pero todavía no puede aguantar los golpes.

—Lo llamaremos, Jueza —dice—. Demorará un segundo. —Le hace un gesto a Rudy.

Aparece Fred, desparramando una actitud de macho. Lleva botas de vaquero y una enorme hebilla de plata en el cinturón, camisa estampada abierta en el cuello y una chaqueta deportiva de tweed. Se comenta que era bastante atractivo de joven, siempre buscando en la calle, con los ojos desafiantes y ese físico imponente que tensa el uniforme. Entre los Defensores del Estado se rumorea que es un golpeador, un policía que les pega a los detenidos. Pero Marietta, la fuente intachable de estos comentarios, dice que está diferente desde que se casó. La esposa, Ángela, también es físicoculturista; la conoció en uno de esos concursos en que se aceitan y posan. Era campeona, famosa en esos círculos, y Lubitsch se jacta de ella de vez en cuando, de una manera abiertamente admirativa que me resulta simpática. Tienen un solo hijo. Como Marietta, yo lo considero una de esas personas que ha mejorado con la edad.

—Hola, jueza —saluda cuando llega ante el podio. Un poco demasiado familiar.

—¿Jura decir la verdad? —respondo.

Fred ya ha declarado aquí. Dadas las limitaciones culturales del testimonio policial —a todos los acusados se les han recitado sus derechos, aunque pocos lo hacen en estos tiempos; cada policía afirma haber visto lo mismo que su compañero, sea lo que fuere—, Fred me da la impresión de ser más o menos veraz, menos mentiroso que otros. Mientras se sienta en el estrado, observo que tiene sus informes enrollados en una mano.

Tommy espera que Lubitsch se acomode, y luego Molto se ubica ante el podio. Se dispone a causar un efecto dramático. Una sola pregunta. Alza una mano enrojecida, de uñas comidas.

—Agente Lubitsch, el 12 de septiembre de 1995, o en cualquier otra fecha, ¿usó usted un aparato polígrafo con Lovinia Campbell, ya haya sido en el Hospital General del condado de Kindle o en otro lugar?

—No señor —contesta.

Tommy retorna a la mesa de la fiscalía.

—He terminado con el testigo —dice por sobre el hombro.

Sonrío ante la maniobra. En este juego, en todas las fases, deben jugar dos personas.

—Señor Tuttle, ¿quiere formulación de repreguntas?

Hobie continúa sentado en su silla, estudiando a Lubitsch. Tiene los labios hacia adentro de la boca, perdidos dentro del gris de la barba. Está sin habla. Por primera vez desde que comenzó este proceso, no se pone de pie para interrogar a un testigo.

—La señorita Campbell declaró que la sometieron a una prueba de polígrafo. ¿Lo sabía usted, agente?

—Eso oí.

—¿Y ella miente?

—No es correcto lo que dice. Es lo único que sé.

—¿La testigo miente?

—Objeción —interviene Tommy desde su asiento. Juguetea con el anotador, pero pasa por alto una cantidad de excepciones válidas a la pregunta de Hobie: pregunta que encierra la respuesta; exigencia de una opinión indebida. Hobie mira a Lubitsch.

—¿Está usted diciendo, agente Lubitsch, que tal vez la testigo cometió un error?

—Podría ser.

—¿Que hubo algo que percibió mal?

—Tal vez.

La sala del tribunal está muda. Al fin Hobie se pone de pie, tomándose tiempo para acomodarse la solapa de la chaqueta cruzada de suave lana gris.

—¿Ella "creyó" que la estaban sometiendo a una prueba de polígrafo? —Molto objeta que Lubitsch no puede declarar acerca de lo que Lovinia creyó. Hobie reformula la pregunta: —¿Alguien le "dijo" a la señorita Campbell que iban a someterla a una prueba de polígrafo?

—Sí, señor, eso podría haber sucedido.

—¿Y quién fue ese "alguien"? ¿Quién le dijo que le iban a poner el detector de mentiras?

Lubitsch se mueve un poco en la silla giratoria.

—Creo que fui yo.

—Comprendo. ¿Pero no lo hizo en realidad?

—No.

—¿Porque de todos modos ella cambió su historia? Es decir, eso fue lo que pasó, ¿correcto? ¿La chica les dijo una cosa cuando ustedes llegaron ahí, y otra diferente cuando se fueron?

—A veces, con esta gente... —Fred calla. —A veces, con un acusado... —Se seca la boca con dos dedos. —Soy un agente experimentado, y a veces creo saber bastante bien cuando alguien me está mintiendo.

—¿Sí?

—No siempre queremos llevarlos al Instituto para someterlos al detector.

—¿El detector de mentiras?

—Exacto. Ahí no podíamos. La chica estaba acostada, con un montón de tubos que le salían de todas partes.

—¿Y entonces qué hicieron, agente?

—Le dijimos que íbamos a someterla al polígrafo, pero no lo hicimos.

—¿Crearon esa impresión?

—Así es.

—¿Y cómo lo hicieron?

—Le pusimos algo en la cabeza.

—¿Qué?

—Algo que le pedimos prestado a una de las enfermeras.

—¿Qué?

—Las correas, ¿vio? Las de la prueba de la cabeza.

—¿Las que se utilizan para realizar electroencefalogramas?

—Exacto.

—¿Y le pusieron eso alrededor de la cabeza? ¿Así podían probar lo que la testigo estaba pensando?

Lubitsch no responde. Revolea los ojos en dirección a Hobie y le clava una mirada oscura.

—¿Y le pusieron sólo las correas? ¿O el aparato entero?

—No. Le añadimos un pedazo de cable de teléfono.

—¿Añadido a qué?

—A la cosa de la cabeza.

—¿Y qué más?

—Una máquina. —Lubitsch mira con dureza a Hobie. Es obvio que el interrogatorio tiene sentido. —Una máquina copiadora.

—¿Una máquina fotocopiadora?

—Exacto. También se la pedimos prestada a las enfermeras.

—¿Y después qué hicieron?

—Le hicimos una pregunta.

—¿Y?

Lubitsch se encoge de hombros.

—Después apretamos un botón de la máquina.

—¿Para qué?

—Para obtener la respuesta.

—¿La máquina les dio la respuesta?

—Eso fue lo que le dijimos.

—¿Eso fue lo que le dijeron a Bicho?

—Sí.

Hobie no habla. En cambio, se limita a hacer un gesto con la mano, pidiendo más explicaciones.

—Antes de empezar pusimos un papel en la máquina, ¿entiende? Después apretamos el botón, el papel salió y se lo mostramos. ¿Entiende?

—¿Y qué decía en el papel?

—"Ella está mintiendo." —Se oyen risas, desde luego, un coro fuerte que viene de la tribuna del jurado.

—Así que usted tenía a esta mujer sentada ahí con una correa de goma en la cabeza, y un pedazo de cable telefónico que añadieron a una máquina fotocopiadora, y después usted apretó un botón y salió un papel que decía que ella estaba mintiendo y usted se lo mostró, ¿correcto?

—Correcto.

—¿Y ella lo creyó?

—Porque estaba mintiendo.

Hobie me mira, sin siquiera molestarse en pronunciar en voz alta su objeción. Hago borrar la última respuesta de Lubitsch, y Hobie exhala un magnífico suspiro de disgusto mientras vuelve a la mesa de la defensa, meneando la cabeza. Policías.

—¿Hemos terminado? —pregunto.

Hobie argumenta, vociferante, que debe suprimirse la declaración de Lovinia. Califica de "engañoso" y "explotador" al policía, como si la Corte Suprema no hubiera decidido hace mucho tiempo tolerar estas conductas en nombre de una eficaz aplicación de la ley. Cuando Molto se acerca al podio a replicar, le dirijo una mirada agria. Una de las reglas de oro en mi tribunal, en especial para los fiscales, es que cuando se meten con la jueza hay que pagar un precio. Los fiscales son capaces de pasarte por encima si los dejas, y, como mujer, siento la necesidad de ser particularmente firme. Mi mirada a Tommy es tan fría que logro asustarlo. Pero al final no hago lugar a la moción. Ningún derecho de Nile se ha violado con lo que la policía le hizo a Lovinia. Bicho, sobre todo siendo una menor, tendría un argumento bastante fuerte en cuanto a que las declaraciones que hizo ante Lubitsch y Wells no pueden usarse contra ella. De hecho, ahora que lo pienso, entiendo cómo Hobie persuadió a Bicho —y al abogado de la chica— de que podía ignorar las amenazas de Molto de dejar sin efecto el pacto con el estado si volvía a sus previas declaraciones. Dada esta trampa, no hay modo de que Tommy se arriesgara a un nuevo proceso, ya que Bicho podría salir por completo eximida.

Hobie no se pierde un detalle cuando dictamino.

—En la alternativa, Su Señoría —dice—, quisiera que la declaración del agente formara parte de mi caso. Así no tengo que volver a llamarlo a declarar.

Aliviado, Molto no aventura objeción alguna, pero dice que en ese caso quisiera hacer unas cuantas preguntas por su parte. Se para ante la mesa de la fiscalía.

—Agente Lubitsch, después de que la señorita Campbell admitió que estaba mintiendo...

—Objeción. Fue él quien dijo que estaba mintiendo.

—Reformule la pregunta.

—Después de esa simulación de prueba de polígrafo —dice

Tommy—, la señorita Campbell hizo una declaración, ¿correcto? ¿Y quedó completamente transcripta en el informe que hizo usted?

Lubitsch declara que cada uno de sus informes es una manifestación precisa de lo que dijo Lovinia.

—Y volviendo al 12 de septiembre, en el hospital, ¿alguna vez le dijo usted a la señorita Campbell lo que el Pesado le había dicho previamente a la policía?

—Yo no sabía lo que había dicho el Pesado. No era mi caso. Montague me pidió que hablara con Bicho porque yo la conocía. Ella me contó una historia, le hicimos el asunto del detector, y me hizo una declaración.

—¿Usted no le dijo lo que había dicho el Pesado?

—No. No es mi procedimiento estándar.

Tommy asiente. Acaba de ganar mucho terreno. En definitiva, el tema crítico al evaluar la declaración de Bicho es si lo que le dijo a la policía era cierto o no. Yo podría creer que les dijera lo que querían oír, no tanto porque parezca fácil de acobardar —aun a los quince años, no lo es—, sino porque es lo bastante astuta para pactar así. Pero si Bicho no sabía lo que había dicho el Pesado, hay una sola manera, mirándolo de manera realista, de que sus declaraciones bajo juramento a Lubitsch pudieran asemejarse a la versión de los hechos dada por el Pesado: porque fue eso lo que pasó en la calle. Por lo menos, ésa es mi conjetura. Y También la de Tommy. Ha vuelto a su asiento con un contoneo indecoroso, disfrutando de haber puesto al fin a Hobie en su lugar.

En su silla, Hobie de nuevo se toma tiempo, los labios apretados, mirando fijo a Lubitsch una vez más, reflexionando en algo.

—Agente, ¿pensó usted que iba a declarar en este juicio? —pregunta de pronto.

—¿Eh? —contesta Lubitsch.

—¿Tenía usted presente que iba a tener que declarar en este juicio como testigo?

—No sé. Pensé que podría ser así.

—¿Ah, sí? —Hobie empuja el lío de papeles que hay sobre la mesa. —Usted no figuraba en la lista de testigos del estado.

Lubitsch pasa un momento incómodo. Cierra un instante los ojos, como un lagarto.

—La semana pasada vi a Montague en la Zona 7. Me dijo que era posible que la testigo estuviera haciendo trampa, y si así era yo iba a tener que declarar, con mi papeles.

—Fue sólo una advertencia.

—Nada más.

—¿Y usted no fue a revisar sus informes en ese punto?

—No. Yo vivo de a un día por vez, doctor. Creí que la chica era demasiado lista para mentir, pero todos los días se aprende algo nuevo.

—Lo dice como un chiste. Se nota que oyó muchos comentarios sobre cómo Hobie logró desviar a la muchacha.

—¿Y cómo averiguó usted que iba a tener que venir a declarar hoy?

—Cuando llegué al trabajo, a las ocho, tenía un mensaje telefónico de Montague.

—¿Ayer no pasó el día preparándose para declarar?

—Los miércoles los tengo libres.

—Y hoy, cuando se comunicó con Montague, ¿le explicó él por qué iban a necesitarlo a usted en el tribunal esta mañana?

—No sé —responde Lubitsch, eludiendo—. Algo así.

—Algo así —dice Hobie—. Bien, ¿en algún momento del día de hoy, alguien... Molto, Montague, el señor Singh... alguno de ellos le explicó que Lovinia había declarado que al persuadirla de cambiar su historia usted le dijo lo que había dicho el Pesado?

—Eso oí.

—¿Y se dio cuenta de que ayudaría al estado si usted pudiera declarar que eso no sucedió?

—Nadie me dijo lo que debía decir.

—Comprendo, agente. Pero usted ha actuado en muchos juicios, ¿verdad? Y reconoce la significancia de su declaración de que no se lo dijo a Bicho, ¿verdad?

Los ojos de Lubitsch se dirigen apenas un instante hacia mí. Tengo la sensación de que, en el tribunal de algún otro juez, Fred intentaría algo, un esquive.

—Tengo un cuadro general.

—Ahora, agente, quiero entregarle una copia de su informe del 12 de septiembre, marcado como Prueba del Acusado No. 1, y voy a pedirle que lea en voz alta la parte donde dice que usted no le informó a Lovinia Campbell lo que había declarado el Pesado.

Lubitsch muestra de nuevo esa expresión de "dejen de embromarme". Apenas si se digna echar una mirada de reojo al informe, que Hobie ha depositado sobre la baranda del estrado de los testigos. Ni siquiera lo toca.

—No está acá.

—No está acá —dice Hobie—. ¿Así que se trata apenas de algo que usted recuerda?

—Le dije que no es mi procedimiento estándar.

—No es su procedimiento inicial estándar decirle a un testigo lo que ha dicho otro, ¿correcto?

—Exacto.

—¿Y es por eso que usted afirma que no se lo dijo a Bicho?

—Digo que no se lo dije, porque no recuerdo que haya sucedido nada parecido. Es por eso que lo digo.

—Bien —responde Hobie—. Usted no lo recuerda. —De nuevo se mueve de un lado a otro. Ahora sé que es mala señal para el estado cuando Hobie empieza a caminar. Si yo fuera el fiscal y estuviera preparando a un testigo para una formulación de repreguntas, le diría: "Cuidado. Si Tuttle empieza a moverse, es que te tiene en la mira". Pero Lubitsch no lo sabe y continúa sentado allí, con la misma actitud, creyendo que está todo bien. —¿Y es justo decir que usted no dispuso de mucho tiempo para revisar los informes o fijar en su mente con exactitud lo que sucedió en sus entrevistas con la señorita Lovinia?

—Recuerdo lo que sucedió, doctor.

Hobie se rasca la mejilla. Hace todo lo posible por mostrarse apacible, si no afable, ante la hostilidad de Fred. Alguien —Dubinsky, es probable— le ha dicho que Lubitsch aparece aquí con regularidad, y que es una especie de favorito mío.

—Bueno, hablemos de su visita a la habitación de Bicho en el hospital, el 12 de septiembre. Usted dice que Lubitsch le pidió que fuera porque usted la conocía, ¿correcto?

—No porque fuéramos amigos. La arresté dos veces.

—¿Pero como resultado usted tenía una buena relación con ella?

—¿"Buena relación"? No sé lo que quiere decir con eso. —Se echa hacia atrás, y enseguida se desinfla un poco, tal vez al tomar conciencia de cuán desfavorable se está volviendo la situación. —No intento ser simpático, doctor, pero se podría decir que teníamos una relación profesional. Ella sabía que yo iba a tratarla de manera profesional. La primera vez que la detuvieron, la agarramos in fraganti... Es decir, cuando nosotros, los de Tácticas, ya sabe, llegamos a la zona, estos tipos de los DSN son muy hábiles para parar con todo. Pero esa vez yo vi un auto que arrancaba, y Bicho y yo corrimos una especie de carrera y yo la agarré y le conté cómo serían las cosas si colaboraba.

—¿Usted le contó "cómo serían las cosas"?

—En general, cuando estos chicos están vendiendo poca mercadería, se la esconden en la boca. Los paquetitos. Así se los pueden tragar si llega la ley. No son dosis suficientes para matarlos. Así que se lo tragan. Y yo agarré a Bicho y le dije que si trataba de tragar la haría vomitar, o un lavaje de estómago, así que le convenía escupirlo, y lo hizo.

—Y se hicieron amigos —dice Hobie. La declaración es risible, no del todo menoscabante, sino sólo lo suficiente para resaltar la triste ridiculez de toda la situación. Hobie provoca en todos una carcajada, e incluso en mí. Sin embargo, esto encierra una verdad: en T-4 hay quizá doscientos chicos con los que Lubitsch y Wells mantienen este tipo de relación. Conocen a las madres y los primos, el lugar que ocupan en la banda, tal vez, incluso, de manera remota, cómo les va en la escuela. Los tratan con cierto sentimiento. Fred tiene razón en enojarse, y echa a Hobie una mirada ácida.

—No la embromé, ¿de acuerdo? Podría haberla acusado como a una adulta, pero no lo hice. La traté como a una menor, así cumplía un tiempo en el Instituto y después salía.

—Actuó de manera muy justa.

—Eso es lo que intento —dice Lubitsch, y mueve el cuello macizo.

—Y sabiendo que usted había sido justo con ella en ocasiones anteriores, ¿Montague le pidió que usted fuera a verla al hospital?

—Así es la cosa.

—Y usted fue con su compañero... —Hobie hace ademán de ir a mirar los informes.

—Wells.

—Usted y Wells fueron allá y le dijeron a Bicho que hiciera un pacto, ¿verdad?

—Eso lo recuerdo.

—Y ella les dijo algo que ustedes tomaron por una mentira, es decir, que los disparos contra la señora Eddgar fueron hechos al pasar por una pandilla callejera rival.

—Eso fue lo que dijo.

—¿Y en ese barrio ocurre con frecuencia ese tipo de tiroteos al pasar?

—Muchos.

—¿Pero usted estaba seguro de que la chica mentía?

—Ésa fue mi impresión.

—¿Aunque esta chica estaba más o menos en deuda con usted? ¿Aunque en ocasiones anteriores se había mostrado colaboradora con usted, usted no le creyó?

Lubitsch se permite una sonrisa de sabihondo. "Cuándo comenzarás a crecer", parece decir.

—¿Recuerda usted por qué?

Lubitsch mira el cielo raso.

—No me pareció que fuera cierto.

—¿Podría ser —pregunta Hobie con lentitud— que Montague ya le hubiera dicho a usted lo que había declarado el Pesado? —Hobie se detiene a observar a Fred. Aquí es donde gana o pierde. Lubitsch respira hondo y una vez más alza los ojos al techo. Vacila un instante al borde de la negativa. Pero ahora los hechos comienzan a acudir a mi mente. Aquél fue el día en que Wells y Lubitsch estuvieron en mi despacho diciendo que el caso era una bomba. Fred dijo que iba al Hospital General. Y estaba malignamente contento, porque ya entonces lo sabía todo. Sabía que el Pesado había convertido en sospechoso a Nile. "Fred —me dan ganas de decir—, por el amor de Dios, Fred." En cambio, con poca intención consciente, carraspeo. Sus ojos alcanzan los míos. Sus pupilas parecen agrandarse en ese pequeño instante. Se encoge en el asiento y le acude el mismo recuerdo que a mí. Casi hace un gesto de asentimiento con la cabeza, como si su obligación de decir la verdad fuera un asunto de lealtad personal.

—Tiene sentido —admite.

—¿Usted lo recuerda?

—Bastante.

—Así que usted sabía que el Pesado había hablado. Y que usted iba a ver a esta chica en busca de corroboración, ¿correcto?

Lubitsch se toma un buen momento antes de responder que sí.

—El Pesado está en la pandilla, en los DSN, ¿verdad? El Pesado es lo que llaman Primera Jerarquía, ¿correcto?

—Así lo tengo entendido.

—¿Y los más jóvenes cumplen las órdenes de él?

—Venden la droga que él les da. Sí, el tipo es importante. ¿Adónde quiere llegar? —pregunta, evidentemente incómodo, como les ocurre a muchos policías cuando pierden el control de la situación. Hobie aprovecha para adelantarse unos cuantos pasos.

—A esto, agente. ¿Conoce usted casos de testigos pertenecientes a pandillas, que son amenazados y de hecho heridos e incluso muertos?

—Lo he oído comentar.

—¿A menudo?

—Es probable.

—Y, en su experiencia, ¿no es mucho más probable que eso ocurra cuando alguien presenta una declaración contra un líder de una pandilla?

Ahora Lubitsch entiende adónde quiere llegar Hobie. Considera un momento lo que vendrá a continuación y se limita a contestar:

—Sí.

—Ahora, agente, reconociendo que vino usted aquí con poco tiempo de preaviso; reconociendo que no tuvo mucha oportunidad de ver sus informes o pensar en los hechos del 12 de septiembre; reconociendo que en general usted no le informa a un testigo lo que ha dicho otro testigo... reconociendo todo eso, yo le pregunto: ¿no habría sido mucho más fácil lograr la colaboración de la chica si ella supiera que el jefe ya había hecho lo mismo, y que ella no iba a perjudicarlo al hablar?

Los hombros de Lubitsch se hunden al verse atrapado por el abogado defensor y obligado a decirle la verdad. De nuevo sus ojos, casi en forma involuntaria, se mueven hacia mí antes de responder.

—Tiene sentido.

—Y con el objeto de convencerla, usted tuvo que revelar detalles de lo que había dicho el Pesado. Usted quería que creyera que usted ya sabía la historia que ella iba a contarle, ¿verdad?

—Supongo que ciertas cosas no se las habría dicho. Habría tratado de guardarme algunas, ya sabe, para ponerla a prueba. Pero tenía que contarle bastante para que la chica supiera que el Pesado había hablado.

—Y si ella dice que una de las cosas que usted le reveló fue que el Pesado había acusado a Nile de tramar el tiroteo del padre, usted no puede, sentado aquí en ese tribunal, decir que no es cierto, ¿verdad?

Lubitsch hace una mueca mientras reflexiona. Espera un segundo más, con todo el peso apoyado en los potentes antebrazos, que descansan en el estrado de los testigos.

—No puedo recordarlo del todo. ¿Entiende? Ésa es la verdad. Puede que ella esté en lo cierto, puede que no.

—¿Podría estar en lo cierto? —pregunta Hobie.

Lubitsch no se molesta en responder. En la mesa de la fiscalía, Molto se aprieta inconscientemente la sien, mirando con ojos vacíos los paneles de roble montados en la pared de enfrente para amortiguar el sonido. Hobie tiene el centro de la sala del tribunal para él solo. Sonríe de manera circunspecta al testigo, cuidadoso de no gratificar a Lubitsch por decir la verdad. Pero todos sabemos que ha logrado otro importante momento de capacidad profesional. Ahora las declaraciones de Bicho a la policía no deben considerarse más que como una leal imitación de las del Pesado. Por el momento Hobie ha hecho su trabajo. Lovinia Campbell ha dejado de tener validez como testigo del estado.

En la oficina del alguacil hay vestidores y duchas. Tarifa básica. Armarios oxidados, pisos de cemento, olor a desinfectante. Los jueces, que tenemos libre acceso, nos referimos con ironía a esta zona con el apodo de El Club. Como ex paciente de cáncer que ha leído todos los estudios sobre las rutas subordinadas a la salud, paso por alto el almuerzo por lo menos dos veces por semana y, vestida con calzas y un buzo deshilachado, me marcho de la Cámara y bajando por el bulevar Cushing me dedico a hacer cuarenta minutos de caminata intensa y trote. Rosario, el portero de la entrada de los jueces, un hombre menudo vestido con el uniforme azul de los asistentes del alguacil, me alienta con su saludo habitual: "Vaya a atraparlos, jueza". Cuando regreso, mientras me abre la puerta me dice: "Bienvenida a la Isla de la Fantasía". Nunca he tenido la certeza de si se burla de sí mismo o de la atmósfera fantasmal de los tribunales, donde siempre estamos hombro a hombro con personas a las que, en otras circunstancias, uno trataría de evitar: muchachos que gritan demasiado fuerte, que caminan con una mirada ceñuda y abyecta propia de malhechores, rodeados de amenaza como un halo negro. El edificio federal estaba lleno de empleados y funcionarios oficiosos, rebosantes de la majestuosidad de los Estados Unidos. Pero en los tribunales del condado de Kindle reina una cordialidad humilde entre los abogados, los asistentes, los empleados, una silenciosa necesidad de asegurarnos que pertenecemos todos a una comunidad de gente decente.

Corro con Mahler en mis auriculares; el corazón me late fuerte al bajar al pavimento para evitar a los jurados, abogados y familias que van a almorzar. Un par de abogados, cuyos nombres no recuerdo o nunca supe, me saludan ansiosos con la mano mientras paso veloz. "Hola, Su Señoría." Es uno de los últimos días más o menos buenos del año. La luz se debilita y deprimentes nubes de invierno, pesadas, se mueven al azar en remotos pasajes del cielo para oscurecer unos momentos el día con la horrible precipitación de una maldición primitiva. Pero el sol retorna en forma periódica y el aire es soportable. Pronto la Madre Naturaleza demostrará que en el fondo es una bruja airada. Invierno en el Medio Oeste. Nunca se está del todo preparado.

No lejos de la salida, oigo mi nombre: "Sonny", más o menos canturreado, llega hasta mí en el viento áspero. Me saco los auriculares y espero encontrarme ante otro juez, pero, en cambio, es Seth, que trota para alcanzarme.

—Ah, por Dios —murmuro entre dientes. Fui yo la que empezó, ayer, la que cruzó la barrera, pero esto comienza a hacerme sentir como en la escuela secundaria. Con la misma chaqueta azul y los mismos zapatos que ha llevado puestos todos estos días, Seth llega con una sonrisa exaltada. Los mechones de pelo que suelen taparle las orejas, bastante canosos, se le alzan con el viento.

—Tenía miedo de no encontrarte. Tu secretaria... ¿Marian?... me dijo que habías salido por acá.

—Marietta. —Pienso: muerte lenta, torturas chinas... en serio que voy a matarla. Me quedo parada donde estoy, trotando en mi lugar, los dedos de los pies bailando dentro de mis zapatillas, y lo trato con mis más altaneros modos judiciales, toda muros. —¿En qué puedo ayudarte, Seth?

Se echa hacia atrás, con una mirada húmeda y herida que en cierto modo parece típica de él en estos tiempos.

—Te estoy interrumpiendo —dice—. Vamos, correré contigo.
—Se adelanta un poco y me indica con un gesto que lo siga. Con sus zapatos de calle y la chaqueta, toma la delantera por la avenida con un andar practicado. —No voy a molestarte más de un segundo. Sólo quería saber algo. Ayer me preguntaste por Hobie y Dubinsky, y pensé en eso toda la noche. Y creo haber entendido, creo que ahora sé por qué me lo preguntaste.

—Olvídalo, Seth. —Lo veo venir. Fue a cenar con Hobie y planearon una respuesta. Acá Seth es un misil dirigido. Ésta es justamente la razón por la que juré no tener nada que ver con él. —No vamos a hablar de esto.

—No, quiero que entiendas. No sé lo que está haciendo Hobie. Lo quiero mucho, pero créeme que Hobie T. Tuttle puede ser un tipo traicionero. Así que sea lo que fuere lo que haya cocinado, lo hizo con

Stew, no conmigo. Yo no formo parte. Ni él ni Nile siquiera hablan conmigo. ¿De acuerdo? Eso es todo.

—Es suficiente. —Una frase más, una palabra más, y tendré que hacer algo, parar y llamar a la policía. Pero me permite seguir mi trote en silencio. Hemos llegado al parque Homer, que tiene un sendero circular asfaltado. En épocas pasadas, el Distrito del Parque era una notoria fuente de sobornos, ideal para políticos corruptos como Toots Nucco, que a veces llevaba su metralleta en un estuche para clarinete. En estos tiempos, a medida que la ciudad se va volviendo más pobre, lo mismo ocurre con los parques. Los programas que iluminaron mi vida de niña, las clases de artesanías y los campamentos de verano, han desaparecido. Hasta el mantenimiento de rutina ha decaído. En este parque, por razones que nunca he llegado a explicarme, han podado todos los árboles. Rodean el sendero de pavimento amputados, descortezados, desnudos. El césped, agonizante a principios del invierno, es apenas un montón de parches cubiertos de basura y hojas. Sin embargo, durante el día es un lugar seguro. Madres latinas con sacos de paño llevan en cochecitos a sus bebés abrigados. Transeúntes que se dirigen al centro cruzan el parque para cambiar de líneas de ómnibus. Como un río que corre a través de un cañón, la ruta 843, con su ruido y sus humos, corre a una cuadra de distancia.

Mientras Seth permanece junto a mí, manteniendo con facilidad el ritmo del trote, yo no dejo de pensar. "Hobie T. Tuttle puede ser traicionero." "Él y Dubinsky cocinaron algo." Resulta difícil imaginar a Seth como emisario de Hobie, que me traiga mensajes de este modo. Siento la breve tentación de preguntar qué cree que está tramando Hobie, pero prevalece el sentido común. Con Seth debo mantenerme firme.

—Por Dios, qué frío hace acá. —Intenta mitigar el silencio con una broma y se frota la extensión descubierta de su cuero cabelludo.

—No tengo protección natural —dice.

—Seth, ¿se supone que debo sentir pena por ti porque estás calvo?

—Todavía no lo estoy del todo —aclara—. Sólo tengo la frente muy ancha.

—Permíteme decirte la verdad, Seth. Después de los cuarenta una mujer tiene que preocuparse por todo. De los pies a la cabeza. Se le caen los pechos. Empieza la menopausia. Se le ablandan los huesos. Si ha tenido hijos, es probable que la cola no le entre en los vaqueros de hace veinte años, y tal vez también tenga la vejiga débil. Así que la verdad es que no me parte el corazón que los hombres se vuelvan calvos. De hecho... y en general no soy así... me alegra que tengan algo de que preocuparse. Y además de todo, no creo que les quede tan mal. Les da una apariencia madura que, con franqueza, es una cualidad muy rara en muchos hombres. Así que no siento pena por ti, Seth.

—Santo cielo —exclama—. ¿Por qué estás tan malhumorada?

—Vamos, Seth. Me estás siguiendo por la calle, en una de mis dos horas libres por semana. Y cada vez que hablo contigo te lamentas de algo. Como si supusieras que debo compadecerte, cuando lo cierto es que tengo trabajo que hacer. Cosa que ya te he explicado.

Por raro que resulte, no presenta las defensas que yo esperaba.

—Correcto —dice en cambio, y fija los ojos en los zapatos. Me doy cuenta de pronto, con culpa, de que para alejarlo he tratado de provocar una pelea. Su cara, en el intervalo, sigue reflejando fuertes sentimientos.

—Mi hijo murió —dice entonces—. Ayer me preguntaste qué me pasó de dramático a mí. Bueno, eso fue dramático.

Ha intentado, al parecer, dar el tono de distancia histórica que mantuvimos acerca de nuestras vidas hace un día. Pero el filo de su voz no resiste. Me detengo enseguida mientras él corre unos veinte pasos más, tan completamente incapaz de mirarme que transcurre un momento hasta que se da cuenta de que no estoy a su lado. Hemos llegado al óvalo asfaltado y vuelve trotando junto a mí, contra el fondo de los olmos amputados y torturados, con una postura aflojada por las preguntas que sabe vienen a continuación.

—¿Cuándo fue? —pregunto. Hace casi dos años, responde. —Dios mío. ¿Estaba enfermo? ¿Tenía algo crónico?

—Era apenas un chico. Siete años. Bueno, un chico bastante difícil, para serte sincero. Murió en un accidente de tránsito. —Espera un momento y busca el sol en el cielo color peltre, donde la oscura acumulación de nubes ha despojado momentáneamente al día de todo lo vital. —Manejaba yo.

—Oh, Dios.

—No fue culpa mía. Eso lo dicen todos. El otro tipo estaba borracho... loco, y pasó con luz roja. Mordió el cordón y se abalanzó contra nosotros. Yo lo vi, tal vez con el rabillo del ojo, y traté de desviar el auto, pero el de él apuntaba a nosotros. Casi partió mi auto en dos. En un segundo estaba sentado ahí, diciéndole a Isaac que no se metiera los dedos en la nariz, y después... Lo único que agradezco es no haberlo oído gritar, y sin embargo, por Dios, ¿cómo puede el hijo de uno morir sin siquiera emitir un sonido?

Ahora mis brazos se han cerrado alrededor de mi propio cuerpo, para tolerar el dolor feroz. Intento unas palabras de consuelo, pero él alza la palma de la mano, y me doy cuenta de que ésta debe de ser una de las peores partes, escuchar a la gente buscar palabras, en la esperanza de expresar un sufrimiento tan de él, no de ellos. Incluso entonces, no puedo evitar repetir lo mismo una y otra vez. Lo lamento. Lo lamento mucho.

—No tenía idea, Seth. Tu vida parece tan expuesta en la columna... No has escrito una palabra de esto, ¿verdad?

—Odio hablar de esto. Estoy devastado de piedad por mí mismo. Tú lo has visto. Todos lo ven. Es como una llaga abierta.

Veo que le he tomado una mano. El sudor se ha escurrido por debajo de la correa de su reloj de pulsera y la manga de su camisa de vestir. Su otra mano aprieta el puente de la nariz, tratando de dominarse.

—¿Y el tipo que te chocó? ¿Está preso? —Qué pregunta idiota, pienso enseguida; estúpida. Trato de meter todo dentro de mis propios horizontes, porque el pensar lo que él ha sufrido me asusta mucho.

—Ah, claro. Le dieron quince años. Tenía antecedentes, y pesados. Un pobre negro embromado. Auto robado. Todo el circo. Se declaró culpable. Nunca tuve que volver a mirarlo, siquiera. Lucy fue al tribunal cuando lo sentenciaron. Yo... Es decir, ¿qué sentido tiene? Nunca pienso en el tipo. Lo que pienso es que si yo hubiera actuado más rápido, si hubiera apretado el acelerador con más fuerza... Sí, sí, sí. —Escruta el parque. Un chico de trece años, con la gorra puesta al revés y fumando un cigarrillo, pasa patinando como una exhalación a nuestro lado.

—Acá nos vamos a congelar —dice Seth. Y empieza a trotar, y yo lo sigo, caminando rápido. Él reduce un poco el ritmo para mantener el mío.

—¿Y Lucy? ¿Está...?

—Está loca. Aunque no es que yo esté en mejor posición para hablar... Los dos estamos enloquecidos. Pero de maneras diferentes. —Esto es lo que hay entre Lucy y él, me doy cuenta. Avanzamos hasta la mitad del óvalo sin palabras, pero él percibe lo que pienso. —No es que ella me culpe —dice—. Por lo menos, no como me culpo yo. ¿Pero hacer algo así? ¿Correr? Hace seis meses empezamos a correr juntos antes de la cena. Llevábamos el perro. Compramos unas luces, de ésas que se ponen en los codos. Y equipos haciendo juego. ¿Pero como puedes disfrutarlo? No se puede. Piensas que no es así como debería ser nuestra vida. Se supone que deberíamos estar en casa, gritándole a Isaac que apague el televisor, que empiece a hacer los deberes. No hay amargura entre nosotros. Simplemente, no logramos encontrar un modo de seguir adelante.

—No me imagino a Lucy demostrando amargura.

—Por supuesto.

—¿Todavía es tan buena como antes?

—Todavía.

—Supongo que siguió alguna carrera y dejó la astrología.

—Sí. Pero todavía cree en eso. Y en la reencarnación. Y en la música de las esferas. Se podría decir que es New Age. —Hace un movimiento de cabeza, como maravillado por cómo es Lucy. Desde hace un año, me cuenta, Lucy dirige un comedor de beneficencia en Seattle. Esboza una imagen irónica de ella, que trata de igual a igual a perdedores, adictos, borrachos y chiflados, a los que tiende una mano amiga. Lucy es una persona de ilimitada generosidad, amparadora de descarriados, madre de todo necesitado, ya sea un pájaro con un ala rota, la cosmetóloga que necesitaba lecciones de inglés, o la mucama, para cuya hija mayor logró, tras una cruzada de ocho meses, una vacante en el Bellingham Country Day, mientras que los hijos del propio Seth no fueron aceptados.

—¿Doy la impresión de que esto me molesta? —me pregunta Seth.

—Tal vez —respondo.

—Entonces estoy dando la impresión errada. Me asombra que se dedique tanto a gente que apenas conoce, mientras yo estoy siempre en esta confusión, tratando de encontrar un camino para sentir algo por gente que se supone debe importarme.

—Espero que lo logres, Seth.

—Yo también. Ahora es un lío. Tú lo has pasado. Los amigos. La casa. Es decir, de pronto ya nada te pertenece. Cosas que eran tuyas para siempre. La gente te ve venir y·tiene en la cara esa expresión, como si lo hubieras echado todo a perder. Me alegra estar lejos de allá por un tiempo.

Los amigos de Charlie en la universidad. Ray Napue era acerbo, terriblemente gracioso con todos menos consigo mismo. Carter Melk, otro poeta, era amable pero no hablaba. Los extraño a los dos, pero no a la universidad, con sus rivalidades intensas y secretas, reminiscentes de una corte medieval.

—Bueno, ¿y qué hizo el idiota que estaba contigo?

—¿Charlie? ¿Por qué es un idiota?

—Te dejó, ¿no?

—Lo dejé yo. Lo hicimos por turno durante años. Pero el último telón lo bajé yo.

¡Charlie!, grita algo dentro de mí. Pensar en él sigue resultando imposible. Es como un trauma que nunca logro evocar del todo: una mala caída, una paliza. Con Charlie, lo que no puedo recordar es qué diablos le vi. Recuerdo como un dato, como las capitales de los cincuenta estados, que durante muchos años caí bajo su hechizo. Pero era autocrático, egoísta. Vuelvo a establecer ese punto cien veces por día. Esta mañana, al despertarme, recordé con claridad con cuánta frecuencia me raspaban las uñas de sus pies en la cama, de noche. Por razonables que fueran mis ruegos, se negaba a cortárselas.

—¿Y él qué hizo?

—¿Quieres decir, para irritarme?

—No. Esa lista es corta, ¿no? Los tipos son tan predecibles: no te amaba lo suficiente, no te prestaba bastante atención, salía con otra.

—Correcto, correcto y correcto —digo.

—Ahora, ¿como se ganaba la vida? ¿Era médico, abogado, jefe indio?

—Poeta.

—No te creo.

—Es cierto. No ganaba mucho dinero. Ahora tiene un puesto como docente en la universidad, cerca de Cincinatti. Pero hubo un largo período, mientras estábamos juntos, en que se negaba a enseñar. Sostenía una lucha encarnizada con el Departamento de Inglés. En ese entonces era cartero. —Hemos dado la vuelta completa al óvalo. A tres cuadras de los tribunales y el reducido borde sur del Center City, se elevan las formas más bajas de una esforzada zona residencial: mercados, tabernas, casas de tablas de madera, la hermosa aguja dorada de la iglesia serbia, marcada como una llave contra las puertas del cielo.

—Así que se enganchó con una abogada rica, ¿eh?

Me río ante la idea.

—No, Charlie nunca aprobó mi carrera legal. Reglas. Formas. Siempre pensó que ese tipo de cosas eran triviales. "Los despojos de la vida." Así se titulaba uno de sus poemas. Incluso cuando yo era fiscal, él no le veía sentido a mi trabajo.

—¿Quería que los culpables quedaran libres?

—Creo que sólo habría preferido desterrarlos. Embarcarlos a todos a otra parte. Hacerlos irse. Ése era el enfoque habitual de Charlie respecto de los problemas.

Yo siempre había pensado que veía la vida más o menos a la manera de Charlie, así que me chocó descubrir que la ley era algo para lo que poseía cierto don. Unas cuantas veces, en mi último período en la facultad de Derecho, fui al tribunal. Yo trabajaba en la Oficina de Defensores del Estado, y se me permitía presentar casos de delitos menores. Una vez, después de mi actuación, fui a una frutería cercana y allí, mientras miraba los granos lustrosos de un manojo de moras, me di cuenta de que lo que había estado haciendo minutos antes, mi facilidad para dirigirme al juez al pedir clemencia para los desdichados y los débiles, se hallaba por completo más allá de Charlie, a quien le angustiaban las palabras, no sólo en sus poemas, sino incluso al contemplar lo que podría hablar en su clase a jóvenes de dieciocho años que en su mayoría no deseaban de él más sabiduría que algún camino seguro para aprobar inglés. Por alguna razón nunca había pensado de esa forma precisa en nuestras respectivas capacidades relativas. De hecho, estaba acostumbrada a considerar a Charlie como poseído por algo empíreo y mágico, una sustancia, si no del genio, al menos del arte; pero ahora, en la frutería, de pronto tomé conciencia de mi momento en la corte, de mi intercambio de palabras ásperas con el fiscal desaliñado y del meneo concienzudo de la cabeza del juez al conceder a mi desamparado cliente una generosa sentencia de noventa días de libertad condicional. Y a ese pensamiento le siguió entonces, como parte de una secuencia inevitable, que de un modo por cierto mundano yo era más fuerte que Charlie, más resistente, la mejor sobreviviente. Y más extraordinario aún me pareció cuán poco me sorprendía mi hallazgo; lo había sabido siempre, y nada de ello, reconocí, había sucedido por azar.

—¿La ruptura fue amarga? —pregunta Seth.

Me limito a emitir un sonido al recordarlo. Del otro lado del óvalo, reconozco a otra corredora, Linda Larsen, secretaria del juez Bailey, y la saludo con la mano.

—Me amargaba Charlie. Pero no mi matrimonio. La verdad es que voy comenzando a verlo como una fase útil para los dos. Yo alejé a Charlie de Rebecca, su primera esposa. Nadie debe permanecer mucho tiempo al lado de Rebecca. Y la relación me ayudó a superar mi enfermedad. Él se me declaró cuando la radiación me había dejado sin pelo.

—¿Tú no tenías pelo y él tenía esposa?

—Exacto.

—Qué modernos —comenta.

—Posmoderno —aclaro—. A veces, cuando estoy deprimida, me pregunto, por supuesto...

—¿Qué cosa?

—Si ya desde el comienzo siempre quise dejar a Charlie. Ya sabes, si siempre supe que mi matrimonio estaba destinado al fracaso.

Parece confundido.

—Me refiero a mi madre —explico—. ¿Entiendes? Me crió una mujer sola. Y acá estoy, haciendo lo mismo. Y me pregunto si yo no sentía que en eso había un cierto destino. Temo que, cuanto mayor me vuelvo, más me parezco a ella.

—No te le pareces en nada, Sonny. En nada. —Mientras continuamos moviéndonos, me aferra una muñeca con urgencia, como antes yo tomé la suya. Sus ojos verdes están más grandes. —Ella era loca.

Como perforada por una lanza arrojada en el aire, de golpe me vuelve el dolor de aquello: recordar que todo el mundo consideraba rara a Zora. Nunca pude tolerar decirlo yo misma, que Zora no era común, ni tenía razón. Menuda, con un ojo albino a causa de un accidente con, cohetes cuando era chica, hablaba con urgencia y alto volumen, y siempre me colmaba de citas memorizadas de escritores de espíritu izquierdista, desde Walt Whitman hasta Maud Gonne, y chismes de libre asociación sobre figuras del movimiento obrero. Perseguía mil metas oscuras. Revolvía negocios de segunda mano y librerías de viejo procurando tesoros: frascos de farmacéutico, cajas de botones, escritos perdidos: una rara traducción de las *Canciones de la vida y el espíritu*, de Rubén Darío; *Felix Holt, the Radical*, de George Eliot. Siempre se dirigía a mí con términos de profuso cariño —"mi preciosa adorada", "mi tesoro"— y en los mejores momentos —¡a menudo!— era cierto. Ser el objeto de toda la galvánica pasión de Zora equivalía a hallarse en el centro del mundo. Pero había otras veces en que, en todo el sentido de la frase, perdía la cabeza.

Una vez me perdió en el torbellino que causó en una reunión de la Asociación de Padres y Maestros local, donde al parecer se oponía a la inclusión de las palabras "bajo Dios" en el Juramento de Lealtad. En esa época, cuando los hombres no cuidaban de los niños y no se admitía que las mujeres que trabajaban gastaran el sueldo en guarderías, Zora me llevaba a la zaga, a reuniones de organización y debates de comité. Yo jugaba con muñecas debajo de las mesas de la cena y me consolaba tomando gaseosas, mientras mi madre y los demás discutían furiosamente sobre doctrina y fumaban cigarrillos sin filtro. Pero aquella noche Zora no se encontraba entre amigos: sin más compañía que la mía, enfrentaba al barrio de comerciantes en el que la habían criado, en Kewahnee. Yo era una nena flaca y morena, vestida con una pollera y un suéter desechados por mi prima, y aferraba una muñeca de trapo y el dobladillo de la falda de mi madre. Zora hacía gestos exagerados, y su voz surgía con chasquidos expectorantes a un volumen ensordecedor mientras gritaba por un micrófono. Al final la echaron del salón: "Vete, loca polaca. Perra comunista atea. Vuelve a Moscú". Entre los puños levantados y la turba agitada, me encontré de repente sola, empujada de un lado a otro, sin saber si Zora se había dado cuenta de que yo no la acompañaba. El momento se alargó y se alargó. Me quedé ahí chillando: "¡Mami!", hasta que Zora me recuperó, casi distraída, al tiempo que se volvía a contestarle a alguien con una invectiva insultante.

Eso es lo que Seth y yo vimos el uno en el otro, aunque ninguno de los dos lo sabía entonces. A ambos nos habían criado padres que no eran comunes, que eran exiliados de la corriente de padres normales.

—Cuéntame de tu hija —me dice al fin. Este tema siempre me causa puro placer. Conversamos en detalle. Cómo se viste Nikki. Sus estados de ánimo. Las glorias del jardín de infantes. Al volver, cruzamos el arco de concreto que atraviesa la carretera y trotamos hasta el pequeño barrio italiano donde todavía hay panaderías y otros negocios, con un crucifijo o un corazón encima de los mostradores o las mesas. A esta hora, la hilera de restaurantes —Jenna, Mama Sesta— abunda en abogados y empleados de los tribunales. Unas cuantas mesas permanecerán ocupadas por hombres y mujeres que, por algún capricho de la fortuna, pueden beber durante toda la tarde. Un sujeto canoso, vestido con una camisa de manga corta a pesar del frío, está parado en la vereda ante su casita minúscula, mirando con desconfianza a todos y disfrutando de un cigarrillo.

Unas cuantas puertas más allá hay una verdulería maravillosa, Molinari; en esta estación, Jocko tiene hermosas pirámides de cítricos. Seth y yo compramos agua mineral y dos bellas manzanas Granny Smith.

—Por Dios, mírame —dice Seth mientras salimos del negocio. Tiene la camisa empapada y hasta la chaqueta está humedecida en forma de semicírculo debajo de un brazo. Tendrá que regresar al hotel Gresham a cambiarse, observa. Volvemos caminando a los tribunales.

—Hablas de todo como una persona espantosamente heroica —comenta—. Debió de ser difícil. El divorcio, el cáncer. Ser una madre sola. Eres muy decidida.

—El divorcio —digo— era una necesidad. Y Nikki es mi alegría. Estar enferma es terrible, pero creo que casi lo he dejado atrás. Cada seis meses, más o menos, tengo pesadillas, y hay momentos en que me siento mal. Pero la mayoría de los días soy... ¿Cómo dijiste? ¿Decidida? Resuelta. No heroica. De lo que más contenta estoy, u orgullosa, es de no haberme convertido en la enfermedad. Como sabes, eso comienza en el hospital. Allí actúan como si una no tuviera nombre; te identifican con el procedimiento. Eres "una mastectomía". Eres una "colostomía". Resulta fácil pensar que esta enfermedad que amenaza tu vida "es" tu vida. Y no caí en eso. Tuve a mi bebé. Acepté este empleo. Al final, puedo contar lo que me pasó —digo—. Las cosas malas suceden. Cáncer o divorcio. Suceden, ¿sabes? —Lo digo en serio, lo creo. Y sin embargo el estrés de estos cataclismos todavía me afecta. En los últimos tiempos debo de haber aprendido más sobre mí misma que la mayoría de los seres humanos. La última docena de años, el período en que mis amigos de la facultad adquirieron una colección de hábitos y reflejos elegidos a los que denominaban vida... para mí el mismo lapso ha sido como un bombardeo, una sorpresa explosiva tras otra. Enfermarme. Volver con Charlie. Terminar la facultad de Derecho. Un bebé. El divorcio. La judicatura. ¿Cuándo?, me pregunto; considerándolo todo, ¿cuándo, cuándo descansaré, estaré en un lugar cómodo, o al menos descansado?

—Las cosas malas suceden —repite Seth, y sólo ahora reconozco lo que se hallaba contenido en su observación de que soy resuelta. Me siento desmedidamente torpe, aunque mi dolor por él continúa ciñéndome la caja torácica.

—Lleva mucho tiempo, Seth.

—Así dicen. —Me mira. Ya lo ha oído todo. Comienzo a pedirle disculpas, pero me interrumpe. —No iba a mencionarlo —dice—. De veras detesto...

—Ah, Seth. Yo sólo... —Me destrozaría el corazón pensar que cualquier viejo amigo, cualquier persona que compartió tanto de mi vida pudiera aislarse con un peso semejante. ¿Y qué es eso que se cierne tan enorme? La vida, digo. Para mi asombro, descubro que, aunque no soy una persona llorosa por naturaleza, de pronto estoy llorando. Él me rodea brevemente con un brazo, y yo me seco la nariz en la manga del buzo del que cuelgan varias hilachas. Por suerte para los dos, estamos otra vez detrás del edificio de los tribunales, donde empezamos.

—Bueno, ya has hecho tu ejercicio —dice, a falta de algo mejor. Apenas logro sonreír. —¿Alguna vez traes a Nikki aquí? Me encantaría verla.

Es un pedido inocente, pero, como todo lo demás en este momento, me golpea el corazón, al pensar en lo que debe de significar para él ver a los hijos de los amigos, a la vez un tormento y una tranquilidad.

—Pasa por casa alguna vez. Cuando visites a tu padre. Grive 338.

—Así el viaje valdría la pena. Casi —dice, y me mira—. Será mejor que lo pienses.

—No hay problema. Tienes buena conducta, y también yo.

—¿Tal vez este fin de semana?

—Durante los fines de semana salimos mucho.

—Cuando sea.

Le doy un abrazo rápido. Quedamos frente a frente. Me hallaba en lo cierto cuando, al verlo por primera vez en la sala del tribunal, detecté en él algún tipo de agotamiento. Sufrimiento. Dolor. En la entrada de los jueces, lo dejo con una frase de nuestras épocas pasadas.

—Eres un buen hombre, Charlie Brown.

Abril de 1970

SETH

Las sesiones ante la junta directiva para lograr la expulsión de Eddgar comenzaron en la tercera semana de abril. Se realizaban entre las cuatro de la tarde y la diez de la noche, de modo que los integrantes del cuerpo docente pudieran asistir sin interrumpir sus clases. Después del fin de cada sesión, los Eddgar y sus abogados se encontraban para llevar a cabo una prolongada sesión de planeamiento, en la que discutían sobre estrategia y reunían información sobre los siguientes testigos. Eddgar y June rara vez llegaban a su casa antes de las dos o tres de la madrugada, apenas un par de horas antes de que yo tuviera que levantarme para salir a distribuir *After Dark*. En consecuencia, comencé a acostar a Nile en el sofá de la sala de mi departamento. Irritado por mi inminente huida a Canadá y mi ruptura con Sonny, no dormía bien y a menudo oía a uno de los padres del chico entrar en puntas de pie a buscarlo.

En aquellas semanas mi vida era deprimente, muerta, perdida. No entendía por qué seguía trabajando, por qué no me había ido ya, salvo que no me parecía que pudiera dar un paso de tan sustancial importancia en semejante estado de deterioro. Faltaban un par de semanas para mi reclutamiento, el 4 de mayo. Michael, Nile y yo continuábamos cenando juntos todas las noches, pero eran reuniones tristes, silenciosas salvo el ruido del televisor, que miraba Nile. Yo sentía con agudeza la ausencia de Sonny, y Michael estaba más remoto que nunca. Afirmaba que le preocupaba el laboratorio, pero yo intuía que su romance con June lo había llevado a una nueva etapa crítica. En aquellos días a los dos se los veía tensos cuando se hallaban uno en presencia del otro.

Cuando Nile se dormía, yo me tendía en el colchón en el piso de nuestro dormitorio —donde ahora dormía solo—, con la radio de transistores pegada a la oreja, escuchando las sesiones contra Eddgar que se emitían por la radio del campus. Aquello me recordaba la época en que yo tenía siete u ocho años y solía meterme bajo las frazadas, en casa, con el volumen de mi radio reducido a un murmullo sigiloso, escuchando los partidos de béisbol de los Trappers en una época que ahora, de manera inesperada, consideraba más feliz.

El caso contra Eddgar dependía sobre todo de las pruebas reunidas por la policía del campus. Aunque se había hablado mucho de soplones, no se había presentado ninguno. Ni tampoco daba la impresión de que los necesitaran. La policía tenía fotos. Éstas mostraban a miembros del PLP con máscaras antigás. Y en la foto que se volvió más o menos la firma del caso, la mujer misteriosa, la muchacha que había chillado y desaparecido, aparecía retratada al emerger de entre la multitud. En una toma estaba normal, sin marcas. En otra, tenía una mano en la cara. Chorros de sangre oscura le corrían desde la frente, pero, según decía el fiscal del cuerpo docente, se le estaba cayendo algo de la mano. ¿Un frasco? Por fotos de prontuario la identificaron como Laura Lancey, empleada de Bayside Oackers, la planta enlatadora donde trabajaba June. Como señalaron los abogados de Eddgar, nada de esto probaba que no le hubieran pegado; nada de esto implicaba a Eddgar, incluso si se daba por sentado que conocía a la joven, cosa que él negó enfáticamente. Pero la secuencia de fotos —la universidad presentó las hojas de contactos numerados— mostraba a Eddgar mirando dos veces por encima del hombro, a sus espaldas, hacia la zona de la amplia plaza donde al fin apareció Laura Lancey. Como si él supiera que allí iba a suceder algo. Los abogados de Eddgar afirmaron que el orden de los negativos había sido invertido.

En las discusiones de café del bulevar Campus, había pocos testimonios acerca de Eddgar. Nadie suponía que fuera incapaz de violencia o de mentir al respecto después. Al fin y al cabo, era un revolucionario, dedicado a socavar las instituciones burguesas. Pero si la universidad se aferraba a las pautas del sistema que quería defender, sus pruebas parecían endebles. El discurso de Eddgar no era más que eso, un discurso. El fiscal del cuerpo docente trató de establecer que Eddgar había estado en el campus, ayudando a los revoltosos. Dos policías afirmaban que habían entrevisto a Eddgar, supuestamente ayudando al individuo que cayó del tejado de la estación de policía, pero admitían haberse hallado a unos cuantos metros de distancia en aquel momento. La policía había recuperado también una camiseta de un tacho de basura del campus. Tenía un brazalete de Cien Flores en una manga y restos de algo que el fiscal afirmó eran las iniciales de Eddgar impresas en el cuello años antes, cuando todavía enviaba sus camisas al lavadero chino. Las ironías de esta prueba no le pasaron por alto a nadie.

Yo sabía que Eddgar era culpable. Hasta que se realizaron aquellas audiencias, no me había molestado en admitirlo de manera abierta, pero a esa altura comencé a reconocerlo con gran sorpresa. No obstante, me descubrí vagamente esperanzado de que aun así saliera del paso, aunque todavía no me sentía seguro de si estaba de su lado o no. Con mi humor de aquel período, no obstante, sentía simpatía por cualquiera que se viera obligado a enfrentar a la despiadada autoridad.

Con el correr de los meses Nile y yo habíamos encontrado nuestro ritmo. A veces dibujábamos con tiza en la vereda, a veces él me dejaba interpretar el papel de un hombre gruñón que no podía alcanzarlo mientras él me arrojaba cosas desde la casita del árbol. Todavía prefería mirar televisión en mi departamento, pero de vez en cuando me hacía alguna pregunta, provocada por lo que veía. ¿Por qué el muchacho se ponía furioso con una chica a causa de otra? A veces me llamaba para confirmar las lecciones que su padre le enseñaba de manera implacable.

—Los avisos comerciales no son más que grandes mentiras, ¿no?

—Muchos de ellos.

—Sólo quieren que uno compre cosas. Son muy codiciosos, ¿verdad?

—Tal vez piensan que lo que venden te podría ayudar.

—Son codiciosos —repetía Nile. La codicia era un pecado que, en especial, Eddgar denunciaba con furia. "No quieren ayudar a la gente. No les importa ayudar a la gente." Sus ojos se fijaban en el espacio, en algún juicio perturbado sobre el mundo y, quizá, sobre sí mismo.

A pesar de los persistentes esfuerzos de June por protegerlo, las audiencias por la expulsión de Eddgar también habían influido de manera negativa en Nile.

—Nos mudamos —me dijo Nile una noche de abril—. ¿Sabías que vamos a tener otra casa en otro lugar?

Traté de mostrarme alentador y le sugerí que tal vez no fuera así.

—June dice que sí. —Movió la cabeza con énfasis. —¿Tú también tendrás otra casa, con nosotros?

Por insistencia de June, yo apenas si hacía vagas referencias a mis planes. Ella creía que el chico no podría elaborar bien mi partida, en particular cuando ellos mismos vivían una situación tan inestable, opinión que parecía bien fundamentada por la reacción asombrosamente displicente de Nile cuando se mudó Sonny. Sonny compartía tiempo con Nile sólo a la hora de la comida, pero siempre lo trató con amabilidad y desde el principio comprendía mucho mejor que yo sus estados de ánimo. Algún tiempo atrás, en el invierno, yo me había quejado de que Nile daba la impresión de desaparecer dentro del televisor, inmune a cualquier otra distracción.

—¿No ves que está deprimido? —me respondió ella. Estaba sentada, con las piernas cruzadas, en nuestra cama, rodeada de libros.

—¿Deprimido? Es un chico. ¿Qué motivos tiene para deprimirse?

—¿Tú no te deprimías cuando eras chico? ¿No te lo pasas hablando de eso?

—Yo estaba aterrado. No sé si era depresión. ¿Por qué? ¿Tú te deprimías?

Se encogió de hombros y dio vuelta una página, absorta. Pero aun así agregó:

—Lo que quiero decir, bebé, es que... Debes observar ese hogar. Piensa en lo que es ser hijo de un revolucionario, alguien que vive declamando sobre cosas más grandes y más importantes que cualquier objeto o cualquier persona, incluyéndote a ti.

—¿Quieres decir que Nile siente celos de Mao? —Como de costumbre, yo estaba muy entretenido conmigo mismo y no pude entender la expresión furiosa y molesta de Sonny, ni por qué volvió a concentrarse en sus libros con gesto tan enojado.

Sin embargo, ella tenía razón. Nile era uno de esos chicos para los que crecer resultaba difícil. En la escuela se metía siempre en uno u otro problema, y a menudo se consideraba víctima de terribles dolencias físicas. Cualquier corte, por microscópico que fuera, le inspiraba prolongados llantos. A veces tenía hasta seis apósitos adhesivos en las piernas y los brazos.

Una noche, en el otoño, en que me encontraba a solas con él, lo había oído yendo al inodoro. Me sobresalté porque nunca antes se había levantado de noche. Se había sacado la ropa y estaba parado, temblando. Tenía sólo un enorme pañal gigantesco que lo envolvía.

—Me hice encima —dijo, aunque no hacía falta que lo anunciara. El olor era fuerte. Lo lavé, mientras él temblaba, y sus ojos, oscuros como los de la madre, se cerraban de sueño.

Durante la época de las audiencias, yo cubría mi sofá con una lámina de plástico para asegurarme de que Nile no tuviera que preocuparse por sus accidentes. Como pronto me iría, no me preocupaba si el lugar apestaba. A lo largo de los meses June nunca había tocado el tema conmigo. Nunca me dijo qué hacer para ayudar, ni me confesó que era por eso que insistía en que Nile durmiera en su propia cama. Era otro secreto más del hogar de ellos, que, al igual que otras cosas de mi conocimiento, esperaban que yo mantuviera en secreto.

La noche en que Eddgar concluyó su declaración, apareció para buscar a Nile. Yo había escuchado cada una de sus palabras por la radio del campus y pensaba que había hecho un buen trabajo por su propia imagen. Negó toda intención de incitar a una revuelta, dijo que nunca se había encontrado con Laura Lancey, y afirmó que había regresado a su departamento no bien la manifestación en el CDIA degeneró en violencia. Declaró que no desempeñó papel alguno en la siguiente refriega en el campus. Sus palabras sonaban ecuánimes, el alma de la razón. Sospeché que mucho de lo que dijo era cierto: que había tenido la cautela de no encontrarse nunca con Laura Lancey. Pero su voz no lo traicionaba de ningún modo, ni siquiera en los momentos en que yo sabía que estaba pronunciando puras mentiras. En la formulación de repreguntas el fiscal se contentó con recurrir al texto de muchas clases y discursos públicos de Eddgar.

—Al dirigirse a un grupo, ¿ha repetido usted alguna vez el dicho: "El poder político proviene del cañón de un arma de fuego"?

—Por supuesto. Sí. Es una cuestión de teoría.

—¿Ha incitado usted a la lucha armada, a la violencia?

—En el momento debido.

—¿Y quién decide cuándo es el momento debido, doctor Eddgar?

El abogado de la defensa objetó, y al final el presidente de la junta directiva interrumpió el interrogatorio.

Aquella noche, cuando vino a buscar a Nile, le dije que me parecía que le había ido bien.

—En vano —respondió—. El final es una conclusión inevitable. Debo admitir que ése fue siempre uno de mis acertijos favoritos. ¿Por qué Jesús dijo lo que dijo en la cruz? ¿Sabes a qué parte me refiero? Cuando dijo que su padre lo había abandonado. ¿Acaso el pobre tonto no sabía lo que venía? ¿O su padre lo mandó aquí abajo sin ninguna advertencia? ¿Qué clase de relación tenían, de cualquier modo? —Rió a su modo callado de costumbre cuando algo lo divertía sólo a él.

Le pregunté por los alegatos, programados para el día siguiente, pero no mostró interés. Sus ojos cayeron en las dos cajas de cartón de pertenencias que había dejado Sonny. Sin duda supuso que eran mías.

—¿Cuándo te vas? —me preguntó.

—La semana que viene. —Era la segunda semana que repetía lo mismo. A veces temía no poder despegar nunca, esperar hasta que una vorágine espantosa —el FBI o los dragones militares secretos— me absorbiera rumbo a un destino negro. Por el momento, sin embargo, utilizaba la excusa de las audiencias. Me iría tan pronto como los Eddgar volvieran a establecerse.

—Y tus padres... ¿todavía te persiguen? —me preguntó.

—Sin piedad. —Mi madre había retirado dinero (sus fondos propios, su *knipple*, ahorrado de los gastos de la casa) y comprado un pasaje abierto a Vancouver. Mi padre decía que también había preparado una valija. Había una sola en la casa, que yo supiera, una maleta marrón, dura como la coraza de un insecto, y ahora la imaginaba depositada junto a la puerta de entrada.

—Tal vez debieras repensar lo del secuestro.

Reímos. Por momentos yo había vuelto a considerar la idea. Me causaba una emoción perversa imaginar a mi padre tironeado de esa forma, entre su hijo y su dinero. Un tema antiguo. Midas me acudió a la mente, aunque yo tendía a pensar más en el célebre cómico Jack Benny, uno de los favoritos de mi padre, y su chiste famoso, cuando lo aborda un ladrón con arma y antifaz: "La bolsa o la vida", le dice el ladrón, y Jack, tras una espléndida y larga pausa, le responde: "Lo estoy pensando, lo estoy pensando".

Mientras recorría en el auto mi ruta de entregas, dando vuelta a todo esto de manera obsesiva, como dados que ruedan, creía poder medir las verdaderas probabilidades. Cada vez empujaba más lejos mi imaginación por una sucesión de hechos probables. Mi padre era demasiado astuto como para no percibir el engaño. Por supuesto. Entendería que aquello era demasiado conveniente. Demasiada coincidencia. Pero mi madre jamás se permitiría no creer, por imposible que fuera la amenaza a mi bienestar. Lloraría. Se tiraría de las mangas del vestido, agitaría las manos, seguiría a mi padre de un lado a otro, sin dejar de llorar, rogándole en alemán, chillando y acosándolo. Él cedería. Se desprendería del dinero, aunque desde el principio sospechara que yo había exigido un precio para dejarlo en paz.

—Es como dije hace un rato: al final pagaría, y yo no me encontraría mejor que al principio. La verdad es que no es viable.

—Ah, siempre hay un modo. Son sólo detalles —agregó Eddgar, como si no fueran los pormenores el material de que está hecha la vida.

Yo estaba sentado en el sillón de la sala, tirando del parche deshilachado por el que asomaba el relleno.

—No crees en serio que eso es lo que debería hacer, ¿no?

—Seth, lo que yo creo es que deberías unirte a la lucha armada. Pero no soy tan tonto como para creer que pudiera ocurrir ahora.

—Había tomado la manta y el animal de peluche de Nile, y ahora volvió a dejarlos en el sofá, donde el chico dormía, indiferente a nuestra susurrada conversación. —¿Puedo contarte una historia? Es la peor que conozco. La peor. Odio hasta pensar en ella. Pero hay algo que quiero explicarte.

Se sentó en un cajón de leche que usábamos como mesita para el café y se subió las piernas de los pantalones.

—Cuando yo tenía catorce años —dijo Eddgar—, fui con mi padre al Club de Caza de Overlook Valley. Esa parte de la vida del sur... esa parte que, cuando hay unas seis familias blancas prósperas en una región de ochenta kilómetros cuadrados, los lleva a organizarse en un club de caza o un club de campo o alguna empresa pastoral semejante, esa parte nunca me la he explicado del todo, pero mi padre, así como el padre de él, era miembro de ese club, y los sábados por la tarde, cuando terminaba la semana de trabajo y se preparaba para el Sabbath del domingo, solía ir a ese club y beber whisky de Tennessee hasta que se ponía el sol. Se emborrachaba como una cuba. A mí me daba una vergüenza terrible verlo en ese estado... se ponía de un rojo subido, intenso, como el de un geranio, y además manifestaba una inescrupulosa ruptura con sus principios religiosos, respecto de lo cual jamás pronunciaba una sola palabra de disculpa. Yo detestaba acompañarlo, pero me criaron en esa clase de familia donde sólo decías "Sí, papá" cuando te pedían algo, así que iba con él muchos sábados, sometiéndome a una educación que, supongo, él esperaba que yo adoptara como mía, escuchando a hombres corpulentos con apodos característicos (Oso y Cabeza de Perro y Billy Ray) que bebían whisky de maíz con menta y agua azucarada mientras hablaban de los animales que habían matado y las mujeres que habían conocido. ¿Me sigues? —preguntó.

Con esta historia, Eddgar se sentía a sus anchas... en todo sentido. Su léxico cambió y se intensificó su acento. Supe que la había contado muchas veces, que la tenía practicada, pero atraía mi atención como siempre. Respondí afirmativamente con un gesto rápido de la cabeza, para que prosiguiera.

—Bueno, el pueblito de Overlook quedaba cerca del club, y había que atravesarlo en el auto para volver a la plantación de mi padre. Era como la mayoría de los pueblitos sureños: parches blancos y de color separados por las vías del ferrocarril; todavía no había semáforos, porque no teníamos Electricidad Rural. Y una noche, en que mi padre estaba embotado por la bebida, avanzando como loco por esos caminos de tierra, dio vuelta volando por una esquina y chocó con un viejo cascajo tembloroso que había parado cortésmente ante el cartel de detenerse. Debo decir que el choque nos dio un buen sacudón, tanto a mi padre como a mí. Su cabeza rebotó contra el parabrisas y comenzó a arrojar un hilito de sangre que le corría por los ojos, pero al final nos recuperamos y miramos hacia afuera, donde un pobre negro del campo, de camisa a cuadros y overol sucio de tierra, se había bajado de su coche y estaba evaluando los daños causados a su Ford. Tenía todo el frente abollado, por completo inutilizado, salvo el hilo de vapor blanco que salía del cacharro.

"Bueno, por algún principio de mala suerte que estuviera actuando en aquel momento en Overlook, no había ningún otro testigo en la calle, ni una sola alma además de ese hombre y mi padre y yo, que lo había visto doblar como loco por esa esquina, como si el propio diablo lo persiguiera. Y mi padre bajó del auto y se acercó a ese hombre (no era alguien que yo conociera, sólo un pobre negro) y lo miró, le apuntó con un dedo a la cabeza y le dijo: "¿Ves lo que has hecho, negro? Te doy un minuto para ir a buscar a alguien que te ayude a sacar este auto de mi camino, o llamaré a Bill Clayburgh y te haré meter en la cárcel".

"Bueno, supongo que yo ya tendría que haber estado acostumbrado.

No puedo describirte cómo trataba mi padre a los aparceros. Cuando yo era chico, un tipo mató una vaca por accidente, y mi padre y Billy Clayburgh, el *sheriff*, y otros hombres blancos ataron las manos y los pies del hombre y lo mantuvieron bajo las aguas del río hasta que admitió haber matado esa vaca y accedió a que le descontaran el precio del animal de la miserable suma de su sueldo. Pero lo que te estoy contando ahora no era en la plantación, sino en el pueblo, donde mi padre, en general, se comportaba mejor. Aun así, supongo que le resultó imposible no mostrar su verdadera índole. Y miró a ese pobre hombre de arriba abajo, a ese pobre negro que permanecía parado ahí preguntándose: "¿De veras está sucediendo esto? ¿Es posible que este blanco haya dado vuelta la esquina como un demente, tan borracho que se le huele el alcohol a tres metros, y me haya arruinado por completo el auto que tanto me costó comprar, y no vaya a darme ni un centavo de compensación? ¿Puede hacerlo, o hay en este mundo alguna pequeña partícula de justicia que lo impida?". Y entonces miró más allá de mi padre y me vio a mí, sentado en el asiento delantero. Sus ojos se demoraron en los míos. No era una mirada lastimera, porque ese hombre sabía cómo comportarse y sin duda era demasiado orgulloso para rogar. Se limitó a mirarme, como preguntándome: "¿Tú también? ¿También tú vas a hacer esto? ¿Esto va a seguir y seguir y seguir?". Yo sabía lo que el hombre quería, y también lo sabía mi padre, así que le dijo: "No mire al muchacho; él ha visto lo mismo que yo". Y yo no dije una palabra.

"Bueno, entonces al hombre no le quedó alternativa, y enseguida hizo lo que le ordenó mi padre. Entró y salió de varias de las casitas cercanas, reunió a unos amigos de un negocio de la esquina, y poco a poco se acercaron y empujaron el auto para sacarlo del camino, y nosotros nos fuimos. Y mi padre, que todavía no se sentía satisfecho, bajó el vidrio de la ventanilla y agregó: "Y no quiero que esto vuelva a suceder, negros".

"Y te dije que ésta es la peor historia que conozco, porque yo no hice más que observar. Tenía catorce años. Pero sabía distinguir el bien del mal. Sabía distinguir autoridad bruta de justicia. Y no dije una palabra. No porque no me doliera el corazón al hacerlo. Sino porque me faltó coraje. Todavía no había ideado bastante bien mi fuga. Todavía no había preparado el camino hacia mi libertad. Ah, aquella noche, y las siguientes, lloré hasta cansarme. Mientras mi resolución crecía. Y me juré que, pasara lo que pasare, jamás volvería a atarme la lengua por miedo a mi padre ni a ningún otro que hiciera algo que yo sabía era malvado. A partir de entonces, a menudo oí decir a mi padre que había criado a su peor enemigo en su propia casa, y me complace oírlo decir eso. Porque, pese a cualesquiera otros defectos que pueda tener, sé que al menos mantuve mi palabra.

Alzó la vista para comprobar si yo le prestaba atención. La voz del televisor de un vecino flotaba en el departamento, un aviso de una cadena de negocios de comida rápida, por completo inapropiado.

—Ahora, no sé nada sobre ti y tu padre, Seth. Pero permíteme decirte esto: libérate. Si vas a hacer algo tan drástico como huir de tu país y permitir que un gran jurado te condene y el FBI te persiga de costa a costa, asegúrate de que no sea en vano y de que eres libre en tus propios términos. Si no puedes hacer mi revolución, entonces haz la tuya. Haz la revolución que puedas... y triunfa. Eso es lo que te digo.

Levantó a su hijo dormido y apenas rozó con los labios la frente de Nile, mientras sus ojos permanecían en mí, sabiendo que, como siempre, me había causado una honda impresión.

Lo expulsaron al día siguiente, el 30 de abril. Más de las tres cuartas partes del cuerpo docente votó a favor. Numerosos miembros de Cien Flores, provistos de carteles, fueron a abuchear al presidente de la universidad cuando regresó de la reunión a su casa, y fueron arrastrados fuera por las autoridades de Damon. Eddgar habló ante las cámaras de todos los canales de televisión de California. La libertad de palabra y pensamiento, dijo —los supuestos valores cardinales de la vida universitaria— habían quedado expuestos como una ficción, una impostura, un acolchado que enmascaraba el rostro de hierro del rigor político y los valores reaccionarios.

Pese a su intensidad dramática, las noticias sobre Eddgar no fueron las más destacadas de los noticiarios. Para las once de la noche, cuando Michael y yo ocupamos nuestros lugares en el dormitorio, adonde yo había trasladado el televisor en deferencia al sueño de Nile, la nota principal era el discurso que Nixon había dirigido a la nación en horas más tempranas de aquella tarde. Yo había leído que pronunciaría ese discurso, pero, como todos los demás, jamás adiviné el contenido. Ahora Nixon anunciaba que iba a enviar soldados estadounidenses al Anzuelo Camboyano para desviar las provisiones y tropas norvietnamitas, y también bombardear sus rutas de abastecimiento en Laos. La pantalla se llenó con la cara sombría y carente de gracia de Nixon, mientras el Presidente, en una de sus invenciones orwellianas, aseguraba al país que la guerra no se expandía.

—¿Puedes creerlo? —le pregunté a Michael, que me respondió con un movimiento fláccido de los hombros. El locutor pasó a otros asuntos: la expulsión de Eddgar; la noticia de que el juez de la indagatoria Kopechne había cuestionado la veracidad de Edward Kennedy; la sospecha de que Juanita Rice y sus secuestradores habían robado otro banco en el oeste de Los Ángeles. Al final Michael abandonó, explicando que tenía sueño, mientras yo continuaba insultando. Después de todo lo que había parloteado asegurando que la guerra languidecía, Nixon iba a invadir otro país. Después de todas las protestas, las marchas, el disenso movilizado —después de todo mi dolor—, Nixon continuaba todavía bajo la influencia de los generales y su arraigada paranoia. Se negaba, como siempre, a ceder ante los comunistas, seguía luchando para ganar una guerra que sólo podía perder, matando jóvenes para satisfacción del ego y el beneficio de unos cuantos viejos, y demostrando, como si fuera adrede, la correcta posición de aquellos que habían sostenido desde el principio que sólo medidas más drásticas ocasionarían un cambio.

Más o menos una hora después oí voces que resonaban detrás del departamento. Afuera, en el bulevar Campus, unos manifestantes se habían apoderado del micrófono de un restaurante de comidas al paso y exclamaban con voz amplificada: "¡Nixon Mierda! ¡Nixon Mierda!". En el medio de la calle había otro grupo, que obligaba al tránsito a detenerse y coreaba algo similar sobre Spiro Agnew. Me asomé a la ventana abierta. A todo volumen me puse a gritar con ellos —Nixon Mierda—, y seguí haciéndolo hasta que Nile se despertó y la garganta me dolía tanto que me parecía que sangraba.

A la mañana siguiente, cuando me enteré de la noticia, llegué a creer que me había arrancado del sueño el retumbo de algo que tomé por una tormenta. Eso permanece en mi memoria: un golpe vago e intimidante, caído de las nubes. Todavía no estoy seguro.

Estaba en la ducha, poco después de las cinco, cuando oí pasos que tronaban en las escaleras: un resonar resuelto, indiferente a la hora. Se oyó un golpe fenomenal que venía de arriba, que dio la impresión de sacudir todo el edificio, y después, estoy seguro, gritos. Abrí la puerta del departamento y vi policías de Damon en el rellano. Estaban vestidos con todo el equipo de batalla, cascos y botas lustrosas y chalecos a prueba de balas. Sostenían las cachiporras a los costados, bajas. Uno de ellos me vio y ordenó:

—Vuelva adentro.

Yo no tenía más que una toalla alrededor de la cintura, pero aun semidesnudo descubrí que mi consideración refleja hacia las altas autoridades había desaparecido.

—Váyase a la mierda —contesté, en una muestra de cuánto se había debilitado mi sentido común. El tipo retrocedió como si le hubieran pegado, y alzó la cachiporra.

En ese momento gritaron unas voces arriba, y unas pisadas fuertes sacudieron de nuevo las escaleras de madera, con tanta fuerza que las sentí vibrar. Con los brazos esposados atrás, Eddgar iba bajando los peldaños a los empujones, con un policía a cada lado.

—¿Qué diablos...? —pregunté.

Me pareció que Eddgar me sonrió al pasar a mi lado. Tenía despeinado el pelo oscuro y llevaba pantalones, pero no zapatos ni medias. Los tres policías, incluso el que se disponía a pegarme, se apartaron para despejar el paso. Empujaron a Eddgar por las escaleras y lo arrojaron en la parte de atrás de un coche patrullero estacionado abajo, cuya nasal voz de radio yo alcanzaba a oír aunque no le presté atención. Cuando alcé la vista, vi a June parada a poca distancia de su umbral, con un largo camisón blanco, aferrando a Nile, vestido apenas con un pañal. Sólo en ese momento echó a llorar. Detrás de ellos vi la puerta del departamento, destrozada, desquiciada y astillada; la madera de la parte interior asomaba en las partes rotas, como un árbol alcanzado por un rayo.

—¿Qué pasa, por Dios?

Los llevé a mi departamento. June temblaba. Vestí a Nile y lo acosté en mi sofá. El pañal, por supuesto, estaba empapado. Pasé un largo rato calmándolo, con ayuda de June. En apariencia, el chico no había visto la mayor parte del asalto, pero estaba despierto cuando esposaron y sacaron a empujones a su padre. June y yo le aseguramos que Eddgar se encontraba bien. Por fin Nile aceptó nuestro consuelo y volvió a dormirse. June y yo nos sentamos en la cocina, bebiendo té y susurrando.

—¿Irrumpieron así no más?

—Dijeron que tenían una orden de allanamiento, pero en ningún momento la vi. —Encendió un cigarrillo. En una acción de desventurado pudor, antes de salir del departamento se había echado encima un chal tejido color verde. Estaba sentada en mi cocina con su camisón de algodón, agarrándose los brazos desnudos.

—¿Por qué? ¿Por qué lo arrestan?

Fumó una bocanada.

—La bomba —dijo—. Anoche. Alrededor de la una de la mañana, en realidad... Bombardearon el CDIA. Toda el ala oeste del edificio quedó destruida. La mayoría de los laboratorios estaban ahí. —Describió la escena de explosión, el polvo y los ladrillos que volaron a cuatrocientos metros.

Le pregunté si había habido heridos.

—El edificio estaba... —dijo, y se interrumpió—. Era de pensar que el edificio estaría vacío. Ahora dicen... —De nuevo le falló la voz. —Había alguien que se había quedado hasta más tarde en el laboratorio. Uno de los profesores. Está internado en un hospital. Afirman que perdió la mano, un brazo.

—Oh, Dios. ¿Y arrestaron a Eddgar por eso?

—Así es como va a ser ahora. Se lo advertí muchas veces. Esto es lo que hizo el cuerpo docente. Esto es lo que se proponían. Han quitado todos los vestigios, el último plumaje protector de la clase docente.

Esto va a pasar una y otra vez. Cualquier ocasión. Cualquier excusa. No importó cuán cuidadosos fuimos. Tú lo entiendes, ¿no? —Se inclinó hacia mí con una extraña actitud directa y me tomó una mano. Con el tiempo, mi relación con June había adquirido un sutil aire confidencial, y ello comenzó, creo, el día en que la vi en toda su gloria en el umbral de Michael. Las noches en que llegaba a su casa antes que Eddgar, se servía dos dedos de whisky, un placer que se permitía de vez en cuando, en particular cuando él no estaba, y me hablaba de su hogar. Con el vaso en la mano, emitía un aire lánguido, apoyando todo el peso en los talones, y un codo en la mesada de la cocina. A veces manifestaba en voz alta sus preocupaciones por Nile: su adaptación social, su dificultad para leer. De vez en cuando hacía observaciones francas sobre Eddgar al tiempo que sus ojos se encontraban con los míos, como para darme a entender que yo debía mantenerlos en estricta privacidad. Para mí, ella era un poco como una confidente, también. Yo le contaba de mis padres y por supuesto, como lo hacía con todos mis otros conocidos, derramaba sobre ella mi angustia respecto de mi ruptura con Sonny. Pero en aquel momento me hablaba como si se dirigiera a otro, a alguien que la conocía mucho mejor que yo.

—Tenemos que irnos de aquí —dijo June—, no dejo de repetírselo. Él no me escucha, no le importa, cree que está preparado para lo que viene. Quiere que eso le ocurra. Todavía cree que el sufrimiento es bueno para el alma. Todavía está enredado en muchas ideas locas. Yo le reitero que piense en Nile. Y él vive preguntándome si no amo la revolución, y repitiendo que a un chico no puede hacerle daño la verdad. —Apagó el cigarrillo con gesto enfático. Se masajeó el cuello, se preguntó en voz alta si debería beber algo para recomponerse, y luego concluyó que sería mejor no comenzar, porque el día sería bastante difícil.

Sola con sus pensamientos, se paró y caminó descalza por el departamento. A mí me impresionaba que el enigma de Eddgar envolviera incluso a June, más insondable que estos hechos extraños. Ella se detuvo delante de los estantes vacíos de las paredes, reliquias de la partida de Sonny. En apariencia, pensar en mis problemas le significaba un respiro de los suyos.

—¿Cómo anda el corazón? —me preguntó.

—Un desastre. —Durante aquellos días, yo había adoptado la costumbre de poner repetidas veces en mi tocadiscos una versión terrible de "You Keep Me Hanging On", de Vanilla Fudge. Con la música a todo volumen, cantaba a los gritos acompañando el creciente clamor de platillos y guitarras gimoteantes. Los ocupantes de los tres pisos deben de haber sabido que yo sufría.

—¿Han hablado?

—Ella llama. Para volverme loco. Casi todas las noches. —Sonny se mostraba responsable: no abandonaba al tullido, y me hacía jurar que antes de irme la vería. Eran conversaciones breves y torpes en las que yo me debatía entre la ira y una terrible añoranza.

—Sin duda no hay nada como el amor de los jóvenes —comentó June con tono dolorido. Dediqué un instante a tratar de imaginar a los Eddgar en esa etapa, como enamorados jóvenes, todavía en el umbral el uno del otro. Lo que él vio en ella me resultaba claro: una de esas chicas francas, una rebelde bajo el barniz de los buenos modales. ¿Pero por qué ella lo eligió a él? En aquel entonces Eddgar iba a ser predicador, y ella sería la esposa de un predicador. Debía de saber que no tenía vocación para la vida de club de campo, de bailes y tés. ¿Por qué él? ¿Por qué Eddgar? Los intereses de él deben de haber brillado con la potencia del sol. June debe de haber experimentado un forcejeo consigo misma. Debe de haber pensado que iba a purificarse en el fuego feroz de la fe de Eddgar. Se trataba de suposiciones ociosas, pero me acudieron con el ardor de la convicción. June había vuelto a acomodarse junto a la mesita, con su taza de té, y encendió otro cigarrillo.

—Todavía no entiendo por qué vino la policía —dije—. ¿Como pueden culpar a Eddgar? ¿Después de lo de anoche? —Le conté lo que había pasado en el bulevar Campus. Más de cien personas se habían reunido antes de que la policía de Damon los dispersara a todos.

—Ahora la gente está furiosa en serio. De verdad. Podría haber sido cualquiera, ¿no?

—Sí —respondió June con hastío. Sus ojos no se cruzaron con los míos. En cambio, los fijó en un anillo de humo. —Mira, todo esto es ridículo. Ellos saben que está cubierto, pero no les importa. Saben que tenía que estar cubierto... Que supongan lo que quieran. Lo que se les antoje. Después de todo esto, ¿es posible que haya sido tan descuidado? Anoche estuvo con sus abogados hasta casi las tres. Los mismos hombres que van a pagar su fianza pueden confirmar su coartada. Pero a ellos no les importa. —Se llevó el chal a los ojos. —Es probable que pronto vengan por mí. Debo considerarme afortunada de que no me hayan llevado ya. ¿Cuidarás de Nile?

—Por supuesto, pero no va a ocurrir. —Traté de consolarla, pero estaba convencida de que corría peligro, de que Eddgar y ella eran ahora los blancos de una opresión irrazonable. —¿Tu también estuviste con los abogados? —le pregunté.

—La mayor parte del tiempo. Me fui cerca de medianoche.

La bomba, según me dijo, había estallado a la una. Su mirada encontró la mía y luego se apartó un poco.

—¿Y? —pregunté.

—¿Qué?

—¿Puedes dar cuenta de dónde estabas? —Lo dije con tanta severidad que me parecí a mi padre.

—Si las cosas llegan a eso —respondió, y luego desvió la cabeza hacia la cocina, apuntando a la pared que daba al departamento de Michael. Cerró los ojos un momento, asaltada por algún dolor nuevo que le arrugó la boca. —Es mejor que lo sepas —me dijo—. Él estaba muy molesto. Mucho. No tomó bien esta noticia. Está consternado. Completamente consternado. Esos laboratorios son su vida. Podría haber estado allí. Conoce al hombre herido. —Bajó la cabeza hasta sus manos. Cuando levantó la cara, devastada de preocupación, me miró directo a los ojos. —Él cree que lo traicionaron —añadió.

Camino al trabajo, me uní al pequeño grupo de curiosos que ya se habían juntado en la calle que conducía al CDIA. Los portones de hierro estaban cerrados y se podía ver que la policía se hallaba afuera, lista para acordonar la calle en dirección al campus. Me sorprendió que a las seis de la mañana, bajo la pálida luz del amanecer, yo no fuera el único espectador. Había autos estacionados en el largo camino de grava y todos estábamos parados, unas veinte o treinta personas, con las manos agarradas a las rejas, como en el zoológico. Los otros parecían ser personas que venían de la ciudad y los suburbios de Alameda para ver lo que realmente hace una bomba.

Lo que hizo en este caso fue un cráter de tamaño sustancial en el que se apilaban escombros dispersos del edificio: ladrillos, vidrio, yeso, pedazos de cañería, restos extrañamente intactos de paredes y mosaicos. Horas más tarde todavía quedaba una impresión de polvo en el aire. Toda un ala del edificio había desaparecido. Semejaban los despojos de un naufragio. Los pedazos fragmentados del tercer piso —tuberías, entrepiso, tres ventanas voladas y un pedazo de mesa de laboratorio— colgaban en el aire en un ángulo de cuarenta grados. Y el tejado estaba desgarrado, incluso donde las paredes parecían firmes, de modo que el edificio evocaba la imagen de un hombre calvo. En el parque habían tendido un cordón amarillo. Junto a mí, un hombre canoso de camisa a cuadros le señaló a su esposa un pedazo de ladrillo que descansaba en el césped crecido.

Llegué tarde al trabajo, pero no me preocupó. El día siguiente sería mi última jornada laboral. Había llevado mi radio de transistores, y cada tanto me detenía en cualquier punto de mi itinerario de entregas para escuchar las noticias. El discurso de Nixon había provocado una violenta reacción en los campus de todo el país. En la Universidad del Estado de Ohio habían arrestado a cien estudiantes, herido a tres y lesionado a otros setenta, en una airada confrontación con la Guardia Nacional, que les había disparado con balas de goma para desbaratar una manifestación antibélica. Se calculaba que veinte mil personas se congregaran en New Haven para expresar su apoyo a Bobby Seale, copresidente del Black Panther Party, a quien estaban sometiendo a juicio allí junto con otros veinte Panthers, acusados de conspiración para cometer homicidio contra un soplón llamado Alex Rackley. Pero la explosión de la bomba en el CDIA era lo que dominaba los noticiarios locales. El físico herido se hallaba en cirugía en el Centro Médico de Damon, y los informes radiales decían que había más de diez personas detenidas para someterlas a interrogatorio.

Al escuchar estas noticias, me sentí vagamente reivindicado, casi alegre. Al mundo se le estaba haciendo pagar por su locura. Me encontraba en la ciudad, en Noe Valley, llenando una máquina expendedora de revistas de la calle 18, cuando oí una noticia que me congeló las entrañas de pánico. El FBI, la ATF (Oficina de Control de Alcohol, Tabaco y Armas de Fuego) y expertos policiales, tras examinar los escombros del CDIA, habían encontrado una cantidad de elementos que, según creían, se habían usado para preparar el aparato explosivo. Entre ellos se hallaban los restos quemados de una lata de ácido para baterías.

No tenía idea de qué hacer con Hobie. Hacía semanas que no hablábamos. Me dije una y otra vez que él no estaba involucrado, que era una coincidencia estúpida, pero por supuesto no podía aceptarlo. Camino a casa, cerca de las tres, me detuve en lo de Graeme. Había llevado la última de las cajas de Sonny; estaba resuelto a dejarla allí, junto a la puerta, pero en aquel momento ella era la única persona capaz de darme un consejo coherente respecto de Hobie. Toqué el timbre una cantidad de veces. El cielo estaba despejado, el día era límpido y fresco, y diversas flores de intensos colores se alzaban hacia el sol en el gran jardín del frente de la casa de Graeme.

—Sahib. —Graeme abrió la puerta y se fregó los ojos; estaba durmiendo. Me atendió en calzoncillos. —¿Qué deseas?

—Quisiera hablar unas palabras con Sonny.

—¿Klonsky? No la he visto en toda la semana, compañero. O más. Es como una gitana; anda por aquí y allá. Atiende mesas en Robson, dos turnos. Intenta juntar un tesoro para su partida. Esto del Cuerpo de Paz parece listo para empezar. Se va a las Filipinas.

Sonny me había dado la noticia en su última llamada.

—Un lugar colorido, pintoresco, supongo —comentó Graeme—. Aunque debo decir que no lo veo del todo claro. Para mí, está un poco confundida.

Por mucho que lo odiara, me resultó consolador oír que alguien emitía un juicio tan parecido al mío. Con el tiempo, había comenzado a conocer a Graeme. Hablaba como una especie de británico exagerado, más inglés que la reina. Hacía pocas concesiones al vocabulario estadounidense, y emitía anglicismos cada vez que podía, como si siguiera convencido de que la guerra de la independencia no se hubiera decidido sobre méritos culturales. Por momentos su voz lograba un acento de Oxford; otras, sonaba como la de un limpiachimeneas cockney. Tenía más formas que Calibán; era un hombre que se colocaba por encima de la cultura estadounidense pero que, según veo ahora, habría salido corriendo a esconderse si alguien le hubiera hablado de volver a su país. Saboreaba la libertad de los Estados Unidos y la transposición que había logrado, a un reino donde nadie menospreciaba su acento de clase media.

—Entra, Kemosabe. Los vecinos miran mucho cuando salgo a la puerta en ropa interior. —Me ofreció un café, pero no fui más allá del vestíbulo, para dejar las cosas de Sonny. Sin la exótica escena de la fiesta, la casa era atractiva, pequeña pero agradable, con señales de dinero e intelecto que me recordaron University Park: sillones sencillos y cuadros grandes en las paredes, muchos objetos mexicanos, y carpetas dispuestas en diferentes ángulos. Los muebles, de buen gusto, contradecían la vida sibarita que Graeme llevaba allí. Yo esperaba que el olor a sexo flotara en el ambiente como el rastro de un tacho de basura.

Mencionó la bomba, desde luego. En ese momento, la gente de la universidad casi no hablaba de otra cosa. En el bulevar Campus, a la mañana, un trío de hippies, achispados con metadona, merodeaban de un lado a otro de los senderos, canturreando que había comenzado la revolución.

—Oí decir que habían encontrado una lata de ácido para baterías. ¿Se te ocurre para qué puede haber sido?

—Ácido para baterías —repitió Graeme. No estaba enterado.

—No es demasiado sorprendente, diría yo. Nombre químico: ácido sulfúrico. Uno de los principales ingredientes de la nitroglicerina, y todo anarquista y revolucionario sabe que ese elemento, mezclado con parafina, pólvora de algodón y otros elementos sirve para fabricar explosivos. —Asintió, satisfecho como siempre con su vastos conocimientos.

—¿Y bolsas de arena? —pregunté—. No tienen nada que ver con esto, ¿verdad?

—*Au contraire*, compañero. Cuando tienes listo tu explosivo de alta potencia, lo diriges mediante apisonamiento. Creas una apertura para la fuerza explosiva. Las bolsas de arena son lo mejor, al parecer. Una bolsa de arena bien ubicada es muy importante para una bomba eficaz, según dicen. —Se rascó la nariz. Yo no podía moverme. Hobie, pensé. Oh, por Dios, Hobie. Graeme me observaba con atención.

—¿Hay alguien cercano y querido involucrado con este ácido y estas bolsas de arena? —preguntó. La revolución de Graeme se realizaba en el dormitorio, donde las personas presentes podían convertirse en un universo sin reglas, donde su conducta podía ser tan única y personal como dentro de un sueño. De lo contrario, prefería la paz. Tal como lo había dejado en claro desde que lo conocí, no le agradaban los Eddgar.

—Sólo una historia que oí, Graeme.

—¿Eso es todo, querido? Hay muchas historias por ahí. Todo este maldito lugar está lleno de rumores, diría yo. Mitos en acción. La era psicodélica, ¿eh? Resulta difícil distinguir la fantasía de la realidad. Yo no daría dos peniques por la mayor parte de lo que dice la gente. —Me miró con frialdad... con desprecio. —Excelente momento para avanzar, diría yo. Irse o cuidarse, ése sería mi consejo. Cada uno ha elegido su bando, querido. Conviene reconocerlo.

No tuve la certeza de si trataba de sacarme información o hacerme un favor. Me dirigió una mirada penetrante, y luego movió la cabeza indicando la puerta. Me dijo que le avisaría a Sonny que yo había pasado a verla.

Cuando llegué a casa después del trabajo, cerca de las cuatro, ya habían liberado a Eddgar. Según resultaron las cosas, la policía de Damon había detenido a los sospechosos de siempre: todos los radicales de Cien Flores que pudieron encontrar: Kellett, Eddgar, Cleveland Marsh. Seis o siete otros. Miembros de la organización de Eddgar habían montado guardia ante la comisaría la mayor parte del día, gritando lemas; me sentí momentáneamente culpable por no haberme unido a ellos. Alrededor de las dos, los abogados de Eddgar habían presentado una petición en el tribunal, y la policía, en lugar de soportar la audiencia, lo liberó, así como a casi todos los demás. Le dijeron a Eddgar —y a los periodistas— que seguía siendo sospechoso. El único que seguía en custodia era Cleveland. Cuando lo arrestaron, encontraron en su departamento dos kilos de cocaína y más de mil dosis de LSD envueltas en celofán. Podían acusarlo de delitos menores. Mientras Eddgar me contaba todo esto, volví a pensar con angustia en Hobie. Sabía que no debía preguntarle a Eddgar por el papel que había desempeñado mi amigo, ya que la disciplina revolucionaria prohibiría reconocer nada, pero me enfermaba la noción de la llamada telefónica que acaso tuviera que hacerle a Gurney Tuttle.

Cerca de la cena, fui al departamento contiguo, a ver a Michael. Se hallaba sentado a oscuras en una vieja mecedora, vestido sólo con vaqueros. Sus largos pies y su pecho fibroso estaban desnudos. Como sugirió June, se lo veía destrozado.

—¿Te sientes bien?

Alzó una mano hacia la luz. Tenía los ojos rojos, sumidos en pena. Su cabeza se apoyaba en el respaldo, enredados los rizos rubios.

—Qué día horrible —dije. Se me ocurrió que tal vez había

permanecido sentado ahí durante horas. Yo siempre había entendido que Michael se consideraba un neutralista. Le importaba Nile; adoraba la física. Sin duda estaba enamorado de June. Dentro de todo aquello, pertenecía a un reino más elevado, más efímero, donde resultaba aceptable una pureza simple de sentimientos. Ahora le habían inyectado, contra su voluntad, el mundo tosco de la política. Sentí, por supuesto, una enorme afinidad con él, porque era otra alma apaleada por el amor.

—¿Quieres conversar? —le pregunté.

Contestó que no con la cabeza. Durante todo el día yo me había preguntado cuánto estaba admitiendo June cuando me dijo que Michael se sentía traicionado. Hasta apenas un momento antes estaba seguro de que me había dado a entender que ella y Eddgar eran inocentes. Pero cuando empecé a reflexionar en los comentarios de June, tratando de encontrarles lógica, comprendí que, como de costumbre, había más que lo que yo alcanzaba a reconocer. Cerca de medianoche June había abandonado la reunión de Eddgar para ir a ver a Michael. Eso debía de estar arreglado de antemano, predeterminado. Y como resultado, él no se encontraba en los laboratorios cuando estalló la bomba. Ni yo ni él podíamos suponer que había sido accidental. Allí, en el departamento de Michael, le di todo el consuelo que pude.

—Mira, pensándolo... —Bajé la voz. —Ella te protegió, viejo —le dije—. Sí, te protegió.

Apoyó la cara en la palma de la mano y se echó de nuevo a llorar. El físico herido se llamaba Patrick Langlois, era de Quebec. Había perdido casi toda la mano izquierda; le quedaba el pulgar, un grotesco vestigio agarrado a un fragmento de brazo. Hasta las secas descripciones de los noticiarios resultaban nauseabundas. Michael debía de conocerlo bien.

Por los comentarios de Lucy, deduje que Michael le había hablado a June de amor, compromiso, una vida juntos. Sin embargo, al imaginar sus relaciones dudé de que a June le interesara algo de aquello. Ella no hacía más que procurar un alivio pasajero en una región de sentimiento puro, de silencio, más allá del territorio de la doctrina. Y una parte de Michael debe de haber aceptado esos términos, incluso debe de haberlos acogido de buena fe. Pero ahora lo acusaban las dudas sobre las motivaciones. ¿Qué ociosos comentarios suyos habían llegado a Cien Flores, hasta los hábiles comandos que llevaron su explosivo y sus detonadores en la oscuridad? ¿Y qué hubiera sucedido si él no hubiera recibido el mensaje de June? ¿Si hubiera decidido trabajar hasta tarde, disfrutando, como hacía a menudo, de las horas en que disponía de todo el vasto laboratorio para él solo? Tenía que dudar también de Eddgar. ¿Estaba haciendo una revolución o asestando un golpe al amante de su mujer? Sin embargo, me resultaba fácil imaginar cuál era la peor parte para él. Que June supiera, Que lo supiera y hubiera cedido a la voluntad de Eddgar. De la manera más delatora, más gráfica, había demostrado a todos hacia quién se orientaba su lealtad última. Cualesquiera fueran las esperanzas que June había despertado en Michael, no podría haber elegido de manera más clara a Eddgar antes que a él. Había dicho las palabras justas: él se sentía traicionado.

—¿Quieres cenar, o prefieres no comer?

—No comer —respondió.

—Bueno, si quieres venir, estoy al lado, viejo.

Luego June me preguntó si me molestaba tener a Nile mientras ella y Eddgar salían a dar una vuelta. Eso significaba que hablarían en la seguridad del auto, dando vueltas por las calles durante horas, mirando el espejo retrovisor y urdiendo planes. Nile y yo jugamos casi toda la noche.

—¿Adónde llevó la policía a Eddgar? —me preguntó Nile.

—A la comisaría. —La conversación se repetía una y otra vez.

—Pero a los chicos no los arrestan, ¿no?

—Por supuesto que no. Nadie puede arrestar a un chico. Y Eddgar está bien. ¿No está bien?

—Está loco. Porque el juez dijo que podía irse. Cuando yo sea grande voy a ser policía.

—¿De veras?

—Así puedo arrestar a la gente que hay que arrestar.

—Mira, Eddgar está bien. Está bien, ¿de acuerdo? ¿No te parece que está bien?

—¡Yo no arrestaría a Eddgar! —Nile se echó a llorar instantáneamente. El solo pensar en Eddgar solía perturbarlo. Nunca le pegaban; Eddgar rara vez gritaba. Pero como padre no podía dejar de ser él mismo, siempre predicando, siempre enseñando, siempre corrigiendo a Nile, pasando a la lección siguiente en cuando se aprendía la anterior.

En Navidad, yo había presenciado una escena espantosa en que Eddgar intentaba convencer a Nile de que donara uno de sus juguetes, un chanchito de peluche, a una colectividad de gente pobre del este de Oakland. El chancho estaba sucio y arruinado, y Nile casi ni lo miraba ahora que tenía a Babu, un lindo osito de brillosa piel sintética. No obstante, cuando Eddgar le explicó sus planes para el chancho, Nile lo abrazó con fuerza, mientras el padre, a su manera incansable, lo aferraba también, al tiempo que razonaba implacablemente con el hijo tratando de hacerle entender que había otros chicos que no tenían ningún juguete.

—Lo quiero —replicó Nile—. Lo quiero. —Tironeaba del chancho y retrocedía. Al final, con un pequeño chasquido y un desparramo de filamentos polvorientos, el chancho sufrió la amputación de una pata. Eddgar lo consideró con detenimiento. Luego le dio el pedazo más grande a Nile, y enseguida fue al cuarto del chico y retiró a Babu. Sostuvo el oso en alto, totalmente fuera de alcance, y se dirigió a la puerta.

—Ahora, los chicos pobres se van a quedar con éste —anunció; su frente alta estaba arrugada con una furia que yo casi nunca había visto, ni siquiera cuando incitaba a la gente en el campus. Nile no se atrevió a seguirlo. No emitió sonido alguno hasta que el padre salió por la puerta, y en ese momento se echó a llorar de una manera insoportable. Devastada también, June se puso de rodillas y lo abrazó, como una Piedad, los dos tullidos por el dolor.

Ahora, con sus súbitas lágrimas por Eddgar, Nile se refugió en mis brazos. En general era inconsolable; solía tener rabietas y rechazar todo consuelo. Esta vez, en cambio, aceptó mi abrazo y me lo devolvió. No quería soltarse e ir a dormir. Por razones ajenas a toda explicación, me emocionó mucho que en medio de todos mis problemas —miedos por mi futuro, culpa por Hobie, mal de amor por Sonny— Nile hubiera encontrado ese momento para al fin considerarme digno de confianza. En la oscuridad, me acurruqué alrededor de su cuerpo pequeño, tomándole los dedos ásperos de suciedad, mientras absorbía la plenitud de mi deseo de protegerlo y las susurradas promesas de una vida joven.

En mis sueños las mujeres iban y venían, figuras vagas con las que me enredaba y cuyos anhelos de algún modo no lograba distinguir de los míos. Estaba en medio de una vívida imagen en la que uno de nosotros era perseguido con desesperación, pero no podía saber quién seguía a quién. Abrí los ojos y vi a June Eddgar sentada en mi cama. Una de sus manos me acariciaba con suvidad el pecho, en círculos.

—¿Estás despierto? —susurró—. ¿Seth? —Yo sabía que no era la primera vez que pronunciaba mi nombre.

Me senté. Dormía desnudo, así que me tapé con la sábana, de pronto consciente de la dureza de una erección urinaria. Mientras me despertaba, June permaneció cómodamente a mi lado.

Le pregunté dónde estaba Nile.

—Arriba. Lo subí hace horas. Pero me quedé despierta, pensando en algo. Tengo que hablar contigo, Seth. Quiero que me escuches con atención. —Se acomodó en la cama y se acercó un poco. Tenía un camisón de algodón y el peso suelto de sus pechos tembló cuando se movió. —Necesitamos dinero —dijo—. Dinero de verdad.

Tendí la mano junto a la cama, en dirección a la lámpara, con cuidado de no destaparme y consciente de que de todos modos tal vez dejaría mi trasero al descubierto. June siguió sentada, sin pestañear, con el pelo suelto como lo tenía el día que la vi con Michael. Se rozó brevemente los labios con la lengua mientras esperaba que yo me protegiera los ojos y dejara pasar el dolor de la luz súbita. No sé por qué se me ocurrió pensar en todos los años en que ella —como cualquier chico— se miró al espejo, preguntándose qué aspecto tendría de adulta, en su apogeo... Así era como June lucía en aquel momento. Su cara bonita tenía la sustancia de la madurez, el peso de la inteligencia y la voluntad. La miré como a un ser humano que, al contrario de mí, había concluido el viaje hacia lo que fuere en que hubiera de convertirse. No tuve dudas de que ella compartía este juicio.

—Este dinero es importante —me dijo—. Muy importante. Tenemos que sacar a Cleveland. Pronto.

—¿Por la bomba?

—Seth —me dijo con severidad. Era el mismo tono que se le escapaba contra su voluntad alguna que otra vez cuando reprendía a Nile. —Hay rumores... Comprendes que todo esto podría ser contrainteligencia de la policía de Damon... Todo lo que te digo podría serlo, así que por favor tenlo presente... Pero hemos oído rumores de que Cleveland está hablando. Que empezó a darles cosas chicas, con la esperanza de que le reduzcan la fianza. Yo no lo creo. Pero desde que Eldridge está en Argelia ha habido muchas desavenencias dentro de los Panthers. Mucha conmoción interna. Y creemos que es posible. Mandamos a la madre a verlo. Y a un abogado. Va a recibir muchas visitas el fin de semana. Pero para toda la gente involucrada es mejor sacarlo lo antes posible. La semana que viene. Tenemos que pagarle la fianza y sacarlo de las manos de la policía, antes de que cante todo. ¿Me escuchas?

—Sí.

—Hay mucha gente que tiene mucho en juego. No sólo los nuestros. ¿Entiendes? Hay mucha gente, gente que en realidad no ha... Uno de tus buenos amigos.

El corazón volvió a encogérseme en un nudo al pensar en Hobie.

—Seth, no tiene sentido que te lo explique. No tiene sentido ni valor. Pero las cosas saldrán bien. Estoy segura de que saldrán bien. Si logramos conseguir ese dinero.

Le pregunté cuánto.

—Miles. Diez mil, como mínimo. Quince mil sería mejor. —Sopesó mi asombro. —Ahora escucha. —Se inclinó hacia adelante y volvió a pasarme la mano por el pecho para someterme. La manera confiada en que me tocaba encendió, aunque no me agradó del todo, la chispa de un estremecimiento indócil. —Ahora escúchame. Estuve pensando. Y es una cuestión, supongo... de solucionar dos problemas de una sola vez. Me pregunto si podrías reconsiderar este plan, esta idea que hemos discutido.

Esperó hasta que fui el primero en pronunciar la palabra.

—¿El secuestro?

Asintió con la cabeza, una sola vez, como si estuviera prohibido hablar.

—Por Dios —murmuré.

—Creo que para ti tendría mucho sentido.

—Lo sé, pero... —Pensar en engañar a mi padre, aunque me causaba un rechazo natural, también parecía, en ciertos estados de ánimo, imbuirme de una momentánea y loca alegría. Sin duda lo merecía. No obstante, meneé la cabeza. —No puedo torturarlos. En especial a mi madre.

—Creo que podemos elaborar lo que te preocupa, de veras. Si vieras que eso podría evitarse... Sé que esto es muy raro —añadió—, pero está claro que vas a tener que hacer algo drástico. Sólo te quedan un par de días. —El cuatro de mayo, el día en que debía presentarme al reclutamiento, era el lunes. —Si ellos supieran que te encuentras a salvo, Seth, que tu bienestar está asegurado, pero que deben dejarte en paz, que deben dejarte ir, eso sería lo mejor para ti, ¿no? ¿Tengo razón en lo que digo? .

No respondí, temeroso del lío en que me estaba metiendo.

—¿Lo pensarás? ¿Por favor? Pero no hay mucho tiempo.

—Comprendo. Tengo que reflexionar.

Nos miramos.

—Es decir —añadí—. Ustedes... Eddgar y tú. —Tragué. —Y Nile. Es decir, ahora están en un aprieto, ¿no? En un verdadero aprieto, ¿no?

—Seth... —Calló. —Si Cleveland... —Volvió a callar. —Sí —dijo—. Un verdadero aprieto. —Me miró a los ojos, con intensidad. Sólo en ese momento noté que me aferraba ambos hombros. Había muchos hombres jóvenes en la vida de June Eddgar; lo supe en ese instante. Bien podría habérmelo dicho, aunque yo no tenía idea de qué diferencia habría significado; entre nosotros no iba a suceder nada. Pero aun así se había forjado un vínculo, aunque sólo fuera porque un fragmento de mí se había despertado brevemente a la realidad de que existían otras mujeres además de Sonny. June salió, descalza, tras haber provocado un momento en que, por improbable que resultara, el deseo pareció ser lo único real en el mundo.

8 de diciembre de 1995

SONNY

El viernes por la mañana, antes de comenzar, detengo a los abogados para hablar de nuestro programa de actividades. Es probable que las actuaciones de la acusación lleven otro par de días. Ayer concluimos con un tedioso reinterrogatorio de Molto a Lovinia, en que él leyó fragmentos de las declaraciones anteriores de la muchacha, que ella afirmó no recordar. A continuación Rudy interrogó a Maybelle Downey, una mujer mayor que vio los disparos a June desde un departamento situado frente al complejo habitacional; confirmó los mismos hechos descriptos por Lovinia. Ahora Tommy me da la lista de los testigos que quedan. Al Kratzus, el agente del servicio comunitario que le comunicó a Nile el asesinato de la madre, será el primero de hoy; después, el Pesado; para el lunes tendremos a Eddgar. Luego el Pueblo descansará. La estrategia de los fiscales, en apariencia, consiste en apuntalar la credibilidad del Pesado mostrando que su relato coincide con el de otros testigos —blancos— cuya versión se halla más allá de toda duda.

—La acción de la defensa, si es que va a haberla, empezará para el miércoles —le informo a Hobie, que recibe la noticia con expresión impasible—. ¿Y cuáles son sus planes, doctor Tuttle? ¿En cuanto a tiempo? No comprometo al acusado a ofrecer pruebas, por supuesto; sólo planeo las actividades.

—Dos días.

—¿De modo que tal vez tengamos los alegatos para el fin de la semana que viene, o el lunes posterior?

Los tres abogados parados ante mi podio asienten. Poco después tendré que decidir: una perspectiva perturbadora. El caso sigue siendo oscuro. ¿Por qué ocurrió este asesinato?, pienso de pronto. Hago un ademán a los abogados para que se retiren del podio. Molto le repite el mismo gesto a Singh, que va a buscar al próximo testigo.

Aloysius Kratzus, un policía veterano corpulento, canoso, de cuello grueso, se muestra algo inquieto al sentarse en el banquillo. Tiene las características de un individuo que se ofreció de buen grado a trabajar en Relaciones con la Comunidad, uno de esos policías que empezaron con ganas de ser héroes y terminaron como burócratas. En Relaciones con la Comunidad nadie sale herido. Nadie va a la tumba. Uno se dedica a dar malas noticias, visitar escuelas, leer boletines de prensa por teléfono, representar a la Fuerza en los funerales y cortar cintas en las inauguraciones. Es un callejón sin salida o un retiro cómodo, según como se vean las cosas. Al Kratzus da la impresión de sentirse a gusto.

Rudy formula las preguntas necesarias para establecer el rango y los antecedentes del testigo, y al final arriba a la mañana del 7 de septiembre. Acababa de llegar, cuenta Kratzus, a las ocho de la mañana, cuando recibió una llamada. Sobre su escritorio, casi se puede ver el café y el pastelito en la bolsa blanca de la panadería.

—Hablé con el teniente detective Montague.

—Y, sargento, ¿el teniente Montague le dio alguna orden o le hizo algún pedido?

—Montague dijo que estuvo en la escena del crimen. Mujer blanca, edad aproximada entre sesenta y sesenta y cinco, muerta de múltiples heridas de bala. La encontraron fuera de un vehículo que estaba registrado a nombre del ex marido. Montague iba con otro agente a hablar con el cónyuge. Mientras tanto, en la cartera de la mujer había una tarjeta de un seguro de salud, que mostraba a Nile Eddgar como pariente cercano. Alguien dijo que era supervisor de libertad condicional. Montague calculaba que la prensa iba a publicar el caso enseguida, así que quería que yo fuera a ver a ese Nile, para avisarle antes de que prendiera la radio o el televisor y se enterara de esa manera.

La respuesta entera es testimonio de oídas. Hobie se acariciaba la barba mientras la oía, esperando que surgiera algo objetable, pero en apariencia ha decidido dejarlo pasar.

—¿Y usted hizo lo que le pidió el teniente? —pregunta Rudy, con tono ampuloso. Rudy estudió tres años en una escuela inglesa antes de aterrizar aquí. Su padre es uno de esos indios con muchos títulos superiores, aunque nunca le hayan servido de nada en ningún país. La familia, según dice Marietta, tiene un negocio de bebidas alcohólicas en East Bank.

—Me dio la dirección y, junto con el agente Vic Addison, me dirigí allá. Era acá, en la ciudad. —Con "la ciudad" se refiere a DuSable. Al Kratzus es uno de esos tipos de barrio, como mi tío Moosh, que recuerda los tiempos en que esta zona estaba compuesta todavía por tres poblaciones pequeñas, y no, como la ve ahora el mundo, una sola gran ciudad. En aquellos tiempos aun había intensas rivalidades entre los diferentes componentes de Tri-Cities. A los ochenta años, Mosh sigue hablando de los partidos feroces que se jugaban en el intenso frío de fines de diciembre entre los campeones de fútbol de las escuelas secundarias de Kewahnee, Moreland y DuSable, y un solo representante de las ligas católicas.

Tommy le hace un ademán a su colega. Rudy se agacha para que Molto pueda susurrarle una sugerencia.

—Sí —dice Rudy en voz alta—. Y al pedirle que se encargara de esa misión, señor, ¿Montague le dio algún indicio en ese momento de que Nile Eddgar era sospechoso?

Hobie objeta, pero fue él el que planteó antes el punto de cuándo y por qué Montague comenzó a considerar sospechoso a Nile. No hago lugar.

—Nosotros somos un servicio, ¿entiende? —dice Kratzus—. Los de RC no nos ocupamos de los casos. Nuestro trabajo es el público. Si alguien era sospechoso, Montague habría asignado a uno de sus hombres.

—¿Y usted vio de hecho a Nile Eddgar?

—Así es. Addison y yo fuimos al departamento. —Kratzus suspira, algo disgustado con el estado de su memoria en esta etapa de su vida, busca el informe en un bolsillo e indica con un dedo firme la dirección. —Duhaney 2343.

—¿Y qué hora era?

—Después de las ocho de la mañana, más cerca de las ocho y media. Yo tenía miedo de que a esa hora quizá no lo encontráramos, pero estaba. Tuvimos que golpear un poco, hasta que salió a la puerta. Me identifiqué. En un momento tuvimos que pedirle que bajara la música, y después le pregunté qué relación tenía con June Eddgar; me dijo que era el hijo, y yo le dije que lo lamentaba mucho... —La mano de Kratzus esboza dos vueltas en el aire: etcétera, quiere decir. —Y le di la noticia. Todo lo que me indicó Montague. O sea, solamente que la habían matado a tiros en la calle Grace.

—¿Y Nile mostró alguna reacción que usted haya podido observar?

—Fue bastante raro —dice Kratzus.

—¡Objeción! —grita Hobie, y sacude toda la parte superior del cuerpo para subrayar su desaprobación.

Hago borrar la respuesta y le indico a Kratzus que le diga con exactitud a la corte qué dijo e hizo el acusado. Acepta mi orden con lentitud. Hay muchos agentes de policía burócratas, políticos departamentales que trabajan treinta años en la Fuerza sin presentarse más de media docena de veces en un tribunal. Al parecer, Kratzus es uno de ellos.

—Nos miró. Como diciendo: "A ver, esperen un minuto...". No tanto como si no lo creyera, sino como si no tuviera sentido.

—Su Señoría —dice Hobie.

—Doctor Tuttle, voy a asignar a la declaración el peso que considero merece.

Kratzus se ha dado vuelta en el banquillo de los testigos para mirarme, demasiado rígido y corpulento para hacerlo con facilidad, pero ansioso de hablarme en un tono casi de conversación. Tiene arrugado el saco azul y se le asoman los pelos de la nuca, que reflejan las luces de la sala del tribunal. Continúa explicándome, a pesar de la objeción.

—Esto es algo que hago muy seguido, jueza. En toda clase de circunstancias. Ancianitas que agonizan en una cama. Suicidios. Accidentes de auto. Y la gente reacciona de maneras diferentes. Yo soy el primero en decírselo. Pero esto fue extraño.

—Sargento —digo—, limítese a describir la reacción exterior. Lo que el acusado dijo, lo que hizo. ¿Qué impresión daba?

—Bueno, jueza, usted sabe: la mirada vidriosa, la boca abierta. Después parecía que iba a hablar, pero no lo hizo. Al final, fue a sentarse en un sofá y dijo: "Se suponía que el que iba a ir allá era mi padre". Como si estuviera explicando algo. Y eso fue todo. Se quedó así unos diez segundos. Y después, de repente, se echó a llorar.

Rudy vuelve a intervenir:

—¿Conversaron algo más, sargento, después de que el acusado declaró: "Se suponía que el que iba a ir allá era mi padre"? —Buena pregunta de la fiscalía, para reforzar la línea crítica del testimonio.

—Sí. Le dijimos dónde estarían los restos y cómo podía reclamarlos. Le dimos una tarjeta con el número del patólogo policial. A esa altura estaba muy conmocionado, así que nos fuimos.

—Y después de la entrevista, ¿qué hicieron ustedes, agente?

—Volvimos a la sede. Le dejé un mensaje a Montague; que necesitaba hablar con él lo antes posible.

—Y en su trabajo de todos los días, ¿es común que usted quiera hablar con el detective investigador?

—Objeción —repite Hobie, cansado. No se molesta en levantarse. El lenguaje corporal sugiere otro exceso tonto de parte de la fiscalía. Las objeciones de Hobie han sido todas oportunas y en general acertadas, de modo que para este momento he desarrollado el reflejo de que él tiene razón. Pero reconozco que ahora trata de embaucarme.

—No. Quiero escuchar esto.

—En general, no hace falta. Tal vez le deje un mensaje diciendo que hicimos lo que nos pidió, que le mandaremos un informe, pero la mayoría de las veces no es necesario que le comuniquemos nada.

—¿Entonces qué fue lo que motivó su llamada al teniente?

—Jueza —implora Hobie.

—Ahora hago lugar. —Pero el asunto está claro: Kratzus consideró que al chico le pasaba algo raro, y sabía que Montague debía mandar un detective a ver a Nile, averiguar qué diablos había querido decir al murmurar que el que debería haber estado allí era el padre.

Rudy se sienta. Le indico a Hobie que puede comenzar con su interrogatorio.

—Sólo unas preguntas —comienza. Es más que eso, pero logra poco. Kratzus admite que ha visto muchas reacciones raras al impartir noticias de la muerte de un ser querido. Y Hobie combate la implicación de la pregunta de Rudy acerca de la hora de la visita —que sugería que Nile iba a llegar tarde al trabajo y podría haber estado esperando en su casa una llamada—, al subrayar que si la música estaba a tan alto volumen resultaría difícil oír el teléfono.

—Y usted dice que no lo envían a hablar con sospechosos, ¿correcto?

—En general no.

—¿Y con quién iba a hablar Montague?

—Con el padre —dice Kratzus. Adivinando la intención, agrega: —Porque era el auto de él. Era de imaginar que el hombre sabría qué estaba haciendo la mujer allá.

—Bien —dice Hobie, que no quiere presionar en ese punto. Unas cuantas preguntas más y termina la formulación de repreguntas. De manera significativa, no disputa la precisión de la memoria de Kratzus. Esto significa que ese día el agente escribió un informe, y que su compañero, Addison, lo respaldará. Kratzus, con su enorme físico, se dirige hacia las puertas de la sala del tribunal, pero se detiene junto a la mesa de los fiscales, que desean felicitarlo. Hizo un buen trabajo.

Además de las huellas dactilares encontradas en el dinero, ésta es la mejor prueba que ha ofrecido el estado hasta el momento. Una declaración. Una línea. Sin embargo, surte un impacto claro: Nile esperaba que Eddgar estuviera allí; expresó sorpresa, no de que se hubiera producido un tiroteo, sino sólo al enterarse quién fue la víctima. Las primeras preguntas que cualquiera, por conmocionado que se encuentre, haría en este caso serían: ¿Quién le disparó? ¿Por qué? ¿Cómo pudo suceder? Cierro los ojos, para que las pruebas atraviesen el enrejado emocional. Mi reacción crea un momento de gravedad que domina a toda la sala. Cuando alzo la vista, ambos fiscales me observan tensos.

Ordeno un receso para almorzar, pero no salgo. Para cuando he conferenciado brevemente con Marietta sobre las audiencias de las dos de la tarde, Molto se halla frente a mi podio. Hobie, típico de él, ha encontrado un modo de perturbar la calma de Molto. Tommy está lívido, rojo hasta la línea del nacimiento del pelo. Hobie le ha presentado nuevas pruebas de la defensa: el formulario de declaración impositiva de Nile de 1994, sus recibos de sueldo de 1995, sus libretas de depósitos bancarios, sus registros de cuentas de cheques. Molto hojea todos estos documentos y por fin los deja ante mí, así yo puedo considerarlos también.

—Jueza, deberíamos haber recibido estos documentos antes del juicio.

—¿Cuál es la intención al presentarlos? —pregunto.

—No me interesa cuál sea la intención, realmente. Se supone que no tiene por qué presentar pruebas ahora. Y no quiere decir qué se propone con esto. Se lo hemos preguntado seis veces.

—¿Doctor Tuttle?

—Su Señoría... —dice, con una sonrisita dulce.

—¿No desea aclarar?

—Lo aclararé. Pensé que resultaría obvio para estos fiscales, pero veo que no. El punto, Su Señoría, es que en todo 1995 no hay un solo retiro en efectivo que exceda los 300 dólares, lo cual no es de sorprender, ya que los ahorros de mi cliente nunca superaron los 3.200 dólares.

—Nile no tenía dinero para pagarle al Pesado, no tenía 10.000 en efectivo: eso es lo que quiere establecer.

Tommy explota de nuevo y sigue gritando, ignorando los esfuerzos de Singh por calmarlo.

—Doctor Tuttle —digo—, no comprendo cómo no se le ocurrió presentar estos registros antes.

—Su Señoría, ¿y qué me dice de ellos? —señala—. La verdad, jueza Klonsky... Acá están, planeando poner a un testigo en el estrado para afirmar que mi cliente le pagó 10.000 dólares en efectivo, y ni siquiera se han molestado en preguntarse de dónde salió el dinero. No es un secreto que mi cliente presenta declaraciones impositivas y tiene una cuenta de banco. También ellos deberían haber pensado en esto. Y la defensa les notificó que podríamos presentar estos registros.

Hobie tiene razón. En verdad se han mencionado "declaraciones impositivas" y "cuentas de banco" como posibles pruebas de la defensa, junto con otras cuarenta o cincuenta categorías de pruebas documentales, desde estudios de patólogos a informes de balística. Molto, confiado, jamás pidió muchos detalles, y Hobie esperó agazapado entre las malezas. La vida de los abogados, pienso.

—Está bien, doctor Tuttle. Quisiera que hiciera un mejor trabajo al presentar pruebas al estado. Vaya y busque cualquier prueba que le sea de utilidad antes del fin de semana. Ésta es la última sorpresa, ¿me oye? Dada la falta de diligencia del estado, no voy a excluirla. Pero la próxima vez no seré tan generosa.

Ante mi decisión, Tommy gruñe. Singh intenta apartarlo, pero Molto, a pesar de su físico blando y nada atlético, ha adoptado una pose de matón y enfrenta a Hobie como si estuviera dispuesto a pelear. Todavía está demasiado furioso como para entender que Hobie lo ha superado otra vez. El buen abogado de primera instancia siempre quiere que la mejor prueba del estado se olvide con rapidez. En lugar de rumiar la declaración directa de Kratzus, ahora me dirijo al almuerzo preguntándome de dónde podrá Nile haber sacado el dinero que supuestamente le dio al Pesado. ¿Lo pidió prestado? ¿Lo robó? Hobie tiene razón. Es Molto el que debería haber pensado en todo esto. Una vez más, en el dinero están las huellas dactilares de Nile. Ésa será la respuesta de Tommy al fin: sucedió. El diablo encuentra los modos de hacer sus cosas. Sucedió.

Mientras la sala del tribunal vuelve a la vida, me quedo un minuto en mi podio, evaluando todo esto, y enseguida, al juntar mis cosas, descubro que me hallo de nuevo de frente a la tribuna de los jurados. Seth, una vez más, espera que repare en él. A esta altura se ha establecido una suerte de ritmo, como si él supiera que sólo tendré tiempo de reconocer su presencia al final de la sesión. Ayer por la tarde, me sentí en cierto modo alarmada al ver que no estaba. No sé si fue porque tuvo que ir a cambiarse el saco transpirado, como sospeché, o por la pesada carga de lo que estuvimos hablando, que le impidió volver. Me sentí mal. ¡Perder un hijo! El solo pensarlo me agitó toda la noche. Nunca recordamos que, hasta hace un siglo, esta mortaja, esta carga, era algo habitual. ¡Y creemos haber mejorado nuestra calidad de vida!

Pero ahora Seth parece estar bien. Me saluda con una sonrisita y luego un guiño. Como todos sus gestos durante esta semana, son un poco audaces pero demasiado bienintencionados para causar algún daño. Hola, le digo sin palabras. Acá estoy, bien. Somos amigos. Y para mi gran sorpresa, descubro, antes de haber tenido tiempo de pensarlo mejor, que le he devuelto el guiño.

—¡Ordell Trent! —Bajo, cetrino, desaliñado a medida que se acerca el fin de semana, Tommy grita el nombre cuando indico a la acusación que llame a su siguiente testigo, tras volver del almuerzo.

—¡Ordell Trent! —Hace eco Annie. El nombre se repite dos veces más: el delegado de traslados lo grita en la puerta a un colega que está más atrás, y el segundo lo grita en dirección al calabozo para que Ordell se acerque a la puerta. Tintinean las llaves. A través de la pared oímos el sólido retumbar de la puerta que se abre, y el segundo delegado advierte en voz alta que aparten a uno de los detenidos que han quedado de la recién concluida audiencia de fijación de fianzas. Después, al cabo de un prolongado momento, el Pesado aparece en la sala del tribunal. Ya ha estado aquí antes, cuando presentó una admisión de culpabilidad a fines de septiembre. Pero entonces yo sabía menos de él. Ahora, como un león que emerge de una cueva, Ordell parpadea un poco ante las ásperas luces fluorescentes y observa con serenidad la sala llena de personas, acaso aterradas por lo que han oído hablar de él. Cuidado: el asesino.

—Señor Trent. —Le señalo el estrado de los testigos. Tiene las manos esposadas, y uno de los delegados se acerca para liberarlo. Entonces el Pesado, bastante robusto, de pecho musculoso, avanza hacia mí, con la suficiente seguridad como para hacer de éste un momento bastante incómodo.

—¿Jura decir la verdad, toda la verdad y nada más que la verdad?

—Por supuesto. —Baja la mano y se sienta en el banquillo de los testigos.

Tommy está junto al podio. Su breve tos preparatoria resuena en toda la sala del tribunal, sobre la que ha caído un silencio deliberativo. Hasta Nile, hoy vestido con un saco azul, parece bastante concentrado, incluso tenso.

El Pesado declara su nombre y su residencia actual, en la CCK, la cárcel del condado de Kindle.

—¿Es usted conocido por algún otro nombre?

—Un alias de la banda —dice, y pronuncia en forma pausada: —El Pesado.

Se lo ve resuelto y relajado, bastante flojo. Estoy segura de que en la galería, entre las caras, hay muchos Arrolladores T-4, que han venido a verlo. En consecuencia, no se permitirá aparecer acobardado. La verdad de la vida de los pandilleros es que muchos son antes que nada curiosos, espectadores, mirones, las masas adoradoras a través de las cuales los verdaderos delincuentes promueven su nombre. En otras palabras, ocurre como a menudo con los chicos: un mal actor y diez que lo creen listo.

El Pesado ha ensayado bien y se muestra mucho más colaborador que Bicho. Tommy lo va llevando con cuidado. La estrategia de los fiscales es clara: lo mismo que con Lovinia, no han hecho esfuerzo alguno por mejorar su apariencia. Está sentado con el overol azul de detenido, recordatorio siempre presente de su admisión de culpabilidad y su reconocida complicidad en el crimen. Lo mismo que Bicho, es evidente que al Pesado le han dicho que se muestre tal como es. Habla el mismo lenguaje que habla afuera. Tommy quiere que yo recuerde en todo momento que éste es el asesino a quien Nile Eddgar adoptó como amigo.

Coherente con su plan, lo primero que plantea Tommy es el extenso prontuario del Pesado como delincuente juvenil y sus dos condenas anteriores por delitos como adulto, ambas por distribución de narcóticos. Su primera sentencia penitenciaria, a la edad de diecinueve años, fue por tres años. La segunda —por posesión de 400 gramos de cocaína que se retiraron de un auto que él manejaba— fue de diez años, sin libertad condicional. Salió hace cuatro años. Lo mismo que Lovinia, el Pesado ha hecho un pacto impresionante a cambio de su declaración: veinte años por conspiración para cometer homicidio, que equivaldrán a diez años adentro. El sistema de justicia criminal reconoce la misma regla que los contadores: el primero en entrar, el primero en salir. Al que habla hay que recompensarlo.

—Antes de su presente encarcelamiento, señor Trent, ¿cuál era su profesión?

—Pandillero —responde.

—¿Era usted miembro de una organización criminal?

—Los DSN —dice. El Pesado se divierte. Le rodea la boca una barba rala, y sus dientes grandes muestran un tono amarillento cuando sonríe.

—¿Cuál era su posición en los DSN?

—Primera jerarquía.

—¿Era usted uno de los líderes de la banda?

—Supongo.

—¿Quién está por encima de usted?

—J. T-Roc. Kan-el.

Tommy los identifica por nombre.

—¿Y cómo, señor, se ganaba usted la vida antes de su encarcelamiento?

—Dileando.

—¿Dileando?

—Vendiendo drogas.

—¿Qué clase de drogas vendía?

—Más que nada, crack. Algo de anfetas.

—¿Algo más?

—Ah, sí —dice el Pesado con docilidad. Como aún no ha recibido sentencia y no está ansioso por mostrarse peor de lo que ya se ha mostrado, es mezquino en sus respuestas, pero Tommy insiste y lo fuerza a admitir que también vendía cocaína en piedra, metadona, heroína y algunas drogas de expendio controlado, conseguidas con recetas robadas. Dice que tenía una organizacón de por lo menos diez personas que trabajaban para él, entre las que se incluía Lovinia.

—¿Y conoce usted a Nile Eddgar?

La cara se le ensancha de hosca diversión; sus ojos densos buscan al acusado. Hobie codea a su cliente y Nile, con una mano apoyada en el brazo del sillón, como si necesitara un soporte, se levanta para someterse a la identificación formal. El Pesado continúa sonriendo después de señalarlo. Nile toma asiento, con la cara hacia otro lado, acobardado y conmovido, mientras el Pesado no deja de sonreír.

—¿Cómo llegó usted a conocer al acusado?

—Era mi supervisor de libertad condicional. Me vigilaba en nombre de la justicia. —En este estado se ha suprimido la libertad condicional para la mayoría de las instancias, pero los delitos de narcóticos y algunos otros crímenes contemplan un período de libertad vigilada.

—¿Cuánto tiempo fue su supervisor de libertad condicional?

—Creo que casi un año. Tuve un par de otros.

—¿Y con qué frecuencia veía usted a Nile?

—Ah, como mucho, una vez por mes.

—¿Y donde lo veía?

—T-4.

—¿Y cuál era el motivo de esas visitas?

—Ya sabe, viejo. Para controlarme.

—¿Pero después usted empezó a verlo más seguido?

—Sí. Al final llegó a ser el supervisor de un montón de T-4.

—¿Lo asignaron como supervisor de libertad condicional de varios integrantes de la banda T-4, de los Discípulos de los Santos Negros?

—Así es —dice el Pesado.

—¿Sabe cómo fue que llegó a eso?

—Parecería que pensaba que podía andar con nosotros.

Hago lugar a la objeción de Hobie acerca de que el testigo declara sobre el estado de ánimo del acusado. Tommy lo intenta otra vez.

—¿Él le dijo que había pedido que lo asignaran a esas personas?

El Pesado da la impresión de pensarlo.

—Sí, viejo, porque recuerdo que un día vino...

—¿Cuándo? —lo interrumpe Tommy.

—Digamos por diciembre, y yo le digo: "Uf, viejo, me estás persiguiendo, te veo más que a mi propia cara". Y él me dice que hay muchos supervisores que no quieren trabajar en la Torre IV, que los llenan de tiros y de mierda, pero que a él no le importa. Y que entonces les dijo: "Dénmelos todos a mí".

—¿Eso fue lo que dijo? ¿Que les dijo a otros supervisores que él aceptaría esos expedientes porque no le molestaba ir a la Torre IV?

—Ajá. Ya sabe, tenía al Cantor, a Cucaracha, al Mago, a Rompehuesos, al Gallina. —Juntos, Tommy y el Pesado tratan, con muy limitado éxito, de recordar los nombres de los otros pandilleros a los que Nile supervisaba. —Maldición —dice el Pesado—, ¿cómo se llamaba el otro? —Tommy lo deja pasar.

Observo que el Pesado, que ahora está más cerca de mí, no es ningún chico. Parece tener unos treinta y cinco años, pero ha perdido toda juventud. Tiene la cara cerrada y dura, y unos ojos negros, anchos, acuosos, que se mueven con lentitud y miran siempre con insolencia. Lo que entre ellos —y en gran medida por miedo— los guardias llaman "basura de cárcel". Cuando levanta una mano para rascarse la mejilla, veo que tiene las uñas largas y que cada una termina en una gran parte color ámbar, lo cual agrega un nuevo elemento extraño e impensado al personaje.

—Y una vez que asumió el papel, ¿con qué frecuencia aparecía Nile en la Torre?

—Casi todos los días, creo.

—¿Y cuál era la naturaleza de su relación con él?

—No éramos íntimos ni nada por el estilo, pero yo lo conocía bien. Era vivo y todo eso. Le gustaba andar por ahí todo el tiempo.

—¿Qué quiere decir con "andar por ahí"?

—Ya sabe, viejo. Pararse en las puertas, hablar con las tipas, escuchar. Reírse, pasarlo bien.

—¿Le pedía a usted que llenara informes mensuales de libertad condicional?

El Pesado sonríe y hace un ademán. No, que recuerde.

—Y con el tiempo, ¿llegó usted a conocer a miembros de la familia del acusado?

—Ajá.

—¿A quién?

—Al padre.

—¿El senador Loyell Eddgar?

—Loyell, ¿eh? ¿Así se llama? —El Pesado hace una mueca. Qué nombres se ponen los blancos.

—¿Y cómo tuvo lugar ese encuentro?

—Bueno, es una historia larga. —En el banquillo de los testigos, el Pesado ríe y se acomoda, cruzando una pierna, para contar la historia. —Bueno, un día estábamos ahí en los bancos de la Torre, y yo hablaba con Nile, porque, ya sabe, hay que ser amable con los supervisores, ¿no? Y estábamos hablando, y le digo: "Eh, viejo, allá en la OC —la Oficina Correccional— están intratables con Kan-el. Le negaron la libertad dos veces, viejo, y esta vez se la negaron solamente porque sabe que anda con los DSN, y nadie hace una mierda por él. ¿Me escuchas lo que te digo?".

"Y entonces Nile me dice: "Les convendría hablar con mi viejo". Y yo le pregunto quién es el viejo, y me dice: "Ah, es un tipo poderoso, hermano, es senador y toda esa mierda; él fue el que me consiguió este trabajo".

Tommy lo interrumpe.

—¿Nile le dijo eso? ¿Que el senador le había conseguido el empleo? —Con estas palabras, desvía los ojos hacia los periodistas que se hallan en la tribuna del jurado.

—Sí, me contó todos los detalles sobre el padre. Me dijo: "Viejo, está en un comité o algo así, y entonces la OC tiene que escucharlo. Si él les habla, fin del problema. Tienes que conocerlo. Te lo digo en serio. A lo mejor los puede ayudar". Y otras cosas por el estilo.

—¿Y usted accedió a encontrarse con el senador?

—Ya sabe, yo no tenía tanto interés, pero Nile sabe ser insistente. Hasta puede ponerse pesado, ¿sabe? Y entonces hablé con T-Roc y le conté lo que me había dicho mi supervisor, que teníamos que hablar con el padre para ayudar a salir a Kan-el. Y T-Roc me dijo: "Podría ser un tipo importante, tal vez valga la pena esa mierda de verlo". Y después le dije a Nile que está bien, que nos presente al padre.

—¿Y al final conoció al senador Eddgar?

—Claro.

—¿Cuándo?

—En mayo. Me parece que fue por ahí, porque empezaba a hacer calor.

—¿Y donde tuvo lugar ese encuentro?

El Pesado baja la vista y se ríe, como recordando la escena.

—La cosa había causado muchos problemas, ¿sabe?, porque a T-Roc no le gusta andar mucho con blancos, y Nile me decía que el padre estaba muy ocupado y toda esa mierda. Así que al final nos encontramos en el SEL de T-Roc.

—Se encontraron en el Mercedes de Jeff T-Roc, ¿correcto? —De nuevo Tommy mira hacia la galería de prensa. Ahora, como los sabuesos de la aduana que huelen drogas a través del equipaje, los periodistas están alerta. Acá viene. El escándalo. Un político en el asiento de atrás de una limusina con líderes de una banda callejera. Una de esas memorables notas de los tribunales: personas en lugares extraños, haciendo cosas que nadie podría imaginar. Con sus modales adecuados a la corte, Molto es incapaz de reprimir un elemento discordante: su desagrado por Eddgar. El senador podrá ser testigo del estado, pero el fiscal lo tiene en muy baja estima, tanto a él como a sus actividades con los pandilleros en la parte posterior de una limusina.

—¿Y dónde estaba ubicado el auto cuando se encontraron?

—North End, no recuerdo exactamente, en una esquina.

—¿Y cuánto duró la reunión?

—Digamos que media hora, más o menos.

—¿Y quienes estaban presentes?

—Nile, yo, T-Roc y el padre.

—¿El senador Eddgar?

—Sí, él —responde el Pesado, un poco ceñudo. Tampoco a él le gusta Eddgar.

—¿Y puede usted decirnos lo que hablaron?

El Pesado da la impresión de buscar en su memoria.

—Nosotros creíamos que íbamos a sacar a Kan-el. Y este tipo, el padre, como que nos quería dar vuelta o algo así. Porque venía con sus propias ideas. Le dijimos que queríamos sacar a Kan-el, y él nos dice: "Ah, no, así no, acá hay que organizarse" y cosas por el estilo. O sea, habló de poder y eso.

—¿Fue idea del senador Eddgar que los DSN debían ser la base de una organización política?

—Eso es lo que le estoy diciendo.

—¿Y cómo reaccionaron usted y T-Roc?

—¿T-Roc? Cuando ese desgraciado, el padre, siguió hablando así, T me miró como diciendo que quería borrarse. Pero el tipo estaba en el auto de él, ¿no? Bastante cómico —agrega el Pesado, y una vez más despliega su ancha sonrisa—. Bueno, la cosa es que al final se fue, y T-Roc me dijo que el tipo estaba loco.

—¿Y usted habló con Nile?

—Ah, sí. Sí.

—¿Cuándo y dónde?

—La vez siguiente que fue a la T-4. A la semana siguiente. Yo quería quejarme, decirle que el padre era un loco, un desgraciado que nos estaba tomando el pelo. Y Nile era como que ya lo sabía, se encogió de hombros y todo. "Sí, creo que les tomó el pelo", me dijo.

"Y yo le dije: No me la voy a aguantar, a mí nadie me toma el pelo, sea tu padre o no. Lo voy a esperar y voy a agarrar a ese desgraciado, viejo, lo voy a liquidar en cuanto lo vea. Ya sabe, algo así.

—¿Y Nile dijo algo?

—Bueno, medio como que se quedó mirando, como que no podía creer que alguien estuviera tan furioso contra el padre. Y yo seguía diciendo que iba a mandar al carajo a ese hijo de puta, y todo eso.

Por momentos siento el instinto de poner freno al lenguaje del Pesado. Esto sigue siendo un tribunal, al cual viene público invitado. Pero el sujeto es demasiado natural, cuenta bien la historia, a su modo, como para soportar mucha interrupción. Incluso Hobie, que hasta este momento ha sido la estrella aquí, no parece tener urgencia por interrumpirlo. Es evidente que el Pesado disfruta con su actuación. A lo largo de los meses que trabajé en Criminal, me llamó la atención cuán a menudo un simple e infantil deseo de atención explica la presencia de muchos de estos jóvenes en la corte. La mayoría de estos chicos crecen sintiéndose sumamente desatendidos: por padres que se han ido, por madres abrumadas, por maestros con clases inmanejables, por un mundo en el que aprenden, desde el televisor hasta el rap de las calles, que ellos no cuentan mucho. El crimen les permite, aunque sólo sea en forma momentánea, gozar de un público impresionante: el juez que sentencia, el abogado que los visita, los policías que los persiguen... hasta la víctima que, durante un instante interminable y aterrado en la calle, no puede pasarlos por alto.

—Y después de este intercambio de palabras en el cual usted le informó a Nile que estaba enojado con su padre, ¿sostuvo usted alguna otra conversación con Nile sobre el senador Eddgar?

—No —responde el Pesado, y congela a Tommy—. Al principio no. Después, ya sabe, un día, puede que haya sido un mes después, andábamos por la T-4 y él se me apareció, y lo primero que hace es preguntarme: "¿Todavía estás pensando en esa mierda de liquidar a mi viejo?". Y yo pienso: "Ah, ahora sí que la hiciste buena, negro. Este tipo te va a echar en la cara que le hayas insultado al padre". Y le digo: "Era pura mierda", y en cuanto lo digo, veo que se desinfla.

—¿Que estaba decepcionado? —pregunta Tommy.

—Sí —afirma el Pesado—, sí. Y bueno, unas dos semanas después, voy y le digo: "¿Como es la cosa, hermano? ¿De veras quieres que se la dé a tu viejo?". Y me dice que sí, que quiere.

—¿A quién se refiere? —pregunta Tommy—. ¿Con quién estaba hablando usted?

—Con Nile.

—¿El acusado?

—Sí, así es.

Cuando lo miro, veo que Nile tiene el mentón apoyado en el hombro de Hobie y le habla con mayor animación que la que ha mostrado hasta ahora. Hobie asiente enfáticamente, mientras su costosa lapicera se desliza apresurada por el bloque amarillo.

—¿Y dónde estaban ustedes cuando sostuvieron esa conversación? ¿Quién estaba cerca?

—Nada más que él y yo. Ya sabe cómo es esto: cuando él venía a T-4, yo lo acompañaba de vuelta al auto, para que no le hicieran nada.

—¿Así que usted lo estaba escoltando hasta la calle, cerca de la T-4, hasta el auto de él?

—Exacto —confirma el Pesado—. Y me dice: "Te doy 25.000, y lo liquidas". Y yo le digo que está bromeando, pero me dice que no es ninguna broma, que lo dice en serio, que quiere que yo lo haga.

"Y entonces le digo: "Mira, desgraciado, cuando vea tu maldito dinero, entonces voy a creer que lo quieres en serio". ¡Cómo se puso! Cuando le dije así, se puso como loco. Nunca lo había visto así, viejo. Me dijo: "Yo sé que andas vendiendo drogas y esa mierda, Pesado. ¿Crees que no lo sé? Estás agarrado, Pesado. Te entrego cuando se me dé la gana. Ahora no vas a jugar conmigo, viejo. Además, ésta fue idea tuya desde el principio".

"Le dije que de ninguna manera, que no iba a hacer lo que me pedía. Seguimos discutiendo un rato, que a quién se le había ocurrido, hasta que al final no me quedó salida.

—¿Usted aceptó hacerlo, para que él no le revocara la libertad condicional?

—Le dije que iba a pensarlo un poco. Pero después, cada vez que lo veía, se me venía encima: "¿Vas a hacerlo, negro, o no? Creí que eras un pandillero duro, pero eres un mariquita desgraciado como todos los otros negros viejos". Me decía cosas así, todo el tiempo.

Tommy se pone de pie un momento y mira ceñudo a su testigo, evidentemente temeroso de que el Pesado, atrapado en su propia actuación, vaya a extralimitarse.

—¿Y al final usted accedió a matar al senador Eddgar?

—Nunca llegué a aceptar, hasta que un día él vino con esa bolsa de papel de diario. —El Pesado señala, y Molto retira de la mesa de la fiscalía la Prueba del Pueblo No. 1, el dinero y la bolsa azul en que está contenido. —Me dio eso.

—¿Dónde estaban?

—En la T-4. En la calle Grace. Llegó y le dijo a Bicho: "Ve a buscar al Pesado". Y yo bajé, y ahí estaba él, y me dio el paquete por la ventanilla del auto. Me dijo: "Te doy el resto cuando lo hayas hecho".

—¿Cuándo fue esto?

—En agosto. Hacía calor.

—¿Y qué le dijo usted?

—Le dije: "Hijo de puta, ¿me estás pagando para que lo haga?". Y me contestó: "Ajá, viejo". Así que yo pensé que me convenía hacerlo, o seguro que me iba a quitar la libertad condicional.

Tommy termina estableciendo la validez de la prueba del dinero. El Pesado dice que llevó la bolsa a la casa de Doreen McTaney, madre de su hijo Dormane, y que la dejó ahí hasta después del asesinato. Identifica sus iniciales, junto a las de Montague, en la bolsa de la prueba. Con el dinero y la bolsa de plástico ahora estrechamente vinculados al acusado y al crimen, Molto pide permiso para admitir dichas pruebas.

—¿Alguna objeción? —le pregunto a Hobie.

Frunce la boca.

—¿Puedo reservarme una formulación de repreguntas? —Hobie conoce todos los trucos. Como no tiene base para impedir que el dinero forme parte de las pruebas, quiere demorar su admisión, en la esperanza de que en la confusión de los detalles de último momento los fiscales olviden volver a presentar la prueba. Tommy le arroja una mirada irritada por encima del hombro. A esta altura ya está preparado para las dificultades que presenta Hobie. Admito el dinero, sujeto a la formulación de repreguntas, y Tommy continúa con el Pesado, a quien interroga sobre la preparación para llevar a cabo el asesinato.

—Hablé con Gorgo y los otros. Le dije a Gorgo que se consiguiera un fierro limpio. —Es decir, un arma que no se pueda rastrear. —Le dije que íbamos a tener que tomarnos bastante trabajo. Después fui a hablar con Bicho.

—¿Se refiere a Lovinia Campbell?

—Ajá.

—¿Qué le dijo?

Tal vez para evitar que el Pesado se vaya por las ramas otra vez, Hobie objeta por falta de fundamento, lo cual significa que el Pesado no ha dicho con exactitud cuándo, dónde y con quién tuvo lugar la conversación. Tommy comienza a explicar, pero el Pesado ya conoce bastante los procedimientos de una corte como para comprender e interrumpir.

—Fue el día antes. Arriba, en la Torre IV. Nada más que ella y yo.
—Mira hacia Hobie y esboza una sonrisa desdeñosa: "Piensa lo que quieras, desgraciado, pero no soy idiota". Yo dudo, sin embargo, que alguien de los presentes haya cometido el error de cuestionar la inteligencia del Pesado.

—¿Y qué le dijo usted a Bicho?

—Le expliqué. Ya sabe, la escena completa.

—¿Qué le dijo específicamente sobre Nile?

—Que Nile y yo estábamos planeando liquidar al padre.

—¿Y qué dijo ella?

—Ah, bueno... "¿Y por qué tenemos que participar todos en esa mierda?"

—¿Y usted le respondió...?

—"Te callas la boca y haces lo que te digo. Es un trabajo, nada más." —La precisión desnuda y la vehemencia con la que el Pesado evoca su respuesta provocan una risa momentánea en la sala del tribunal. Él sonríe, como si hubiera calculado de antemano la reacción de su público.

—¿Bicho conocía a Nile?

—Ah, sí, claro que conocía a Nile. Muchas veces, cuando él venía, se ponían los dos a conversar. Se pasaban horas en esos bancos, charlando. Lo conocía bien.

Tommy mira de reojo hacia mi lado, para asegurarse de que he registrado este dato: Nile trataba bien a Lovinia; ella quería protegerlo.

El resto del interrogatorio es bastante tedioso. El Pesado explica el plan, cómo Lovinia lo llamó cuando apareció June. Cuando llega al punto en que le disparan a June, menea la cabeza de un lado a otro, como lamentando el error.

—¿Y cuándo fue la última vez que usted habló con Nile Eddgar?

—La mañana que pasó todo esto. Me llamó por el *beeper* cuando yo me iba, así que le contesté desde el teléfono público de la T-4, para decirle que estaba todo bien.

Tommy toma los informes de computadora referentes al registro telefónico de Nile y atrae la atención del Pesado hacia la llamada hecha a su *pager* a las seis y tres minutos de la mañana. El Pesado afirma que ésa es la comunicación que él respondió por el teléfono público de la Torre IV. Luego Tommy utiliza con astucia los diversos registros telefónicos estipulados, para revisar todo el interrogatorio.

—¿Esta llamada del 24 de mayo fue realizada alrededor de la época en que usted accedió a encontrarse con el senador Eddgar? ¿Esta llamada del 7 de agosto fue alrededor de la época en que aceptó asesinarlo?

Cuando termina son casi las cuatro y media de la tarde, de modo que levanto la sesión. Los delegados de traslados esposan al Pesado para llevarlo de vuelta al calabozo. Su abogado, Jackson Aires, que ha observado las acciones desde una silla plegable situada en la parte interna de la división de vidrio, se aproxima al Pesado en la puerta del calabozo y le apoya una mano en el hombro mientras le dice al testigo que ha estado bien en la declaración. Hobie ha juntado con rapidez sus cajas, y empuja a Nile, que todavía gesticula en dirección al Pesado, hacia afuera del tribunal. Tommy y Rudy —y Montague, que ha entrado en la sala para ayudar a llevar las cosas abajo— se demoran en la mesa de la fiscalía, sonriendo entre ellos. Han tenido sus altibajos, pero la semana ha terminado bien. Los periodistas han desaparecido, como por arte de magia, todos apresurados para llegar antes de la hora de cierre con la nota sensacional de hoy: "Líder de banda convicto declaró hoy que el complot para asesinar al senador Loyell Eddgar comenzó cuando los líderes de la banda acordaron rechazar los esfuerzos de Eddgar para convertir a los Discípulos de los Santos Negros en una organización política".

Una historia extraña, pero que tiene la resonancia fantasmal de un cuento demasiado raro para no ser cierto. En el ruido apagado de la partida de los espectadores, me quedo sentada en mi banco, aferrando la lapicera y mirando fijo las páginas del registro judicial, que están cubiertas de notas apresuradas que tomé hoy. La línea crítica de Kratzus —"Se suponía que el que debía ir allá era mi padre"— está subrayada en la parte superior del lado izquierdo. Considerándolo todo, me asalta un presagio: voy a declarar culpable a Nile Eddgar.

A Nikki le encantan los disfraces. Se imagina con peinados elegantes y vestidos de mostacillas. Yo me tomé a pecho el desagrado de mi madre por lo ostentoso, de modo que estas manifestaciones me alarman. ¿De dónde saca Nikki estas ideas? ¿Es éste el castigo por trabajar, por no estar a su lado las veinticuatro horas del día? Esta noche, cuando voy a buscarla a la guardería, tiene unos zapatos de taco alto, de plástico, puestos uno en el pie del otro, y una corona.

—¡Voy a casarme! —exclama.

¡Casarse!, chilla mi corazón, pero la beso, sabiendo que este instante en que volvemos a conectarnos para pasar el fin de semana juntas es, en muchos aspectos, el punto hacia el que he estado viajando toda la semana.

—Esta noche hay estofado. Justo como a ti te gusta.

—¿Sin arvejas? —pregunta.

—Ni una.

Cuando nació Nikki, decidí convertirme en una persona organizada. Prepararía comidas de antemano y las congelaría, como mi amiga Grace Tomazek. Haría largas listas de compras, de modo de no tener que ir más al almacén tres veces por día. Comenzaría a adquirir la ropa por catálogo, y compraría con una estación de adelanto para no desesperarme cuando cambiara el clima. Iría a las reuniones de padres y madres de los sábados. Por fin adulta, llevaría una vida que reflejara previsión en lugar de estados de ánimo cambiantes y caprichos pasajeros. Deseaba todo esto con un anhelo desesperado, casi insoportable, como si fuera una señal de madurez, una afirmación de la capacidad de cualquier persona para tornar su vida en algo más tolerable.

Y lo logré, hasta cierto punto. Ah, por supuesto que tengo preocupaciones: los casos que me esperan, una pelea u otra con Charlie, la locura en Bosnia o un recuerdo de mi madre que no me acudía desde hacía años, cualquier cosa que me sorprenda con pasión y termine haciéndome sentir descentrada, incluso dispersa. Pero en general mi vida ya no es una aventura momentánea. Nikki y yo seguimos una rutina. En el freezer hay comidas que la mayoría de las veces me acuerdo de descongelar. Le preparo la cajita con el almuerzo para que lleve a la escuela. Entre el remolino de responsabilidades de madre sola, a menudo me siento como una de esas ancianitas del Viejo Mundo, todas vestidas de negro, que caminan titubeantes, a punto de caerse. A veces me socava cierta incertidumbre respecto de mí misma. Hace unos cuantos meses, mientras escuchaba el chirrido discordante de Avi, el hijo de Gwendolyn, aporreando su violín Sukuzi, me asaltó el pánico. ¿Qué iba a hacer respecto de las lecciones de música? Ni siquiera se me había ocurrido. Aquella noche llamé a varios maestros de piano. Después sentí punzadas porque Nikki no sabe nada de religión. Pero sucede, todo esto. Mi vida tiene aquello que siempre implicó el planeamiento: un centro, peso, sustancia. Amor.

Amor. ¡He tenido tanta suerte! Creo que casi siempre. No en el sentido común y exterior en que la gente piensa cuando se dice esta frase. Porque, después de todo, he tenido mis caídas y distracciones, mis malos momentos, enfermedades y divorcio, las miserias mayores habituales en cualquier existencia humana. Pero tengo la suerte de tener a Nikki, de tener a alguien a quien amar, sin ambigüedades y en forma permanente, duradera, alguien a quien amaré siempre. El amor, signifique lo que significare, ha sido, en lo demás, algo en lo que no he podido confiar. Con mi madre. Con los hombres. En mis años más jóvenes, para mí no tenía sentido esa palabra única que servía para referirse tanto a las relaciones sexuales como a la familia. Hay que volverse mayor para que todo eso adquiera coherencia, para comprender que se reduce a lo mismo: intensidad, conexión, compromiso, una Meca hacia la cual el alma siempre puede volverse para rezar.

Después de la cena, un baño. Nikki retoza, inventa juegos con muñecas Barbie que, salvo en estos momentos vespertinos en que se ahogan aquí, habitan el costado de la bañera en consumada desnudez, desesperadas, sin duda, por el triste destino de su pelo de plástico, que ha quedado reducido a una masa de nudos gracias a los repetidos intentos de peinados a que las somete Nikki.

—Me gusta más Jenna que Marie —dice Nikki—, pero las dos son negras.

Una vez más, intercepto el pánico. Enseñar, siempre enseñar.

—Ya sabes, Nikki, que el que alguien sea agradable no tiene nada que ver con el color de la piel. Uno es lindo desde adentro, no desde afuera.

Hace una mueca, entrecierra los ojos.

—Mami, ya lo sé. —Algunas proposiciones son obvias, incluso para una nena de seis años.

Por fin la saco de la bañera. Ya empiezo a añorar a la beba que acaba de desaparecer hace poco, la nena de tres y cuatro años con su manera de hablar graciosamente torpe. Ahora suele parecerme, a veces, un ser de orígenes desconocidos, con gustos e incluso atributos físicos que nunca observé ni en mí ni en Charlie. ¿De dónde saca estos dedos, sebosos como velitas derretidas de torta de cumpleaños?, me pregunto mientras la seco con la toalla.

—¿Ya te dije que eres maravillosa? —le pregunto, arrodillada junto a la cama de Nikki.

—No —me responde enseguida, como hace todas las noches.

—Bueno, eres maravillosa. Eres la persona más maravillosa que conozco. ¿Te dije que te quiero mucho?

—No —responde, acurrucándose contra mi pecho, como avergonzada.

—Te quiero más que a nada en el mundo.

La mimo hasta que se duerme, algo que no debería permitir pero que es un momento precioso. Dormida, Nikki es suave y huele dulce a champú.

Después, en la casa silenciosa, me recuesto en la sala. El pie de una copa de vino blanco gira de manera experimental entre las puntas de mis dedos. Por fin alcanzo el momento glorioso en que me quito las medias enterizas. Ahora, ya concluido el desfile del día, empiezo a descubrir lo que me ha estado dando vueltas, antes de que crezca hasta convertirse en un invernadero de sueños. Los sonidos nocturnos se elevan de la ciudad: el viento contra las alcantarillas, los autos que pasan, adolescentes exuberantes de travesuras. Encima del hogar de ladrillos pintados cuelga un Modigliani, una muchacha de cara estrecha en cuya pose inescrutable siempre he reconocido algo de mí misma. Mientras Charlie vivió aquí, pasé horas mirando esa pintura, ya que era reacia a moverme de un lado a otro de la casa mientras el poeta se hallaba en las agonías de la creación. Desde el estudio de Charlie, en el dormitorio extra, el fuerte humo azul de sus cigarrillos armados a mano penetraba en la habitación. Usaba marcas de tabaco de las que se veían en las películas del Oeste —Bugler y Flag— y solía hundir los dedos gruesos en las bolsas y enrollar el papel sin siquiera alzar la vista de la página. Su concentración al escribir era fabulosa. No habría oído ni la bomba atómica. Pero exigía que la casa estuviera en silencio, así que hasta que terminara —y sólo Dios sabía cuándo sería— yo trabajaba aquí con una taza de té, sobresaltándome si la taza tintineaba contra el platillo, la zombie del amor, una desdichada exiliada en mi propia casa.

Y con este recuerdo, a medida que va disipándose el tráfago de la semana de trabajo, a medida que la sala del tribunal, con sus tentáculos de repulsión y miedo, va quedando atrás, me alcanza la flecha de la intensidad terrible de la más simple verdad. Estoy atareada, sobrecargada. Es cierto, sí. Pero también sé este secreto: en la médula de los huesos, donde se hace la sangre y se juntan las creencias, tengo hambre de la compañía íntima de otros humanos. Estoy sola. Y no es un mero síntoma del divorcio. Hubo años, años en que estaba casada con Charlie, en que me sentía así, en que me preguntaba, como lo hago todavía, cuánto más iba a durar.

Y entonces, en forma impredecible —sigilosa como un ladrón— retorna la línea que pasé por alto en estos últimos días, envuelta en toda la urgente sinceridad con que fue pronunciada.

"¿Con cuántas personas —preguntó Seth— llegas a lograr una intimidad en la vida?"

2 de mayo de 1970

SETH

Después de la visita de June no pude seguir durmiendo. Para entonces eran las tres y media y permanecí despierto, diciéndome que no, después que sí, que era una locura y estaba mal, y luego que estaba bien justamente por esa razón. Cerca de las cinco, cuando iba a irme, llamé a la casa de Hobie. La voz de Lucy sonaba confusa de sueño.

—No está —susurró.

Hobie tenía horarios de lujo. Leía toda la noche y no había asistido a una sola clase matinal en toda la carrera universitaria. Tuve la certeza de que Lucy, complaciente como siempre, tenía instrucciones de decirme que él no estaba, pero cuando la desafié, una oleada de congoja le atravesó la voz.

—No ha pasado una noche aquí en toda la semana —dijo sollozando, y luego calló. Agregó que podía dejarle un mensaje en lo de Cleveland. —Si es que alguien atiende el teléfono —añadió.

Traté de pensar.

—¿Cómo andas? —le pregunté.

—Como la mierda.

No requería más explicación. Le dije que necesitaba verla, para despedirme, aunque más no fuera, y acordamos encontrarnos en la calle Polk, donde Lucy tenía un compromiso aquella tarde. Después del trabajo avancé entre el tránsito del sábado, de ánimo desparejo. Acababa de despedirme en *After Dark*. Mis días como columnista de ciencia ficción —el único trabajo del que me he sentido orgulloso— habían llegado a su fin. Abracé a Harley Minx; me dio una guía de Vancouver. Luego salí por las puertas giratorias de atrás, con sus protectores de goma, y dejé atrás una porción más de mi vida, sabiendo que no había elegido hacerlo.

La calle Polk se hallaba tan florida como siempre. Hell's Angels, reinas harapientas con vestidos baratos y cow-boys vestidos de cuero desfilaban por la avenida, mientras los compradores corrían entre los cafés y los lugares exóticos. En una esquina se hallaba parada una mujer de pelo blanco y suéter ajustado, con una cacatúa blanca sobre el hombro.

Al ver a Lucy detuve el auto con un chirrido. Estaba en la esquina, mirando deslumbrada hacia el sol, tal vez buscándome. Le caía sangre por las mejillas.

Me asomé por la ventanilla, la saludé y le grité, y al final me acerqué al cordón. Para cuando la hice subir del lado del acompañante, las bocinas resonaban en un coro áspero detrás de mí. Por el espejo lateral vi a un agente que se aproximaba, y lancé el Escarabajo a la calle, extrañamente asustado por el pensamiento de un encuentro con la policía.

—Por Dios —dije—. Por Dios, ¿qué está pasando? ¿Qué te pasó? —Le pregunté si quería ir a un hospital. Se había sacado las lentes de contacto, que sostenía en las palmas abiertas, y se sentó con la cabeza echada hacia atrás.

—Lo hago todo el tiempo —dijo—. Me olvido de que tengo las lentes puestas. Lloro y después me froto los ojos y me corto algo en la superficie. Me pondré bien. Oh, Dios —exclamó, y se echó de nuevo a llorar. Las lágrimas, ahora de un rosa más suave, le corrían por la cara. Di la vuelta con el auto y al fin paré en Russian Hill.

Había ido a ver a un herbolario, alguien del que había oído hablar, un hippie que tenía un negocio en un tercer piso.

—¿Para qué?

No le salían las palabras.

—Mi piel. —Lucy tenía pecas pero en lo demás su cutis era perfecto.

—¿Tu piel? ¿Qué tienes? ¿Un sarpullido?

Revoleó los ojos ante mi estupidez. Se había puesto una de las lentes de contacto en la boca, para limpiarla, y tuvo que escupirla antes de poder hablar.

—Hace dos semanas Hobie se deshizo del perro. Dijo que no iba a vivir con ese animal grande y blanco. —Me miró, esperando que yo entendiera. —Oí decir que hay algo que uno mastica, ¿sabes?, durante un mes, más o menos. Es como que va haciendo efecto de a poco. Como que te tiñe, ¿no? Te oscurece la piel, te la pigmenta o algo así. No sé. Bueno, la cosa es que el tipo no la tenía. Me dijo que había oído hablar, pero que no la tenía y no sabía dónde la puedo conseguir. Y acabo de salir de ahí, y me atacó esta sensación de que nuestra relación no va a funcionar nunca. Es decir, toda mi vida se está cayendo a pedazos, Seth. ¿Qué voy a hacer?

Mi reacción, por supuesto, fue decirle que aquello era una locura. Tenía rasgos pequeños y majestuosos; parecería una persona blanca teñida de marrón, alguien a quien se le había ido la mano con el bronceador. Pero resultaba obvio que ella estaba más allá de la practicidad. Ese amor de Lucy, su necesidad de Hobie, fue lo que más me conmovió. Constituía un contraste descorazonador respecto del modo como me había respondido Sonny.

Volví a preguntarle por Hobie. No tenía idea de adónde había ido. Creía que había estado con Cleveland, pero había llamado a la comisaría y no lo habían arrestado. Hacía semanas que aparecía en la casa esporádicamente, al parecer sólo para decirle que no podía seguir viviendo con una chica blanca. La implicación, lo que Lucy se negaba a reconocer, era que él volvía a ver si ella se había ido.

—¿Qué está haciendo? ¿Dónde crees que está? —le pregunté.

—No sé. Todavía va a la facultad, pero después...

—¿Qué sabes de la bomba en el CDIA? ¿Él tuvo algo que ver?

Se apresuró a mirar por la ventanilla. Al principio no dijo nada.

—Sabes algo de ese asunto, ¿no? ¿Lo que él compró? —me dijo.

—Sí. —El ácido para batería y las bolsas de arena. Por supuesto que lo sabía.

—Creo que al final se dio cuenta de para qué eran. Es decir, nadie se lo dijo. Fue como que sumó dos más dos. No sé, Seth. No me contó mucho.

—Pero él no puso la bomba, ¿no? ¿No ayudó a planearlo?

—¿Hobie? No. Por Dios, no. No es posible, ¿verdad?

Reconsideré la advertencia de June. Tal vez sólo quiso decir que, cuando cayeran las fichas de dominó, Hobie se encontraría en problemas. Un arresto conduciría a otro. Pensar en esa posibilidad me dejó tan amargado como preocupado. En el intervalo, Lucy había comenzado a llorar otra vez.

—Por Dios, Seth —repitió—, ¿qué voy a hacer?

Lucy provenía de lo que se denominaba "un hogar destrozado". Sus padres se habían divorciado cuando ella tenía tres años. El padre, un abogado conocido, le enviaba montones de dinero pero aparecía poco. La madre era una especie de mujer de sociedad: un martini en una mano, un cigarrillo en la otra, y en general un hombre cerca para encendérselo. Lucy había llegado a la mayoría de edad en una atmósfera de impecable cortesía, que de chica le provocaba la duda de si ese aire de reserva que siempre intuyó era refinamiento o indiferencia. De adolescente, trató de averiguarlo; a los dieciséis años huyó a una comuna macrobiótica de Vermont. Luego, cuando se suponía que debería haber vuelto a la buena senda, comenzó la relación con Hobie. Lucy le contó a la madre todo sobre su novio, salvo que era negro, noticia de la que mi suegra se enteró de inmediato cuando una noche llegó más temprano y los encontró haciendo el amor en uno de los sillones de la sala: las piernas pecosas y delgadas de Lucy envueltas alrededor del trasero marrón de Hobie.

En su primer año de facultad Lucy dependía de Hobie por completo. Él le elegía los cursos, aprobaba su ropa, le daba libros para leer. Y
gozaba de las pródigas atenciones que ella le dispensaba. Pero cada dos
o tres meses le hacía daño. Alguna chica mostraba interés por él y Hobie
desaparecía en la habitación de la beneficiada, a veces durante varios
días. Lucy salía conmigo, me acompañaba a tomar un café y me derro-
taba en partidas de bridge con tanta facilidad que me resultaba
desconcertante, ya que yo aún no había descubierto su capacidad mental oculta detrás de sus dudas respecto de sí misma. La mayoría de las
veces, sin embargo, se deprimía de manera increíble hasta que Hobie
regresaba. Hubo incluso una ocasión en que se paró ante el cuarto donde se habían atrincherado Hobie y la chica nueva, y se puso a gemir de
tristeza, gesto que él tuvo la suficiente franqueza de admitir que había
encontrado muy estimulante. De algún modo Lucy nunca parecía pensar siquiera en terminar con todo aquello. Sufría incluso ahora, de solo
pensar en perderlo.

—Mira, mi departamento quedará vacío en unos días. ¿Por qué no
te mudas allá?

—Por Dios —respondió—, por Dios, no quiero estar sola, Seth.
—La palabra "sola" emergió en un tono que a veces oía en los cantos
del templo. Un lamento antiguo, un dolor permanente. La abracé.

—Entonces múdate hoy. Tendrás compañía hasta el lunes, que es
mi fecha de reclutamiento. El día en que debo partir hacia el gran Norte.
—Volvió el recuerdo de June, del plan de los Eddgar, del secuestro.
Una sensación percuciente me invadió, como en muchos momentos
desde la bomba en el CDIA. Me sentía sin amarras. El poder de los Eddgar
me resultaba dominante, porque me señalaba sin vacilar en una dirección
conocida.

—Tal vez yo vaya también —dijo Lucy—. A Canadá...

—Claro —le dije. No había más que agregar, pero tomó nota de mi
tono, carente de entusiasmo. Miró desolada por la ventanilla, tratando
de no llorar. De pronto la abracé y le hablé en gran medida como me
había hablado a mí mismo desde la mañana.

—Mira, tienes que dejar atrás todo esto. Y yo también. Todo esto.
Hobie. Todo lo demás. Todo está cambiando. To-do. Es lo que queríamos
y ahora lo tenemos, y ha sucedido y, ya sea bueno o malo, tenemos que
aceptarlo. Simplemente tenemos que aceptarlo. —La tomé por los
hombros, casi como June había hecho conmigo, y miré los ojos pequeños
y brillosos de Lucy, esperando distinguir allí algún signo, alguna chispa,
para saber si la había persuadido y, por lo tanto, si me había persuadido
a mí mismo.

Llamé a mi padre al trabajo. Estaba allí seis días por semana, con seguridad. Aunque era sábado, nunca se iba antes de las cinco de la tarde.

—Papá, ¿no has recibido ninguna llamada ridícula o algo parecido de unos tipos de acá?

Lo oí calcular, rumiar. Una sinfonía se filtraba débilmente, salida de una pequeña radio de consola que tenía detrás del escritorio.

—¿Llamadas? ¿A qué te refieres, Seth?

—Acá hay unos tipos, unos chiflados. Los he visto alrededor del edificio. No sé quiénes son o qué son. Algunos dicen que son brujos.

—¡*Vrujos*! —Allá, en el condado de Kindle, a mi padre lo anonadó oír algo semejante.

—No sé. Satanistas. Se autodenominan la Revolución Oscura. No se puede creer los personajes que hay acá, papá. Por Dios, uno de estos tipos tiene un afro teñido de todos los colores del espectro. No bromeo. Pelo rojo, azul, violeta. Pelo vio-le-ta. ¡En serio!

Mi padre gruñó de incredulidad.

—Bueno, la cosa es que ayer vino a verme una persona a la que conozco bien y me dijo que estos tipos, los de la Revolución Oscura, hablaban de secuestrarme para pedir rescate porque soy el hijo de Bernard Weissman.

—Ah, santo cielo —exclamó mi padre—. Santo cielo. ¿Le has explicado?

—Por supuesto que le expliqué. "No soy ese Weissman, no hay ningún tipo de relación." Se lo dije todo. Pero no estoy seguro de si el tipo me creyó. Me dijo que hacía mucho que tenían este plan entre manos, ¿sabes? Y se pusieron nerviosos o algo así porque se enteraron de que estoy por irme. Pensé que tal vez iban a hacer algo. No sé.

—¿Te has puesto en contacto con la policía?

—¿La policía? ¿Y qué harían?

—La policía haría lo que hace siempre. Investigar. Averiguar el asunto.

—Papá, por Dios... Si investigaran a todas las personas de Damon, California, tendrían trabajo desde el alba hasta el crepúsculo y ni siquiera terminarían con el bulevar Campus. Lo único que me falta es llamar la atención de esos tipos. Lo que tengo que hacer es juntar mis cosas y salir del país.

Al cabo de una pausa, me dijo:

—No es ninguna solución.

June estaba sentada, mirándome, cerca del teléfono. Tenía un anotador y una lapicera, pero aún no había agregado una palabra; se limitó a esbozar una sonrisa débil. Yo ya había excedido el diálogo ensayado y sentía un claro regocijo al llevar la voz cantante con mi padre.

—Mira, no peleemos por esto. Te llamaré en un par de días.

—Seth, quiero que me des tu palabra de que volveremos a discutirlo antes de que des el último paso. Espero que me lo prometas.

—Sí, te lo prometo. Pero para el lunes tiene que pasar algo. Mira, papá, no le digas nada a mamá, ¿de acuerdo?

Resopló: por supuesto que no. En el estado en que ella se hallaba... Pedidos de rescate; era lo último que mi madre quería oír.

—Iría directo al manicomio —dijo.

—Estuviste muy bien —me felicitó June—. ¿Qué dijo?

El último comentario de mi padre, respecto del manicomio, fue como una puñalada.

—Ya lo hemos hablado —dijo June—. Tu seguridad no estará en juego en ningún momento. Ellos sabrán desde el primer momento que te encuentras a salvo. Sólo habrá la cuestión de tu liberación.

La locura de aquello, la naturaleza frenética y degradante de todo, dentro de mí y en todas partes, me abrumó. Eddgar bajó a mi departamento en unos minutos. Era tal como todos comentaban siempre: nunca se hallaba presente cuando ocurría algo importante. June le relató los planes. Eddgar se sentó junto a ella, tensos los músculos de la mandíbula. Cada tanto, cuando algo requería discusión, ambos salían un momento de la habitación.

—Está todo bien —dijo June. Él asintió con gesto remoto, de modo que ni siquiera en ese momento se podía afirmar si sabía de qué hablaba su mujer.

Afuera, en el rellano, se oyeron pasos, un resonar pesado, y luego un golpe a la puerta. Eddgar acudió alarmado, pero cuando abrió vio a Lucy parada allí, apartándose el pelo de los ojos y respirando fuerte. Llevaba su mochila, una enorme bolsa verde, repleta de cosas que sobresalían, tirada sobre el umbral. Tenía una almohada bajo un brazo. Nos miró a los tres, como para mantenerse firme.

—Voy a Canadá —me dijo.

"TENEMOS A SU HIJO", decía la nota. Como en las películas, el mensaje era un collage de letras recortadas del diario y pegadas en la hoja. Las palabras habían resultado sorprendentemente fáciles de encontrar. Un aviso de Sears en el *Chronhicle* proclamaba: "¡TENEMOS SU TAMAÑO! Liquidación el viernes". June se quedó mirando las páginas abiertas y dijo: "El destino".

Era el sábado por la noche. Lucy se hallaba abajo con Nile; Eddgar, por supuesto, no estaba. Para componer la encomienda, June se había puesto unos guantes de goma amarillos. Ella y Eddgar mostraban una seriedad mortal acerca de las precauciones, aunque yo continuaba explicando que mis padres jamás contactarían con las autoridades.

—Hay que controlar el factor azar —me dijo June. Cuando terminó, se dirigió a Railway Express. Enviado por vía aérea, el paquete, una cajita blanca de regalo, sería entregado en la oficina de mi padre el lunes antes del mediodía. Adentro encontraría la nota y el *mezuzá* que yo había recibido de nuestra congregación en mi *bar mitzvah*. Era un pequeño cilindro de plata con la estrella de David, que contenía un rollo de pergamino en el que estaban escritas las palabras que el Deuteronomio exigía que todos los judíos dijeran todos los días. Yo lo usaba sin prestarle atención, considerándolo un elemento de adorno, algo así como un igualador de los judíos, de modo que en la escuela pudiera llevar una cadena al cuello así como los gentiles usaban medallas y cruces de San Cristóbal. Sin embargo, no me pareció raro que mis padres vieran ese objeto como algo emblemático de mi persona. Esa idea, inesperada, fue la única punzada de legítimo sentimiento que experimenté. Le entregué el *mezuzá* a June con las emociones desencarnadas que habían acompañado gran parte de mis acciones en los últimos tiempos. Una vez más, experimentaba algo trascendental, pero el tiempo sólo pasaba, las cosas sólo sucedían. *Traumhaft.* Cuando me acudió esta palabra a la mente, de pronto sonreí. June me echó una mirada rara, pero no esperó a preguntarme si quería pensarlo mejor.

—Así que volvió ayer —le explicó Lucy a Michael a la hora de la cena, el sábado por la noche—, y comenzó a empacar. O sea, empezó a preguntar: "¿Dónde está esto? ¿Dónde está lo otro?". Corría de un lado a otro, y eso era todo lo que decía. Y yo le respondía: "Hobie, qué está pasando, háblame, amor", pero para él era como que yo ni siquiera estaba ahí. Lo seguía de acá para allá... —No pudo soportar más; se puso a llorar. A esa altura no era nada nuevo. Hacía veinticuatro horas que lloraba constantemente. —Y me dijo: "Será mejor que también tú te vayas de aquí. Se viene la mierda, y no va a ser muy divertido".

—¿Qué quiso decir? —Yo había escuchado la historia demasiadas veces, pero en cada oportunidad había algo nuevo. —¿La policía?

Lucy no tenía idea.

—No sé. Estaba muy alterado, se lo pasaba corriendo a la ventana. Y yo trataba de preguntarle por nosotros, ya sabes... la verdad. ¿Pero crees que me miraba? Como si yo no existiera. Como si le molestara. Y yo le rogaba: "Por Dios, Hobie, ¿adónde se supone que vaya, qué se supone que haga?". Y... —En medio de los sollozos, no lograba encontrar las palabras para describir la indiferencia de Hobie.

—¿Dónde está? —preguntó Michael—. ¿Sabe dónde estás tú?

—Lucy movió los brazos en un gesto inútil. Michael, por su parte, estaba un poco mejor. Todavía se lo veía desolado y confuso, pero parecía más contenido.

—No sé. Le dije que tal vez decidiera acompañar a Seth a Canadá.

—Me miró. —¿Crees que llamará?

—No —respondí—. No creo. —Ya no intentaba consolarla. Debía emprender el camino al Norte. No es que no me hubiera agradado tener la oportunidad de ver a Hobie antes de marcharme, al día siguiente. Salvo el asunto sucio entre los Eddgar y mi padre —el secreto más espantoso, que de todos modos me habría dado mucha vergüenza compartir—, mis planes seguían siendo más o menos los mismos de antes. Los Eddgar cobrarían el rescate; yo me iría.

Michael, Lucy y yo bebíamos vino, en una supuesta celebración de mi última noche antes de convertirme en fugitivo del estado. Encendimos una vela, colocada en una botella de Chianti, y comimos un cangrejo y un gran pan que Lucy había comprado el día anterior pensando en una reunión sentimental con Hobie. Nuestra conversación no pasó en ningún momento de la torturada evocación de Lucy respecto del malogro de dichos planes. De algún modo el tema nos ofrecía a los tres amargos recordatorios de los fracasos del amor.

—Qué trío somos —dije de repente. Había un cuento que le había leído a Nile una docena de veces. Un animal ciego, otro sordo y otro que no puede hablar. Se encuentran y prosperan. Forman una banda. Pero yo siempre cerraba el libro pensando: "Qué grupo desastroso". No podía evitarlo. En aquel momento me reí fuerte. —El amor es despojos inútiles.

Michael recibió mi observación con su sonrisa silenciosa y cansada y despejó su plato.

Para cuando pasaron el noticiario nocturno, Lucy estaba dormida en el sofá. Traté una o dos veces de revivirla, para compartir mi asombro por lo que estaba ocurriendo. El sábado, en la reunión política de New Haven en apoyo a Bobby Seale, los líderes de la manifestación habían convocado a una huelga nacional de estudiantes para protestar contra la guerra. Nixon había denunciado a los radicales del campus calificándolos de "vagos", pero la idea de la huelga se difundía. Once periódicos universitarios de todo el país —incluyendo los de Princeton, Sarah Lawrence y Damon— habían adherido al plan.

En Camboya, por otro lado, las tropas invasoras estadounidenses encontraban nuevas señales de presencia norvietnamita.

Como base de "operaciones", como la llamaban, June había elegido el motel Campus Travel, situado en la parte este de Damon, donde el bulevar Campus se cruzaba con la carretera. Desde allí realizaríamos nuestro plan y yo prepararía mi partida. Se suponía que debía encontrarme con June en aquel lugar alrededor del mediodía del lunes.

Aquella mañana subí a despedir a Nile cuando se iba a la escuela. Le tendí una mano y él me agarró el pulgar al estilo revolucionario. June me había rogado que no me despidiera del chico; ella no podría soportar la escena. Le expliqué solamente que iba a hacer un viaje y que no iría a buscarlo después de la escuela.

—Voy a mandarte postales.

—Me gustan los caramelos —dijo Nile, con cierto aire solemne, como si yo no lo supiera.

Metí mis valijas en el Escarabajo y fui hasta lo de Robson. Había visto en el placard el atuendo blanco que usaba Sonny en su trabajo de camarera, el delantal crujiente y los zapatos blancos, que me inspiraban chistes poco graciosos acerca de que parecía una enfermera. Pero me resultó desconcertante verla vestida de ese modo. Daba la impresión de que habían pasado años, en lugar de semanas. Tenía el pelo recogido atrás, con una redecilla, y una tiara blanca en lo alto. Se le iluminó la cara cuando me vio cruzar el umbral, así que las emociones indóciles volvieron a invadirme de pronto a medida que me acercaba a ella, junto al viejo mostrador.

—Es el día D. —Metí las manos en los bolsillos de mis vaqueros, a falta de otra cosa que hacer.

—Lo sé. —Había contado los días, por supuesto. —Temía que ya te hubieras ido. Ojalá me hubieras dejado llamarte. Gus, salgo un momento.

Detrás del mostrador, Gus se secó una mano en el delantal engrasado y asintió sin más comentario, mientras fumaba la última pitada de un cigarrillo. Sonny tomó su chaqueta de un perchero y me acompañó al fondo a través de la conmoción de la cocina. El piso era de concreto rojo, sucio.

—Vuelvo enseguida —gritó a manera de respuesta a la protesta de alguien, y salimos al callejón. Los desperdicios del restaurante —cáscaras de melón y gruesas bolsas para freezer, vacías de su contenido de papas fritas— se hallaban apilados en un gran tacho, pudriéndose al sol. En el umbral de al lado un gato se estiró, echado sobre el lomo, en un escalón de madera, agitando las patas a la luz del sol en un momento de languidez felina, invulnerable y relajado, como disfrutando de algún recuerdo enterrado en el ..... de sus pasadas glorias de tigre.

Cuando quedamos a solas, Sonny se me acercó y me abrazó, como si no hubiera tiempo ni diferencias entre nosotros. Al sentir su cuerpo, tan conocido, me apretó en una prensa de emociones difíciles.

—Esperaste al último minuto —me dijo.

—Sí. Soy candidato a la cárcel desde hace más o menos una hora. En este momento hay un oficial de reclutamiento buscando mi nombre en una lista, verificando los informes de tránsito de la carretera y deseando no tener que llenar una terrible papelería. —Entre todas las incertidumbres del momento, esta decisión aún me parecía inalterablemente correcta.

Hablamos del Cuerpo de Paz. La designación de Sonny se había producido con inesperada celeridad. Partiría a Manila al mes siguiente; su misión era en un centro de planeamiento familiar en la parte septentrional del país. Sonny hablaba sin entusiasmo. Ya no era más que un lugar determinado, un trabajo. Al postularse, había imaginado el bosque, la selva, el contacto con tribus indígenas ajenas al tiempo. Pero las descripciones del centro evocaban bullentes ciudades asiáticas, Bombay, Bangkok: desesperación, envilecimiento, suciedad, una población entera ansiando la corrupción de los ricos. Por el momento, Sonny parecía menos segura de que viajando quince mil kilómetros iba a encontrar aventura o verdad, o lo que fuera que hubiera creído que se perdía al estar conmigo.

—Será grandioso —le dije.

—Así lo espero. Graeme cita a Horacio: "Cambian el clima, pero no las mentes... los que se apresuran a cruzar el mar". —Se encogió de hombros, un poco melancólica. Llevaba medias largas blancas y unos zapatos blancos. La chaqueta, tal vez de Graeme, de denim negro, le tapaba las manos.

—¿Sabes la novedad? —le dije—. Bárbaro viene conmigo.

—¿De veras?

—Ella y Hobie rompieron. Así que me acompañará. Ya sabes, para darme apoyo moral y eso.

—Sí, apoyo moral —dijo Sonny—. Siempre ha querido estar contigo.

—Mentira.

—Las mujeres sabemos de estas cosas.

Sentí que la noticia la alegraba. Le gustaba imaginar que yo ya tenía una vida feliz, separada de la de ella.

—No es más que un viaje, Sonny.

—¿Y tus padres?

—Creo que lo he solucionado —dije con estoicismo. No obstante, ella había vivido conmigo bastante tiempo como para poder registrar mi cambio. Me sentí indefenso mientras me medía con sus ojos oscuros e inquisidores. Me di cuenta de que me conocía más de lo que yo nunca llegué a conocerla.

—¿Estás tramando algo, bebé?

—Algo —respondí. Se lo dije porque me llamó "bebé". Había planeado mostrarme lejano, guardar por completo el secreto, como habían insistido los Eddgar. A Lucy, por ejemplo, le dije que partiríamos del motel por si el ejército me andaba buscando, una ficción tonta, ya que según todos los casos conocidos sólo comenzarían a buscarme al cabo de varias semanas, cuando mi nombre fuera informado al FBI.

—¿Juras no decir nada? —pregunté.

Dio un paso atrás, ya cautelosa.

—Me secuestran. —Esbocé una sonrisa presuntuosa, pese a la brecha de náusea que se abría en mí de solo pensar en la etapa siguiente.

—¿Secuestrado? ¿Qué significa? ¿Qué vas a decirles?

—No me preguntes —repuse—. No lo creerías.

Me tomó de una manga.

—¿Hobie está envuelto en esto?

—Olvídalo. Está todo bien, de veras. Es un poco loco, pero es seguro para todos. No se lo cuentes a nadie, ¿de acuerdo? —Ahora que me había agarrado, no me soltaba. Volvió a acercarse.

—Seth, no te vuelvas loco por mí.

—Son los tiempos —le dije—. Está en el aire. —Ni le dije una sola palabra de reproche, pero los dos sabíamos.

—Por Dios —exclamó—. ¿Por qué me siento tan mal? ¿De veras he actuado tan mal contigo?

—El final podría haber sido mejor. Pero es como las historias que invento. En general sucede así.

—Me gustan tus historias —dijo, acurrucada contra mí.

Ahí empezábamos de nuevo, como el grito perdido en la niebla: quiero estar contigo; no puedo. Yo no alcanzaba a comprender qué se agitaba dentro de ella, sólo que luchaba contra eso, y que, aunque débilmente, yo no carecía por completo de esperanza.

—Dentro de veinticinco años puede que te sientas muy mal por esto.

—Me siento muy mal en este mismo momento. —Respiró hondo. —Llámame en cuanto estés a salvo. ¿Me lo prometes?

—Por supuesto.

—Quiero saber dónde estás.

—¿Por si cambias de opinión?

Esbozó una sonrisa tenue.

—Si no es demasiado tarde —añadí.

—Lo sé.

—Estaré esperando. —Con estas palabras, me fui. Había alimentado el sueño cinematográfico de que la oiría correr tras de mí. Pero no lo hizo. Me di vuelta para mirar, para saludarla con un ademán. Sólo vi que permanecía entre las latas de basura en un parche de sol, mientras se daba golpecitos en el pecho, en el lugar del corazón.

Exactamente a las diez de la mañana hicimos la llamada a la oficina de mi padre. El terror que trasuntaba su voz era extraordinario. De nuevo me di cuenta de cuán cerca acechaba bajo la superficie de su vida.

—Oh, Dios, Seth.

—Papá, estoy bien. De veras, estoy bien.

—¿Dónde estás?

—No puedo decírtelo. Están acá.

—Bueno, con eso es suficiente —dijo June, a mi lado, con voz bastante fuerte para que mi padre la oyera. La habitación del motel era deprimente, limpia pero en las últimas. En su origen debía de haber sido una construcción de guerra, tal vez una barraca. Las paredes se hallaban revestidas hasta la mitad de su altura con paneles de plástico color sándalo, presumiblemente para ocultar los rayones. June había corrido las gruesas cortinas verdes.

—Saben que han agarrado al tipo equivocado —le dije a mi padre—. Es decir, lo saben ahora. Al final logré que me llevaran a la biblioteca, esta mañana. Les mostré a Bernard Weissman en *Quién es quién*. Y tu biografía en *American Economists*. Demoraron un rato en encontrar algo en que figurara el nombre de tu hijo.

—¿Te han soltado?

—No exactamente.

—Bueno —dijo June, que había tomado el teléfono—. Está vivo. Respira. Está bien. —Hablaba con una voz tan gruesa que casi me hizo reír. Después de tanto que había hablado de sus clases de teatro, yo esperaba una actuación inspirada, única. En cambio, me dio la impresión de que se limitaba a copiar la modalidad de los melodramas radiales, que todavía se daban cuando yo era chico. Pero calculó bien el efecto. Después de todo, aquello era la vida real, donde lo exagerado sugería a alguien siniestramente propenso a ir más allá de las restricciones normales. Mi padre estaba aterrado.

—¿Quién habla? —gritó. Yo no estaba lejos del teléfono.

—Hablo yo. Esto es la Revolución Oscura. Ésta es la voz de la verdad. ¿Entiende? La próxima vez que lo llame, voy a decirle lo que puede hacer para que lo soltemos. Primero que nada, debe escuchar las reglas. Y obedecerlas. Regla Número Uno: no habrá llamadas telefónicas de más de un minuto. Y su minuto termina en este momento. Adiós.

Después de que June colgó el teléfono, mi padre debe de haberse quedado sentado un rato en su oficina, tal vez controlándose el pulso hasta que logró restablecer sus pensamientos, en general ordenados. Tal vez permaneció mirando fijo su cara áspera y pálida reflejada en el vidrio de uno de sus diplomas. Por cierto, como siempre, se puso a hablar solo. El mundo, pensaba, había dejado de ser un lugar razonable. La gente merodeaba como bestias, dominadas por una emoción impredecible, dando rienda suelta a una fantasía perversa. Despierto o dormido, la luz del día era la única membrana que ahora lo separaba de la turbulencia de los sueños. Pero un fragmento de sí mismo debe de haber permanecido conforme y sereno. Había pasado muchos años preparándose. Siempre había sabido que volvería a ver cómo se repetía la pesadilla.

June volvió a llamar en quince minutos para decirle que querían rescate.

—Usted tiene dinero. Puede pagar.

—Soy profesor universitario. Un hombre pobre. —Percibí ese tono astuto que había oído en los mostradores de los negocios un millar de veces, cuando él criticaba la calidad, el precio, en la esperanza de encontrar algo con que regatear. Con una sonrisa amarga, yo había predicho con exactitud lo que haría mi padre. Y aun así, dentro de mí algo se derrumbó. No había esperanza. —¿Cuánto debo pagar? ¿Cómo? Usted comprende que no soy Weissman. —Siguió así un instante más, hasta que June lo interrumpió.

—¿Quiere saber dónde está su hijo ahora? ¿Alguno de sus vecinos tiene perro? Ahí es donde está su hijo. Tiene un collar de perro alrededor de la garganta, atado a la maldita pared. Las manos atadas. Y también los pies. Se sienta cuando se lo ordenamos, se para cuando se lo ordenamos. Sale a orinar cada cuatro horas. Tal vez lo soltemos el año que viene. O tal vez el otro. A mí no me importa. La comida para perros es barata. ¿Me entiende? La elección es suya. Si eso es lo que quiere, no tiene más que decírmelo. Ésa es la Regla Número Dos: usted me dice lo que quiere. ¿Quiere eso? ¿Quiere que tratemos a su hijo como a un perro pulguiento, sucio y lleno de mierda? Bueno, así lo haremos. No tiene más que decirlo. ¿Es eso lo que quiere? Quiero que me lo diga. Vamos. Obedezca las reglas.

Nunca antes había oído llorar a mi padre. Emitió un resuello ahogado, y luego se le quebró la voz. Me agaché y me cubrí la cabeza.

—Quiero 20.000 dólares. Nada más. Sólo veinte. Cuando empezamos esto, calculamos dos millones. Es mucho, ya lo sé, pero tenemos gastos. Toda la maldita operación no fue barata. Tenemos bocas que alimentar. Tenemos mucha gente que está muy decepcionada. ¿Entiende? Y necesitamos tiempo para hacer planes nuevos. Ahora, o usted nos ayuda con eso, o nosotros no lo ayudaremos a usted. ¿Entiende? Ésa también es una regla. ¿Me capta?

Mi padre lloraba demasiado fuerte como para poder responder.

—Nada de policía, FBI ni nada. Nadie. ¿Entiende? Las condiciones las ponemos nosotros —continuó June. Me hizo un gesto con la cabeza mientras sostenía el tubo bajo la luz mortecina de la lámpara barata. Yo me había desplomado en una de las camas y ya no podía oír a mi padre.

—Si usted paga esa suma, su hijo queda libre. Sujeto a algunas condiciones: que no nos agarren. Que esto nunca sucedió. Así es la cosa. Yo no confío en usted, usted no confía en mí. Así que ponemos las condiciones.

¿Qué condiciones?, debe de haber preguntado mi padre.

—La próxima llamada. —June colgó de un golpe. Cerró los ojos para abrazarse, para encontrar su vida real, y luego me miró.

—Está saliendo bien —me dijo.

9 de diciembre de 1995

SONNY

El hogar en que vivimos Nikki y yo es estrecho, un edificio de piedra modificado de University Park. El constructor convirtió el sótano en garaje y diseñó un sendero de acceso descendente que se inunda con el deshielo. Debajo de las losas de piedra caliza de las altas ventanas de doble hoja de los pisos superiores, unos maceteros de hierro forjado contienen geranios de otoño, ahora marchitos en sus macetas de terracota. Charlie y yo pagamos demasiado por este lugar y jamás obtendré lo que necesito si vendemos, paso que contemplo a menudo. Me resultan tentadores los suburbios de East Bank, con sus escuelas públicas estables y bien financiadas, y sus tranquilas calles flanqueadas de árboles. Por lo menos un cuarto de las familias de los chicos que empezaron en el programa preescolar de Nikki han pasado a ese mundo más seguro, pero cada vez que contemplo la idea de mudarnos, oigo a Zora. "¡Los suburbios! —solía exclamar—. Mejor una lobotomía."

Esta mañana de sábado es atareada. Nikki exige un desayuno con panqueques y después ver un rato sus dibujos animados. Yo tengo que llevar el auto al taller; otra vez está perdiendo aceite y produce un charco reluciente en el piso del garaje. Mientras volvemos a casa del taller de Boyce, las dos estamos de mal humor. Yo, por tener que enfrentar la faena de las mujeres que trabajan, de hacer las compras el sábado sin auto, y Nikki, porque teme que no lleguemos a tiempo para recibir a Sam, el hijo del primer matrimonio de Charlie, que viene a llevar a su pequeña hermanastra al Drees Center a ver una producción de *La princesa y el garbanzo*.

A menudo digo que me causó más angustia separarme de Sam que de Charlie. Desde que era un bebé, Sam pasaba con nosotros todos los fines de semana. Es un chico especial, y aún más para mí, porque demostró ser el único ser humano en la Tierra que al fin me dio la tranquilidad de sentir que sería una buena madre. La madre de Sam, Rebecca, es una mujer tensa y aún me culpa, una década después, de ser una destructora de hogares. Una vez que se fue Charlie, tuve la certeza de que jamás dejaría a Sam volver a mi casa, pero Sam no toleró que se produjera cambio alguno. Llama a Nikki por lo menos una vez por semana y viene en bicicleta desde la casa de la madre, que queda a pocas cuadras, casi todos los sábados por la tarde. Entra y cuida a Nikki mientras yo hago diligencias. Prepara comidas rápidas. Juegan con la computadora. Los encuentro a los dos boquiabiertos ante la pantalla, Nikki sentada en una de las rodillas de él.

Es todo un misterio. ¿Cómo pudo un alma avinagrada como Rebecca haber criado a un chico así? Es gracioso e inteligente, con el corazón de un héroe. Toca el piano con pasión. Actúa en obras de teatro. A los doce años, está lleno de sentimiento y, de manera no tan incidental, dolor. Después de todo, es hijo de Rebecca, la de los humores hoscos y la lengua nociva. Peor aún, Charlie lo ha abandonado. Sam da la impresión de aferrarse a Nikki porque están unidos, no sólo por la sangre, sino por la circunstancia, no sólo la carga genética que Charlie dejó atrás, sino la añoranza. Con frecuencia pienso que Sam ha decidido curarse siendo un mejor hombre que lo que fue su padre con ellos dos.

Hoy lleva una parka de invierno que ya no puede cerrar con comodidad. Charlie, ex luchador, es enorme —no tan alto como ancho—, y Sam ya comienza a alcanzarlo en tamaño. Es un chico atlético, mucho menos torpe que otros de su edad, aunque tiene ese aspecto estirado de la primera adolescencia. Es moreno y muy lindo, y se complace con inocencia en sus atractivos. Ha comenzado a llevar un peine, para peinarse cuando se mira en cualquier espejo por el que pasa.

Abro la puerta para despedirlos y para mi sorpresa me encuentro con Seth Weissman del otro lado del umbral, que justo está alzando la mano para tocar el timbre. Como yo, viste vaqueros, además de una chaqueta de cuero y un sombrero tipo australiano, de ala ancha. Al parecer, es uno de esos hombres calvos que disponen de muchos elementos para disimular. Es un error, a mi juicio, ya que resulta mucho más chocante cuando se sacan el sombrero.

—Nikki, éste es un amigo mío, el señor Weissman. Y éste es el hermano de Nikki, Sam —le digo a Seth. Aflojo la capucha de piel del abrigo de mi hija para que pueda apreciarla en todo su esplendor. Seth elogia su belleza y cuida de dedicar también un momento a Sam. Sin palabras, ambos observamos marcharse a los chicos. Absortos en su conversación, pasan ante la hilera de casas reformadas, muchas decoradas con luces navideñas. Nikki, como de costumbre, levanta una varilla del suelo y va pasándola musicalmente por las cercas de hierro.

—Dicen que hay que enseñarles a irse —observo al fin—. Desde el primer paso.

—Pero uno no se va nunca —responde. Baja la mirada, y por un momento maldigo mi lengua; luego entro a buscar mi abrigo. Aunque lo invito a entrar, no cruza el umbral.

—He cumplido con mi misión —dice—. Es hermosa. Además, tengo que ir a ver a mi padre. A lidiar con la crisis del día. Le han robado el auto. Durante todos estos años lo he reprendido por andar por ahí en su Caprice 1973, y ahora en apariencia el maldito cascajo es un coche de colección.

Confieso que no me molestaría si alguien me robara mi camioneta y me permitiera, con el dinero del seguro, comprar un auto que no necesitara permanentes citas con el mecánico.

—¿Necesitas que te lleve a alguna parte? —se ofrece.

—Sólo voy a Green Earth a comprar comida. —Como hoy ando a pie, compraré sólo lo que pueda acarrear. Durante esta semana encontraré una cuidadora que pueda quedarse una noche, así hago la compra gigantesca que necesita incluso una familia de sólo dos personas. En estos tiempos, siempre me asombra ver cuánta gente hay en el supermercado a las once de la noche.

—¿No es en la Cuatro? Me parece que queda camino de lo de mi padre. Vamos —me insiste con amabilidad, y no sé si aceptar o no. Al fin subo a su auto, un Camry alquilado. Seth habla con nerviosismo, como para llenar el aire, como si así yo no notara que mi voluntad sigue quebrándose. Me señala lugares de University Park: el campo de juegos Phillips, donde aprendió a jugar báquetbol y tenis; St. Bernard, la escuela de Hobie, un volumen de piedra gris carente de inspiración que ocupa un cuarto de la manzana.

La playa de estacionamiento del supermercado está repleta. Hay una cola de siete u ocho autos de largo esperando entrar, y una confusión de compradores que arrastran los carritos de acero inoxidable por el asfalto. Nos quedamos detenidos en la avenida U, mientras primero una y luego muchas bocinas vociferan a nuestras espaldas. Seth alza una mano cuando hago ademán de bajarme.

—¿Crees que podrías soportar un minuto a mi padre? No me molestaría hacer también algunas compras; estoy bastante harto de la comida del hotel. Después podría llevarte a tu casa, así no tendrás que arrastrar las bolsas.

De esta manera puedo hacer las compras para toda la semana, ahorrándome otro viaje, horas preciosas. Y en cierto modo me intriga ver al viejo señor Weissman, el león de hierro de nuestra juventud.

—Esto es soborno —le digo a Seth mientras nos alejamos. Reímos, pero no me siento del todo cómoda. Yo pongo los límites de mi propia comodidad, de modo que, ¿cuál es la diferencia? Pero sé que los mejores jueces muy rara vez cambian sus sentencias. Si se equivocan, una corte más elevada puede decírselo. Hay una lección allí.

El padre de Seth vive en lo que en mi mente siempre he calificado de "bungalow del condado de Kindle". Nunca he visto casas similares en ningún otro sitio: estructuras de un piso, semejantes a hongos, de ladrillos marrones, con tejado alto y vidrios de colores y rasgos déco característicos de la década de los 20, cuando miles de estas casas se construían en todo Tri-Cities, cuadras enteras que se extendían alrededor de un núcleo barrial central de iglesias, escuelas y negocios. Eran el equivalente, en Kindle, a esas casas idénticas unas a otras, lugares donde la gente trabajadora con empleos seguros podía criar a sus familias. La pesada puerta del frente, de roble, con barniz oscuro y un llamador de hierro forjado y una ventanilla para mirar, se abre y revela a una mujer alta y joven. Está vestida de esa manera que inevitablemente me hace sentir vieja: chaleco asimétrico, falda floreada en tonos otoñales, calcetines cortos doblados por encima del borde de unos borceguíes, que dejan ver la parte baja de sus piernas sin depilar. Seth la abraza una vez.

—No creí que fuera a encontrarte —dice.

—Ya me iba. Me encuentro con Phil en el museo.

—Quédate un minuto. —Seth me presenta a su hija, Sarah, estudiante avanzada en Easton.

—La jueza Klonsky —dice, y yo corrijo enseguida: "Sonny".

Sarah es alta, dueña de la belleza resplandeciente y fresca de los jóvenes. Sus formas escasas dan la impresión de que no ha pasado hace mucho esa fase de potro que soportan las chicas, un período deprimente en que una no está segura de su propio cuerpo. Lleva el cabello castaño, lleno de tonos diferentes, suelto y largo hasta los hombros. Detrás de ella, la sala de la vieja casa se halla en penumbras. Hay unas cortinas orientales gastadas, de seda pesada, de un antiguo azul verdoso, y muebles viejos de estilo Chippendale. Estuve aquí una o dos veces hace veinticinco años, y aunque tengo mala memoria para estas cosas, experimento la relativa certeza de que no se ha alterado un solo detalle. Sarah se ha puesto la chaqueta y cargado una mochila.

—Oyó el timbre. Te está esperando. Quiere que vuelvas a llamar a la policía —le dice a Seth.

—Dios —exclama Seth, y con aire apenado pregunta cómo anda el padre.

—Más o menos —responde Sarah—. Hice algunas compras, ordené las cuentas.

—Eres maravillosa. Esta chica es una santa —me dice—. Él no la merece.

—¿Por qué siempre dices lo mismo?

—La verdad es una defensa. ¿No? —me pregunta—. Así es como dicen en la sala de redacción.

—Depende de las acusaciones —respondo.

Sarah frunce la boca estrecha.

—Es un viejo. —Besa al padre. —Trátalo bien —le advierte, y se ha ido, con un movimiento hacia atrás del pelo largo por sobre el hombro de la parka. Me acude un pensamiento, y no logro contener una sonrisa.

—¿Qué? —me pregunta Seth. Sacudo la cabeza, pero él insiste hasta que le respondo.

—Tiene tu pelo —digo.

—¡Vaya! No eres muy amable.

Continuamos riéndonos aún, cuando se oye la puerta de entrada. Sarah ha regresado para decir que acaba de estacionar un auto de la policía. Seth le pide que me haga compañía. Yo la insto a marcharse, pero Sarah es primogénita; se siente cómoda con los gestos de la adultez, y parece feliz de quedarse. Mientras Seth sale, me pregunta qué planes tenemos.

—¿Planes? —Le explico cómo acabé en esta visita, camino al supermercado.

—Ah. —Se muerde el labio de manera simpática. —Creo que me hice una idea equivocada. Debo de haber entendido mal algo que mi tío Hobie dijo la otra noche. —Hace girar un dedo en el aire oscuro de la vieja casa. —Ustedes no son pareja, ¿no?

—¿Tu padre y yo? —Me echo a reír, pero veo cómo surgió la confusión. —Salimos —le digo con pudor— hace muchos años, antes de que tus padres formaran pareja.

—Ah —dice Sarah una vez más, esta vez con una débil sonrisa—. Creo que básicamente estoy un poco confundida con respecto a ellos. Es extraño cuando tienes que tratar a tus padres como si fueran tus amigos.

Al principio supongo que quiere decir que Seth y Lucy se muestran demasiado sueltos con ella. Nikki tiene apenas seis años, pero ya me preocupa pensar que seré como muchos de mis contemporáneos, Peter Pan tan definidos, en general, por la modalidad generacional, tan opuestos a la autoridad, que han sido por completo incapaces de desempeñar un papel firme con sus hijos. Yo crecí con eso. Incluso cuando tenía ocho o nueve años, Zora me trataba como a una igual. A mí me parecía maravilloso: poder llamarla por su nombre, escucharla hablar de sus problemas. Sin embargo a los veinte empecé a sentirme engañada. Los demás maduraban de una manera que a mí me resultaba imposible. Pero al final me doy cuenta de que Sarah habla de algo diferente: Seth y Lucy, lamentablemente, enfrentan la misma incertidumbre que los jóvenes de veinte.

—¿Conoces a mamá? —me pregunta.

Hace años, le explico.

—Apuesto a que está igual. Es muy seria, ¿sabes? Increíblemente sincera. Y papá vive diciendo cosas chistosas entre dientes. Se llevan muy bien. Es tan extraño imaginarlos separados... —Desvía la vista hacia alguna distancia mediadora, tratando de sopesar su propia confusión respecto de estos hechos, las ondas de sufrimiento y dislocación que han seguido de modo imponderable a la muerte del hermano.

Cuando Seth regresa, comenta que la policía supone que se trata de un robo por diversión y que el auto aparecerá. Sarah abraza a su padre y, sobre la base de las intimidades que acabamos de compartir, me abraza también a mí antes de marcharse. Tras desaparecer un breve instante, Seth me conduce a una pequeña habitación cercana a la sala, donde el viejo señor Weissman está sentado tras un inmenso escritorio de persiana de añeja antigüedad, cubierto con oscilantes baluartes de papeles amarillentos. Parece haberse propuesto la tarea de saludar a una extraña, con la cara alzada en gesto alerta. Tiene escaso cabello y sus ojos están opacados y algo fuera de foco, pero ha conservado el mismo aspecto rígido y enjuiciador que recuerdo. Viste ropa de hace cuarenta años, un traje gris de lana salpicado de caspa en los hombros, y abajo, un pulóver amarillo. Una corbata vieja y esquelética muestra un nudo torcido, y la camisa le queda demasiado grande en el cuello.

—¿Recuerdas a Sonny, papá? —intenta Seth. California. Hace mucho tiempo. El viejo no logra remontarse a esa época. Cree que el hijo se refiere a un viaje reciente y, en cualquier caso, es evidente que no le causé tanto impacto como para que me recuerde.

—¿Y dónde está Hobie? —pregunta el viejo con denso acento vienés.

—Ya volverá, papá. Estuvo aquí el otro día, ¿recuerdas? Tiene mucho trabajo; está ocupándose de un caso. Mira, Sarah te arregló las cuentas; puedes revisarlas, pagarlas si quieres. Quería hablarte del auto. La policía lo está buscando.

—¿La policía? ¿Hablaste con la policía?

—Acaban de irse. Hablé con un agente, un tipo muy simpático. Lo tiene todo bajo control.

—¿Hablaste tú? ¿Por qué no hablé yo?

—Ya me encargué de todo.

—Ajá —dice el viejo con disgusto. Gira un poco en una antigua silla giratoria y mira alrededor en busca de algo. En un rincón, sobre una mesita de metal, un televisor en blanco y negro, de antenas largas en forma de V, parpadea con figuras en sombras. La habitación, con las cortinas corridas, carece de aire y me resulta vagamente desagradable. Hay olores rancios, a comidas hervidas, como los olores centroeuropeos que percibía en la casa de mi tía polaca. El viejo ha alzado una mano frágil y manchada y sonríe con amargura. —¿Me crees estúpido?

—¿Estúpido?

—¿Crees que no entiendo? Quiero el auto.

—Lo están buscando, papá.

—Ah, sí, lo están buscando. —Resopla. Apunta a su hijo con un dedo de anciano. —Quiero el auto.

De pronto la luz de cierto reconocimiento hace palidecer a Seth.

—¿Crees que el auto lo tengo yo? —Se vuelve un breve instante, indefenso, hacia mí. Sigue agachado, mirando a su padre.

—Aahhh. Muy inocente. Fuiste tú el que dijo que yo ya no debería manejar, ¿no?

—Papá, eso lo dijeron todos. Yo, Lucy, Sarah. Por Dios, papá, hasta lo dijo la policía. Las personas de noventa y tres años son peligrosas tras un volante.

—No, no —replica el viejo—, fuiste tú el que se llevó el auto. No había ningún policía. Fuiste tú.

—Papá, ojalá fuera tan inteligente.

—Ah, sí. Esto es un truco. Siempre andas haciendo trucos. Quieres mis cosas.

—Ah, papá.

—Siempre quieres mis cosas. ¿Crees que no lo sé? Me crees estúpido. Pero no soy estúpido. Quiero mi auto. —El viejo se da vuelta en la silla giratoria, moviendo las manos y la boca en una agitación senil, sin propósito.

—Papá.

—Vete.

—Papá.

—Vete, vete. —Mueve las manos de papel. —Ya mismo. Quiero el auto. ¡Ya mismo! ¡Ya mismo! —Su voz resquebrajada se eleva; Seth me tironea de la manga, para hacerme salir. Al final del sendero de la entrada, se para en el aire cortante, moviendo la cabeza en gesto de incredulidad. Enormes árboles añosos, desnudos en invierno, se elevan en una franja verde por encima de la línea de autos estacionados junto al cordón.

—Es gracioso, ¿no? —me dice—. Es como un programa de televisión.

—No tanto.

Alza la cara al cielo, la eternidad, y respira.

—Por Dios—dice—. Nunca me quedo más de diez minutos. Siempre le pasa algo.

Apoyo con suavidad una mano en su espalda.

—Tu hija es encantadora. —Es, tal como esperaba, el comentario adecuado.

—La mejor —responde—. Me muero de orgullo cuando estoy con ella. Es pecaminoso.

—No tiene nada de pecado.

—Es la mejor. Es perfecta. —Cuando alza la vista, una mirada rota le cruza todavía los ojos. —El mérito no es mío. Todo lo sano y decente que tiene lo heredó de Lucy.

—Estoy segura de que no es así.

—Ah, sí. Tiene mi pelo.

—Ah, vamos.

—Tal vez. La compasión de la madre, la intensidad del padre. La hija como la cruza de las neurosis de cada uno de los padres. ¿Leíste ese libro?

—¿*Senderos hacia la locura*? No me parece nada loca.

—Quizá yo tenga otro libro. Isaac era loco. Era hijo mío. —Seth menea la cabeza con aire miserable y, al sentir el frío recién ahora, se cierra el saco. Exhala un último suspiro y menciona el supermercado.

Avanzamos una o dos cuadras en silencio. En University, la calle principal del barrio, el tránsito del sábado está embotellado. Seth traza una amplia curva para evitar a un hombre de corbata amarilla que hace frenéticas señas a un taxi. Como la Navidad se acerca, las calles bullen de compradores —estudiantes, profesores, los habitantes del barrio—, todos imbuidos del aire cosmopolita de U. Park y la atmósfera intensa de las inminentes fiestas. Detrás del volante, Seth, con su sombrero de ala ancha, estudia el camino con aire pensativo. Al final se disculpa otra vez por convertirme en testigo de semejante escena.

—Ah, vamos, Seth. ¿Qué mejor compañía que una vieja amiga? —Trato de hablar con tono ligero, pero yo también me siento conmocionada. Padres e hijos. No termina nunca.

—¿Perdiste amigos cuando te enfermaste? —me pregunta.

—Algunos. Tal vez tenía menos de los que hubiera querido. Pero hubo un par de personas que me hicieron pensar que creían que el cáncer era contagioso.

—Sí —dice y se queda reflexionando—. Así es la cosa. Al parecer, los amigos sólo pueden aguantar determinada cantidad de la mierda de uno. Si estás arruinado, no les sirves de nada. Puedo nombrarte seis tipos que nunca volvieron a ser los mismos conmigo porque lloré en su presencia después de lo de Isaac. —Me mira. —¿Qué nos sucede a medida que vamos envejeciendo?

No puedo responderle.

—Lamento no haber estado cerca —dice—. Cuando te enfermaste. Soy leal.

Lo reconozco como una verdad sustancial. Seth es leal. Confiable. No hay duda a ese respecto.

—Así somos Hobie y yo —agrega—. Eso es algo que al fin hemos logrado dominar. La lealtad. Estar ahí. No he dejado de verlo a lo largo de tres divorcios y catorce religiones, y él me ayudó a pasar lo de Isaac. Toda mi mierda.

—Tienes suerte —digo, y se apresura a asentir.

—Aunque sea un loco, tengo suerte de que sea mi amigo.

—¿Todavía es tan lunático?

—Ni te imaginas —responde Seth.

—No lo muestra en la corte. Apuesto a que tiene una excelente clientela.

—Supongo. Pero si miras su capacidad, su educación... debería ir camino de convertirse en presidente de la Corte Suprema de los Estados Unidos. Y en cambio, sigue su vida a los saltos. Ha pasado por seis estudios jurídicos. Grandes, chicos. Siempre hay algún tipo importante al que no le cae bien y vota en contra cuando van a ascenderlo en algo. Él comenta siempre: "Miro alrededor, a esta edad, y sigo viendo lo mismo. Había todas esas personas brillantes y talentosas que conocí a los veinte y los treinta años, que iban a hacer cosas asombrosas en el mundo cuando se les diera la oportunidad. Y, gracias a Dios, muchos lo han hecho. Pero hay otras personas que tuvieron la ocasión y no lo lograron. ¿Sabes a qué me refiero? No pueden proyectarse al mundo, porque son personas de cuarenta y ocho años y todavía están lidiando con su propia mierda".

—Así soy yo —digo. Por un momento mi franqueza nos desconcierta a los dos. —En serio.

—¿Cómo que así eres tú? Eres jueza. Has logrado algo importante.

—No en el mundo legal. Soy una empleada pública. Una burócrata de nivel medio superior. No gano 300.000 dólares por año. No tengo importancia política. Ni siquiera estoy segura de que los poderes reinantes no me quiten mi empleo. Hay abogados que te dirían que he llegado a un callejón sin salida, que me he conformado con menos.

—No lo creo —me dice.

No obstante, así es como me veo: no un poder, no una estrella, no más que a medio camino de lo que podría haber sido mi destino, si no hubiera necesitado tanto tiempo para lidiar conmigo misma. Cuando era más joven creía que el terreno medio era una ciénaga mortal. Que había que subir, no a las alturas mayores, sino a alguna leve elevación, más allá del condenado y gris punto medio. Quizá Zora me inspiró esa idea. Pero dejé de creer en ello en algún punto, tal vez en medio de mi enfermedad, y sin duda con la maternidad, cuando me comprometí con el sector femenino del *yin* y el *yang*. Le señalo a Seth el supermercado, a una cuadra de distancia. Y trato de recordarme que, cuando nos hayamos despedido, me acosará la duda de si continuar con estas sinceras reflexiones sobre mi carrera judicial.

—¿Y por qué Hobie está tan loco? —pregunto—. ¿Por su familia?

—¿Hobie? Tiene una personalidad de mierda —me dice, y ambos reímos—. No, yo creía que su familia era muy buena. El padre... Yo me acostaba todas las noches y me moría de deseos de que el padre de él hubiera sido el mío.

—¿Y todas esas drogas que tomaba? ¿No le hicieron daño?

—Yo no me apresuraría tanto a hablar en tiempo pasado. Y creo que, en el caso de Hobie, es un síntoma, no una causa. No, cada vez que me pregunto qué es lo que lo carcome, vuelvo a lo obvio: ser un hombre negro en los Estados Unidos. Creo que Hobie se siente una persona sin país. No pertenece plenamente a nada. Es bastante honesto para entender que forma parte de una elite: formación de primer nivel, buenos ingresos. Pero aún le queda la inquietud negra de no ser aceptado del todo, de tener que enfrentar lo vulnerable que eso te vuelve.

"Siempre recuerdo el mismo incidente. Cuando estábamos en octavo grado, jugábamos fútbol con un tipo grandote, Kirk Truhane, que un día, así, de repente, lo llamó "negro". Ya sabes que Hobie era corpulento y fuerte, y lo tiró sin querer en el terreno de grava. Y Truhane se levantó y le escupió esa palabra. Recuerdo haber pensado: "Por Dios, esto no puede ser cierto. ¿Qué hago ahora?". En ese entonces, él era mi mejor amigo. Al principio seguí jugando, incluso después de que Hobie se fue, pero al final me remordió la conciencia y me marché también, y lo encontré cerca del edificio de la escuela, llorando a gritos. Y no dejaba de repetir lo mismo: "Esto hiere mis sentimientos". En cualquier otra circunstancia, tal vez Hobie le hubiera dado una paliza tremenda a Kirk Truhane. Pero esa única palabra le quitó todas las fuerzas. Lo destruyó... porque sabía que no podía ir más allá de esa etiqueta.

"Y de veras pienso que así son las cosas. ¿La familia? Claro. Primero y principal. Pero también la historia cambia a la gente. ¿O no? Es decir, las fuerzas históricas: tu lugar, tu sociedad, sus reglas, sus instituciones. De eso se trata la política, ¿verdad? De procurar sacar el pie de la historia de encima del cuello de la gente. Ya sé que eso de "déjenlos ser lo que quieran", como concepto, puede ser una muleta. Es por eso que hoy hay muchas personas que quieren ser víctimas. Así no tienen que aceptar la carga de crecer sin una calamidad histórica: sin hambre o guerra. Quieren una excusa para el hecho de que aun así no son felices. Pero también hay una realidad. Tu época y sus circunstancias pueden frustrarte. Pueden volverte loco, de manera sutil, como han enloquecido a Hobie. O dañarte mucho, como la historia enloqueció a mi padre. Tal vez a Zora, también. Es decir, siempre pensé —me dice Seth mientras desliza el auto en un espacio del estacionamiento del supermercado y me dirige una mirada de calculada osadía—... siempre pensé que la historia fue una de las cosas que nos separaron.

Green Earth es un supermercado de comida sana, inundado de la habitual iluminación de alta potencia. Carteles y avisos, adornados en las esquinas con campanitas navideñas plateadas, se tienden en lo alto, anunciando fecha de elaboración y datos alimentarios. Seth, que nunca abandona sus observaciones agudas —el rasgo que le da algo que decir en un diario tres veces por semana—, caracteriza a este negocio como la versión ampliada de los pequeños locales macrobióticos del bulevar Campus de Damon donde discutíamos los efectos del azúcar refinado en la salud. Ésa es otra columna que ha escrito demasiadas veces, me dice: la venta de la revolución. La música fue la primera en comercializarse. Pero el capitalismo ha absorbido cada elemento, prenda, lenguaje, tomando el estilo pero no el mensaje. Ahora todos pueden ser hippies, pero a determinado precio.

El lugar es el acostumbrado alboroto en que se convierte los fines de semana. Tenemos que hacer cola hasta para llegar a los estantes de las góndolas. Con su ropa de invierno, los estudiantes y abuelos y madres urbanas avanzan penosamente por los pasillos. Seth y yo nos separamos para comprar. Él vuelve con manzanas, fruta seca, agua mineral, manteca de maní, pequeños gustos para la vida de un hombre en una habitación de hotel. Le echa un vistazo a lo que llevo en mi carrito, y adivina correctamente que soy vegetariana. Desde mi enfermedad, le explico. De vez en cuando Nikki pide carne, que le proveo de buena voluntad, pero en general las dos subsistimos sobre la base de pastas. Dios nunca ha creado a una nena de seis años a quien no le encanten los fideos. Seth recuerda brevemente algunas de las obsesiones dietéticas de Sarah hace quince años. Fideos y porotos hervidos.

—No te pregunté cómo le va en los estudios —digo.

—¿Sarah? ¿Estás lista? —responde—. Cursa estudios judíos. —Otro de esos momentos en que me quedo boquiabierta. —Está haciendo una tesis sobre reelaboraciones feministas de la liturgia. Si debemos decir "El Dios de nuestros padres" o "de nuestros padres y madres" o "de nuestros ancestros". Tradición, autoridad y género en un contexto religioso. Interesante —agrega.

—¿Te volviste judío ortodoxo, Seth? —pregunto.

—Es Lucy —responde. Cuando ambos se casaron, Lucy le prometió a la madre de Seth que harían un hogar judío. Se convirtió y ya ha sido presidenta de su congregación, no una sino dos veces. Hace cuatro años, me cuenta Seth, se sometió al *bar mitzvah*.

—¿Y cómo lo manejas tú? —pregunto.

—Con ambivalencia. Ya sabes, uno se pone viejo. Tomas más conciencia de la gente que tienes enfrente, los reconoces, reconoces aquello que les importó... y por lo que murieron. El Holocausto es más grande para mí cada año, en especial ahora que mamá no está. La verdad es que recaudé fondos para el museo. Pero el ritual no me despierta ningún sentimiento. En la sinagoga ni siquiera me ven de lejos. Lucy y Sarah dicen siempre que rezan por mí. A veces me siento como uno de esos católicos del siglo XVI que buscaban a otras personas para que cumplieran su tiempo en el Purgatorio. Pero estoy orgulloso de Sarah. Me alegra que encare las cosas importantes con seriedad. —Vamos empujando los carritos. Seth mueve la mandíbula mientras su cara se moviliza por alguna incomodidad transitoria. —No estoy seguro de si cuento con su aprobación por el momento, pero ella sabe que cuenta con la mía.

—Estoy segura de que te aprueba, Seth. O a los dos. Sólo se la ve preocupada. Es una situación difícil también para ella.

Estira la cabeza para mirarme a los ojos.

—¿Cómo lo sabes?

—Ah. —Pongo los elementos de mi carrito en la cinta móvil. El cajero es un joven asiático. Cuando no está en el trabajo, usa aros en la nariz y las cejas. Nikki no puede controlarse y chilla cada vez que lo vemos en la calle. —Me lo dijo cuando me preguntó si nosotros estábamos saliendo.

—¿Nosotros? Ah, Dios. ¿Y ésta es la muchacha de cuya madurez he estado jactándome? —Hace una mueca y desvía la vista hacia un estante, junto a la caja registradora, lleno de los mismos tabloides y revistas femeninas imbéciles que veo en los supermercados que venden comida envenenada.

—Al parecer, interpretó mal algo que le dijo Hobie.

—Ah. Ya sé qué fue. La otra noche Hobie me estaba embromando, cuando cenamos con Sarah. Cosas de tipos. Me dijo que cada vez que mira la sala del tribunal, se pregunta si estoy ahí para ver el juicio o a la jueza. —Sus ojos cruzan los míos con vergüenza, con intención, y luego, con la misma timidez como si el contacto hubiera sido real, desvía la mirada: un conejo que vuela de vuelta a su agujero. Algo parecido al momento que pasamos al llegar aquí, cuando me habló de la historia.

Pagamos cada uno lo suyo y llevamos todo en un solo carrito hasta el estacionamiento, de nuevo al aire invernal, que se agudiza a medida que se acerca la noche. El sol es un disco pálido en el cielo blanco sucio. Entre nosotros ha persistido un silencio reflexivo, más incómodo a medida que pasan los segundos.

—¿Puedo preguntarte algo, Seth? —digo de pronto—. ¿Por qué estás aquí?

Mientras pasa los paquetes al baúl me dirige otra breve mirada de soslayo.

—Aguda necesidad psicológica —responde. Sonríe para desconcertarme, pero enseguida lo piensa mejor. —Mira, estoy aquí por muchas razones. Este juicio... es como la estrella de Belén. Una extraña conjunción de los planetas. Me preocupa o interesa cada una de las personas involucradas: Hobie, Nile, Eddgar y, Dios lo sabe, tú. Es decir, si es eso lo que me estás preguntando, sí, Hobie tiene razón. He pensado mucho en ti, Sonny. Siempre. Aunque suene demasiado sentimental.

Hemos llegado a un Rubicón. Lo veo y siento algo frenético que me atraviesa los ojos. Seth se da cuenta, su rostro pálido cruzado por veloces sentimientos, y luego se dirige a la puerta del conductor.

Recorremos la mitad del camino a mi casa sin hablar una palabra.

—Di algo —me pide al fin.

—Lo haría, si se me ocurriera algo que decir.

—¿Es malo que todavía me gustes? —me pregunta.

—No es "malo".

—¿Chocante?

—Tal vez. Sorprendente, de todos modos.

—¿Porque ya no te gusto?

—Porque la vida sigue, Seth. Es el pasado. Antes de los dinosaurios. Tengo errores más recientes en que detenerme.

Llegamos a casa en el momento justo. Nikki y su hermano vienen caminando por la cuadra. Me paro a saludarlos, y los dos se apresuran a mi encuentro. Sam y Nikki imitan una cantidad de escenas de la obra, repitiendo las líneas a la perfección; es evidente que han estado haciéndolo todo el camino de regreso. Después Sam besa a la hermana y a mí y toma su bicicleta, que dejó encadenada con un candado a los postes del portón de hierro. Se marcha, saludándonos a todos. Seth, mientras tanto, sube por el sendero con mi última bolsa de compras en los brazos. Despierto de nuevo a él, y su presencia me causa una profunda impresión. Me descubro pensando que ha envejecido bien, aunque ello no tenga sentido. Sus ojos son vívidos y hondos, hay fuerza en su frente, pero el tiempo le ha engrosado la piel, le ha quitado parte de sus atractivos. En diez años más, su cara lucirá caída y colgante. Pero tiene sustancia, el sentido del peso de la vida que ha vivido. Una buena persona. De nuevo, la sensación fuerte de su dolor me aferra, y con ello algo de remordimiento y autoacusación. No lo traté con amabilidad en el supermercado.

—Mira, Seth. ¿Por qué no te quedas y me permites convertir algunas de estas compras en una cena?

—No, no —dice—. Tengo cosas que escribir.

—Lo digo en serio. Te prometo que será saludable, y no comerás comida de hotel.

—No me tengas lástima, Sonny. Ya me advertiste sobre nosotros dos, el otro día.

—No, Seth, no. Quiero conocerte. Pasamos uno al lado del otro, y no debería ser así. Quédate. Cuéntale a Nikki cómo es un diario. —Bajo a la calle para tomar los paquetes de sus manos. —Estemos en paz, Seth.

Alza los brazos, los baja. Muy bien, paz. Signifique lo que significare.

Mi casa tiene el aspecto firme de una construcción más nueva, todo pintado de blanco para ampliar las habitaciones. La entrada y la zona de la sala se elevan hasta un cielo raso de catedral y luces que se derraman, incluso en esta estación mortecina, como un bienvenido tónico de iluminación interior; relucen en los pisos color durazno de abedul blanqueado. Los muebles son escasos —Charlie se llevó el sofá, por ejemplo—, pero los estantes y las paredes se hallan repletos de arte coleccionado a través de nuestros años. Máscaras africanas, recipientes de indígenas americanos, afiches de abstraccionistas y modernos. Riendo, Seth camina mientras trata de no pisar los bloques y juguetes coloridos que llenan la sala. Recuerda esta fase, comenta, en que alguna pieza perdida de plástico aparece siempre bajo los pies de uno.

Ahora que Sam se ha ido, Nikki de pronto se vuelve tímida. En la cocina, mientras guardo las compras, se aferra a mi muslo y espía desde esa zona de seguridad. Seth hace un comentario sobre los ojos de mi hija: brillantes e inteligentes, dice, como los de la madre.

—¿Puedes hacer barba? —pregunta Nikki.

—¿Hacer barba? —pregunta Seth.

—Charlie tiene barba.

—Ah. —Se arrodilla y la deja acariciar su mejilla afeitada. Después de esto, ella lo acepta con rapidez. Seth la alza hasta los estantes más altos para que ponga las latas en los armarios de roble oscuro. Cuando al fin se cansa, Nikki trata de convencerme de jugar un partido de damas.

—Nikki, tengo que preparar la cena.

—Empezaré yo —dice Seth—. Dame una tarea.

—Nikki, ¿qué te parece si juegas a las damas con Seth?

Seth la engatusa. Es un veterano. Le enseñará movidas secretas. Colocan el tablero en el piso de la sala. Nikki es voluble, entusiasta y, como todos los chicos de seis años, juega para ganar. Los oigo mientras abro la canilla.

—No vayas allí —aconseja Seth. Le muestra sus movidas por adelantado. Aun así, Nikki debe hacer cierto número de jugadas antes de derrotarlo. A continuación abordan el Topple, un juego que Seth no conoce y que se trata de equilibrar piezas de plástico en un soporte.

—¿Sabes una cosa? —pregunta Nikki—. Tengo un diente flojo.

—¡No! ¿Tan pronto?

—Toca. Ése. ¿No está flojo?

—Puede ser.

Salgo de la cocina para advertirle a Seth con un movimiento de ojos. Nikki y yo repetimos este ejercicio todas las noches. Los de seis años quieren tener siete, y los de cincuenta, cuarenta. ¿Cuándo nos sentimos felices con lo que somos?

—Al lado —digo—. Prueba con ése.

Seth no tiene éxito tampoco esta vez.

—¡No! —chilla Nikki, y se arroja en el piso y vuelve gateando hacia él como un cachorrito, y más o menos se abalanza en sus brazos. Le agarra las dos mejillas, algo que le hace a Charlie.

Vuelvo a la cocina, tratando de no encontrar alarmante esta actuación. Mi nenita, tímida y en general compuesta, se lanza a la hilaridad por las atenciones de un hombre adulto, exhibiendo todo su encanto. Cuando retorno a la sala para anunciar la cena, Nikki ha sentado a Seth al borde del hogar y le está cantando los temas del Festival de las Fiestas, canturreando las palabras que ha olvidado. Él aplaude con vivacidad.

—La cena. ¡La cena! A lavarse las manos.

En el baño, desde el inodoro, Nikki me mira.

—¿Los varones tienen que limpiarse con papel higiénico?

—A veces sí, a veces no. —Una vez más, esbozo las circunstancias.

—Algunas cosas son importantes —le comento a Seth cuando lo encuentro esperando divertido en la puerta del baño.

Mi tía Henrietta, hermana de Zora, insiste en que Nikki es la imagen mía. Su intención es elogiarnos a las dos, pero la observación me preocupa. Cuando su fatuo padre la llama los lunes o martes para disculparse por no haberla llamado, como se suponía, el domingo al mediodía, Nikki lo consuela: "No importa, papi", o: "No fue culpa tuya". Pero por dentro, ¿qué le ocurre? Yo jugaba a la chica alegre cuando era una adolescente: divertida, tranquila, capaz de adaptarme a todos. Sólo al llegar a los treinta, mientras cursaba la facultad de Derecho, empecé a sentir curiosidad por esa parte salvaje mía, que tan a menudo se encendía en los debates. Ahora me preocupa que Nikki también sienta furia, de maneras que aún no han alcanzado la superficie.

En la cocina, mientras saco los canelones de la fuente Pirex en medio de una súbita oleada de vaho, descarto el familiar sentimiento de culpa. No había alternativa con Charlie. Y además crecí, ¿no? Avancé entre confusiones, un poco loca con los hombres, sobre todo en mi adolescencia, pero ahora soy una persona centrada. Nikki tiene un padre. Algo. Una foto. Una llamada telefónica. Y sin embargo una sensación de fracaso siempre me congela en el centro de mi ser cuando me doy cuenta de que mi hija vive con el mismo dolor que me quemó a lo largo de toda mi infancia. Durante años pasé períodos en que me convencía de que el relato de mi madre acerca de la muerte de Jack Klonsky en los muelles de Kewahnee era una de esas mentiras bienintencionadas sobre la propia procedencia que se cuentan en los cuentos de hadas: como lo que le decían a la Bella Durmiente para impedirle saber que en realidad era una princesa. También yo era secretamente la hija de otro hombre. Estas fantasías me llevaban a extraños viajes interiores. Durante meses sospeché que mi padre era un líder obrero llamado Mike Mercer, un negro panzón y simpático, amigo de Zora. Tenía cinco hijos propios, pero yo creía que mi parentesco se ocultaba para que nadie supiera que era negra.

Más a menudo imaginaba a mi padre como alguien distante, apenas conocido, un hombre de majestuosa importancia que llegaría un día y me cuidaría con pasión. Visualizaba a ese desconocido como el padre de la serie *Papá lo sabe todo*. Una persona ingeniosa, deslumbrante, normal. Un estadounidense. ¿Me daba cuenta, de niña, cuánto habría detestado Zora semejante imagen? Pero eso era lo que yo ansiaba, una figura sabia, amable, omnipotente, cuyos defectos se enderezaran solos en media hora y cuyo amor por sus hijas, en especial, fuera tan simple y abarcador como sus ocasionales y castos abrazos. Al contemplar todo esto, siento, como tantas veces, una horrible pena por Nikki y por mí misma.

Seth prodiga elogios a la comida.

—¿Quién dice que la gente no puede cambiar? —agrega. Nikki sigue demasiado excitada para comer. Para interesarla, Seth le muestra un truco que hacía con sus hijos, convirtiendo el canelón en un perro salchicha.

—Quiero un perrito —le dice Nikki, como mucha veces me lo dice a mí, en vano. Le explico que está más allá de mis límites: me resulta imposible pensar en cosas rotas en la casa cuando todavía estoy festejando el final de los pañales. Seth cuenta que una vez llego a su casa, cuando Isaac era chico, y encontró a Lucy tratando de entrenar al perrito que tenían. Estaba afuera, con la falda levantada, en cuclillas en la grava cercana a la cucha del perro, aliviando sus necesidades. El perro e Isaac, con las narices pegadas contra el vidrio de la puerta trasera, la miraban azorados. Sorprendida en esta pose comprometedora, Lucy permaneció allí, riendo encantada ante esa asombrosa y rara muestra de intimidad familiar.

A Nikki la anécdota le resulta espectacularmente divertida.

—¿Estaba haciendo pis como un perro? Mamá, ¡hacía pis como un perro! —Se baja de la silla para interpretar la escena, y cuando le pido que se siente su entusiasmo le impide obedecerme. Al cabo de varios esfuerzos para restablecer la calma, la llevo al estudio y pongo un video. Mejor una zombie que una nena que salta por las paredes.

—Debería haberlo pensado —comenta Seth cuando regreso.

—Por suerte, es invierno. De lo contrario, estaríamos viendo la representación afuera. —Me sigue a la cocina, donde sirvo otra porción en su plato. —Es una anécdota muy cómica. Lucy es una persona adorable.

—Eso es lo que dicen todos: "Lucy es adorable".

—¿Y qué dice el esposo, Seth?

—Ah —gruñe—. No hace falta que me oigas quejarme de Lucy. Créeme, no todas sus excentricidades son adorables. Es decir, nunca me acostumbré a vivir con alguien a quien le importa si los platos combinan con el empapelado de la cocina. Hasta el constante buen humor puede parecer, a lo largo de un par de décadas, una prolongada forma de mentir. Pero en una escala de bondad, de uno a diez, teniendo en cuenta la maldad de algunos seres humanos, Lucy se ubica alto. Nueve cincuenta, o más.

—No suena tan malo, Seth. No creo que ni siquiera la madre le dé a Charlie más de siete. En un día bueno.

—Sí, pero el problema no es Lucy. No en sí misma. Sino nosotros dos juntos.

—¿A causa de lo de tu hijo?

—Eso forma parte del asunto. Una parte grande. Lo que me confunde es saber que, si Isaac no hubiera muerto, estaríamos juntos. El pacto que hice, que hicimos, sea cual fuere, nos resultaría aceptable. Pero cuando muere un hijo... Es algo de lo más misterioso, pero el amor, no sé, puede desaparecer también. Hemos tenido maneras muy diferentes de enfrentar las cosas. Ella se ha convertido en una mística ridícula; estudia la Cábala y otras cosas así. Es algo muy católico, con franqueza, aunque las palabras sean hebreas. Y está ese joven rabino... Es decir, no creo exactamente que esté pasando algo, y no seré yo el que arroje la primera piedra, de todos modos. Pero estamos a un millón de kilómetros de distancia. E incluso si llegamos a superarlo, todavía me queda la tarea de enfrentar mis propias cosas.

—¿Como por ejemplo?

—Bueno, ¿por qué dejaste a... cómo se llama?

—¿Charlie? Básicamente, me di cuenta de que haber sido hija de Zora me había llevado a desarrollar una manera de capitular ante la gente difícil, permitirles hacer lo que quisieran mientras yo trataba de ser sensata. Y Charlie me demostró que para eso hay un límite, incluso para mí. En especial una vez que lo encontré con una compañera llamada Brandy.

—Ah. Y entonces le dijiste que tú podías hacerlo mejor, y le mostraste la puerta. Creo que es por eso que se separa la mayoría de la gente casada. Se despiertan un día y piensan: "Yo soy mejor. Soy más sensato. Más generoso. Puedo lograr más cosas si comienzo de nuevo". A veces se engañan. Pero a veces, muchas, no. Y en realidad eso es lo que me pasa a mí, con Lucy. No dejo de pensar en las cosas que nunca han estado bien entre nosotros. Es decir, Lucy y yo siempre hemos tenido este... —Busca la palabra. —...¿Juego? ¿Discusión? Pero nos preguntábamos: ¿Qué pasa si encuentras a alguien perfecto? A "La" Persona. ¿Qué pasa si conoces a esa persona?

—Todavía tienes que decirlo todo, ¿no, Seth?

—Soy mejor.

Lo dudo.

—Bueno, ¿y cómo sigue la historia?

—Las respuestas cambiaban. Las de los dos. A veces, cuando estábamos enojados, yo respondía: "Me iría". O decíamos que viviríamos la aventura. Eso era lo que decíamos casi siempre... Era como si, ya que era tan perfecto, nos diéramos permiso. A veces decíamos que no valía la pena arriesgar nuestra familia. Pero nunca llegamos a decirnos: "Para mí tú eres esa persona, la persona perfecta". Nunca. Ni siquiera una sola vez.

Para absorber esto, me he sentado en una de las sillas de roble oscuro, junto a la mesa de la cocina donde Nikki y yo comemos casi siempre: desayunos de cereales y fideos nocturnos. Yo ya no creo más en la persona perfecta. Fue exactamente eso lo que creí que era Charlie, moreno y corpulento, quijotesco, lleno de esa impulsividad que creía era la debida en un hombre. Me hacía humedecer entre las piernas, pero sufrir el resto del tiempo. Jamás volveré a sucumbir. Pero de algún modo, mientras Seth concluye su confesión, algo le pasa por la mirada —esa mirada tímida, exploradora, que me dedicó un par de veces en el supermercado—, y reacciono enseguida.

—No, Seth.

—¿No qué?

—No empieces. Ni te pongas difícil. Ni simules.

—¿Simular?

—Es la palabra exacta. No te engañes. No actúes como si nuestra relación hubiera sido lo más grandioso desde Troilo y Cresida, o que teníamos un destino que luego se desvió. No es así como lo recuerdo yo.

Hace una mueca y aparta el plato.

—¿Por qué me tratas tan mal?

—¿Por qué? Porque te sientas ahí a soñar despierto. Y es desconcertante.

—Bueno, déjame tranquilo con mi vida arruinada y mis pequeñas fantasías perversas, ¿de acuerdo? Esto no es una audiencia para fianza. No necesito tu permiso.

—No me hables así, maldición.

—¿Y cómo crees que debería hablarte? —me pregunta—. Mira, ¿quieres que te sea honesto? Lo seré: yo estaba loco por ti. Y nunca pensé que llegaríamos al final de donde íbamos, antes de que se interpusiera esa basura histórica. ¿Habría sido maravilloso? No lo sé. Tal vez hubiéramos librado la Tercera Guerra Mundial. ¿Pero habría sido diferente de lo que fue para mí? Te apuesto mi vida. Y en este momento no puedo dejar de pensarlo.

—¿Y?

—Y... En mi cabeza, imagino que sería lindo tratarte por un tiempo. Ver qué pasa. A pesar del transcurso del tiempo, no creo que la gente cambie tanto en su esencia, Sonny. Bueno, ésa es mi posición. Pero si me dices que me vaya, lo haré. Me sentiré mal y toda esa mierda, pero acepto el riesgo. Es la segunda vez que empiezas con esto, y en algún punto vamos a tener que hablar de ti. Sigues actuando como si no tuvieras poder en esto —agrega—, como si todas las elecciones fueran mías. ¿Dónde te ubicas tú, Sonny? ¿Qué haces, si no puedes convencerme de que no haga lo que estoy haciendo?

Nos encontramos de vuelta en el punto que dejamos en el estacionamiento, aunque no logro ver cómo llegamos aquí. Mientras miro a Seth en la cocina, quieta, siento que mis ojos se vuelven infantiles y grandes. Parpadeo.

Nikki, hija perfecta, llega en ese momento a salvarme. Sostiene a Spark, un perrito de peluche, por una pata destartalada. Se frota los ojos y lloriquea. Debería bañarse, pero las emociones vividas con Seth la han cansado, y se queja de solo pensarlo.

—Un libro y a la cama —le digo.

—Tú lees. —Nikki señala a Seth. Exhausta, parece haber olvidado cómo se llama la visita, pero no que está enamorada de él.

Sus voces salen del cuarto y bajan por las escaleras. En la sala, abro *The Nation*, pero no veo las páginas. Hablar y ser oído; oír y comprender. ¿Cuánto más queremos? Mucho de esto me resulta bienvenido; ¿por qué, entonces, me resisto? Arriba, Seth se despide de Nikki.

—¿Sabes una cosa? —le pregunta mi hija, demorando su partida mediante cualquier treta—. Mi maestra, la señora Schultz, tiene cincuenta años y todavía no sabe silbar.

Seth le silba unas líneas de "Buenas noches, Irene", y luego Nikki me llama para que me ocupe de los últimos rituales. Seth y yo nos cruzamos en las escaleras con sonrisas contenidas, midiendo nuestro mutuo goce de mi hija. Me dice que me esperará para despedirse, y lo encuentro allí, con el saco puesto y haciendo girar el sombrero entre las manos, aguardando en el viejo banco de campo que pronto Nikki y yo volveremos a usar para ponernos las botas cuando vuele la nieve.

—Le causaste una gran impresión —le digo.

—Bueno, por lo menos lo logré con una de las dos.

—No es así, Seth.

—¿Como es, entonces?

Exhalo un suspiro de cansancio.

—Confuso —respondo, y sé que es lo más sincero que le he dicho hasta el momento. Se toca la cabeza con gesto filosófico, luego se cierra el abrigo. Me agradece la cena y vuelve a prodigar elogios respecto de Nikki, antes de que yo, por fin, agradecida, lo acompañe a la puerta.

—No trato de volverte loca —dice.

—Sí, lo haces —replico—. Siempre lo has hecho. Pero es agradable.

—Tiendo una mano, pero es un gesto falso, demasiado distante para la situación en que nos encontramos ahora. Nos abrazamos en el abrupto silencio nocturno de la pequeña casa, mientras el rumor de los aparatos nos llega desde la cocina, entre una súbita sensación de que se enciende la ternura que hubo entre nosotros.

—Hazlo —me pide.

—¿Qué?

—Bésame.

—¿Besarte? —Me río.

Me abraza, como en las películas. Le ofrezco la mejilla, pero me endereza la cara con un dedo y apoya sus labios sobre los míos. El shock de estar tan cerca de un hombre es de presencia y anhelo. Todo se prende, se mueve con sensaciones: corazón y pechos, caderas y yemas de los dedos. Un dolor extraordinario se eleva en un punto íntimo de mi ser, de modo que apenas logro contener un gruñido. Mientras me abraza, una de sus manos se ha deslizado hasta mi cintura. Me aparto un paso, y permanecemos parados un instante con las frentes juntas. Le tomo ambas manos.

—Ocupémonos de esto después del juicio.

—Escucha, el juicio no cambiará nada.

—Me hará mucho más fácil todo esto. Te veré después. —Lo encamino hacia la puerta.

Cuando se ha ido, mi frente descansa contra el lustroso barniz de la puerta, frío por el clima exterior. Una locura, pienso otra vez. ¿Qué me pasa por la cabeza? ¿Es sólo porque siento tanta pena por él? Cuelgo el abrigo de Nikki en el perchero situado junto al umbral, apago las luces. Es porque sé, pienso de pronto. Sé que está herido y tratando de recuperarse. Que su vida está girando en círculos. Que estará aquí, y luego se irá. Lo sé —sí—, ¿y no es ésta una de esas verdades enfermas que siempre creemos saber de nosotros mismos? Sé que esta relación no me hará daño.

11 de diciembre de 1995

SONNY

—Señor Trent —dice Hobie con cierta distinción siniestra. Se lo ve mejorado tras el descanso del fin de semana. Se ha hecho un corte de pelo de aspecto prolijo y ha perdido el color maciento de una semana de juicio, los ojos enrojecidos y saltones, las ojeras de la falta de sueño. Avanza hasta el centro de la sala para enfrentar al Pesado, que todavía está acomodándose en el estrado de los testigos.

—Sí —responde el Pesado. Hobie le dirige una mirada silenciosa, con el mentón alzado, como para ver cómo se presenta la situación.

Yo ya he pasado una hora esta mañana con los abogados, en una prolongada conferencia en mi despacho. El abogado del Pesado, Jackson Aires, presentó varios obstáculos a la defensa. Pidió limitar la formulación de repreguntas de Hobie, afirmando que no se debería forzar al Pesado a incriminarse respecto de asuntos que van más allá de su admisión de culpabilidad en este caso. En respuesta, Hobie habló de los derechos constitucionales de su cliente a interrogar plenamente al testigo. Para evitar envenenarme con una interminable enumeración de los peores delitos del Pesado, dictaminé que los episodios se encaren de a uno durante el interrogatorio. Cada uno será retratado en términos generales, y Aires y los abogados de primera instancia podrán discutir su relevancia.

Ahora Aires se halla sentado tenso al borde de una silla plegable, a unos dos metros detrás de la mesa de la fiscalía, contra una división baja de roble que corre por debajo del vidrio antibalas. Jakcson Aires, un hombre de bastante más de sesenta años, vestido con una chaqueta deportiva color borgoña, sigue siendo una figura de gracia y serenidad, un varón largo y flexible, de ascendencia africana, con ese jopo blanco encima de la frente y unos modales que reflejan satisfacción con sus propios pareceres. En el despacho, la discusión entre Hobie y él se acaloró, debido en no pequeña medida al hecho, que emergió al final, de que Aires es uno de los más antiguos amigos del padre de Hobie e incluso empleó a éste durante unas vacaciones de verano mientras cursaba la facultad de Derecho. Jackson, que nunca se ha encontrado en la corte con una ventaja que no quiere aprovechar, se refirió repetidas veces a Hobie como "el joven Tuttle" y le dijo más de una vez que no tenía idea de qué estaba hablando.

Tal vez es la tensión del desempeño ante su viejo mentor, o las acciones en que he insistido, que han alterado el orden en el que quería proceder Hobie, pero se lo ve algo desorientado desde el comienzo de su interrogatorio. La formulación de repreguntas no sale bien.

—Usted hizo un pacto conveniente con la fiscalía, ¿no es verdad? —comienza. Hobie apalea al Pesado con diversos ejemplos de cuánto peor podrían haberle ido las cosas. Como parte del acuerdo de admisión de culpa, la fiscalía accedió a no acusar al Pesado de ninguno de los delitos por narcóticos que cometía a diario. En el mundo trastornado de la ley criminal contemporánea, una condena por homicidio conlleva a menudo una pena menor en términos reales que un delito relacionado con drogas, para el cual, en este estado, se han abolido esencialmente tanto la libertad condicional como la reducción de pena por buena conducta. El Pesado habría cumplido dieciocho años de carcel si le hubieran dado la misma condena por vender drogas. Y si los fiscales hubieran ideado uno de los rebuscados argumentos vinculando la muerte de June con una transacción de narcóticos, la ley los habría obligado a solicitar pena de muerte.

Bien ensayado, el Pesado admite sin rodeos que delatar a Nile mejoró de manera drástica su sentencia. Más importante aún, a medida que Hobie va sacándole los detalles del acuerdo por admisión de culpabilidad, resulta el hecho de que las inferencias se vuelven de algún modo contra él. En una de esas reacciones espontáneas características de la sala del tribunal, todos reconocemos que la credibilidad del Pesado en realidad queda realzada por el trato que ha hecho. Un pandillero duro como él volvería a la penitenciaría sólo porque no le quedaba otra elección. Alguien iba a quemarlo, aunque él no lo hiciera primero. Y lógicamente la persona a la que temía el Pesado sólo podía ser Nile. Después de equivocarse y matar a June —la madre a la que presumiblemente Nile amaba— en lugar de a Eddgar —el padre en apariencia odiado—, el Pesado reconocía una alta probabilidad de que Nile, por la furia del dolor, se volviera al fin contra él. Eso fue lo que conjeturó. Me descubro bastante chocada, como me ocurrió el viernes, por los crecientes matices que apuntan hacia la culpabilidad de Nile.

—Había mujeres que vendían el cuerpo para comprarle crack a usted, ¿no? —pregunta Hobie, señalando la gravedad de los crímenes de los que el Pesado ha salido impune—. ¿Había otros que robaban?

—El Pesado discute algunos puntos (no le dijo a nadie que robara), pero reconoce lo que debe en tono educado que insiste, con acierto, en que nada de esto es nuevo. A menudo, cuando me encuentro sentada aquí, intento imaginar la existencia marginal de los jóvenes endurecidos que vienen a presentarse ante mí: levantarse cada mañana sin la convicción real de que van a terminar el día intactos. Alguien puede balearlos; o tal vez deberán abofetear a una muchacha vendedora de drogas que tiene un cuchillo que uno no había visto; o puede que aparezcan los Maníes y les disparen desde veinte metros. Deben dominar lo elemental. Calor y frío. Sexo. Intoxicación. Cada momento es una lucha para mantener el dominio o al menos el poder: vencer a todos los que te rodean, ejercer la fuerza, a veces con crueldad. Y no tener verdaderos planes. Una forma vaga para mañana, y nada de pensar en un mes, mucho menos en un año. Sobrevivir. Arreglárselas. La vida como impulso. ¿Y por qué no?

Tras haber llegado hasta este punto, Hobie sondea más hondo. Echa una mirada de soslayo al podio y pregunta:

—Ahora, señor Trent, ¿le molestaría decirnos a cuántas otras personas ha matado?

Aires y ambos fiscales se paran de un salto, todos gritando objeciones. Es la clase de pregunta que estuvimos discutiendo en mi despacho.

—¿Lo pregunta para establecer la credibilidad del testigo, doctor Tuttle? —inquiero. Menea la cabeza en gesto afirmativo, y yo, en gesto negativo. —No lo creo necesario. El señor Trent ya ha admitido que es un asesino a sueldo. Ya se trate de un asesinato o de veinte, el hecho de haber reconocido ese tipo de conducta me da un cuadro adecuado de su carácter. Haré lugar a la objeción.

Hobie, impecablemente respetuoso de mis dictámenes hasta este momento, no logra evitar hacer una mueca de irritación. Repite sus amargas quejas sobre la interferencia con los derechos constitucionales de Nile en cuanto a interrogar al testigo. Por primera vez, es evidente que me está tendiendo una trampa para fundamentar luego una apelación e incluso llegar al punto de solicitar la nulidad del juicio, es decir, la afirmación de que mi dictamen es tan injusto que él preferiría empezar de nuevo. Es histeria rutinaria de la defensa —una suerte de signo de exclamación para sus objeciones—, y respondo con una sola palabra:

—Denegado.

Mientras escucha, el Pesado despliega una amplia sonrisa. Para él, esto es una lucha que ha conocido siempre. Cree estar ganando. Al estudiarlo, noto una lágrima grabada debajo de la comisura de su ojo izquierdo. Es bastante oscuro, de manera que el tatuaje apenas se le nota, pero ese dibujo significa que ha matado con sus propias manos.

Tal vez no exista un pandillero de la Primera Jerarquía que no haya asesinado a alguien a balazos o puñaladas. No obstante, pese a mis represiones a Hobie, esa imagen —la de la realidad— sigue resultándome perturbadora.

La siguiente actuación de Hobie es un intento por preguntarle al Pesado por los crímenes por los que lo han arrestado, pero no condenado, tanto como delincuente juvenil cuanto como adulto. Permito a Hobie explorar un cargo de ataque sexual perverso ocurrido cuando el Pesado, al principio de su carrera con los DSN, atrajo a una prostituta a un departamento de la calle Grace, la golpeó y la obligó a servir a docenas de jóvenes, cada uno de los cuales le pagó a él en lugar de a ella. Pero a medida que Hobie trata de recorrer todo el catálogo de los delitos anteriores del Pesado, comienzo a ver a qué apuntaban las vehementes objeciones de Aires y los fiscales. Es injusto obligar al Pesado a reconocer gran parte de esta conducta, que tiene poco que ver con su franqueza como testigo. Jackson Aires se levanta de su asiento y se acerca a mi podio a argumentar.

—Jueza, yo fui el abogado de Trent en todos estos casos —me dice—. Y puedo asegurarle al tribunal, jueza, que no hubo nada de malo en todos ellos. —En el expediente del Pesado figuran veintidós arrestos de los que Aires de algún modo logró liberarlo. A veces presentó recursos por ocultación de pruebas, u objetó con éxito sobre fundamentos técnicos; con más frecuencia —si los rumores son ciertos— accedió a que se olvidaran los 1.500 dólares que el Pesado tenía en el bolsillo cuando lo arrestaron en la Zona 7, siempre y cuando también desaparecieran ciertos detalles de la memoria colectiva de la policía. En opinión de Jackson, los pandilleros negros no tienen por qué no aprovechar los mismos artilugios que los blancos han empleado siempre. Lo admite sin rodeos, en el ambiente confidencial de un grupo de abogados o en un pasillo de los tribunales, mientras su mirada carente de humor te desafía a decirle que está equivocado.

Para cuando retornamos del receso de la mañana, un aire de aturdimiento domina en la sala del tribunal. Los bancos de los espectadores, a las nueve de la mañana llenos de personas que esperaban un interrogatorio que según los diarios sería teatral, ahora se hallan casi vacíos. Hobie continúa aplomado, pero yo sé, porque he estado ahí, que durante los últimos diez minutos se ha repetido que va a tener que vencer al Pesado ahora porque, de lo contrario, perderá.

—Hablemos del tiroteo —dice, al tiempo que se acerca a la puerta del calabozo—. Fue un secuaz suyo, Gorgo, el que le disparó a la señora Eddgar, ¿correcto?

—Así es —responde el Pesado, con una expresión que no se puede calificar de dolorida.

—¿Y la policía le pidió a usted que ayudara a encontrar a Gorgo?

El Pesado lo piensa y se encoge de hombros.

—El tipo se borró, viejo. Nadie sabe dónde cuernos se metió.

—Bueno, ayúdeme, Pesado. Yo creería que usted quería que encontraran a Gorgo. ¿No es él la única persona que podría decirle a la policía si lo que usted afirma es o no es la verdad?

Molto objeta, alegando que la pregunta es argumentativa, y en verdad lo es, pero, dadas las restricciones que ya he impuesto a esta formulación de repreguntas, la permito.

—Él no me va a delatar a mí —dice el Pesado con una débil sonrisa. No está claro si afirma la veracidad de su testimonio o la realidad de la vida de la banda. —Además, viejo —añade—, el tipo no quiere que lo encuentren, ¿entiende? Y por otra parte no se está escondiendo de la policía. Si le echo mis perros encima a ese desgraciado, se puede considerar liquidado. —Pide clemencia. El Pesado, que se siente más listo a medida que avanza el interrogatorio, concluye su respuesta con otra sonrisita burlona en dirección a Hobie. Hay algo tirante entre los dos, una competencia que va más allá de la sala del tribunal. Descarado e indócil, el Pesado parece afirmar a cada paso que él es el negro real, pobre, criado sin refugio alguno, lleno de la justa indignación de los oprimidos. Hobie, a los ojos del Pesado, es una impostura, alguien que no conoce el mundo de verdad, un desafío al que parece extrañamente vulnerable. Eso, tal vez, es lo que le ha quitado parte de sus fuerzas.

—¿Está usted bastante enojado con Gorgo?

—Palabra —responde el Pesado, y seguir pensando en Gorgo lo hace menear la cabeza con expresión de disgusto.

—Porque Gorgo le disparó a la señora Eddgar mientras ustedes estaban parados ahí, ¿correcto? Usted y Bicho, ¿verdad? ¿Y fue por eso que usted se metió en problemas?

—Yo estaba atrás —dice el Pesado.

Hobie se aparta del testigo y veo que sonríe fugazmente por primera vez. ¿Ha logrado algo?

—Ahora, ¿a qué distancia de la señora Eddgar estaba Gorgo en su bicicleta cuando le disparó?

Con una uña muy larga, el Pesado señala la distancia que hay entre Hobie y él. Lo bastante cerca para matar. Sonríe tenso al pensarlo. Hobie, que capta el significado, sonríe también.

—Gorgo podía ver que era una mujer, ¿no?

Molto objeta que el Pesado no puede atestiguar lo que podía ver Gorgo.

—Es justo —acata Hobie—. Usted sí podía ver que era una mujer cuando se hallaba a tres metros y medio de ella, ¿no?

—Yo no soy imbécil como él.

Hobie aguanta la respuesta. El Pesado se las arregla bien.

—Bueno, ¿y Bicho estaba haciéndole señales a Gorgo con los brazos?

—Así es.

—¿Tratando de detenerlo?

—Así es.

—¿Pero usted no hizo las mismas señas?

—No.

—¿No le gritó?

—Ajá.

—¿Se echó al pavimento?

—Así es.

Hobie ha ido acercándose al Pesado poco a poco. Ahora se atreve a tocar la baranda frontal del estrado de los testigos.

—Usted sabía que él no iba a parar, ¿verdad?

—Mierda, viejo. —Con un gesto teatral, el Pesado agita la mano a centímetros de la nariz de Hobie. —¡Fíjese lo que pregunta, viejo! Si mira a ese negro hijo de puta a los ojos, viejo, verá que ese tarado iba directo a tirar. Ya lo he visto muchas veces.

—Señor, usted sabía que Gorgo iba a disparar de todos modos, ¿no?, aunque la persona parada allí era una mujer, y en consecuencia usted se tiró al pavimento, ¿verdad?

—Ya contesté esa maldita pregunta.

—Jueza —dice Tommy, a destiempo. Hago lugar a la objeción y Hobie vuelve a sus notas para procurar otro tema, una vez más sin haber logrado nada. Desde luego, he entendido su intención, pero me desconcierta, lo mismo que cuando pisó este terreno con anterioridad. ¿Qué bien le hace esto a Nile, incluso si June, y no Eddgar, era el blanco?

—El senador Eddgar —dice Hobie—. Hablemos de él. Usted tuvo un encuentro con el senador. ¿Figura eso en su declaración?

—Así parece.

—¿Le parece? ¿Fue un solo encuentro, o fueron más?

—Por lo que sé, viejo, usted sabe que fue uno.

—¿Podrían ser más?

El Pesado no le presta atención. Hobie le echa una mirada pero decide, tras reflexionarlo un instante, no insistir en eso.

—Ahora, Pesado, para usted, para T-Roc, esta idea de sacar a Kan-el de la cárcel... era muy importante, ¿correcto?

—Hablo por mí, viejo —responde—. Sí.

—Y fue por eso que accedió a encontrarse con el senador, ¿correcto? Porque quería sacar a Kan-el de prisión, ¿no?

—Así es, viejo.

—Y usted nos dijo, según creo, que cuando vio que el senador Eddgar tenía la idea de que los DSN podían convertirse en una organización política usted se enojó mucho, ¿correcto?

—Lo que él proponía, viejo, esa mierda, no era real.

Hobie asiente y piensa mientras camina de un lado a otro. Luego se da vuelta abruptamente y pregunta con voz más baja:

—¿Entonces por qué cree usted que el senador Eddgar fue allá?

Por un instante el Pesado queda en absoluto silencio. Lo veo mirar a Aires.

—Nile dijo que quería que liquidáramos al padre. Eso es todo.

—¿Eso es todo? Ubiquémonos en la escena, Pesado. Tenemos dos pandilleros. Primera Jerarquía. Hombres negros. Ambos, delincuentes convictos, ¿correcto? Y tenemos un importante político blanco, presidente del Comité Senatorial de Justicia Criminal, que maneja en su auto todo el camino desde North End a DuSable y se reúne en la parte posterior de una limusina con gente como ustedes, sabiendo que ustedes sólo quieren sacar a su secuaz, Kan-el, de la penitenciaría de Rudyard. Ahora le pregunto de nuevo, Pesado, ¿por qué cree usted que él fue? ¿Qué creía usted que iba a ganar con ese encuentro?

El Pesado se queda mirando fijo, feroz. Hobie lo ha atrapado al fin.

—¿Eh? —insiste Hobie—. Usted y T-Roc ya lo habían elaborado, ¿no?

El Pesado menea la cabeza.

—Fueron allá creyendo que iban a sobornar al senador Eddgar, ¿verdad?

Aires despliega su figura larga y flaca y alza la mano tentativamente.

—Jueza —dice—, tiene que escucharme.

De pronto —en uno de esos momentos de iluminación instantánea— queda claro lo que Jackson está haciendo aquí. No sólo está protegiendo al Pesado, sino también a T-Roc, a Kan-el, a todos sus clientes de los DSN. Le indico con un gesto que se siente y Hobie pide que se vuelva a leer la pregunta que acaba de hacer.

—De ninguna manera —dice el Pesado—. Es un invento suyo.

Las fosas nasales de Hobie se dilatan en una súbita exhalación incrédula. Es el primer momento en que tengo la absoluta certeza de que Trent ha sido sorprendido en una mentira. El Pesado y Aires ya han revisado esta parte. Si Trent reconociera una conspiración para cometer soborno, la libertad condicional de T-Roc correría peligro. Peor aún: el Pesado habría delatado a uno de los suyos, lo cual no es la mejor manera de comenzar una condena de diez años en Rudyard.

—¿Así que usted nos está diciendo, Pesado, que jamás ofreció ni recibió dinero alguno en forma directa o indirecta mediante el senador Eddgar? ¿Comprende lo que le pregunto?

—Lo entiendo muy bien, negro.

Hobie es presa de una inmovilidad paralítica. Su único movimiento —involuntario— es la punta de su lengua que se le asoma entre los dientes delanteros. La palabra, por supuesto. Toda la brecha de la vida negra, esa herencia de irreverencia, se abre entre los dos por un momento.

—Vuelva a leer la pregunta —indica al fin a la transcriptora de la corte, sin apartar sus ojos del Pesado. Me corresponde a mí dirigir esa orden, pero dadas las circunstancias no intervengo, sino que me limito a hacerle una seña a Suzanne.

—Ningún dinero, nada —dice el Pesado—. No hubo nada parecido.

—Nada parecido —repite Hobie. Parado junto a la mesa, con sus notas, se toma unos segundos más para recomponerse, mientras se abotona el elegante traje italiano de tono verde. En la tribuna del jurado, donde están los periodistas, corre un murmullo constante. ¡Soborno! Este caso es grandioso; todos los días surge algo extraordinario. Veo a Dubinsky y Stuart Rosenberg cuchicheando, pero desvío la vista de golpe cuando percibo que Seth trata de atraer mi mirada.

—Ahora, Pesado, la mayor parte de lo que usted está diciendo de Nile... No existe ninguna clase de registro de ello, ¿correcto?

—¿Registro? ¿Qué clase de maldito registro? No sé de qué me habla, viejo —resopla.

—No existe ningún documento, quiero decir. Nada que pruebe que lo que usted dice es cierto. Por ejemplo, esa llamada telefónica que usted afirma que le hizo a Nile la mañana del asesinato, después de que él lo llamó por el *beeper*. No hay registro de eso, ¿verdad? ¿Al menos hasta donde usted sepa? —El estado ya ha estipulado a este respecto. Hobie pisa terreno seguro.

—Está el dinero, viejo —dice el Pesado.

—Correcto —contesta Hobie—. El dinero. Eso es lo único que respalda su declaración, ¿correcto?

Hobie está en lo cierto, pero es un argumento, no una pregunta, de modo que hago lugar a la objeción de la fiscalía.

—Bien, ¿no le han dicho los fiscales, Pesado, cuán importante es ese dinero?

—El dinero es dinero, viejo. Hace girar el mundo.

—Creí que lo que hace girar el mundo es el amor —dice Hobie por sobre el hombro. Camina otra vez, como merodeando, moviendo las manos, mientras sus elegantes zapatos de lagarto pisan la gastada alfombra de la sala. —Y en cuanto a la bolsa de dinero que le entregó a la fiscalía... Usted sabía que era la clave de la corroboración de su declaración, ¿correcto? Sin ese dinero para respaldarlo, no podría haber hecho el lindo pacto que hizo, ¿correcto?

—Basta, viejo. Ése no fue ningún truco, viejo, porque yo tenía el maldito dinero, ¿de acuerdo?

—Ah, usted tenía el dinero —dice Hobie—. ¿Cuánto dinero, Pesado, ganaba usted cada día vendiendo drogas? ¿5.000 dólares?

El Pesado responde de manera ambigua. No sabe.

—¿Dos mil?

El Pesado menea la cabeza.

—¿Cuánta gente trabaja para usted, según declaró? ¿Dijo que eran cinco? ¿No eran más, como setenta y cinco?

—Ah, no, viejo, de ninguna manera. Usted exagera mucho.

—¿Sí? Hablemos de sus autos, Pesado. —Hobie lo hace recorrer todo: joyas, casas, mujeres a las que mantiene. Tiene los informes policiales de la unidad de narcóticos, datos de informantes y de vigilancia ocasional. Es evidente que el Pesado gasta cientos de miles de dólares por año.

—Pesado, usted gana 10.000 dólares con la venta de drogas cualquier día de la semana, ¿no?

Ahora Aires se mueve alerta en su silla. El Pesado, intuyendo que lo han atrapado otra vez, se irrita.

—Mire, negro, el dinero me lo dio él, así que busque por ahí.

De nuevo Hobie se queda paralizado. Sus ojos relampaguean un instante hacia mí, y no necesito más indicación para intervenir:

—Señor Trent, la próxima vez que se dirija al doctor Tuttle de esa manera, voy a tener que amonestarlo por desacato. ¿Quiere hablar con el señor Aires?

—Está bien, jueza. —Parado otra vez, Jackson hace a su cliente un ademán reprobatorio semejante al de un director de escuela. —Compórtese como es debido —dice desde donde se halla sentado.

En el estrado, el Pesado baja la cabeza y murmura algo para sus adentros. Logro distinguir sólo dos o tres palabras: "Qué bastardo". Se refiere a Hobie. Éste vuelve a la mesa de la fiscalía en busca del Grupo de Pruebas del Pueblo No. 1, el dinero, dividido en dos sobres separados, y la bolsa de plástico en que supuestamente fue entregado.

—¿De modo que usted declaró que Nile Eddgar le dio esa bolsa y 10.000 dólares a fines de agosto de este año?

—Están las huellas, viejo. —El Pesado sonríe con astucia.

—Eso no fue una sorpresa para usted, ¿no?

—No fue ninguna sorpresa, viejo, porque yo sabía quién me había dado el dinero.

—Pero usted esperaba que el dinero y la bolsa tuvieran huellas, ¿no?

El Pesado se encoge de hombros.

—Puede ser.

—Por supuesto que sí. Usted mantuvo este dinero a salvo, ¿no? Ni siquiera lo sacó de la bolsa, ¿no? ¿No fue eso lo que dijo?

—Igualito.

—Y no gastó nada de este dinero, ¿correcto?

—No.

—Tenía otro dinero para gastar, ¿correcto?

—Sí.

—Usted no permitió que este dinero se mezclara con el otro, ¿no?

—Eh, ¿no me oye lo que le digo? Ése es el dinero que él me dio, viejo. —El Pesado ha recibido instrucciones. De Aires, de Tommy. El dinero es el caso. Sabe que no puede salir de ahí, que no puede moverse ni un centímetro.

—¿Usted guardó esta bolsa en un lugar seguro porque sabía que si algo salía mal contaría con eso para entregar a Nile? Porque ahí estaban las huellas de él. Y que usted tendría ese dinero para dárselo a la policía. ¿Correcto? ¿No fue así cómo sucedió?

El Pesado considera en detalle las implicaciones de la pregunta. Cuando se rasca la barba rala se le notan las estrafalarias uñas amarillentas, que recuerdan las de un mandarín chino; veo que sus ojos se mueven otra vez hacia Jakcson. En esto hay un problema para el Pesado. Si reconoce estos desagradables cálculos, puede explicar por qué tenía el dinero para respaldar lo que dijo. Pero al admitir que estaba preparado desde el principio para entregar a Nile, está confirmando el núcleo central de la defensa. Peor aún, tal vez: está echando a perder su propio personaje. Los pandilleros, hartos de sufrir los embates del ego herido, rara vez pueden soportar semejante cosa. No obstante, desde el otro extremo de la sala del tribunal, Jackson baja el mentón no más de un centímetro, y el Pesado capta el mensaje.

—Podría ser —dice al fin. Hobie trata de no mostrar que la respuesta lo ha derrotado.

—Claro. Usted lo tenía pensado, ¿verdad? "Si tengo esta bolsa, si tengo las huellas, tengo a Nile", ¿correcto? "Así voy a tener algo para darle a la ley, si las cosas se ponen feas", ¿correcto?

El Pesado se encoge de hombros.

—¿Sí? ¿La respuesta es sí?

—Sssí —sisea el Pesado.

—¿No es verdad, Pesado, que usted tomó esta bolsa y unos cuantos billetes que Nile había tocado y puso en esta bolsa 10.000 dólares de su propio dinero ganado con la venta de drogas, e inventó toda la historia?

El Pesado echa atrás la cabeza y bufa.

—Contrólese, viejo. Termine con esto de una vez.

Hobie empareja la pila de notas y cierra la carpeta. Apoya un codo encima.

—Ahora, Pesado, voy a hacer algo que se supone que ningún buen abogado defensor debe hacer. Voy a permitirle explicar, ¿de acuerdo? Voy a ser más justo con usted que lo que usted fue con Nile.

En este momento de suspenso, Molto olvida objetar contra el floreo retórico de Hobie. Adrede, Hobie se acerca al estrado del testigo, sosteniendo en alto las tres pruebas No. 1 del Pueblo, la bolsa azul y los dos fajos de billetes. Enfrenta al Pesado y vuelve a inspeccionarlo de manera prolongada y melancólica.

—Ahora quiero que mire a la jueza Klonsky, y quiero que le diga a ella por qué, si éstos son los 10.000 dólares que le dio Nile Eddgar en agosto, si éste es el dinero que usted guardó en lugar seguro, si éste es el dinero que nunca sacó de la bolsa... por qué el Laboratorio Forense de West Side dice que en casi todos estos billetes hay una alta concentración de residuo de cocaína.

Molto y Singh saltan al mismo tiempo. Tommy grita:

—¡Ah, Dios mío! —Y avanza la mitad del camino hacia mi podio antes de que yo siquiera pueda verlo. Está vociferando.

—¡Objeción, objeción, objeción, jueza! Jueza, se supone que yo debía conocer los resultados. Usted dijo, jueza, que el Pueblo iba a obtener los resultados del laboratorio. Jamás me llegaron, ¿Qué es esto, jueza? ¿Qué es esto?

Descubro que de nuevo me he llevado una mano a la frente. Hobie permanece junto al testigo, sosteniendo el segundo fajo, el que envió al laboratorio, pero ha vuelto la cara hacia mí en expresión mansa de niño pescado en falta.

—Su Señoría, no sabía si iba a utilizarlo.

—¡Jueza! Ah, por Dios, jueza —chilla Tommy. Señalo a Singh, que está a pocos pasos detrás de Molto, y le sugiero que lo calme.

—Doctor Tuttle, ¿se supone que debo creerle? Las reglas a este respecto son claras. Y mi orden fue más clara todavía.

—Jueza Klonsky, ellos sabían que yo iba a hacer analizar el dinero. Usted lo permitió.

—¡Jueza! —grita Tommy—. Yo le pedí los resultados, parado aquí mismo.

—Y yo se los dije —replica Hobie—. No había sangre. Usted preguntó por sangre. Y no encontraron sangre. Usted mencionó pólvora. Y no encontraron pólvora. Eso fue lo que usted preguntó.

—Oh, doctor Tuttle —digo.

—¿Qué? —pregunta, como si no supiera.

Rudy, que ha mantenido la calma, se acerca a mi podio y solicita borrar la pregunta del registro y excluir los resultados del laboratorio. Ordeno un receso de diez minutos y le indico a Hobie que traiga el informe del laboratorio. Doy permiso a Molto y Rudy para conferenciar con el testigo. Me permito un momento de furia. ¡Por Dios, Hobie es un truhán! Hay ciertos abogados defensores que aprenden a disfrutar estas acciones de comando, atacando desde fuera de los límites, más allá de las reglas. Es una parte de ese trabajo que yo sabía jamás sería capaz de realizar. ¿Qué dijo Seth de Hobie? Que podría haber logrado más. En cambio, es sólo un matón de tribunal, como tantos. Desde la mesa de la defensa, donde ha buscado en la caja de los documentos para encontrar el informe del químico, se acerca a mi podio con la copia que me corresponde. Mantengo la cabeza erguida, con la intención de transmitirle mi pobre opinión de él. Una mirada filosófica y meditabunda le cruza los rasgos.

Sin embargo, tengo que lidiar con los hechos. En mi despacho, estudio el informe del laboratorio. Ochenta y ocho elementos de moneda corriente estadounidense del Grupo No. 1 de Pruebas del Pueblo, cada uno identificado con su número de serie, fueron examinados primero por lavaje, después por análisis de los residuos con un espectómetro. Cada elemento mostró la presencia de hidrocloruro de cocaína, y el residuo de cada billete pesaba entre 390 y 860 microgramos. No hay duda de que éste es el resultado que esperaba Hobie desde el principio. Fue por esto que mandó a analizar los billetes. Y calculó bien. La ley, como todo lo demás, juega su juego propio de fines y medios. Los tribunales siempre requieren una circunstancia importante que justifique una intrusión como ésta, y la extralimitación de Hobie respecto de las reglas ha producido su propia excusa: el Pesado mintió. Hobie lo atrapó, y lo demostró. Nadie, ni siquiera en estos tiempos, exaltaría la regularidad procesal por encima del derecho del acusado a combatir el perjurio de los testigos presentados por la fiscalía. Cuando termine este receso, no excluiré el informe del laboratorio. Y cuando se me pase la furia, comprenderé en forma más plena lo que ya intuyo: que el caso del estado, que se apoya en el dinero, ha quedado muy perjudicado. En un nivel más profundo, sigo pensando en el tema del motivo. No hay razón alguna para que el Pesado, por su propia cuenta, quisiera matar a Loyell Eddgar, ni tampoco a June. Es probable que Nile esté involucrado de algún modo. Pero puede que nunca se aclare del todo. Hobie ha dado un paso gigantesco hacia el objetivo de despertar una duda razonable.

Cuando reanudamos la sesión, Molto renueva con urgencia la moción del estado para excluir el informe del laboratorio. Afirma que en la actualidad hay rastros de cocaína en la mayoría de la moneda corriente de los Estados Unidos. Es bastante cierto, pero el químico de Hobie dijo que las concentraciones que identificó se hallaban entre un cincuenta y un ciento por ciento por encima de los niveles incidentales habituales.

—Me reservaré la decisión —digo— hasta que se presente el informe en el caso de la defensa. —Hobie desempeña su papel, manifestando su angustia, como si tomara en serio mi amenaza. Tal vez así sea, pero esos gestos forman parte de su rutina tribunalicia. Ofrezco a la acusación la oportunidad de reabrir su interrogatorio al Pesado. Han dispuesto de unos minutos juntos para explicar los abundantes residuos de cocaína en el dinero. El Pesado afirmó que en ningún momento salieron de la bolsa de plástico, pero, como anticipó Hobie, no han podido llegar a una explicación mejor.

—Usted sabe, viejo —dice el Pesado cuando Tommy le pide que explique—, puede que yo haya tenido un poco de polvo en el cajón donde lo guardé, en la casa de Doreen. Además, viejo, no puedo controlar todo lo que hacía Nile cuando andaba por ahí.

Tommy asiente, como si la respuesta fuera por completo satisfactoria, y concluye. Hobie se pone de pie tras la mesa de la defensa, para hacer unas preguntas más.

—Usted sabe que le hacen un análisis de orina cuando entra en la cárcel, ¿no?

—Ajá.

—¿Y sabe que el análisis que le hicieron a Nile estaba limpio de cocaína?

Objeción aceptada. Pero Hobie ha logrado poner en claro lo que quería. Ambos abogados dicen que no tienen más preguntas, así que llamo al receso para el almuerzo. Me pongo de pie en mi podio, pero lo pienso mejor y le indico a Suzanne que se quede.

—Quiero decirle algo, doctor Tuttle. Y quiero que quede registrado. Cualquier nueva violación suya de las reglas de producción de pruebas en forma extrajudicial, y habrá dos consecuencias. —Cuento las advertencias con los dedos. —Una, el señor Molto no tendrá que molestarse en hacer una moción de exclusión. No me importa si viene el Papa a declarar como testigo a favor de su cliente; si antes no se lo ha comunicado a la acusación, su declaración no será oída en este tribunal. Y dos: habrá severas sanciones personales para usted. Y no estoy bromeando.

La musculosa parte superior del cuerpo de Hobie se inclina obediente.

—Sí, Su Señoría —repite. Lo miro mientras continúa murmurando palabras de acatamiento.

—¿Qué tenemos a continuación? —le pregunto a Molto—. ¿Después del almuerzo?

Parpadea, sorprendido porque en la confusión de la mañana me he olvidado.

—El senador —responde.

Típico de mí. Lo más temido es lo menos recordado.

En el ínterin, los delegados de traslados, con sus uniformes marrones, se han acercado al estrado de los testigos para llevar de vuelta al Pesado al calabozo. Uno de ellos, Gioseti, un hombre robusto con una masa de pelo canoso desaliñado, le indica que baje. El Pesado se levanta en toda su estatura y desde allí echa otra mirada rápida en dirección a la defensa. Hobie lo sorprende y, de pie junto a la mesa cubierta de papeles, le contesta con una mirada imperturbable y seria. No es tanto su triunfo personal lo que le transmite, sino una lección, una declaración de fe: "Es mejor como lo hago yo; ¿no ves que es mejor?". El momento se prolonga. Al final es el Pesado, amo callejero de una malevolencia primaria, el que, con la excusa del gesto insistente del delegado, aparta primero la vista.

· · ·

El televisor de Marietta se halla firme ante ella cuando entro en su oficina. El resplandor gris de la telenovela del mediodía se refleja en sus mejillas, pero aun así sus ojos se desvían un instante hacia mí.

—¿Qué pasa?

No se molesta en esperar mi respuesta, sino que se limita a tenderme una cajita envuelta en papel de regalo rayado, con una nota. Atrás, en mi escritorio, abro el sobre primero.

Sonny:

Gracias de nuevo por la cena. Diría más, pero no quiero violar las reglas.

Pensé que a Nikki podrían gustarle estas cosas. Espero que la entretengan por el momento. Por favor, dile que conocerla fue lo más lindo que me ha sucedido en semanas. (¡En serio!)

Seth

P.D.: La policía encontró el auto de mi padre. Estaba estacionado a la vuelta de la esquina. No hubo daños y las puertas estaban trabadas. La policía entrevistó a una vecina que conoce a papá y dice que lo vio estacionar en ese sitio hace tres días. Está segura de que el auto no salió de allí. Según parece, el viejo comienza a confundirse.

Supongo que tendré que hacer algo.

Seth. Como un pony con anteojeras, toda la mañana he sofocado el impulso de echar un vistazo a la tribuna del jurado. Aun así, en este ambiente solitario, el pensar en él obliga a salir a la superficie los sentimientos conflictivos que me visitan de vez en cuando desde hace dos días, la punzada adolescente del romance, y un obstinado temor que roza la fatalidad. El sábado por la noche me encontré atontada por la locura de ser besada. Me quedé sentada en la sala, a la luz blanco puro de una lámpara de alógeno extensible, intentando leer. Cada diez minutos encontraba las yemas de mis dedos en mis labios, de los cuales las retiraba con rapidez.

Dentro de la caja que me ha dejado Seth hay un gran diente de plástico, del tamaño de una manzana. Se abre en la parte superior, y adentro hay una cantidad de objetos baratos: una dentadura a la que se le da cuerda y camina, y un grosero conjunto de dientes postizos, como aquellos en los que Jerry Lewis basó su carrera. A Nikki le encantará.

—¿Adónde se fue tu amigo? —me preguntó mi hija el domingo por la mañana, como si tuviera algún sentido pensar que todavía pudiera estar en casa.

—Se fue, tontita. ¿Te gustó?

Movió la cabeza entera, agitando los rizos oscuros. Se mordió el labio y no habló por unos instantes, mientras trataba de lidiar con la realidad de que él la hubiera abandonado.

—Debería dejarse la barba —me dijo al fin.

Tal vez. Me divierte la idea del pelo en la cara, el último refugio de los calvos. Pero la sobriedad retorna enseguida. Cada vez llego a la misma conclusión. Lo pienso bien. Lo dejaré pasar. De eso se trata la vida adulta, ¿no? Pequeñas erupciones de insania, y una reunión de fuerzas para la larga marcha de la responsabilidad. Mientras releo la nota de Seth, meneo la cabeza al pensar en su padre. Luego envuelvo de nuevo el regalo de Nikki. Salgo por la puerta de atrás para evitar a Marietta al salir a almorzar.

A todos nosotros —Hobie, Seth y yo— nos ha alterado el tiempo. Más calvos, más gordos, cambiados de alguna manera. Pero reconocibles. Ver a Loyell Eddgar me produce un shock. He visto fotos en los diarios alguna que otra vez, pero debían de ser de hace décadas, cuando comenzó su carrera en la política local. Ni por un momento se me había ocurrido que ya anda cerca de los setenta años. Desde luego, tiene el pelo más corto y escaso, y preponderantemente canoso. Con los años se ha vuelto quince o veinte kilos más gordo, y su postura se ha reducido. Eddgar, a quien jamás imaginé blando, muestra ahora cierta blandura.

En este momento se halla de pie ante mi podio, esperando instrucciones. Su mera apariencia es intensamente dramática: el padre al que su hijo se proponía matar. Los periodistas están alerta; de nuevo la galería se halla repleta. Detrás del vidrio antibalas las caras curiosas y ansiosas parecen tan remotas como figuras en la televisión. Atrás, junto a las puertas, Annie ha estacionado a otro asistente del alguacil para mantener el orden, que dirige a los espectadores de pie a la izquierda y la derecha, para asegurarse de que quede un pasillo abierto para salir. Hasta Jackson Aires ha regresado, ya cumplido su deber pero en apariencia curioso. Se sienta en una de las butacas de la primera fila en general reservadas para representantes de la oficina de la fiscalía.

Eddgar está de pie en la gastada alfombra grisácea al pie de mi podio, incómodo en su calidad de punto focal del interés sensacionalista. Aferra en ambas manos un papel que ha traído. Es un hombre bastante bajo, robusto, y viste una chaqueta deportiva de lana. A nadie le sorprenderá cuando responda que en otras épocas fue profesor. Me dirige un saludo con un movimiento de la cabeza, en una breve concesión a nuestra pasada relación.

—Doctor Eddgar —digo en voz alta. Luego Marietta anuncia el

comienzo de la audiencia, e indico al testigo que se dirija al estrado. Toma asiento y apunta la cara hacia el micrófono. Sonríe en forma tentativa en dirección a mí, como si alimentara alguna esperanza de protección. Al tomarle el juramento, reparo en sus ojos, que aún son de un azul asombroso.

—Juro —responde con firmeza, y al volver a sentarse se abre un botón de la chaqueta.

—Señor Molto —digo—, puede proceder.

Tommy frunce la boca al ponerse de pie. No mira a su testigo. El tono de las primeras preguntas confirma mi primera impresión: Eddgar y Tommy, ambos fanáticos de corazón, no sienten gran estima uno por el otro. Se tratan con formalidad, lo cual, de manera irónica, torna el interrogatorio mucho más tajante. Esto presta a Tommy un elemento de frío control, algo que de ordinario carece en sus actuaciones.

—¿Cuál es su trabajo?

—Soy representante electo del trigésimo noveno distrito senatorial del estado.

—¿Tiene usted algún otro empleo?

—Tengo un cargo conjunto como profesor de divinidad en la Universidad de Easton.

Eddgar describe su distrito, que comprende los alrededores del campus de Easton y una zona de viviendas públicas, una de las primeras que se extendió hace años en el límite de los condados de Kidle y Greenwood, a partir de una ex base militar. Lo han elegido ya para siete términos consecutivos de dos años y es el presidente del Comité Senatorial de Justicia Criminal. Por esta entidad pasan las solicitudes de fondos para la policía y las prisiones, así como ciertas designaciones de la Oficina Correccional. Hace cuatro años ganó la nominación para interventor del estado del Partido Democrático del Sindicato de Agricultores, pero perdió la elección general.

Terminadas estas aclaraciones, llegamos por fin al primer crescendo.

—Señor —pregunta Molto—, ¿conoce usted al acusado en este caso, el señor Nile Eddgar?

—Sí.

—¿Como lo conoce?

—Es mi hijo. —Eddgar no sale airoso de esta respuesta. Su compostura, perfecta hasta este instante, se desvanece cuando un temblor le invade la voz al pronunciar la última palabra. Surge un sonido, más un hipo que un sollozo, aunque tal vez sólo se haya oído aquí, en mi podio. Eddgar se toma de la baranda frontal del estrado de los testigos. La sala del tribunal permanece en silencio mientras esperamos que se recupere.

—¿Ve a su hijo aquí en este momento? —pregunta Tommy, al tiempo que se vuelve hacia Hobie. Después de la jugada de esta mañana, los dos actúan como enconados enemigos imbuidos de odio tribunalicio, un estado de ánimo comparable al de dos hombres en guerra que se matan a tiros. Tommy quiere que Hobie le ahorre a Eddgar la incomodidad de señalar a Nile para que quede registrado. En cambio, Hobie finge hallarse ocupado con la gran caja de cartón de los documentos que hay sobre la mesa de la defensa, y en ningún momento mira hacia el lado de Tommy. Sin embargo, le murmura algo a Nile, y éste se apoya una vez más en los brazos del sillón de cuero y comienza a levantarse. No podría parecer más culpable aunque lo intentara. Ni siquiera logra alzar los ojos hacia el padre. Mira fijo a los parlantes de roble de la pared de enfrente. Eddgar trata de levantar una mano, pero en cambio se tapa la boca. Se echa a llorar. Parecería que en toda la sala nadie es capaz de respirar.

—Que se registre la identificación —digo con frialdad, mirando con dureza a Hobie. ¿Ha perdido la cabeza? ¿En qué ayuda esta actitud? Aunque es un hombre que no se pierde un solo detalle de la sala del tribunal —es probable que pudiera decirme el nivel de agua del bebedero y cuántos pasos hay desde la puerta del calabozo hasta el estrado de los testigos—, continúa simulando distracción, mientras su cliente, visiblemente pálido, vuelve a desplomarse en el asiento, a su lado. En el estrado, Eddgar ha sacado un pañuelo y se seca los ojos. Tommy formula unas cuantas preguntas sobre la crianza de Nile y luego cambia de tema.

—¿Conoce a un hombre llamado Ordell Trent? —pregunta.

—Así es.

—¿Cómo lo conoció?

—Me lo presentó Nile.

—¿Y cómo tuvo lugar ese encuentro?

—Yo le pedí a Nile que me lo presentara.

—¿Puede explicar por qué?

—Objeción.

—Si es una conversación con el acusado, permitiré la respuesta. ¿Se trata de algo que usted le dijo a Nile, doctor Eddgar?

—En diversas formas a lo largo de los años. Y por cierto lo discutimos después de la reunión.

—Adelante —digo.

—Básicamente, yo creía que las bandas callejeras, como la del Pesado, han hecho algo que no ha logrado nadie, es decir, organizar a la comunidad pobre. Y si esa organizacón pudiera consagrarse a fines positivos, en particular el de expresar la voluntad política de la comunidad pobre, en lugar de las actuales y desdichadas maneras en que se emplean esas energías, bueno, sería una tremenda ganancia general para todos: los pandilleros, la comunidad pobre, y la ciudad como un todo, que obviamente se beneficiaría al ver que esos esfuerzos se encaminan en otra dirección.

Hablando a su manera culta, con voz que aún refleja los ritmos más lentos del sur, parecería que Eddgar ha caído bien en la tribuna de la prensa. Su respuesta, elaborada con cuidado para el consumo público, es garabateada con dificultad en una cantidad de cuadernos de espiral. En una mirada general a la sala, me permito un vistazo reacio a Seth. Pero, por primera vez desde que comenzó este juicio, no me presta atención. Está concentrado en Eddgar con una intensidad que de pronto me evoca al hombre que conocí hace décadas.

Tommy prosigue con el encuentro entre el Pesado, T-Roc y Nile. Eddgar ha dado al estado una página de su agenda en la que figura el encuentro el día 11 de junio, es decir, antes de la fecha en que al parecer lo recordaba el Pesado. Eddgar describe sin adornos la irritación y la incredulidad que mostraron T-Roc y el Pesado cuando él les planteó su propuesta de convertir la banda en una organización política.

—¿En qué quedaron? —pregunta Tommy.

—En que ellos se comunicarían conmigo, a través de Nile.

—Muy bien, señor —dice Tommy. Rudy le hace una seña para que se acerque a la mesa de la fiscalía, donde le entrega una nota. Tommy la lee, luego se inclina hacia su colega. Conferencian brevemente, debatiendo algo, y luego Molto se endereza. —En el transcurso de esa reunión en la limusina de T-Roc, señor, ¿alguno de los dos, T-Roc o el Pesado, le ofreció un soborno?

—No —responde Eddgar. Tommy se vuelve hacia Hobie en actitud jactanciosa, y todavía se encuentra en esa posición cuando Eddgar carraspea y agrega: —En realidad no me ofrecieron dinero. —La cabeza de Molto se vuelve como un rayo hacia el testigo, y enseguida mira la nota de Rudy y la devuelve, malhumorado, a su colega. Los fiscales corrieron un riesgo, pues al parecer olvidaron, durante el apresuramiento frenético de la hora del almuerzo, repasar este tema con Eddgar cuando llegó. Detrás de ellos, Hobie alza un instante la vista de sus notas, con una rápida mirada de triunfo. Tommy comienza de nuevo.

—Volviendo a la primera semana de septiembre de 1995, ¿usted y Nile tuvieron ocasión de hablar sobre el Pesado?

—Sí, señor, lo hicimos.

—¿Puede decirnos dónde estaban?

—Hablamos por teléfono. Yo estaba en mi casa, en Greenwood.

—Muy bien. Y por favor díganos qué dijo cada uno de ustedes.

—Él me dijo solamente que el Pesado quería volver a hablar conmigo.

—¿Y cómo reaccionó usted?

—Le dije que me resultaba muy buena noticia, que me complacería encontrarme con él donde quisiera.

—¿Y cómo se fijaron el momento y el lugar del encuentro?

—Bueno, según recuerdo, yo di a entender que iría a cualquier lugar, en cualquier momento. El Pesado quería que nos encontráramos en la calle Grace, y Nile propuso que a la mañana muy temprano sería el mejor momento para que yo fuera allá.

—¿Lo propuso Nile?

—Correcto.

Un punto para la acusación. Nile emboscó a papá. En la mesa de la defensa, tanto Hobie como su cliente se muestran tranquilos. Tommy continúa, bajo las luces de la sala. Con el mismo tono estoico que ha mantenido hasta ahora, pregunta:

—¿Y quién, señor, era June Eddgar?

—Mi esposa. —Eddgar espera un segundo. —Mi ex esposa. —Una vez más, no logra completar su respuesta sin echarse a llorar, pañuelo en mano. Tommy recorre con amabilidad la historia de la relación de Eddgar con June: separación en 1971, divorcio amistoso en 1973, seguido por un fluido contacto y una firme amistad. June volvió a casarse en 1975 con William Chaikos, veterinario de Marston, Wisconsin. Este matrimonio terminó en 1985. En el intervalo, ella visitaba en forma periódica el condado de Greenwood para ayudar a Eddgar en sus campañas políticas: en 1980, cuando se postuló para concejal de la ciudad; en 1982, cuando lo eligieron alcalde de Easton; y en varias ocasiones posteriores, en campañas senatoriales. Eddgar responde con calma, ignorando las lágrimas lo mejor posible. Su impotencia para contenerse me resulta conmovedora. Hace veinticinco años vivía consagrado a aceptar la inevitable y dura mecánica de la historia. Pienso algo que nunca esperé: ha cambiado.

—¿Y la señora Eddgar solía visitar a Nile de vez en cuando?

—Así es.

—¿Cuándo fue la última vez que vino de visita al condado de Kindle?

Se suena la nariz y alza la cabeza para responder que fue el Día del Trabajo (el primer lunes de septiembre) y se quedó un par de días para hacer compras en la ciudad.

—¿La señora Eddgar seguía participando en la carrera política de usted?

—Vivía en Wisconsin; prefería el campo. Pero yo siempre dependí de sus consejos. Ella estaba al tanto de la mayoría de mis actividades.

—¿Hablaron ustedes del planeado encuentro con el Pesado?

Hobie objeta —con acierto— que la pregunta exige una respuesta por oídas. Tommy avanza entonces a los hechos del 6 y 7 de septiembre, mientras Hobie hace persistentes objeciones, la mayoría fundamentadas. Los periodistas y espectadores parecen desconcertados por los misterios judiciales que permiten a un testigo declarar sobre lo que alguien dijo que iba a hacer en el futuro, pero no sobre lo que dijo que había hecho en el pasado. A Eddgar se le permite decir que la mañana del 7 de septiembre lo reclamó el personal de su oficina del Senado del estado, pero no puede relatar sus conversaciones con el personal, ni declarar que le pidió a June que se encontrara con el Pesado en lugar de él. Admito como evidencia la nota hallada en la cartera de la occisa, en la que tenía anotadas las instrucciones de Eddgar. El papel, manchado en una punta de un marrón óxido que sé que es sangre, se me entrega en un sobre de plástico. Se ven unas líneas desprolijas que marcan las calles, y las palabras: "El Pesado. Ordell Trent. 6:15", escritas con letra errática. Por último, porque a un testigo se le permite declarar sobre su estado de ánimo, permito que Eddgar explique por qué le pidió a June que se encontrara con el Pesado, aunque no pueda describir su verdadera conversación con ella.

—Creí —dice Eddgar— que ella reconocería la importancia potencial del encuentro con el Pesado y comprendería que era crítico que alguien fuera a verlo, en persona.

—¿Y por qué era crítico?

—Yo no quería ofenderlo —responde Eddgar. Aprieta los labios en un nuevo esfuerzo por controlarse.

—Y esa reunión que tuvo usted con la señora Eddgar alrededor de las cinco y media de la mañana del 7 de septiembre, ¿fue la última vez que usted la vio?

—La última.

Tommy espera un intervalo conveniente para permitir que la solemnidad de la muerte llene otra vez la sala del tribunal.

—Ahora bien, ese día, el 7 de septiembre, usted fue entrevistado por el teniente detective Montague. ¿Lo recuerda?

—Así es.

—Y, señor... —Tommy deja la carpeta y se cruza de brazos. —¿Fue usted completamente sincero con el teniente Montague cuando habló con él?

—No.

—¿Y de qué manera no fue usted del todo sincero?

Hobie objeta.

—El señor Molto está impugnando a su propio testigo —dice. Hace cuarenta años que a los abogados de este país se les permite cuestionar la credibilidad de sus propios testigos. Hobie no hace más que tratar de romper el ritmo sereno de Molto, así que le indico que se siente.

—Montague me preguntó si yo sabía por qué había ido June a la calle Grace, y al principio le dije que no lo sabía.

—¿Y por qué le dijo eso?

Hobie objeta otra vez.

—Ahora está rehabilitando a su propio testigo.

—¿Planea usted hacer una formulación de repreguntas sobre este tema, doctor Tuttle?

Hobie desvía la cara, buscando una salida que no encuentra.

—Claro —responde al fin.

—Entonces le conviene escuchar. Adelante, doctor Eddgar.

—Yo me sentía reacio a revelar mi envolvimiento político con el Pesado, porque me di cuenta de que resultaría controversial. Y no creía que tuviera relación alguna con la muerte de June.

Estoy segura de que Molto y él han elaborado esta respuesta, pero es buena. Autopreservación política, dice Eddgar. No quiere quedar públicamente vinculado con los DSN. Pero, aunque muy bien presentado, éste es el primer rastro del Eddgar de antaño. En un instante fue capaz de tomar una decisión fría: June estaba muerta, de todos modos, así que, ¿por qué quedar mal parado?

Tommy camina un poco, mirándose los zapatos.

—Senador, permítame ocuparme con usted de un último tema. Sin duda el doctor Tuttle lo planteará, señor, pero creo que usted le dijo a la policía que no sabía de ningún motivo que pudiera tener su hijo para causarle daño... ¿Es cierto?

—Es mi opinión.

Tommy asiente con tranquilidad, como si todo le pareciera correcto.

—Senador, permítame retrotraerlo otra vez al encuentro en la limusina con los líderes de la banda y Nile. ¿Usted le había informado a su hijo que iba a proponer ese plan a T-Roc y el Pesado, para que los DSN actuaran en política?

—Él afirmó que no lo hice. Tal como ya declaré, le mencioné el tema más de una vez a lo largo de los años, pero supongo que me prestó menos atención que la que creí.

—¿Y después Nile le dijo que usted lo había tomado por sorpresa?

—Correcto.

—¿Y cuál era el estado emocional de Nile cuando le dijo esto?

—Estaba alterado.

—¿Recuerda usted lo que dijo?

Eddgar se ha puesto un poco rígido. En apariencia, Tommy no le advirtió acerca de esta línea de preguntas.

—Creo que dijo que estaba usando al Pesado.

—¿Usted y su hijo discutieron?

—Nile y yo siempre hemos tenido nuestros malos momentos. Tuvimos un intercambio de palabras bastante acalorado, allí, parados en la calle, y luego, después de uno o dos días, los dos nos calmamos.

—¿Pero en ese momento él estaba enojado?

—Al principio.

—Al principio —repite Tommy. Hobie ha dejado de tomar notas y observa a Molto con atención. Como Eddgar, parece que también a él lo han sorprendido desprevenido. A su lado, Nile ha bajado la cara hacia la mesa de la defensa y juguetea con una banda elástica. Resulta imposible saber si siquiera está escuchando.

—Ahora bien, usted nos dijo, senador, que Nile le presentó al Pesado. ¿Correcto?

—Sí.

—¿Y de quién fue esa idea?

—Mía, creo. Estábamos conversando sobre lo que hacía Nile, su trabajo, cómo le iba, una charla entre padre e hijo, creo, y él mencionó su preocupación por la libertad condicional de Kan-el y yo le dije: "Nile, ¿por qué no le dices que hable conmigo? Tal vez pudiera ayudarlo". Algo así.

—¿Y cómo reaccionó él a esa sugerencia?

—No recuerdo.

—¿Volvió usted a sacar el tema?

Eddgar mira el cielo raso.

—Creo que sí.

—¿De modo que usted tuvo que proponer más de una vez que sería conveniente encontrarse con el Pesado?

—Sí. Estoy seguro. Yo tenía un concepto referente a las bandas que... Bien, ya lo he declarado.

Tommy se acerca un paso.

—¿Nile hablaba muy a menudo con usted de su trabajo?

—Todo el tiempo. Como dije, el tema me interesaba.

—¿Nile le dijo que había pedido que lo asignaran a los casos de la calle Grace?

—Sí, claro.

—¿Por casualidad recuerda, senador, si usted le sugirió esa tarea?

—Es posible. —Eddgar asiente con serenidad, pero ahora muestra una cierta expresión calculadora. Trata de recordar todo lo que pueda haber admitido imprudentemente ante Tommy en las muchas entrevistas de ambos. —Creo que sí.

—Ahora, el trabajo de Nile como supervisor de libertad condicional, senador... ¿Recuerda usted quién sugirió esa línea de trabajo para Nile?

—Fui yo, con seguridad.

—¿Usted?

—Sí. Nile se hallaba en una etapa... Bueno, era como muchos jóvenes, andaba buscando algo, así que le sugerí... Le dije: "Vuelve a estudiar servicios sociales; a ti te gusta todo eso".

—¿Y cuánto demoró en completar esos estudios?

—Dieciocho meses, según recuerdo.

—¿Hizo tesis?

—Sí.

—¿Cuál era el tema?

—Las bandas callejeras.

Molto mira a Eddgar.

—Y usted lo ayudó a conseguir el empleo, ¿verdad?

—Hice algunas llamadas telefónicas.

Tommy evalúa a Eddgar, mirándolo directo a los ojos.

—¿Y puedo preguntarle, senador, si alguna vez sintió que Nile emprendía esas actividades... los estudios, el trabajo, la designación a los casos de la calle Grace, arreglar el encuentro con el Pesado... en cierto modo porque le complacía que usted mostrara interés en él?

Mientras reflexiona, Hobie se pone de pie.

—Su Señoría, no entiendo de qué lado se ubica el fiscal. —Dirige hacia Tommy una mano grande como un adoquín.

—¿Es una objeción, doctor Tuttle? —Hobie, nada menos, trata de brindar una pista a Eddgar, que todavía da la impresión de no tener idea de que todo esto se hace por él.

—Diría que es una observación, Su Señoría. Mi objeción es que el senador Eddgar no puede declarar lo que sentía el acusado.

—Bien, doctor Tuttle. Y yo diría que se guarde sus observaciones para usted. La pregunta se refiere a lo que el senador creía. Y considero que la línea del interrogatorio se dirige a impugnar declaraciones anteriores. Proceda, señor Molto.

Eddgar entiende bastante de nuestra jerga como para captar lo que sucede. Habituado a mandar, hace girar su silla hacia mí, con expresión a la vez confundida e imperiosa. Vuelven a leerle la pregunta.

—Creo que nunca lo pensé en esos términos.

Tommy le dirige una breve mirada y luego asiente con un movimiento de cabeza.

—Ahora permítame comprobar si lo he comprendido bien, senador. Durante más de tres años su hijo había obedecido las sugerencias respecto de su educación, tesis, trabajo, casos como supervisor de libertad condicional. ¿Y luego, según lo que le dijo a usted, de pronto descubrió, mientras se hallaba sentado en la parte posterior de esa limusina, que todo lo que usted le sugería tenía una finalidad política para su propio beneficio? —Tommy pronuncia esta pregunta con tono plácido. Hasta podría decirse que con respeto, pero en todo lo demás sus maneras son frías como la piedra. Ahora veo lo que está sucediendo. Molto es uno de esos hombres grises del mundo burocrático que han pasado la vida entera al servicio de personajes como Eddgar, los políticos hábiles dueños de modales ganadores y un irrestricto apetito por la gloria. Por hombres así Tommy ha subido y caído, y muy pocos se han dignado mirarlo tirado en el polvo. Y ahora tiene la oportunidad de hacer que uno de ellos le rinda cuentas. En un momento que podría ser el más extraño hasta ahora dentro de un caso por completo extraordinario, Tommy Molto, fiscal de por vida, se halla de pie ante la sala, defendiendo el punto de vista del acusado y lacerando a la supuesta víctima del crimen con la calma profesional de un cirujano. En su estado emocional, parecería que Eddgar es la última persona de la sala en reconocer lo que ha tenido lugar.

—Ah, por favor —dice de pronto, con un claro eco de anticuada arrogancia sureña—, por favor. Usted está mezclando las cosas. Nile tenía en todo esto tanto interés como yo.

—Usted dijo que se enojó... que se enojó mucho después de la reunión en la limusina..., ¿o no?

—Por un breve lapso. Uno o dos días.

—¿Le dijo que estaban usando a alguien?

—Al Pesado, dijo. Dijo que estaban usando al Pesado. —Eddgar sacude los hombros para acomodarse la chaqueta. —Usted no lo ve nada claro —le dice a Molto.

—¿"Yo" no lo veo claro? —replica Tommy, y va a sentarse.

4 de mayo de 1970

SETH

June y yo hablamos muy poco en los intervalos entre sus llamadas a mi casa. Como mis padres nunca salían de vacaciones, yo había estado en moteles sólo tres o cuatro veces en mi vida, es decir, si no cuento la U. Inn de mi barrio, sitio de innumerables *bar mitzvahs* y cumpleaños de dieciséis. Todavía me causaban un entusiasmo infantil los jaboncitos, el papel protector encima de los vasos y la banda sanitaria en el asiento del inodoro. El raro ambiente de esa pequeña habitación y su privacidad comprada parecían intensificar aún más la peculiaridad de lo que sucedía. Unas colchas deshilachadas cubrían ambas camas. El piso era de mosaicos de asbesto, y las cómodas, estrictamente de la década de los 50, con la parte superior de vidrio y una terminación de laca color crema. Se notaba que los propietarios aún se enorgullecían de aquel lugar, pero pronto se encontrarían obligados a alquilarlo por hora.

Había un balcón estrecho, de no más de un metro de ancho, con una silla de playa, de aluminio, que daba a la autopista Alameda. June había llevado un poco de fruta para el almuerzo, y yo me senté al sol, a comer mi pera, mientras observaba pasar el tránsito, todos aquellos californianos felices rumbo a quién sabe dónde. Decidí que cuando llegara a Canadá iba a emborracharme. Me habría gustado llevar un poco de marihuana, pero por supuesto era imposible. Cualquier tipo de contravención, cualquier cosa que pudiera provocar una deportación, ahora eran cosas temibles. Me quedé sentado ahí, abstraído, haciendo planes que no creía del todo poder realizar.

Estábamos en el barrio más pobre de Damon, la zona negra, cercana a Oakland, de modo que volví a contemplar el aspecto disminuido de la pobreza. Décadas antes, los militares habían ido y venido por esa parte de la ciudad, dejando muchas construcciones defectuosas, edificios livianos de estuco ahora manchados de alquitrán. Los negocios de la parte comercial constituían una comparación deprimente con los que se hallaban apenas a un kilómetro hacia el este. Los carteles de encima de las puertas eran letreros pintados a mano, no de neón, y se veía escasa mercadería en los escaparates. Observando el tránsito, noté por milésima vez que la gente negra todavía manejaba esos terribles autos estadounidenses, botes grandes destinados a oxidarse y morir en cinco años. El conocimiento siempre resulta menos accesible para los oprimidos, como diría Eddgar. En vislumbres entre los edificios colmados de gente se podían ver las salinas cercanas, un terreno de ciénagas y barro junto a las aguas salobres de la Bahía. Allí anidaban las aves marinas, aunque se alcanzaba a distinguir la red de cañerías y tanques de las refinerías de Richmond, y, cuando había viento, oler sus efluvios cavernosos.

Abajo, pasó por la vereda un hombre corpulento de andar vigoroso, tocado con un gran sombrero de forma acampanada. Creí que era Hobie, y mi corazón se animó de manera impredecible. Incluso me paré para saludarlo, hasta que me di cuenta de mi error.

—¿Crees que podrás averiguar dónde está Hobie Tuttle? —le pregunté a June desde el umbral del balcón. Me di cuenta de que ellos debían de saberlo, dadas las conexiones con Cleveland. Movió dos dedos para indicarme que entrara.

—No deberías salir a la calle. No sabemos qué podría pasar si te ve alguien. Controlemos el factor azar —repetía June. Debía de ser algo de los manuales revolucionarios, algo que había dicho Stalin o Sun-tsu, o quien fuera su guía sobre táctica. Yo sabía que no debía discutir abiertamente los conceptos de disciplina. Formaba parte de la revolución.

—Tendré cuidado. Seré muy cuidadoso. Como te dije, para mí significaría mucho.

—Veré. —Me alentó que no me negara de plano la posibilidad. Me miró con fijeza hasta que me di cuenta de que quería que yo volviera al balcón antes de que ella levantara el teléfono para realizar alguna furtiva conversación en código con alguien, Eddgar u otro.

Cuando volví a entrar, un poco más tarde, estaba sentada en la única silla de respaldo recto de la habitación, con los pies apoyados en la cama, leyendo. El libro que había llevado era un ejemplar de tapa dura de *El planeta del señor Sammler*, de Saul Bellow, lectura improbable, pensé, pero con June nunca se sabía. Me dijo que no tenía novedad alguna respecto de Hobie, y luego alzó los brazos saludables, con el libro en la mano, y emitió un pequeño gruñido mientras se estiraba. Experimenté otra súbita visión, que parecía brotar de ella como el calor de una piedra bañada por el sol, de cuán fácil sería para nosotros, si fuéramos apenas un poco diferentes, llenar ese tiempo con sexo. Podíamos abandonarnos: una diversión loca, feliz, un recordatorio de que la vida sólo se tornaba complicada cuando la población humana excedía el número dos.

Me quedé allí sentado algún tiempo, adaptándome al cambio de luz. En las paredes había un solo cuadro, torcido en un ángulo de diez grados. Una escena de un bosque. Una imagen apacible, para los que no lograban conciliar el sueño mientras la autopista atronaba. Yo también quería leer. En el cajón de la cómoda mellada había una Biblia. Hojeé el Deuteronomio tratando de encontrar las palabras que habían dicho en mi *mezuzá*, como si fueran un mensaje dentro de una botella. Leí: "Ahora presta atención, oh Israel, a los estatutos y las ordenanzas y los juicios, la ley que te enseño, para que la apliques a ellos, para que puedas vivir y entrar y poseer la tierra que te dio el Señor, Dios de tus padres". La voz de Jehová. No significaba nada para mí. Era el retumbar de la retórica, el peso de las palabras conectadas al mundo de obligación y deber no elegidos que yo procuraba evadir.

—Patriarcado —dije.

June sonrió. Era esposa de un teólogo.

Cerca del mediodía, llamó de nuevo a mi padre para describirle el plan del rescate. Le dio instruccciones de que llamara de inmediato a uno de los más importantes casinos de Las Vegas —La Moneda Romana— e informara que quería abrir una línea de apuestas para su hijo, como preparación para un inminente viaje. Era algo que se hacía comúnmente. Abriría la línea con un telegrama enviado desde su banco, directo al casino.

—Mañana Seth irá allá a retirar los 20.000 dólares en fichas —le dijo June—. Llevará como identificación el carné de conductor. No piense en héroes del FBI que lo rescatarán, porque también va a llevar un explosivo adherido al vientre y habrá un detonador accionado por un control remoto. ¿Sabe de qué se trata?

—No. —Cuando mi padre respondió, yo estaba parado al lado de ella, con la cabeza cerca del auricular del teléfono.

—Es un explosivo de alta potencia.

—Oh, Dios mío.

—Muy seguro —dijo June mientras mi padre repetía "Oh, Dios mío"—. Muy estable. Siempre y cuando nadie apriete el botón. Y no lo harán, porque vamos a cobrar el dinero, ¿correcto?

—Téngalo por seguro.

—Muy bien. Lo tendré por seguro.

Yo debía despachar las fichas por Envío Especial a una casilla de correos en San Francisco, y a partir de allí quedaba libre de irme. Luego alguien se encargaría de cambiar las fichas, no en el casino La Moneda Romana de Las Vegas, sino en uno del lago Tahow, como precaución por si las habían marcado de algún modo. Eddgar, sin duda, habría estado al borde del delirio al tramar todo. Resultaba significativo que el plan lo hubiera apartado de la palabrería maoísta hacia mundos en los que nunca había ingresado. Juego, Casinos. ¿Cómo era que Eddgar siquiera sabía del tema? ¿Cómo era que había aprendido tantas reglas y costumbres de la vida de la que abjuraba? La envidia era una fuerza motivadora de la revolución, decidí.

—Cuando obtengamos el dinero, Seth queda libre de marcharse. Lo llamará, pero con una sola condición. Está en libertad condicional.

—¿Libertad condicional?

—Así es. Libertad condicional. O sea, no le pasará nada si se porta bien, ¿entiende? Mire, ya sabe que este asunto salió mal. Pensábamos que era el hijo de Rockefeller o algo así, y resultó que no. Pero no vamos a correr ningún riesgo por haber cometido un error y haber tenido la estupidez de reconocerlo. ¿Me comprende? Nos cubrimos por los gastos que tuvimos; un mal paso es un mal paso y todo eso. Pero no será así si caemos nosotros a cambio de él. ¿Entiende?

—Ustedes también quieren salir libres.

—Exacto.

—No es un deseo sorprendente —repuso mi padre.

—Qué ironía, ¿eh? —replicó June—. Eso es justo lo que queremos. Ninguna sorpresa. No queremos que Seth ofrezca descripciones físicas. Ni que haga dibujos. Ni que usted abra la boca.

Mi padre cavilaba. La estática chasqueaba en la línea. De pronto me di cuenta de que era un gran enfrentamiento: Eddgar contra mi padre.

Al final dijo:

—Le doy mi palabra de honor de que no revelaremos nada.

—Gracias. Bueno, magnífico. Excelente... No, creo que necesitamos algo un poco mejor, sólo un poco más. —Rió. Como cualquier actriz, estaba enamorada de su papel. —Y no me trate como a una idiota. Porque no lo soy. ¿Acaso yo lo he tratado así?

Mi padre no respondió.

—Mire, tenemos un problema. Y se va poniendo peor. Según tengo entendido, su hijo... se supone que su hijo debía presentarse al reclutamiento en algún momento del día de hoy, la semana pasada, cuando sea. Y no está ahí, así que los muchachos de trajes azules y zapatos lustrosos van a empezar a buscarlo. ¿Me sigue?

—Creo que sí. —Hizo una nueva pausa para pensar. —En estas circunstancias, creo que Seth no está más ansioso que ustedes por hablar con el FBI.

—Ahora se va acercando, don. Lo único que él quiere es ir a ver el norte. ¿No era ése su deseo? Si lo soltamos, va a huir. Una vez que esté allá no tendrá miedo de que lo llamen los del FBI. Y tampoco usted. Entonces sí podrá decir: "Hola, cómo les va, quiero contarles sobre esos imbéciles que pidieron rescate por mi hijo". Y es por eso que Seth está en libertad condicional. ¿Recuerda la libertad condicional?

—Sí.

—Bien, le hablo rápido porque me voy quedando sin tiempo. No quiero que viole las reglas. La cosa es así: durante los próximos seis meses, él va adonde le decimos nosotros. Elegiremos un lugar. Algún sitio de los Estados Unidos, ¿de acuerdo? Algún punto entre un mar y el otro. Algún lugar donde podamos observarlo. Donde pueda vivir y trabajar. Lo que le guste. Le conseguiremos papeles, una tarjeta de seguridad social, esas cosas. Pasará a la clandestinidad. Siempre y cuando tenga presente que nosotros contamos con un montón de gente que lo vigilará. Él ya sabe qué esperar. No podrá desaparecer ni por diez minutos sin que sepamos dónde está. Y nunca, repito, nunca, hablará de nada con la policía. Ni locales, ni del FBI ni nada. Lo mismo para usted. Nada de nada. Si aparece el FBI, usted no tiene la más remota idea de adónde fuimos. Si tenemos la más leve sospecha, si vemos a Seth tomando un café con una agente de tránsito, llamamos nosotros mismos al FBI y les decimos dónde está el pequeño Seth. Nosotros salimos volando para Argelia y él sale volando a la cárcel, a cumplir entre un año y medio y tres. ¿Me sigue?

—Perfectamente —respondió mi padre.

—Adiós.

Volvió a llamarlo en cuarenta minutos.

—¿Alguna pregunta?

—Ninguna.

—¿El dinero está listo?

—Hablé directamente con el banquero. Los fondos se enviarán por cable antes del final del día. El casino está a la espera y los dará a Seth cuando llegue.

—¿Sin problemas?

—Ninguno. El banquero se mostró algo curioso, pero le expliqué que por algún tiempo, como entretenimiento, estuve estudiando las leyes de probabilidad. Se interesó mucho y me recomendó un libro.

—Excelente. Aquí está su hijo.

—Papá, lo lamento. —Lo dije en serio, por supuesto. En el triunfo, me sentía devastado y lleno de remordimientos.

No me respondió. Sin duda lo desgarraban insoportables emociones: loco de furia y al mismo tiempo aliviado de oír mi voz.

—Quiero tener la seguridad de que comprendes lo que sucederá después —le dije.

—Nos llamarás.

—Después de eso, quiero decir. El FBI andará buscándome. Dentro de unas semanas. No podrán llamarme, ni escribirme. ¿Entiendes? Nada que les sirva para seguirme el rastro.

—Tu madre no lo soportará.

—Llamaré cada pocos días. De un teléfono público. Sólo para que sepan que estoy bien. Es todo lo que puedo hacer.

—¿Sabremos dónde estarás?

—Será mucho más seguro si lo ignoran. En serio. Así puedes decir "No lo sé" cuando aparezca esa gente. No quiero que ustedes se metan en problemas.

—Problemas —repitió mi padre—. Por Dios, Seth. —Pero a medida que iba cobrando forma lo que vendría, su voz ya no se quejaba. Aquello convenía bien a las necesidades de mi padre. De no ser por el dolor de soltar el dinero, debía de considerar perfecto todo aquello.

—¿Mamá está bien?

—No sabe nada.

—Muy bien. Mira, no me pasará nada.

—Así lo espero —respondió mi padre.

Después me senté, con el teléfono aún en la mano, mientras me debatía una vez más. Había terminado. En todos los aspectos prácticos. Yo había hecho lo peor, y todos habían sobrevivido. A nadie le había dado un ataque al corazón. Nadie sabía de mi traición. Ahora experimentaría el ánimo incierto de la libertad. Los vahos del tránsito y el gemido de la carretera entraban junto con el movimiento de las cortinas agitadas por el viento.

—¿Sabes? Hay mucha crueldad en la vida, Seth —dijo June, detrás de mí—. El cirujano que te salva la vida... Hay una pequeña parte de él a la que le gusta la sangre cuando corta.

—¿De cuál de nosotros hablas? —le pregunté, aunque no tenía dudas. Yo era peligroso y neurótico. Tendría que aceptar esos defectos. Pero no encontraba placer alguno en ello. Ya sentía el peso bilioso que caería sobre mí cada vez que pensara en este episodio por el resto de mi vida. Pero vi que para June los hechos épicos eran una medida esencial: el calor de las luces, la emoción del aplauso. Cosas que causan impacto. Cambio. Catástrofe. Un amante nuevo por la noche. Iba resultando una persona más fácil de comprender que lo que me había imaginado.

—Trataba de hacerte saber cómo lo veo yo —me dijo—. Estás ayudando a algo importante. Sé que esto te hace sentir mal. Veo que es doloroso. Pero todos hacemos sacrificios por la revolución.

En ese momento sonó el teléfono. June escuchó sin decir nada, y enseguida colgó.

—Podrías encontrar a Tuttle en la Casa de África —me dijo—. Y ten cuidado. Hay mucha irresponsabilidad, ahora que Cleveland está adentro. Denunció a toda su célula. Ésa es otra de las razones por las que necesitamos sacarlo... Digamos una hora. —Miró el reloj. Busqué en mi bolsillo la llaves de mi auto.

—¿Cuál es el sacrificio de Eddgar? —le pregunté—. ¿Por la revolución?

Me estudió unos momentos.

—Su fe —respondió.

Un reloj dio la hora, en la carretera una bocina emitió un chillido. De algún modo, June sabía que su respuesta era más dura para mí que para ella.

—¿Y el tuyo? —pregunté.

—Seguir con Eddgar —respondió enseguida y, sin mirarme más, tomó su libro que yacía todavía sobre la cama.

Al cruzar el campus de Damon me encontré con una atmósfera de festival. Aquella mañana el cuerpo docente había votado para declarar la universidad en huelga. Las clases se habían suspendido por tiempo indeterminado, de modo que los estudiantes pudieran dedicarse a campañas de redacción de cartas y organización comunitaria. Pero parecían impresionados de haber logrado su propia liberación, y a pesar de un cierto frenesí el campus conservaba parte del aire exultante del fin de semana. La música de los estéreos salía atronadora por las ventanas y la gente bullía en las plazas y los espacios verdes. Carteles hechos con sábanas colgaban de las ventanas de los dormitorios. En ellos se veía un puño cerrado, de un rojo intenso y urgente, debajo del cual se destacaba una sola palabra: HUELGA.

Mientras avanzaba, me entregaron un volante autografiado:

PAREN CON LA MÁQUINA DE GUERRA DE NIXON

Estado de Ohio   Laos   New Haven   Camboya   Vietnam
Huelga estudiantil nacional

¡Hagamos huelga antes de que sea demasiado tarde!
¡Huelga por el conocimiento!
¡Huelga por la cordura!
¡Huelga por ti mismo!
¡Huelga por la paz!
¡Huelga! ¡Huelga! ¡¡¡Huelga!!!

En el cuadrángulo principal se llevaba a cabo un maratón de oradores a micrófono abierto, un disertante antibélico tras otro, docentes y estudiantes que denostaban a Richard Nixon y eran celebrados con grandes aplausos. Enormes amplificadores de rock subrayaban retumbantes el mensaje, que resonaba en los edificios y caía sobre la multitud. "Hemos declarado el final de las actividades habituales —decía un profesor de cabeza lanuda—. Basta de seguir trabajando mientras nuestros conductores continúan esta guerra despreciable." Era miembro de la Junta Administrativa del Cuerpo Docente, uno de los individuos que dos noches atrás había expulsado alegremente a Eddgar.

Pedía a gritos por la paz, y la multitud le respondía gritando también. "¡Todo el mundo nos observa!", corearon en forma espontánea al final del discurso. Por un momento me permití creerlo. Acaricié mi pasión y mi esperanza como un juguete preciado —los aferré, los abracé—; luego miré el reloj y los hice a un lado. Me quedaban pocos minutos.

La Casa de África estaba ubicada en uno de los viejos edificios de dormitorios de ladrillos rojos. Los estudiantes afroestadounidenses, como habían comenzado a denominarse hacía poco, habían logrado, mediante trueques, halagos e intimidaciones, ocupar un bloque de treinta habitaciones. La residencia en la Casa de África se limitaba únicamente a los miembros de raza negra. Se proponía ser un paraíso separado donde todos vistieran *dashiris* y se llamaran "hermano" y pudieran debatir temas políticos y culturales de interés sólo para los residentes. Cada vez que yo pasaba por allí, se oía música saliendo por las ventanas: Miriam Makeba y Junior Walker and the Miracles, la banda de sonido de mis años de secundaria. El periódico del campus publicaba con regularidad editoriales que cuestionaban este tipo de separación. Tras haber aceptado desde temprana edad que no existía manera más estúpida de juzgar a un ser humano que por el color de la piel, yo consideraba la fundación de la Casa de África como algo irracional y profundamente destructivo. Pero su existencia era ya para entonces un hecho aceptado. En la puerta de entrada habían pintado un retrato de Malcolm X en tonos fosforescentes, encima del cual flameaba la bandera de Ghana. También allí colgaban de las ventanas carteles que incitaban a la huelga, inesperada muestra de solidaridad.

En el corredor, una hermana negra demoró bastante en contestarme cuando le pregunté por Hobie Tuttle. Estaba leyendo tras un viejo pupitre escolar retirado de un aula. En las paredes se leían lemas de Frederick Douglass y Martin Luther King hijo.

—¿Quién eres?

Se lo dije. Un amigo. Un compañero.

—¿Eres de narcóticos?

—Si quieres registrarme, hazlo. —Alcé las manos.

La habitación donde encontré a Hobie unos diez minutos después estaba revestida íntegramente con azulejos blancos y negros, cuadrados grandes, de cuarenta y cinco centímetros de lado. Cubrían no solo el piso sino también las paredes y el cielo raso. Mi primera impresión fue de estar mirando dentro de un caleidoscopio. Cuando abrí la puerta, Hobie se hallaba sentado en el otro extremo, desplomado en un rincón, junto a un simple mueble universitario revestido con papel adhesivo negro. Vestía un saco largo de cuero. Lo primero que pensé fue que estaba enfermo o borracho, pero me sonrió con bastante firmeza como para ver que se hallaba sobrio. Había una gran pistola plateada en el piso, a su lado, a unos centímetros de su mano. Yo jamás había visto un arma de fuego en mi vida, salvo en las cartucheras de la policía, y me quedé mirándola fijo un momento.

—¿Me vas a disparar?

Esbozó una sonrisa desvaída y me indicó que entrara. Alcé una mano señalando las paredes.

—Psicodélico.

—No está mal.

—¿Cómo andas, viejo?

—Muy bien —me respondió. Pero lucía mal. A pesar de su color, tenía la nariz enrojecida en el puente y en las fosas nasales. Al parecer, sus escrúpulos contra la cocaína se habían derrumbado en un momento de zozobra. Me dijo que aquel lugar había sido en otro tiempo uno de los refugios de Cleveland.

—Cleveland está metido bastante hondo, ¿no?

—Ah, ya sabes, viejo. La policía le plantó esa mierda. Ya lo sabes; la policía no puede tolerar que un asqueroso muchacho negro estudie Derecho. —Era lo que habían dicho los Panthers. El que había reemplazado a Eldridge Cleaver como ministro de información había hablado por radio y afirmado que el arresto de Cleveland era una trampa. Pero a esa altura todos habíamos oído aquella melodía demasiadas veces.

—Me voy a Canadá —le dije.

—Sí —repuso—. Lucy me dijo que iba a acompañarte.

—A mí me dice lo mismo. Necesita irse. Está muy decepcionada...

—Así son las cosas —dijo Hobie.

—Sí, así es como son —respondí—. Bueno, si oyes decir que la Montada empieza a decir "bárbaro", ya sabes a qué se debe. —Deseaba mucho divertirlo. Quería que fuera lo que había sido siempre: mi amigo. Y sonrió un poco. —Esperaba que vinieras a despedirte.

—Bueno, ya sabes, viejo. Acá tuve unos cuantos problemas serios. Es como que ando escondido.

—¿Alguien te busca?

—Podría ser, sí. Pero espero que no. —No sabía cuánto podía preguntarle. Con su oído impecable para los idiomas, Hobie había logrado dominar el acento urbano que nunca había sido suyo. El padre lo habría abofeteado si lo hubiera oído hablar así. Y de eso se trataba, supongo. Hobie había tomado todo lo que su padre había querido que le importara y lo había puesto en un envoltorio de otra generación. A tres mil kilómetros de distancia, apartado de la vasta sombra de la influencia de Gurney, trataba de convertirse en un hombre en sus propios términos. Como a menudo me ocurría con Hobie, no hallé consuelo alguno en la comparación conmigo mismo.

A lo lejos empezaron a sonar unos vítores. Los huelguistas hacían ruido. Hobie, con hastiada inmovilidad, miró hacia la ventana, donde había corrida una cortina negra, y emitió un sonido de viejo.

—Esos chicos pusieron al Tramposo en una situación difícil, viejo.

Va a tener que parar la guerra, o no van a volver nunca a estudiar. —A Hobie le divertía pensarlo.

—Hacen lo que pueden, Hobie.

Levantó una mano. En realidad no le importaba. Esperamos.

—¿Hablamos del CDIA? —le pregunté—. ¿Es ése tu problema?

No se movió, mientras murmuraba algo.

—No hice otra mierda que la que tú sabes, si eso es lo que me preguntas. Oí algo de que encontraron huellas dactilares en ese pedazo de lata que levantaron.

—Ah, Hobie. Por Dios. —Tras la primera oleada de angustia, me di cuenta de que debía de ser aquello a lo que se había referido June.

—Todo esto me pasó por uno de los malditos camaradas de Cleveland. Estos tipos podrían volarme la cabeza. Por otro lado... —Alzó el arma y se la apoyó contra la sien. —...A lo mejor me viene bien. —Sonrió. —O para tirarle al policía que atraviesa la puerta para venir a buscarme. —Por un instante muy breve, apuntó la pistola en dirección a mí.

—¿Y qué pasa con Cleveland? —le pregunté—. ¿Está hablando? ¿De eso se trata? —Si Cleveland se hallaba bajo la influencia de drogas, sería fácil hacerlo hablar. Hasta era posible que ya lo hubiera hecho, aunque los Eddgar afirmaran que las visitas del fin de semana lo habían animado un poco. Hobie negó que hubiera causa para preocuparse.

—Cleveland, viejo... Cleveland es el hijo de puta más duro que ha existido.

—¿Así que no está hablando?

—No está hablando, a menos que quiera hablar. Ya sabes, tal vez haya dicho algunas cosas, tal vez esté tratando de llamar la atención a algunos tontos. —En el tono constante con que pronunciaba estas palabras de tranquilidad, percibí que Hobie las había dicho más de una vez en los últimos días. —Mira, viejo, esto no es más que una pequeña lucha interna. Eldridge y Huey, viejo... Huey es un tipo raro. Puede ser muy abstracto a veces. Muy frío. Va a salir en cualquier momento. Cleveland estaba más con Eldridge y ellos. Ahora Huey anda diciendo, ya sabes, que vender drogas y esas cosas no tiene nada de acto revolucionario. ¿Entiendes?

Asentí.

—Así que Cleveland, viejo, siente que hay falta de solidaridad. O sea, allá salen 20.000 personas a las calles de New Haven a pedir por Bobby, y acá nadie se molesta siquiera en pagar la fianza de Cleveland. Tal vez el hermano haya dicho algo para llamar la atención. Pero es diálogo, viejo. Dialéctica. Es un debate idelógico, ¿entiendes? Stalin y Lenin.

—¿Y tú de qué parte estás, Hobie? ¿Stalin o Lenin?

Me dirigió una sonrisa enferma, para demostrarme que no le gustaba que me burlara de él. Nunca le había gustado.

—Si Cleveland habla, tendrás problemas, ¿no?

—Cleveland no va a hablar. No va a delatar a los hermanos. Eso es seguro. —Yo sabía que trataba de convencerse. Pero incluso con lo que admitía —que Cleveland podría delatar a algunos—, entendí qué era lo que preocupaba a los Eddgar.

—Tú podrías presentarte primero, Hobie. No hiciste nada. Podrías explicar.

—No soy ningún soplón. —Bajó la voz, hizo un ademán con el arma. —Además, me romperían el culo. —Era por esa razón que Bobby se hallaba en proceso en New Haven: por haber matado a un informante.

Podría haber increpado a Hobie, haberle señalado el desastre en que se había convertido, pero aquel día semejante actitud habría sido hipócrita. Si le contaba lo que estaba haciendo con los Eddgar, sus insultos no tendrían fin. Los dos habíamos sido superados por algo que había empezado bien. Era como una fiesta donde los buenos momentos —la música, el baile, las chicas, la excitación— habían conducido de manera inexplicable al desastre. Sentí pena por los dos.

—Para que sepas, parece que los Eddgar tiene un plan para pagar la fianza de Cleveland. Así que a lo mejor puedes guardar tu pistola. Tal vez esté pronto en la calle.

—Los Eddgar —dijo Hobie—. Mierda. Con ellos nada es gratis.

—Pero entonces estarás más tranquilo, ¿no?

Movió los hombros de la misma manera indecisa en que ya lo había hecho varias veces. En realidad no sabía. Podría ser mejor. Pasó un momento.

—¿Estás asustado? —le pregunté.

Lo consideró, con los doloridos ojos castaños fijos en mí. Los Panthers no conocían el miedo.

—Esto, acá, viejo, es Vietnam, es como un mal viaje estando lúcido, y no tienes ni un bordecito de donde agarrarte, pero te dices que ya va a pasar. Hace dos días que no duermo más de una o dos horas. ¿Y si entra por esa puerta el tipo que no debe entrar?

—Entonces mándate a mudar de aquí. Ven a Canadá. ¿Qué te parece?

Una mueca conocida le atravesó la cara y enseguida se desvaneció. Meneó la cabeza diciendo que no, decidido.

—Acá estoy bien. Los hermanos me cuidan.

Cuando me fui, se puso de pie y, después de un instante de deliberación en que simuló bambolearse, me devolvió el abrazo, sin soltar la pistola. Cuando me volví hacia la puerta, me dijo unas palabras en francés, uno de sus típicos gestos elegantes, aunque sabía que yo no hablaba ese idioma. Capté las palabras "*mon ami*". Tuve la certeza de que era una frase de una película, pero no logré recordar cuál.

· · ·

Cuando volví al motel Campus Travel, estaba Eddgar. Yo me había llevado la llave, y cuando entré tuve la extraña sensación de estar entrometiéndome en alguna intimidad, aunque no había nada lascivo en la pose en que encontré a June y él. Se hallaban sentados cada uno en una de las camas gemelas, frente a frente, con las cabezas casi juntas. Era evidente que habían estado susurrando, para derrotar a cualquier aparato desconocido de vigilancia, siempre controlando el factor azar. Cuando entré, Eddgar dio vuelta la cara con rapidez, y sus ojos azul intenso reflejaban, como de costumbre, furia y desconfianza.

—Por Dios, Seth. Estábamos rogando por todos los demonios que no te hubieran agarrado.

—¿Quiénes?

Eddgar miró a June. Por el olor denso de sus cigarrillos y las colillas que había en el cenicero me di cuenta de que hacía rato que conversaban, tal vez casi el mismo tiempo que yo había permanecido ausente.

—Parece que tuvimos visitas en el edificio de departamentos, unos tipos que hicieron preguntas —me dijo ella.

¿Qué clase de preguntas?, quise saber.

—Yo no los vi —respondió Eddgar—. Michael habló con ellos. Y yo hablé con él por teléfono. Me dijo que preguntaban por ti. Cuánto hacía que te habían visto por última vez. Quién te acompañaba en ese momento. Si había señales de lucha o se oyeron ruidos raros de noche.

—Mentira —dije.

—Ojalá lo fuera —replicó Eddgar.

—¿Qué les dijo Michael?

—Nada —contestó Eddgar—. No sabía nada. Se iba a trabajar en el laboratorio, así que no tenía tiempo. Ya sabes lo difícil que es sacarle una palabra en condiciones normales. Pero para mí está muy claro que los tipos pensaban que te habían secuestrado.

—Dios. ¿Quién? ¿Quiénes eran?

—Michael me dijo que le mostraron las credenciales. —Eddgar miró brevemente a June, y luego a mí. —Era el FBI —agregó.

11 de diciembre de 1995

SONNY

A menudo hay noches de salida, ocasiones inevitables. En estas ocasiones me apresuro a ir a buscar a Nikki a la guardería, darle de comer y, con buena suerte, hacerla poner el piyama. Después se hace cargo la niñera de Marta Stern, Everarda, una efervescente inmigrante nicaragüense. Hace ya años que me reemplaza, cuando Marta no tiene planes propios. Como se acuesta temprano, Everarda prefiere quedarse a dormir acá, en la habitación para huéspedes del primer piso, detrás de la cocina, y recorrer las tres cuadras de vuelta a lo de Marta al amanecer. Para mí es un arreglo estupendo. Nikki adora a Everarda y su acento, que imita con misteriosa precisión, incluso, en sus momentos más atrevidos, en la cara misma de la mujer. Everarda no le presta atención. Es una de esas mujeres que saben que el verdadero propósito del mundo, ajeno a los vestidos de *couturiers* y los réditos políticos en el baño de hombres del club Delancey, es la crianza de los niños, y que en ese campo crítico nadie supera su sabiduría. A Nikki la llama "niña" y recorre la rutina nocturna con tanta facilidad como si mi hija fuera una marioneta.

Everarda llega con su bolso para pasar la noche, sacudiéndose la nieve, que ha empezado a caer y cubre el cuello de piel sintética de su abrigo. Viene llena de chismes. Marta, embarazada del tercer bebé, está varicosa e hinchada, y enojada con su marido, Solomon, consultor administrativo.

—Solomon sale todo el tiempo, ¿sabe? Ella le gritaba, y él volvió. Le dio muchos besos, le envió flores, era todo sonrisas.

Everarda sonríe también por la paciencia de Solomon. Es un hombre delgado y moreno; viene de una familia de expatriados, judíos cubanos que llegaron acá en el siglo XVII. Es oscuro como un maltés o un nativo de Sri Lanka, una persona originada en la sangre de muchas naciones.

El acontecimiento de esta noche es una cena por la jubilación de Cyrus Ringler, ex presidente de la Corte Suprema, de quien fui empleada durante años después de terminar la facultad de Derecho. Los funcionarios jurídicos pasan sus primeros dos o tres años como abogados en un intenso período de formación, trabajando junto a un juez, viendo de primera mano cómo la carne de la vida real cuelga de los huesos desnudos del aprendizaje de la facultad. En gran medida como los caballos de carreras se identifican siempre por los padres, los funcionarios son conocidos para siempre por sus jueces, y tal vez sea mi herencia más enorgullecedora en la ley ser una "funcionaria de Ringler".

Por lo tanto, esta noche debo asistir. Conduzco más rápido de lo debido por la nieve hasta Center City, y estaciono en la playa cubierta del hotel Gresham. Cruzo la calle hasta el Parker, donde están homenajeando a Ringler. Es el fin de los cócteles, y los quinientos abogados y políticos y jueces se dirigen a sus asientos. Abrevio varias conversaciones, de manera de poder acercarme lo suficiente al estrado elevado y asegurarme de que Cy Ringler me vea: me tira un beso y me saluda con la mano. Por su color me doy cuenta de que ya se halla un poco bebido, disfrutando de su último hurra. Ex fiscal del condado de Kindle, la Justicia, como lo llamaré siempre en su propia cara, es uno de esos hombres formidables de la ley que cosechó respeto a medida que se elevaba, porque se negaba a violar las leyes con fines políticos. No era inflexible ni irrealista, pero siempre supo cuáles eran los límites exteriores. Aun así, odiaba los disensos, sentía que disminuían la autoridad de las decisiones. Junto a él se encuentra Marjoe, que tuvo cáncer dos veces en los últimos cinco años, con aspecto agotado pero luchando.

Por raro que parezca, en este ambiente, rodeada de la mayoría de los notables legales de Tri-Cities, siento más que en ningún otro lugar la atención extraordinaria que ha generado Nile Eddgar. Mis vecinos de U. Park son demasiado circunspectos para hablarme de mi trabajo, y no me ha resultado difícil, dadas mis muchas actividades, evitar los diarios y la televisión. He visto alguno que otro titular de vez en cuando, pero sólo esta noche tengo una sensación plena de cuán de cerca se está siguiendo el caso. Todos comentan algo al respecto. "Ah, te tocó un caso difícil", me dice Manny Escobedo, otro de los jueces de la Corte Suprema. Carl Taft, presidente del Colegio, observa: "No me hace falta preguntarte qué has estado haciendo, ¿verdad?". Resplandezco con el neón de la celebridad. Los jueces me preguntan cómo me acorraló el bastardo en un juicio sin intervención del jurado. Sonrío y doy respuestas vagas, lo cual, en el extraño ballet de los manerismos aceptados aquí, es tomado como una respuesta perfecta.

Sentada a una mesa de ex funcionarios de Ringler y sus cónyuges, soporto la lucha habitual para conseguir una comida vegetariana. Los mozos me miran como si fuera una inculta. ¿Quién no querría este pollo asado? He pedido sentarme junto a Milan Dornich, que fue compañero mío de cargo por un año. Cuando me separé de Charlie, Mike Dornich era uno de esos tipos que me acudían con frecuencia a la mente, amable, agudo, ingenioso. Una noche, con Marta, mientras contemplábamos a Nikki jugar con Clara, la hija mayor de mi amiga, le confesé estos pensamientos. Marta se alarmó. "Por Dios, Sonny —me dijo—, es gay." Al instante me di cuenta de que tenía razón, y me asombré de mí misma, del modo en que siempre vemos a los demás a través de la lente de nuestras propias necesidades. Siempre felices de la mutua compañía, Mike y yo susurramos juntos, conspirando contra lo absurdo del acontecimiento. Los 200 dólares que gasté en dos entradas, una de ellas sin usar, constituyen un pequeño derroche. Muchos abogados de nuestra época forman parte de prósperos estudios jurídicos. Daniella Grizzi, mi predecesora inmediata en el despacho de Ringler, gana millones por año. Sólo Mike Dornich, ahora subjefe de los Defensores de Apelaciones del Estado, y yo continuamos en el sector público, los ratones pobres en un banquete de ratas gordas.

El postre y los discursos llegan juntos. Es un día laborable, así que todos deseamos irnos alrededor de las nueve y media. Mike y yo nos escabullimos antes que la multitud. En la vasta recepción alfombrada donde se sirvieron los cócteles y se repartieron las tarjetas de identificación, entreveo al Juez Jefe, Brendan Tuohey. Tras haber tomado tres cócteles, saluda con gestos alegres a otras personas apresuradas por marcharse, al regresar del baño para hombres. A mí me saluda con ánimo de cordialidad poslaboral; tiene la nariz roja por el whisky. Se lo ve tan contento que temo vaya a besarme.

—Sonny, Sonny —me dice—, ¿cómo estás esta noche? —Me toma la mano y me da un apretón en el hombro de manera demasiado neutral. —Estuve pensando en llamarte. ¿Así que tu juicio continúa, Sonny?

—Sí, jefe —respondo, lamentando, como siempre, mi ridícula manera de dirigirme a él. ¿A qué tribu pertenezco? Los jueces se llaman entre sí por el nombre de pila, muchos se tutean. Pero nunca logré tratar de "Brendan" a este hombre.

—Parece que es un buen lío.

—Sí, señor.

Menea la cabeza maravillado por la incansable perseverancia de las disputas humanas. Con una sonrisa alegre me lo saco de encima y me apresuro a ir al pequeño corredor donde se hallan el guardarropa y los baños. Me miro en el espejo de cuerpo entero: bastante bien. Vestido negro y perlas. Tantos años de buscar un estilo propio se han resuelto en una suerte de residuo de la moda, producto de no disponer de mucho tiempo para perder con el pelo o el maquillaje.

Justo cuando la joven me entrega mi abrigo, oigo una vez más que pronuncian mi nombre a mis espaldas. Tuohey de nuevo. Experimento uno de esos momentos de alarma que siempre me provoca el Juez Jefe. Brendan Tuohey puede lograr que un pasillo, aunque esté bien iluminado, se convierta en un entorno siniestro. Se me acerca un paso más.

—Qué suerte que te encontré. —Ha bajado la voz y habla entre dientes. —¿Has visto a Matt Galiakos esta noche?

Casi le pregunto: "¿Quién?", cuando de pronto recuerdo: Galiakos es el presidente del Partido Democrático del Sindicato de Agricultores. Las personas que le importan a Brendan Tuohey reconocerían el nombre de Galiakos con la misma facilidad que el de Juan XXIII.

—Está interesado en tu juicio —dice Tuohey—. Supongo que verás los noticiarios de esta noche. Adora a Lloyd Eddgar. Como todos, por supuesto. —¿Lloyd?, me asombro. ¡Lloyd! —Y me preguntó: "¿Cómo le está yendo a la muchacha? ¿Ella no sabe que estamos en el mismo partido? Pensé que era amiga de él".

Tuohey se ríe... o está achispado. Se estremece de dicha y desaparece enseguida, con un andar vivaz que denota poder y fingido placer, sin volver a mirarme a los ojos. No porque tenga miedo de lo que ha hecho; eso lo puede saltar con la misma precisión que Nijinsky. Ni porque espere apagar su mensaje, invisible y espantoso como el hedor de la peste. No; lo que quiere es darme tiempo. Así reconozco que me conviene obedecer. Es una especie de genio, este hombre, con su cara estrecha, taimada, marchita, cruzada de redes de venas rojas surgidas en sus mejillas por el whisky. No podría haberlo hecho mejor ni aunque lo hubiera ensayado. Toda la falsa confidencialidad. "Amamos a Lloyd Eddgar. Estamos en el mismo partido. Pensaba que eras amiga de él." Hace ya más de doce años que trabajo en la ley —como funcionaria, fiscal y jueza—, y en cada papel he vestido el manto prestado del poder público, y jamás me he enfrentado a algo como esto. Me quedo parada en el vestíbulo, sola en la orilla de la honda sombra entre los baluartes, debilitada por la furia.

Aunque lo intento varias veces, logro poner un solo brazo en las mangas de mi abrigo. Semifrenética, me rindo y bajo por la escalera mecánica agarrando la manga libre contra un costado, bajo la cartera. Pero como siempre les pasa a las víctimas, me siento humillada y avergonzada. Hace un mes, Brendan Tuohey fue el que me ofreció aquella charla hueca: "Tu eres la jueza adecuada para este caso, Sonny. Es una situación difícil, pero forma parte del cargo". Todo lo que yo quería oír. Y ahora viene a decirme la verdadera razón: así le puedo aliviar las cosas a mi "amigo" Eddgar. ¡Por Dios! Siento náuseas, como si acabara de bajarme de un bote, cuando veo mi reflejo en las puertas giratorias y comprendo la verdad: me he comprometido. Permanecí en un caso al que debería haber renunciado, y ahora debo quedarme quieta mientras un animal sarnoso como Bren Tuohey restriega sus flancos contra mí.

Cruzo la calle apresurada; los tacos altos resuenan en el pavimento brilloso de la avenida Mercer, bordeada de nieve y sal. Cuando alcanzo el vestíbulo del Gresham, estoy temblando. Me apoyo una mano en el pecho y aferro las perlas que me rodean la garganta. En los viejos tiempos, un juez que obedecía a una sugerencia como ésta recibía, unas semanas más tarde, una visita —y un sobre— de alguien relacionado, un abogado, un concejal. Ahora la disciplina se ve de otra manera. Brendan Tuohey puede mandarme al Tribunal de Viviendas, a escuchar los interminables lamentos de inquilinos pedigüeños, o al Tribunal Nocturno de Narcóticos, de modo que nunca vería a Nikki durante la semana. Me enviará "por el bien del tribunal", sin más explicación. Es en eso que se supone que piense, mientras él se escabulle a comunicarle a Galiakos que ha transmitido el mensaje.

¿Podré manejar? Estoy desesperada, como tantas veces, frenética por hablar con alguien. No puedo llamar a Cy Ringler esta noche. ¡Sandy Stern! Él sabrá qué hacer. De hecho, ya ha previsto la situación. Había una docena de amigos, colegas que se resintieron cuando se filtró el rumor de que Ray Horgan había llamado para sondearme sobre el juicio sin jurado. Stern, el único entre las personas cuyo consejo me importaba, me advirtió contra esto.

"No prestes atención —me dijo—. Descarta lo que te prometa Raymond Horgan y su Comisión de Reforma." La cara blanda de Stern, con los ojitos oscuros hundidos en la carne, se mostró de pronto reprobatoria, mientras yo recitaba las promesas de Horgan: un tribunal de delitos en dos años; completa independencia. Debo de haberle parecido tan inocente como Shirley Temple. Se inclinó por sobre el mantel de lino del Matchbook, donde estábamos comiendo, tal vez ahogando el impulso de apuntarme con un dedo. "Por hoy, Brendan Tuohey te necesita, a ti y tu impecable reputación. Dentro de dos años la Comisión será una parte divertida de la historia, y te obligarán a elegir entre tu linda asignación o sucumbir a lo que ellos quieren. No eres la primera, Sonia. Esto, te lo recuerdo, es el condado de Kindle, donde las grandes capacidades de la invención humana se han dedicado durante un siglo a idear sistemas sumamente invulnerables a la reforma."

Ante un sector con teléfonos, busco en los recovecos de mi cartera. Cerca, en el vestíbulo del Gresham, un espacio elevado construido en la Era Dorada, se agitan sonidos y movimientos. Importantes columnas de mármol, del tamaño de secoyas, equilibradas por largas cortinas de terciopelo verde, se extienden por toda la altura del salón. Cinco pisos más arriba, el cielo raso está incrustado con oropeles y querubines, y exhibe un mediocre mural de aspecto italiano de Venus y Cupido. En el estante de mármol situado ante los teléfonos, comienzo a sacar cosas.

Pañuelos de papel. Lápiz de labios. ¿Donde está la maldita agenda? ¡Cuando era más joven habría recordado el maldito número! Stern no está en su casa. Podría llamar a Marta, pero tiende a mostrar una actitud inflexible y dura en asuntos como éste. Me dirá que lo denuncie. ¿A quién, por el amor de Dios? ¿Y cómo hago para que los· hechos dejen de volverse contra mí? Tuohey es demasiado astuto para agarrarlo. Cambiará una o dos palabras y convertirá sus observaciones en términos inocuos y me pintará como una persona hipersensible e incompetente. En una semana sus secuaces pedirán a gritos mi renuncia.

Y entonces me doy cuenta de que Seth se aloja aquí, en este hotel. ¡Seth! Pensar en él —confiable, abierto, feliz de ayudar— me resulta una inspiración.

—El señor Weissman —le digo al operador tras pasarme a un teléfono interno. Me comunican que no hay ningún Weissman. —Frain —digo entonces.

El teléfono ya ha sonado dos veces, cuando de pronto cuelgo de un golpe. ¿Seth?, pienso. ¿Estoy loca? ¿Contarle a Seth? ¿El amigo de Hobie? Me llevo las yemas de los dedos, exangües, heladas, a la frente. Me apoyo contra el pequeño anaquel que hay debajo de los teléfonos y espero recomponerme, mientras percibo, de manera súbita e incongruente, el agradable aroma de mi propio perfume. Si llamo a la oficina de Stern, me atenderá el servicio de mensajes. Un abogado defensor en lo criminal es como un médico, siempre de servicio, disponible para trasladarse a la escena de un crimen a medianoche. Lo localizarán. Me reprenderá un poco, me dirá que me lo advirtió, y luego pensará qué hacer.

Y entonces —por supuesto, ¿no es así la vida?— diviso a Seth en el vestíbulo. Está vestido de manera informal, con la camisa blanca que tenía en el tribunal y un par de pantalones caqui. En una mano lleva revistas y, creo, una barra de chocolate. Observado desde una cierta distancia, se lo ve humilde y atractivo; un hombre alto, delgado, más bien rubio, calvo, de aspecto agradable. Está charlando con un empleado de recepción. Al cabo de una semana y media en el hotel, tiene conocidos. Actúa como es él, sano y simpático. Ríe y luego, por efecto de alguna magia, siente el peso de mi mirada desde la distancia y se sobresalta un poco al verme. Viene hacia mí con tanta rapidez que ha caminado ya varios pasos antes de recordar al empleado, a quien le hace una apresurada seña de despedida. Llega frente a mí y se queda inmóvil.

—Hola —respondo—. Vine a una cena aquí. Enfrente, en realidad.

—Por Dios, estás fantástica. —Hace todos los gestos: boca abierta, un toque rápido al corazón. Como si un poco de maquillaje y fijador para el pelo me convirtieran en Helena de Troya. Logro esbozar una expresión de complacida tolerancia.

—En este momento no me siento nada fantástica. Acaba de pasarme algo de lo más horrible.

Sus ojos verdes me indagan. Alzo una mano. Me tiembla sin querer, lo cual nos desconcierta a los dos.

—¿Quieres una copa?

¡Sí, por Dios! Salimos juntos del vestíbulo hacia el gran salón, y llegamos a las puertas giratorias. Voces mezcladas y un piano de jazz en el salón oscuro. Antes de que mis ojos se adapten al cambio de luz, sólo logro distinguir una gran pecera iluminada detrás de la barra, en la cual unos coloridos peces tropicales viajan entre burbujas. La cuarta parte de los abogados del condado de Kindle llegarán aquí en pocos momentos, para tomar una copa antes de dirigirse al estacionamiento en busca de sus autos. Es muy probable que también venga Brendan Tuohey, que ha bebido aquí durante años. No es la compañía que deseo justo ahora.

—Olvídalo —digo—. Mala idea.

—¿Qué?

—Apariencias —respondo.

—Entonces ven arriba. Tomaremos lo que hay en el minibar de mi habitación. Vamos.

Le lanzo una mirada pudorosa y él hace una mueca.

—No seas ridícula. —Me toma por el codo y me conduce al antiguo ascensor dorado, una hermosa jaula de bronce y espejos. —Bueno, ¿qué pasó? —me pregunta mientras subimos.

—No sé, Seth —respondo, y es casi cierto—. Tuve un encuentro desagradable con otro juez. Algo que ver con este caso.

—Ah. —La boca se le estrecha en un discreto gesto de desagrado y no dice más hasta que llegamos a sus aposentos. Allí, caigo en una silla con respaldo de esterillas, situada junto a la puerta. La suite de Seth es una verdadera reliquia de la época grandiosa en que las suites eran el refugio de los ricos y no un juguete promocional que se ofrece junto con un desayuno gratis. Hay muebles estilo Reina Ana y un empapelado con clásicas rayas verdes. Seth se encuentra cómodo aquí. Tiene una computadora *laptop* abierta en el escritorio, en un rincón, y ha levantado la tapa de nogal de un pequeño armario, que contiene el minibar ante el cual se halla agachado; desde allí nos mira también el ojo muerto de un televisor. Diarios de muchas ciudades diferentes cubren la habitación. En el dormitorio, alcanzo a ver una cama de dosel con unos ananás tallados en la punta de los cuatro postes. De uno de ellos cuelga otro par de pantalones color caqui.

—Sólo necesito unos minutos para calmarme. —Tomo de un trago la mitad del Chardonnay que me sirve.

—No quieres hablar del tema, ¿verdad?

—No debería, Seth. Sólo necesitaba un poco de compañía. Alguien me hizo un comentario sobre Eddgar. Es más inteligente no ahondar en ello.

—Sí —dice Seth—, que se revuelque en el séptimo círculo del infierno, ¿no? —Ríe con amargura. —Por Dios, cuánto lo desprecio. Qué canalla infame es.

No respondo; no me atrevo. ¿Qué se supone que haga por Eddgar?, me pregunto de pronto. Ni siquiera lo sé. Experimento un miedo momentáneo de cumplir con los deseos de Tuohey por accidente. Al considerar esta perspectiva, emito un breve gemido. Pero ahora no me quedan alternativas. Aun habiendo tenido tan pocos minutos para absorber todo esto, veo que no hay manera de retroceder ni de dar un paso al costado. La única dirección es hacia adelante. Tengo que terminar lo mejor que pueda lo que nunca debería haber empezado. Mientras recorro estas reflexiones, Seth me observa, los ojos acuosos de incertidumbre. Me doy cuenta de que no puedo hablarlo con él. Ni con él ni con nadie más. Eso es lo único cierto que me dijo Tuohey. "Forma parte del cargo." Es problema mío. Sólo mío.

—Me voy, Seth.

—Epa —responde—. ¿Es el récord Guinnes de visitas breves?

—Sólo necesitaba un segundo. Agradezco que hayas sido el puerto en la tormenta. —Me paro, tomándome del ornado picaporte de bronce. Bebo el resto del vino. —En serio —agrego—. Gracias.

—Espera un segundo —me ataja—. Te daré el beso de las buenas noches. —No hace ademán de levantarse del sillón de madera, tapizado con un satén que hace juego con el empapelado. Se ríe de mí, o de los dos, en realidad.

—Creo que la última vez me durará por un tiempo —me excuso.

—Bueno, eso sí que hace sentir bien a un hombre.

—Ah, no te hagas el herido, Seth.

—No, no estoy herido. —Se vuelve hacia la mesa de vidrio situada junto a él y se sirve más vino. —Cuando volví acá, la verdad es que me sentía bastante alentado. ¿Quieres saber por qué?

Una persona —una mujer— que se proponía permanecer distante o por lo menos no enredada se despediría en este mismo momento. Lo sé, pero siento curiosidad, por supuesto. Seth toma un sorbo para serenarse.

—Cuando lo pensé —me dice—, cuando en realidad consideré todo, tuve la certeza de que no has encontrado a alguien mejor. Que yo, digo.

Sorprendida, me río; el sonido rebota en las paredes. ¡Qué coraje! Y lo dice en serio.

—No comprendes —me dice.

—No. La verdad que no. Es decir, Seth, algunas de las cosas que dices...

—Mira...

—No, mira tú —lo interrumpo, sintiendo una oleada intensa de la furia que he tratado de mantener a raya—. Tengo cuarenta y siete años. Y soy como tú. Soy infeliz igual que tú, Seth. No siempre disfruto del modo que ha resultado mi vida. Miro hacia atrás y me pregunto qué fue de todas las promesas, igual que tú. Envidio a la gente que es joven y visualiza el futuro como algo grandioso. No eres el único angustiado. Estoy harta de equivocarme. Estoy harta de cometer los mismos errores. En los peores momentos, estoy harta de mí misma. Y esto, nosotros, no es una broma. Y me voy quedando sin tiempo para estupideces. Todo el fin de semana pensé en cómo podría resultar esto, y al final me dije: "Mi vida es mi vida".

—Sonny.

—Es estúpido —digo.

—No lo es. —Deja la copa y se acerca, para calmarme. —Me alegro de que estés aquí. Y hace un minuto también tú parecías contentísima de verme.

—Sí, sentí alivio. Necesitaba... necesito un amigo. Pero eso no significa que no sea una tontería volver a un romance de la infancia.

—No era la infancia —me corrige enseguida—, y no es una tontería. Algo he aprendido: no trataré el resto de mi vida como si fuera insignificante, sólo porque es el pasado. —Convencido, da un paso adelante y me toma por los hombros. —Mira, quiero que respires hondo, ¿de acuerdo? Me conoces bien. Tal vez sea un cuarto menos loco que antes, pero soy el mismo imbécil sincero. Creo saber lo que hago. Algunas cosas me han importado más que otras, algunas personas me han importado más. A mí no puedes tratarme como a todo el resto... Yo conocí a Zora, vi todo aquello. Vi tu colección de blusas negras de campesina, así no tenías que preocuparte por lo que te ponías, y recuerdo cuánto te asustabas cuando temías que se te fuera a partir la piel. Y vi lo que has logrado a partir de ese comienzo, que es muchísimo. Hay millones de hombres en este planeta. Algunos son más inteligentes, otros son más atractivos, y la mayoría tienen más pelo. Pero yo tengo una ventaja sobre cada uno de ellos: sé lo maravillosa que eres. Y no creo que alguna vez conozcas a otro hombre que lo sepa.

Toma la copa de vino, que en forma inconsciente yo seguía aferrando, y me mira fijo. "La" mirada. Todos los primates, según leí una vez, utilizan esta mirada dilatada y concentrada al aparearse.

—¿Sabes qué pasa ahora? —me pregunta.

—¿Me das el beso de las buenas noches?

—Nada de buenas noches —replica.

Cuando se inclina, se me escapa el eco de un gemido exasperado. Pero no me resisto. El hambre comienza a agitarse. En las cascadas de la añoranza, perderé el rastro de mí misma. ¿Y quién seré después?, me pregunto. ¿Quién?

· · ·

De este modo, sucede. Afuera la nieve fresca se agarra a las calles de la ciudad y dentro de los dormitorios de la suite la luz exterior es suavemente refractada de manera que el aire parece realzado por el resplandor, que incluye sombras más oscuras, purpúreas, de un extremo del espectro. Entre nosotros, la naturalidad es sorprendente. La memoria, el conocimiento, el pasado traen sus consuelos. En la sala, abrazándonos con urgencia, nos quitamos la ropa. Una porción cautelosa y calculadora de mí continúa a la defensiva, pero ahora soy una esclava de las sensaciones. Incluso ese momento espantoso, que tantas veces he ensayado mentalmente, en que mi corpiño resbala y deja al descubierto la obra de la cirugía moderna, pasa inadvertido en las corrientes del deseo. Ésta es una promesa que Seth ha cumplido: no tiene miedo, ni de nada de mí, ni de que el presente no sea el pasado. ¡Por Dios, el sexo es grandioso! El cuerpo convertido en sirviente del espíritu. Su lengua se mueve por todas partes. Por último, me acuesta en la cama de dosel, mis pies todavía en el piso, y se para frente a mí, erecto, mientras abre el envoltorio de preservativo. Luego la lenta apertura, envolvente, la presión y el placer de la fusión.

—Despacio, bebé —susurro—, despacio. —No logro definir si es un recuerdo sincero o la mera fantasía de haberle susurrado las mismas palabras hace años.

Después, yacemos juntos en la cama. Él toma el acolchado, que no nos molestamos en retirar, y lo envuelve alrededor de nosotros. Nos rodean los olores de las sábanas del hotel.

—No demoramos mucho —digo al fin— en llegar.

—Yo diría que tuve razón en todo.

—Yo diría que tenía muchas ganas.

Reímos. De pura alegría. A veces la vida puede ser buena.

—¿Cuál crees que sea la función biológica del orgasmo femenino? —pregunto.

—¿Te refieres a cómo sucede?

—Desde un punto de vista darwiniano. Los hombres tienen que derramar su simiente; se relaciona directamente con la reproducción. ¿Pero qué crees que consigue la naturaleza al hacer sentir tan bien a las mujeres?

—Creo que es lo que se llama un incentivo.

—El sexo no es agradable para todas las especies. Hay unos felinos... las panteras, creo... El macho tiene unas púas en el extremo del pene, y cuando se retira, la hembra chilla y gruñe. Las púas son lo que causa la ovulación. Lo aprendí hace años. ¿No fue contigo?

—Algún otro novio.

—¡No! Estoy segura de que solíamos ir al zoológico y observar a esos gatos grandes cuando lo hacían.

Ríe. Estaba burlándose de mí.

—No me di cuenta de que te impulsaba el voyeurismo —me dice—. Según recuerdo, jueza, llevábamos a Nile.

—Por Dios —murmuro. Tiene razón. Mi corazón, en forma refleja, se congela; guardo silencio pensando en las complicaciones. Debajo del acolchado, sus dedos recorren una y otra vez las estrías que me dejó hace tiempo en el pecho sano el período de crecimiento explosivo que atravesé a los diez, once, doce años. He preguntado a todos mis médicos si podría existir una relación entre ese estallido hormonal y el cáncer. Se limitaban a encogerse de hombros.

Seth se sienta y baja las piernas a un costado de la cama. Verlo así, mayor, sigue causándome cierta sorpresa. Todavía es delgado, pero su piel tiene menos color, menos tono. Hay una redondez inevitable en la cintura, y su espalda muestra una ligera curva. Después de la relación se lo ve pensativo, como también lo estoy yo.

—Este asunto darwiniano no me parece gran cosa —comenta—. ¿Qué diría Darwin de la música? ¿Que es la función de supervivencia de qué? Y existe en todas las culturas.

—Me hace feliz.

—Como tu orgasmo.

—Tal vez la naturaleza quiere que seamos felices, al fin y al cabo, Seth. ¿Lo crees posible?

No demora un instante:

—No.

—¿Acaso la gente feliz no vive más? ¿No existen investigaciones? ¿No tonifica el organismo disfrutar de todo el espectáculo?

—Entonces estoy condenado —dice, y me río—. ¿Crees que podrías alcanzar el Nirvana? —me pregunta.

—El Nirvana no.

—¿Pero eres feliz?

—Más feliz que cuando éramos jóvenes. Como dijiste, siento que he logrado cosas. Amo a mi hija. Estoy orgullosa de ser una buena madre. Soy una buena jueza. —Espero a ver si creo lo que he dicho, si algún medidor interno de la verdad zumba en señal de incredulidad, pero ni siquiera se estremece. Seth, a manera de respuesta, menea en silencio la cabeza.

—No conozco mucha gente feliz, Sonny. Ni abogados ni periodistas ni jefes indios.

—No te encuentras en posición de afirmarlo, Seth. Después de lo que has pasado... Es demasiado pronto.

—¿Dos años? Creí que... —Alza una mano. —Cuando ocurrió...
—Toma aliento. —Cuando murió Isaac, la vida era como esos sentimientos inconexos de las pesadillas, donde metes la mano dentro de algo para agarrar esa parte de tu alma que te tranquiliza, que te dice

que el terror no es real. Pero, por supuesto, cuatro veces por día tomaba conciencia de que de ésta no iba a salir, que no había nada mejor a lo cual despertarme. Anduve así durante meses, y ahora hay ocasiones en que me doy cuenta de que en realidad ese período no terminó nunca.

Incluso ahora, allá en Seattle, no puede caminar al norte de la casa, me cuenta. En la misma cuadra, a poca distancia de su hogar, hay una casa donde hicieron un sendero nuevo hace cuatro años, e Isaac, a su típica manera ingobernable, escribió su nombre con una vara, grabando las letras desparejas de un centímetro de profundidad con su mezcla característica de fuerza y furia. Los vecinos se enojaron tanto que dejaron de hablar con Seth, incluso con Lucy. Ahora el chico está muerto y el nombre sigue allí. Ha pasado una o dos veces, me cuenta Seth, y ha quedado devastado. Qué imagen: un hombre de impermeable, parado en un sendero vacío ante una casa cuyos ocupantes aún lo odian, llorando con increíble desconsuelo, como si nunca fuera a parar.

—Me conformo de las maneras más ridículas. Es decir, esto no es nada comparado con los golpes legendarios de la historia. Pienso en lo que sufrieron mis padres. Pero, ya sabes... —Me mira. —...No hay relatividad en el sufrimiento.

Lo abrazo un momento, algo que he anhelado hacer desde el primer momento en que me lo contó. Luego va a la sala y trae vino para los dos.

—¿Has probado con terapia, Seth?

—Me he sometido a terapia más tiempo que Woody Allen. ¿Y tú?

—¿Cirugía? ¿Divorcio? Por supuesto. Ayuda.

—Ayuda —repite, pero sacude la cabeza. Luego deja la copa con cierta precipitación sobre la mesa de noche estilo Luis algo, y dice que ya sabe lo que necesita. Cuando regresa, se para desnudo ante la cama, con ese zorro entre los matorrales todavía rojo y brilloso. Canta unas cuantas líneas de Steely Dan y abre la palma de la mano, revelando un porro. Me sobresalto un poco.

—¿De donde salió? ¿Es un hábito?

—Hobie —me dice, y es explicación suficiente. —¿Tienes ganas? ¿Por los viejos tiempos?

—Estás bromeando.

—Claro, ahora traigo la guitarra.

—Y no olvides la toalla para tapar debajo de la puerta —agrego, evocando otros tiempos.

Se va un instante y regresa con una caja de fósforos. Se envuelve en una nube de humo. Hace años que no me encuentro tan cerca de este aroma. De vez en cuando se percibe una divertida ráfaga fugaz cuando algún adolescente pasa por la calle, o en algún parque o concierto.

—Yo no quiero —le digo cuando me ofrece—. No fumo desde que me dieron la matrícula de abogada.

—Ah, qué mierda —dice con tono reprobatorio, sin duda. Soy una conformista, lo cual todavía es un pecado para mi generación.

—A alguien tiene que importarle, Seth —me justifico.

—Supongo —contesta. Levanta las almohadas, se sienta detrás de mí en la cama y me atrae hacia sí, de modo que quedo recostada contra su pecho mientras él fuma, acurrucada en el calor de sus piernas y el placer de nuestra desnudez. ¿Y qué es lo que debe importarme?, me pregunto de pronto. ¿Qué gran absoluto puedo nombrar? En la tierra de las leyes, lo único que me prometí que no ocurriría acaba de suceder. En la gran nueva era, he encontrado un modo de avergonzarme como las heroínas de las novelas de antaño, he labrado mi camino hacia la ignominia como Hester Prynne y Anna Karenina. Y por este momento, apenas, parece no importar. No, no es así. Me importa incluso ahora no ser mejor o más honorable. Me importa haberlo intentado y fallado en alguna medida durante toda mi vida. Siempre importará. Pero, en este preciso momento, es sólo un hecho como tantos otros. Como el resplandor de la luna o las rutas de las aves migratorias. Cuando Seth vuelve a acercar el porro a mis labios, lo acepto. El sabor penetrante y crudo del humo, más o menos olvidado, me hace reír.

—Te sedujo —me dice.

—Pareces un experto.

—Ah, por favor.

—¿Te has acostado con muchas mujeres, Seth?

Me responde que no considera esta relación como acostarse con una mujer más.

—Me refería a antes.

Fuma otra pitada y me espía por sobre mi hombro.

—¿Es un interrogatorio por SIDA, o una evaluación de carácter?

—Lo último. Espero.

—¿Tú qué crees? —me pregunta.

—No sé. Supongo que creo que sí. Pero quizá me deje guiar por un estereotipo: rico, famoso... Siempre pensé que la gente así se desenfrena. ¿Te pasó a ti?

La brasa del porro reluce como una luciérnaga.

—Primero tú —me dice.

—Yo no tengo nada que contar. Una vez, cuando era fiscal, medio me enamoré del defensor de uno de mis casos, pero fue una locura temporaria que no duró más de un par de días. El tipo era gordo y mucho mayor, y yo estaba embarazada. —Mientras cuento la historia, se me ocurre que lo que está sucediendo en este mismo momento se adecua a mis pautas: sólo me enamoro de hombres en los momentos más improbables, como si necesitara lapsos en que mis sistemas de seguridad no se hallen en alerta máxima.

—¿Y eso es todo?

—Eso es todo. Ahora cuéntame tú.

—Entre las muchas maneras tristes en que perdí el tiempo en los últimos veinte años hubo un par de aventuras realmente imposibles con mujeres que me ofrecieron muy poco, salvo un público admirador y las habituales emociones animales. Y lo que descubrí es que la vida no ofrece nada más deprimente que una relación que se desarrolla únicamente dentro de las dimensiones de una habitación de un hotel caro.

—¿Lucy lo supo?

—Sí, pero era complicado. Todo eso fue antes de que naciera Isaac. En aquella época tuvimos un período bastante difícil.

—¿Como éste?

—No es lo mismo, en absoluto. Ahora no estamos enojados.

—¿Y por qué estaban enojados en aquel momento?

—¿Por qué estaba enojado yo? —aclara—. Por muchas razones. Pero digamos que los brazos de Lucy no son las únicas partes de su cuerpo abiertas a la humanidad.

—Ah. —Cada vez veo más claros los problemas entre ambos. —Eso enoja a la gente.

—Supongo. Pero no empecé a salir con otras mujeres para desquitarme. Lo que me gustaba era la idea de enamorarme de alguien. Todavía creo que es lo más emocionante de la vida. ¿Te parece cursi? ¿O débil?

—Débil.

—Sí. —Lo sabe. Baja la vista. —Ésa fue la lección que aprendí de ti, sin embargo. La emoción.

—Sí.

—Hablo en serio —dice, y vuelve a acercar el porro a mis labios.

¿Qué es este antiguo miedo? Todavía no lo sé, pero de pronto siento la presencia de todos los hombres —Seth y Charlie y otros cuantos en el medio— de quienes me aparté con el mismo aleteo morboso del corazón. Lo miro a los ojos.

—Yo creo en ti, Sonny —me dice Seth—, y atrae mi mano entre sus muslos para que aprecie el emblema transitorio de su fe.

Había olvidado la magia afrodisíaca de la marihuana, la sensación amplificada, como la corriente de un río, que avanza en ondas hacia afuera, siempre hacia afuera, hasta las yemas de los dedos. Después, quedo dolorida y exhausta; el porro me da sueño. Me despierto con una oleada de inmediata vergüenza. Estoy echada entre las sábanas arrugadas, espesa de nuestros líquidos, sin nada de ropa, las piernas abiertas, distendida. El artefacto de luz, un objeto antiguo, resplandece enceguecedor.

—Las dos y cuarto —me dice Seth cuando le pregunto la hora. Gruño y me cubro con la sábana de arriba, luego me siento.

Seth se halla acomodado a los pies de la cama, todavía desnudo, con las piernas cruzadas. Mi cartera vacía yace en la colcha, mientras él busca entre los reveladores residuos de mi vida. Mis tarjetas de crédito. Tarjetas comerciales que he olvidado tirar. Mi chequera. Está comiendo una manzana, una brillante deliciosa que creo es una de las que compró el otro día en Green Earth. Lo miro y me doy cuenta de que se han pasado los efectos del porro. Tengo la boca seca como una hoja marchita.

—¿Puedo preguntar qué haces?

—Me entretengo —me responde—. Estaba solo.

Podría decirle que es una intromisión. Pero sería hipócrita: sé que desde el principio quería meterse en mi vida.

—¿Y? ¿Alguna sorpresa?

—Tienes tarjetas de dos agentes de viajes diferentes y un folleto de las Filipinas de un tercero. Me pareció interesante. ¿Vas a viajar?

—Tengo una hija de seis años.

—¿Pero te gustaría irte?

—Me encantaría volver. Me encantaría ir a todas partes. Algún día. —Me estremezco al pensarlo: viajes, libertad. Liberada de las costumbres, el idioma, todo lo conocido. Esta idea siempre me ha provocado una fantasía deliciosa e inenarrable que acecha en mí, un secreto tentador no del todo conocido por los demás, incluida yo. ¡Otra vida!

—Allí fue donde terminaste cuando nos separamos, ¿no? ¿En las Filipinas?

—Con el Cuerpo de Paz. Deseaba que me enviaran a alguna aldea, pero enseñé control de natalidad a mujeres de la ciudad de Olangapo, cerca de la bahía Subic. Por momentos era decepcionante. Básicamente, a muchas las ayudaba a ser prostitutas. Pero me encantaron el país y la gente. Tenían un tremendo respeto por sí mismos, a pesar de la colonización. La revolución no me sorprendió. —Recuerdo por un momento los cines en idioma inglés, la humedad, los pescados, los chicos oscuros.

—Yo quedé pasmado, ¿sabes?

—¿De veras?

—Cuando te uniste al Cuerpo. No tenía idea de que deseabas hacer eso.

—También presenté una solicitud para astronauta.

—¡No te creo!

—En serio. Quería ir a los planetas. Venus, Marte. De veras. Y estaba segura de que iba a realizarse. De algún modo, en el futuro. Es extraño darse cuenta de que nunca iré allá.

¿Cómo cambió todo aquello? A los veintidós años, ese destino me parecía de lo más real. El deseo, la necesidad de ser madre, de mejorar la especie con un ejemplar más, y todo lo que viene con ello —la casa y las cosas, el trabajo y los horarios—, lo destruyeron todo. Así sucede siempre. ¿Pero alguna vez me despedí de veras de la muchacha del espacio que iba a hacer algo espectacular a partir de su deseo de apartarse millones de kilómetros de su madre? No importa, supongo. Ahora voy a casa. No a las estrellas.

Seth me abraza mientras me visto, para demostrarme que no quiere que me marche. Mientras junto mis últimas cosas, me espera en la puerta. De pronto, de manera inexplicable, el futuro está sobre nosotros. Ahora hay una próxima jugada. Le digo que venga mañana a cenar a casa, que a Nikki le encantará. Después me atrapa en un último abrazo, y me sobresalta el inesperado estallido de pasión, de él y mía.

—¿Qué sientes? —me pregunta cuando al fin me suelta.

Al cabo de un segundo, respondo:

—Fue mejor de lo que creí.

Sonríe. Por Dios, sonríe.

—Genial —me dice. Y enseguida me voy.

4 de mayo de 1970

SETH

Quería llamar a mi padre para tranquilizarlo, pero Eddgar insistió en que no tenía sentido.

—Va a negarlo —dijo—. Si ha ido a los Federales, le dirán que mienta.

—Ellos no irían nunca. —Hacía días que repetía lo mismo, desde luego. Hasta yo tenía que reconocer alguna probabilidad de que mi padre, en su desesperación por el dinero o mi situación, pudiera haber tomado una medida tan poco propia de él. Pero en general continuaba considerándolo imposible.

—¿Y entonces a qué viene esto, Seth? —me preguntó Eddgar—. ¿Cómo es que lo sabe el FBI? Al parecer, creen que alguien te ha secuestrado. Debes de habérselo contado a alguien. ¿Lucy? —me preguntó—. ¿Qué sabe ella? —Tanto June como él se habían irritado cuando les dije que viajaría acompañado. Reflejaba falta de disciplina permitir que alguien influyera en mis planes, sentenciaron. Sin embargo, no les quedaba más alternativa que aceptar mis términos. Insistí en que Lucy no sabía nada, lo cual era cierto.

—¿Entonces, quién? —quiso saber Eddgar. Me miraba, amarilleado por la lámpara barata. Yo me había desplomado en una de las camas.

—Quizá se deba a que no me presenté al reclutamiento. Tal vez ya me estén buscando. —Era posible que yo mismo me hubiera convertido en un blanco especial, con mis actividades antirreclutamiento en el campus. Tal vez uno de los soplones del Sistema de Servicio Selectivo había informado mi plan de huir y el FBI se había lanzado a la acción. Pero a ninguno de los tres nos parecía convincente.

—Repetí la conversación con Michael tres veces —dijo Eddgar—. Me llamó porque la manera en que hablaban lo hizo temer que te hubiera pasado algo.

Michael, por supuesto, podría haber entendido mal. Y había otras posibilidades. Recordé mi conversación con Graeme, el sábado. Le dije lo suficiente como para dejar claro que sabía más de lo que decía respecto de la bomba. Graeme podía tener contactos con las autoridades. Yo me adecuaba a su visión polimorfa del mundo al vivir fuera de los límites convencionales. Pero no era ésa la perspectiva que más me preocupaba mientras me encontraba sentado allí.

—¿Qué pasa? —preguntó June, que había detectado algo, tal vez en mi postura. También Eddgar me miraba fijo.

—Maldita sea —exclamó Eddgar—. En un momento como éste nos oculta cosas. Dios. ¡Dios! ¡Estamos en esto hasta el cuello! ¿Con quién hablaste, Seth?

Cuando les conté lo que le había dicho a Sonny, Eddgar soltó un gruñido y se agarró la cabeza. También June adoptó una expresión desesperada.

—No le dije nada de ustedes. No le conté el plan. Ella sólo quería saber cómo me las estaba arreglando con mis padres, así que le dije la palabra: "Secuestro". Pero no fue ella. No es posible. Jamás me delataría. Por Dios, su madre es Zora Milkowski. Sonny creció entre pesadillas del FBI.

—Ahora la mitad de esos comunistas son agentes del FBI —replicó Eddgar—. Hoover mantiene muy ocupado al Partido Comunista.

—No fue Sonny.

Eddgar se negaba a aceptarlo. Y sus dudas por supuesto surtieron su efecto, aunque poco, en mi confianza en ella. Tal vez yo la había asustado. Tal vez ella había hecho lo que creía mejor para mi bien.

Eddgar se puso a caminar por la habitación, para pensar. Él y June hablaron unas palabras.

—No vamos a saberlo —dijo Eddgar al final—. Al menos, no lo sabremos con seguridad. Tal vez fueron tus padres. Tal vez fue Sonny u otra persona, o sólo la junta de reclutamiento. Pero si suponemos lo peor, entonces el FBI estará allí esperando cuando vayas a buscar el dinero. Vigilarán toda la operación. Te seguirán hasta cerciorarse de que no hay ningún artefacto explosivo, o que ha sido desactivado, y entonces te arrestarán.

Eddgar describió esta perspectiva con la arrogante certeza de la predecibilidad de la policía. Yo estaba seguro de que en alguna parte del *Libro rojo* había algún dicho sobre conocer al enemigo. Mientras tanto, pensé bien en lo que acababa de decir. Trataba de calmarme, de pensar en forma racional. El recuerdo de Hobie, con su aspecto drogado e hinchado, contra la pared de ese agujero en blanco y negro, no se apartaba de mí. Y me sentía culpable por mi indiscreción con Sonny. Me sentía obligado a encontrar una salida para seguir adelante.

—Y entonces tendré que admitir que era todo un engaño, ¿no?

Diré que necesitaba el dinero para ir a Canadá. No van a arrestarme por secuestrarme a mí mismo, ¿no?

Eddgar lo pensó un instante.

—Te harán juicio por evadir el servicio militar. Si el FBI te agarra, terminarás en el ejército. O en la cárcel.

Hasta aquel momento me había sentido raramente libre de miedo. La culpa y la vergüenza abundaban pero, con ciertas ansias obvias, había seguido el modelo de June y Eddgar, elaborando con frialdad los detalles prácticos. Ahora sentía puro pánico.

—No sé qué hacer —dije.

—Espera —dijo June—. Espera. ¿Lo estamos mirando de la manera correcta? Creo que exageramos los riesgos. Seth, dijiste desde el principio que tus padres no se pondrían en contacto con la ley. Así que es probable que alguna otra cosa haya causado que el FBI ande husmeando. Incluso si suponemos que fue Sonny, casi no disponen de información. ¿Correcto? ¿No fue eso lo que dijiste? Los tipos que fueron anoche ya regresaron a sus casas por hoy. Seguirán trabajando por la mañana, si tienen tiempo. E incluso en la rara posibilidad de que tus padres sí hayan acudido al FBI, les dijimos que tú retirarías el dinero mañana. Ahí será cuando el FBI tienda su trampa. —June se volvió hacia Eddgar. —Seth debería volar a Las Vegas esta noche.

—¿Volar? ¿Y cómo voy a pagarlo?

—¿Puedes conseguir una tarjeta de crédito? —me preguntó June.

—¿Quieres decir la de otra persona? —En algún momento iba a tener que dejar de sentirme sorprendido por June.

—Demasiado riesgoso —pronunció Eddgar—. Demasiado riesgoso para Seth.

—Entonces supongamos que Seth no va a retirar el dinero —continuó June—. ¿Y si lo hace otra persona?

—Dijimos que presentaría su carné de conductor.

—Bueno, busquemos a alguien que responda a su descripción —propuso ella. Todavía no abundaban los documentos con fotos.

—¿Como por ejemplo?

—¿Qué te parece Michael? —Miró a Eddgar buscando aprobación.

—¿Michael? —pregunté—. ¿Y por qué querría Michael verse envuelto en todo esto?

—Necesita una distracción —respondió June con tono seco. No tuve el coraje de ver cómo lo tomaba Eddgar.

—¿Y qué pasa si agarran a Michael? —pregunté.

—No lo reclutarán —aseguró June.

—Lo arrestarán por secuestro —dijo Eddgar.

Nadie dijo nada. June y yo mirábamos a Eddgar mientras él hacía girar los pulgares.

—Primero —dijo Eddgar—, estoy de acuerdo con June. El riesgo es mínimo. Mínimo. Pero no queremos ninguno. —Entre ellos, comenzaron a debatir cómo podía llevarse a cabo. Mientras uno le respondía al otro, volví a experimentar la sensación que había tenido al entrar en la habitación, de estar viendo algo cargado y privado, vagamente perverso, al observar a los Eddgar en su momento de colaboración. Cualquier otra persona era en cierta medida un intruso.

El plan emergió de a tandas entre ambos, llevado para atrás y adelante. A Michael le dirían que el FBI me buscaba para enrolarme y que el dinero de Las Vegas se necesitaba para mantenerme en Canadá. No sabría más, y no podría decir nada si lo interrogaban. Para protegerlo de que lo acusaran de secuestro, en el inesperado caso de que algo saliera mal, yo iría a Las Vegas con él. Me verían en su compañía, voluntario feliz, o en el mismo avión, en el mismo motel, en el mismo mostrador de la agencia de alquiler de autos. No obstante, para mi seguridad yo observaría el retiro del dinero desde cierta distancia, como parte de la multitud jugadora del casino gigantesco de La Moneda Romana. Si surgía algún problema, si el FBI o la seguridad del hotel o la policía de Las Vegas aparecía cuando él retiraba el dinero, yo me marcharía de inmediato, me mezclaría en el gentío y me iría al norte. Si las cosas llegaban a lo peor, si arrestaban a Michael, podría llamar al FBI y a mis padres y explicarles lo que fuera necesario cuando llegara a Canadá.

Incluso después de que me describieron plenamente este plan concebido entre ambos, una voz estrangulada se elevó en mi interior. Una locura, decía, una locura.

—Es una locura para Michael —dije.

—Lo hará —aseguró June. Se paró y se pasó las manos por los muslos para alisarse el vestido. —Hablaré con él.

Cuando volví a Robson, comenzaba el apresuramiento de la cena. Sonny estaba detrás del mostrador, con una cafetera en la mano y flirteando de manera inofensiva con un viejo, vestido con una camisa de franela, un hombre corpulento, de piel áspera. La hora y la manera necesitada en que él saboreaba la atención de Sonny, como una flor que se vuelve hacia el sol, me hicieron pensar que era viudo. Ella le tocó la mano para acallarlo cuando me vio. Creo que mi aspecto la alarmó.

—Lo estropeaste —le dije.

—¿Qué? ¿Qué hice? —Volvió a poner la cafetera en la máquina que había detrás. Estaba un poco pálida de cansancio, hacía más de doce horas que permanecía de pie, y, como siempre, no se hallaba de humor para críticas. Me preguntó por qué no me había ido todavía.

—Le dijiste a alguien lo que te conté esta mañana. Y ahora estoy metido en mierda hasta los ojos.

—¿Que dije qué? ¿De qué hablas?

—Ya sabes de qué.

El viejo del mostrador había dejado de revolver el café, para mirar.

—¿Qué diablos te pasa? —me preguntó Sonny. Enarcó las cejas en gesto ofendido. Era evidente que esperaba algo mucho mejor de mí.

Volvimos a ir atrás, pero ahora permanecimos a distancia en el callejón de grava. June y Eddgar me habían advertido repetidas veces que era mala idea regresar allí. Pero yo había insistido en que Sonny era la elección lógica. Si había cometido un error, se mostraría ansiosa por enmendarlo. Capitularon sólo porque estaban desesperados por la tarjeta de crédito y no disponían de ninguna otra fuente para obtener el dinero, pues las audiencias contra Eddgar los habían dejado en bancarrota, tanto a ellos como a su organización. Yo, por supuesto, tenía otros motivos. Necesitaba saberlo para mí.

—¿En qué clase de mierda estás metido?

—Honda. —Le dije que debía de haber mencionado mi secuestro a alguien.

—A nadie. No. A na-die.

—¿Ni a Graeme?

—¿A Graeme? Se fue anoche. Estará en San Raphael toda la semana. ¿Has oído hablar de la terapia del Grito Primal?

Eddgar me había advertido. "Te mentirá —me dijo—. Lo negará todo. Ten cuidado." Yo me había preparado, pero ahora me hallaba indefenso para no creerle.

—Bueno, el FBI me anda buscando.

—¿Ya? Oh, Dios. —Desde luego supuso que el FBI me perseguía por mi evasión al reclutamiento, y no podía comprender qué tenía que ver el secuestro con ello. Meneé la cabeza repetidas veces en lugar de explicarle: no iba a cometer el mismo error dos veces. Ella cruzó los brazos sobre el uniforme blanco para protegerse del fresco nocturno en el callejón.

—¿Entonces qué necesitas, Seth? ¿Se supone que puedo ayudar en algo, o viniste sólo a acusarme de delatarte?

—Necesito una tarjeta de crédito.

—¿Una tarjeta de crédito?

—Ahora entra. Cuando alguien pague con una tarjeta de crédito, tráela acá afuera. Volveré en cinco minutos. Menos. —June había estacionado a la vuelta de la esquina, al final del callejón, y esperaba en el auto. Llevaba un pañuelo en la cabeza y anteojos oscuros, algo así como un disfraz. La agencia de viajes donde compraría los pasajes quedaba allí cerca, en el bulevar Campus, y estaba a punto de cerrar. Había llamado por anticipado explicando que tendría que dejar los hijos solos en la casa, y le prometieron que el trámite terminaría en cinco minutos. El plan, según el cual pagaríamos con la tarjeta de crédito hurtada, me parecía casi sensato. No había calculado los sutiles efectos psicológicos de declararme un marginal. Cada vez me importaban menos los juicios que los demás pudieran hacerse de mí, incluyendo los propios.

—Estás loco —me dijo Sonny.

—Lo necesito. Te digo que lo necesito.

—¿Por qué?

—No me preguntes por qué. Siempre me estás diciendo que te importo. Que tienes que salvar tu vida, pero que te importo. Bueno, ahora necesito que salves "mi" vida.

—¿No puedes explicarme? ¿Vas a cargar algo a la tarjeta de crédito de otra persona?

—Necesito tomar un avión, Sonny. Tengo que irme. —Iba a decirle más, pero me contuve. La madeja de tenues conexiones —Cleveland y Hobie, mis padres y el ejército y mi libertad— no lograban ordenarse en mi mente. En cambio, de nuevo, éramos simplemente ella y yo. Yo había fomentado, apenas enmascarando mis intenciones, una escena más entre nosotros, una nueva exigencia insistente para que me demostrara cuánto le importaba. Bien podría haber sido un tipo en el asiento de atrás de un Chevy diciendo: "Dame una prueba de amor".

—Mira, no te pasará nada —insistí—. Si la cosa se va al carajo, les dices que yo debo de haberte metido la mano en el bolsillo del delantal cuando saliste a hablar conmigo. Estarás protegida.

—No se trata de protegerme, Seth.

—Bueno, ¿y de qué se trata?

—De que esto es una locura. —Sopló una brisa y le arrebató la pequeña tiara de papel que llevaba en la cabeza. La contempló arrastrarse por el pavimento, luego se soltó el abundante pelo oscuro y lo sacudió. Pasó un minuto, mientras volvía a recogérselo en la redecilla. Cuando terminó, sentí la distancia que se había apoderado de ella. Al fin yo me había destruido por completo ante sus ojos. Mirando el callejón, con el crujiente delantal blanco elevándose en la brisa, era la hermosa muchacha morena que yo había conocido en un ómnibus un año antes, que al principio se había mostrado reacia a tener algo que ver conmigo y que ahora sabía que había estado en lo cierto. Siempre le había intrigado esa parte loca e imperfecta mía, pero ahora era testigo de los estragos que ello desencadenaba. Su rechazo encendió una sirena de remordimientos en mí. A pesar de todo lo que yo les había hecho a mis padres, era la primera vez que me daba cuenta de que me hallaba fuera de control, de que las partes no domesticadas de mi ser estaban destruyendo lo que el yo más sano deseaba.

—Mira, te daré el dinero —dijo al fin.

—Es demasiado. No puedes. Hay otras personas.

—¿Otras personas? Por Dios, Seth, ¿en qué estás metido?

—Son casi seiscientos dólares. Así que necesito la tarjeta de crédito.

Se quedó ahí, arrugando la frente.

—Lo tengo. La mayor parte. Estuve ahorrando mucho. Quería darle algo a Zora antes de marcharme. Pero ella puede esperar.

—Lo necesito ahora.

—Lo tengo ahora. Gus me cambiará un cheque. Espera.

Cuando me entregó el montón de billetes, supe que habíamos saldado cuentas. En lo que a ella concernía, todo había concluido.

—Te lo devolveré.

—Algún día —respondió—. Mira, debo entrar. Tengo media docena de pedidos esperando. Gus va a matarme. —Me besó algo oficiosamente en la mejilla. —Estoy preocupada por ti.

—Y no en vano.

Cerró la reja después de entrar y volvió al restaurante, una mancha blanca separada de mí por el sonido duro del hierro. Ahora se había ido para siempre.

—Hay que controlar el factor azar —dijo June.

Lucy esperaba afuera en el auto mientras June y yo lo repasábamos todo otra vez. Michael y yo estábamos sentados uno junto al otro en la cama de la habitación del motel y June se hallaba de pie, frente a nosotros. Eddgar, por supuesto, sólo estaba presente en las órdenes que June emitía a su manera dominante y eficiente.

—Durante las próximas doce horas tú eres Seth. Y tú eres Michael. Sean rigurosos en esto. Sean serios. ¿Cómo te llamas?

—Seth Weissman —respondió Michael.

Me señaló a mí. No pude contener un ceño breve e intolerante. Volvió a señalarme.

—Michael Frain —dije.

—Ahora cambien sus documentos. Aquí. —Nos intercambiamos las billeteras; la de Michael era un bulto gastado, con grabados del Oeste. June me dio el pasaje de avión de Michael.

Luego recorrió el resto del plan. Tiempos. Vigilancia. Cómo manejar el dinero. A su manera intensa y concentrada, Eddgar había visualizado cada detalle. Era como un arquitecto que construía la estructura entera en su imaginación.

—No habrá problemas, Seth —le aseguró June a Michael—. Pero si los hay, recuerda: ni una palabra. No te metas con ellos. No les des excusa para arrestarte ni pegarte. Guarda silencio. Cuando recibamos tu llamada telefónica, ya veremos cómo manejarlo. Michael —me dijo—, tu también escucha.

Yo ya lo había oído, pero desvié la vista, perturbado por su tono autoritario, su aplomo. Coronel June. ¿En cuántos lugares clandestinos —sótanos, depósitos, departamentos de otros— había dado órdenes a sus comandos? Acciones de sindicatos. Huelgas de trabajadores. Soledad. El CDIA. No había indicios de nervios, ni de dudas. Tenía los hombros derechos, el cuerpo rígido. Habría sido mejor, pensé, si lo disfrutara menos.

—Terminemos de una vez —dije.

Lucy esperaba abajo, en el Escarabajo. La noche fresca iba cayendo, como siempre. Se me ocurrió —un pensamiento hasta ese instante perdido en la nada— que también abandonaría aquel paisaje. Las colinas, la niebla, la majestuosidad de California que siempre parecía magia para alguien de la llanura.

—Estoy extrañadísima —dijo Lucy en el auto—. Esto es de lo más extraño. Nadie me dice nada.

—Michael y yo vamos a hacer algo —le dije—. Eso es todo. Me va a ayudar con algo. Mantén la calma.

Nos dirigimos al aeropuerto, donde Lucy nos dejaría. No alcanzaba el dinero para comprar un tercer pasaje, y, lo más importante, yo necesitaría el auto en Canadá. Habíamos acordado, por lo tanto, que ella iría hasta Las Vegas en el coche. Llegaría por la mañana. Nos encontraríamos en el motel, un lugar barato de los suburbios de Las Vegas que nos había indicado el agente de viajes. Este plan, originado con apresuramiento, no había tenido en cuenta que Lucy nunca había manejado un auto como el mío. En el estacionamiento del motel yo le había dado una lección de media hora, y aplaudía cada vez que acertaba en una maniobra. Parecía sentirse inmensamente recompensada con mi confianza, de modo que lo lograría. Hobie siempre se había negado a permitirle manejar Nellybelle.

—Pon la cuarta y sigue andando —le indiqué al bajarme del auto en el aeropuerto. Un jet chirriaba justo en aquel momento. El aire acarreaba ruidos y vahos de turbinas.

—Bien. —Se mordió el labio. —Ya me estoy ordenando que no podré hacer pis hasta Las Vegas.

Le di a Michael una palmada en el hombro para asegurarme de que se encontraba bien. June prefirió despedirse de nosotros en la puerta de la habitación del motel, cuando ya nos marchábamos. Desconfiaba de Lucy, de que sintiera curiosidad por el papel que ella desempeñaba en todo aquello. Le habíamos dicho que June sólo estaba allí para despedirse de mí.

—Ven aquí, Seth —me llamó June cuando salimos de la habitación de motel. Como todavía no me había acostumbrado al cambio de nombres, me encontré de pronto mirando con la boca abierta mientras June se echaba sinuosa en los brazos de Michael y lo estrecha contra su cuerpo. Por mucho que me hubiera imaginado, verlos juntos me resultó desconcertante. La esposa de Eddgar. El silencioso Michael. Él había acudido a ella con ansias, y la abrazaba con evidente desesperación.

Mientras apoyaba la cabeza contra el pecho de Michael, los ojos de June se abrieron. Me miró directamente, fríamente según me pareció, soportando el momento; aunque sólo fue un instante, me pareció más interesada en mi reacción que en la de ella misma.

La ruta que debía tomar Lucy iba por el valle central hasta Tulare, Bakersfield y Barstow, luego, en la oscuridad, a través del desierto, entre las montañas. Me ha contado la historia muchas veces. De vez en cuando veía las luces de otros autos que se aproximaban y sentía el consuelo de pensar que tenía compañía. Esos vehículos no demoraban mucho en acercarse, y luego pasaban como un rayo, en una tremenda ráfaga de viento, y desaparecían por completo. Durante algún rato permaneció convencida de que veía cosas en el terror de la noche del desierto, extrañas formas agarradas a la parrilla de los autos que pasaban, formas que parecían cuerpos atados a los paragolpes. Eran bolsas de hielo, se dio cuenta al fin, aseguradas en las parrillas como precaución para que en el desierto los motores no se recalentaran.

Durante la mayor parte del trayecto estuvo sola. Oía el viento, el sonido de su propia velocidad; olía el aroma seco y polvoriento de lo que estaba fuera. Trataba de controlar la mente, de no pensar en lo que podría pasar si le ocurría una avería, preguntas que deberíamos haber hecho antes de mandarla allá. No había música que la radio captara en esos tiempos en que los autos venían equipados sólo con AM. De los parlantes salía sólo una estática chasqueante y voces ocasionales, claras y luego inexistentes, cuando hacía girar el dial mientras trataba de mantener la vista en el camino. Seguía adelante, en medio de las vastas extensiones de la gran llanura abierta entre las montañas, donde pasaban arrastrándose pedazos de matorrales y donde la poca vida que había tenía lugar entre las rocas. Cactus con brazos espinosos y flores se elevaban aquí y allá, lo mismo que las enormes formas robóticas de las torres de electricidad. Cuando llegó el amanecer, casi podía ver cada rayo de luz acumularse en los espacios abiertos, como nieve.

En su estado de cansancio, y tras horas de la monotonía alucinógena del paisaje, no estaba preparada para Las Vegas. No quedaba lejos de las zonas de prueba de la bomba A recién abandonadas durante los años de Kennedy. De pronto se encontraba allí, en el horizonte, sus luces sonrosando el cielo por ochenta kilómetros, como un bribón radiactivo que se había agazapado, venido del desierto. Yo lo vi muchas horas antes, desde el aire. Nuestro avión sobrevoló antes de aterrizar, sobre un paisaje de carteles que se elevaban encima de los casinos. Todo el espectro chillón que podía emitir el neón atacaba los ojos, una salvaje combinación semejante a una música disonante.

—Por Dios —dijo Michael, con la cara pegada a la ventanilla del avión—. ¿Quién paga la cuenta de luz?

Nuestra misión era recoger el dinero lo antes posible. Por esa razón, fuimos directo del aeropuerto a La Moneda Romana. Después de hacer algunos cálculos, lo más sensato resultó alquilar un coche, algo que yo nunca había hecho en mi vida. La reserva estaba a mi nombre. Me paré junto a Michael mientras presentaba mi carné de conductor.

—Crecí en DuSable —nos dijo la empleada de la agencia—. Pero no conozco Shadydale. —Señaló el carné. —¿Donde queda, exactamente?

Creí que ahí Michael abandonaría. Si en ese momento hubiera salido un vuelo de regreso, habría dejado el mostrador y subido a bordo.

—U. Park —le dije—. Del lado de Stony. Nos criamos juntos.

La chica, una italiana del South End, llamada DiBella, apenas sabía dónde quedaba U. Park. Tenía una cara larga y pelo oscuro, lacio. Muy atractiva. Me pregunté si había ido a Las Vegas para trabajar en espectáculos nocturnos.

—Santo Cielo —exclamó Michael al volver al auto; manejaba yo—. Santo Cielo. ¿Qué más pueden preguntarme?

Traté de imaginar preguntas que pudiera originar mi carné de conductor cuando lo mostrara en la caja. No, no era el Weissman rico. Sólo se hallaba en la ciudad por un día. Estaba jugando blackjack. Le conté de mi escuela secundaria, así tenía algo que decir de los estrafalarios círculos sociales de la gente acomodada, los hijos de los intelectuales, y los chicos negros que, en mis tiempos, sólo querían hacerse amigos de alguien. Recorrimos el corto trayecto por Paradise y viajamos al sur por el bulevar Las Vegas, al que algunos indicadores aún se referían como la ruta 91. La avenida estaba bordeaba de edificios de arquitectura exótica. Delante de ellos, unos carteles gigantescos de asombrosa brillantez anunciaban nombres de hoteles y las estrellas que en ellos se alojaban: Paul Anka y Vic Damone, cantantes cuyos homogeneizados sonidos estadounidenses me resultaban blandos como Purina, música que más o menos tomaba como el himno del enemigo. Una cantidad de lugares promovían de manera ostentosa a unas bailarinas francesas de pechos desnudos, tipo de decadencia que me resultaba más interesante.

Pasamos con el auto ante La Moneda Romana, para poder verlo. Era grande como un circo romano, una enorme concavidad de concreto ubicado tras una extensión de césped cultivado en medio del desierto. Dejé a Michael a media cuadra, como habían indicado los Eddgar, para despistar a cualquier espía. Todavía no tenía idea de qué le había dicho June para que accediera a hacer esto, salvo que sus maneras denotaban que sabía que era peligroso.

—Te lo advierto por última vez —le dije—. No tienes por qué hacer esto por mí. —Recibí el mismo estoico encogimiento de hombros que en el avión. De cualquier modo, él era incapaz de resistirse a June.

Vestía vaqueros y una camisa amarilla a cuadros, con botones imitación madreperla. El pelo rubio le rodeaba la cara, pero el aire del desierto de algún modo lo hacía lucir más adecuado al ambiente que en Damon. Me miró, en el auto alquilado, sin palabras, como siempre. Era un Chevy Bel Air, cinco veces más grande que mi vw. Me sentía como manejando un tanque.

—Supongo —me dijo— que tú lo harías por mí, si cambiáramos lugares. —Era un testimonio de amistad que yo no habría pronunciado nunca, pero tras decir estas palabras se marchó rumbo a su destino, por el sendero ancho hacia el hotel.

Arranqué y paré en La Moneda Romana; seguí el sendero circular más allá de los porteros y botones, con sus chalecos rojos y corbatas de moño, y me guié por los carteles de la parte de atrás, donde habían pavimentado el desierto para convertirlo en una interminable playa de estacionamiento. Mi cuerpo se estremecía de miedo. Tenía que hacerlo, me dije. Era una prueba de coraje: si lo hacía pensaría que no había evitado Nam por mera cobardía, sabría que podía obligarme a hacer cualquier cosa. Descubrí que esta idea, que nunca había pronunciado antes, había estado circulando, como un lema de publicidad, en los intervalos a lo largo de todo el día. Entré en la parte posterior del vasto hotel, haciendo tintinear las llaves del auto.

El casino, cuando llegué, se extendía profusamente. Debajo de la intensa iluminación, los cuerpos de acero inoxidable de las máquinas tragamonedas electrificadas, las mesas de madera, los apostadores, las islas intermitentes de fieltro verde se apoyaban en la llamativa alfombra, en la cual unas doradas cabezas de César se repetían de manera interminable sobre un fondo rojo sangre. Yo había llegado tarareando una melodía inofensiva de la música ambiental del vestíbulo, pero allí se perdía en el tumulto del casino: el fuerte rumor de un millar de voces, un número que alcanzaba siempre un crescendo estridente en los azares de un juego, las campanas y ocasionales sirenas que se elevaban de las máquinas tragamonedas donde los jugadores, con cambio en vasitos de papel, jugaban sin cesar. Yo había oído comentarios de este mundo de boca de amigos, en casa, tipos cuyos padres habían crecido en el North End y les gustaba venir aquí para poder hablar de lo que era perder dinero. No había ventanas. Ni relojes. La calidad de la luz no variaba nunca de acuerdo con la hora, pero en aquel momento, a medida que la noche se desvanecía, había no obstante una cierta sensación viciada. Algunos jugadores tenían la corbata floja y el cuello desabotonado. Vestidas con reminiscencias romanas, las camareras pasaban con pasitos de baile, ataviadas con pequeñas togas. Cada tanto llegaban los sonidos de bronces de una orquesta cansada que tocaba en alguno de los salones de espectáculos.

De modo que allí estaban los Estados Unidos lumpen, todas aquellas personas respecto de las cuales yo me consideraba mejor. Las mujeres desfilaban con pantalones Capri y peinados rígidos. El Este se encontraba con el Oeste, el Norte con el Sur. Tal vez había unas dos mil personas en el casino, y todas se sentían de lo mejor. Al cabo de pasar nueve meses en Damon, California, esos estadounidenses —el pueblo al que le había estado hablando Nixon, mientras me ignoraba a mí— parecían tan extraños como seres de otro planeta. Tipos panzones con hebillas de cinturón grandes como un puño, y sujetos atildados de Los Ángeles con chaquetas estilo Nehru. Mujeres —o bailarinas o prostitutas caras— pintadas de una manera que hacía mucho tiempo no veía en Damon, y ataviadas con vestidos largos. Con mi pelo largo hasta los hombros, mis sandalias, los vaqueros y la chaqueta de denim, ahora el tipo raro era yo. Aunque a nadie le importaba. Los demás estaban entregados a sus propias e intensas preocupaciones. Ésa era la peor parte. Todos aquellos estadounidenses se encontraban allí con permiso. ¿Y qué era lo que ansiaban? Ni armas ni bombas, ni guerras ni matanzas en la selva. Sólo emociones baratas y actos de salón: querían ver a Elvis y tener ocasión de arriesgar más dinero del que en realidad podían. Fue June, especulé de pronto, la que propuso Las Vegas, pues había estado allí con anterioridad y en secreto disfrutaba del recuerdo como de una perversión repudiada.

A un costado del salón las luces relucían en las cúpulas de los platos de un enorme buffet de comidas amarillas y rosadas. Estaba aislado por las ondas de un cordón de terciopelo rojo, tendido entre brillosos postes de acero inoxidable. Observé a un cow-boy de buen tamaño que se balanceaba sobre los tacos de las botas; llenó un plato y lo seguí, pero un hombre de seguridad, de saco bordó, me miró de reojo, así que me aparté, sintiéndome un mendigo de Dickens.

Al otro lado del casino, al final divisé a Michael. Estaba sin hacer nada, nervioso, caminando de aquí para allá cerca de uno de los pilares de yeso revestido con ramas de vid. La zona de las cajas, construidas con el mismo bronce pesado de los bancos antiguos, esperaba a sus espaldas. Cuando me vio, Michael hizo lo posible, tal como habíamos quedado, por permanecer sereno. Para no dar indicios al FBI. Yo me hallaba tal vez a unos sesenta metros de distancia. Moví la cabeza una vez, en señal de asentimiento. Esperó unos segundos más y luego se dirigió a las ventanillas. Me pareció que ya había elegido una a la que quería acercarse. No conseguí imaginar el porqué de la elección. ¿Un número de la suerte? ¿O quizás había evaluado cuál cajero parecía el más informal o el más cansado a causa de la hora?

Traté de no mirar, cambiando de ubicación de vez en cuando para no perder de vista la caja, y echaba vistazos ocasionales para controlar que nadie nos vigilara, ni a mí ni a Michael. Me hallaba cerca de una mesa de juegos de dados, donde un tipo enorme, con botas de lagarto y un gigantesco diamante falso en la corbata, atravesaba una racha de buena suerte. Un empleado se acercó a pedirle que retirara el sombrero de cow-boy de arriba de la mesa, mientras un mujer corpulenta con vestido de rayón demasiado apretado para su volumen se paraba en silencio a su lado, con los zapatos de taco alto colgando de un dedo. Volví a mirar a Michael y vi que una mujer de pelo oscuro le hacía una seña con la cabeza del otro lado de los barrotes de bronce. Luego él sacó la billetera.

Sabía que habría que esperar. La señal se haría en aquel momento. Si el FBI acechaba, la mujer no tenía más que dirigirle una mirada. Y de todos modos había observadores: empleados del casino y hombres de vigilancia, tipos que, según la leyenda, miraban desde troneras dispuestas en lo alto, apuntando con escopetas, para asegurarse de que ningún empleado se rindiera a la tentación de un gran robo. Me preparé para marcharme, para caminar sin gran velocidad hasta el Chevy. June me había advertido: simplemente vete. Ellos se encargarían del resto. Pero no percibí ningún peligro especial. Era todo tan anónimo como mirar un partido en un estadio grande. En el ínterin, Michael se retiró de la caja y aguzó la vista en medio del humo del casino; sostuvo mi mirada un instante y exhaló un enorme suspiro. A mi lado volvió a elevarse un grito; el texano de la mesa de dados había ganado otra vez.

Cuando volví a mirar, un momento después, Michael se había marchado de la caja. Temí que le hubieran negado el dinero, pero entonces vi que llevaba dos bolsas de fichas en la mano. A un costado del casino, entró en un baño para hombres en cuya puerta decía "Sátiros" en letras doradas. Allí entraría en un reservado y pondría las fichas en un sobre dirigido a una casilla de correo de San Francisco, que ya tenía las estampillas y adhesivos de Entrega Especial. Eddgar había predicho que, si el FBI iba a interceptarlo, sería en aquel intervalo. Dijo que el dinero sería importante para el gobierno. Pero Michael salió en un momento, con el sobre de papel marrón bajo el brazo.

Según June, el FBI no actuaría como en una película de la década de los 30: un solo desgraciado que manejara su auto junto al cordón mientras Michael se alejaba. Utilizarían varios coches; algunos lo pasarían, otros lo seguirían, intercambiando directivas. Mi misión era la contravigilancia. Memorizar las chapas. Observar. El trabajo de Michael consistía en encontrar un buzón. Se dirigiría al sur. No debía haber contacto de ningún tipo entre nosotros hasta tener la certeza de que él se hallaba a salvo. Di una vuelta en círculo al salir del estacionamiento y lo vi caminar con calma en medio del denso tránsito peatonal, donde se rezagaban las parejas. Debajo de la marquesina de uno de los hoteles, un hombre con la billetera en la mano contaba lo que le quedaba, mientras la esposa, a su lado, se negaba a mirar. Michael desapareció en otro hotel. Yo di la vuelta a la manzana con el auto, y cuando volví a divisarlo caminaba otra vez con aire apacible, ya sin el sobre. Al día siguiente el dinero estaría en San Francisco. Cleveland pagaría su fianza. Hobie quedaría a salvo. Yo quedaría a salvo. Nos recuperaríamos de lo que habíamos hecho en nombre de la libertad.

Por momentos, Michael, a pie, avanzaba más rápido que yo en el denso tránsito. No obstante, al final, al seguir hacia el norte, se aflojó un poco y pude seguir mi camino. No había nada que me alarmara. Ni un solo auto al que hubiera visto dos veces. Ninguno de los peatones, a los que había escrutado repetidas veces, me llamó la atención. Había muchos trajes azules y zapatos blancos, una asombrosa predominancia de la nueva fibra milagrosa, el poliéster, pero nadie que reuniera las características del FBI. Al llegar al motel Eden's Garden Spa, estacioné en la parte posterior y volví a pie al bulevar Las Vegas, a esperar a Michael. Me senté en una medianera baja entre dos edificios, controlando la escena. Ya habíamos pasado el punto de peligro. Quería decirle a Michael que nos fuéramos, pero pasó ante mí sin mirarme.

—Al fondo a la derecha —le indiqué—. La llave está bajo el felpudo.

Bajó por el largo paseo, y en un momento el Bel Air apareció a mi lado. Michael me hizo un gesto vago con la cabeza y se metió en el tránsito. Ningún auto lo seguía. Había un hombre paseando a un pastor alemán; el perro levantó la pata contra un cartel de estacionamiento, y el hombre se fue enseguida y no volvió a aparecer. Si alguien seguía a Michael, no podían permitirle marcharse con el auto. Diez minutos después, volvió. Ahora los dos sabíamos que estaba todo en orden.

Nos encontramos en la parte de atrás de la playa de estacionamiento. Unas luces intensas situadas en el tejado, en el tercer piso, iluminaban el lugar. La noche era tranquila. Entonces me abrazó, una efusividad poco común pero nada sorprendente en aquellas circunstancias. Era más delgado y duro que lo que me había imaginado, y olía a sudor de varios días. Pensé que había aprendido algo de los estilos más expansivos de Lucy, Sonny, Hobie y yo. Había hecho sus propios descubrimientos.

—Dios santo —dije—. ¿Estás bien?

—Un poco tembloroso.

En el motel la reserva se había hecho a nombre de Michael. Según las reglas de June, era yo quien debía solicitar la habitación.

—Qué estupidez —dije. Asintió tristemente mientras yo iba a cumplir con el trámite, pero aún no mostraba inclinación a desobedecer.

La habitación del motel no era cara: 19 dólares la noche. Me puse en la cola, esperando mi turno ante el mostrador de recepción, demasiado agotado para sentir todavía algún alivio. Recordé que Lucy manejaba en el desierto. Me surgieron preguntas que hasta el momento no me habían inquietado. ¿Y si se perdía? ¿Y si el FBI había lanzado algún boletín para buscar mi auto? Me di cuenta otra vez de que jamás comprendería aquellas pocas horas de mi vida.

El motel era una mezcla mediocre de la trabada imaginación de la década de los 50 y el exceso pseudoitaliano de Las Vegas. En el vestíbulo crecía un árbol frondoso, que se aplastaba contra el cielo raso, tres pisos más arriba. En la base habían apilado varias piedras grandes en una disposición semejante a una gruta, a través de la cual circulaba agua. Alcancé a ver unos peces de colores y monedas, negras contra el fondo de concreto. Dos tipos cansados, con todo el aspecto de hombres de negocios, con la apariencia perdida y abatida de los viajantes, estaban sentados en un sofá de forma circular que rodeaba el árbol, absortos en su conversación y señalando los peces.

Un grupo de neoyorquinos emergió del salón adyacente y entró en el vestíbulo como una orquesta de bronces. Se los veía resueltos a pasarlo en grande, y se llamaban unos a otros a los gritos: "Paulie. Joey. Joanie. Mira aquí". Ropa ostentosa y olores de grandes tiendas. Hacían bromas de doble sentido, sobre sexo, sin duda, a juzgar por la manera en que las mujeres chillaban y clavaban las uñas manicuradas en los brazos de los hombres. Ellos tenían las dimensiones de una heladera, y las mujeres, por robustas que fueran, usaban minifaldas muy cortas. Estadounidenses, volví a pensar. Después de todo, había muchas cosas que no iba a echar de menos. Uno de los hombres, con una chaqueta color caqui, llevaba una copa de whisky con gaseosa, que al salir dejó en la esquina de uno de los mostradores vacíos.

Cuando llegué ante la empleada de recepción, di el nombre de Michael. "Bien", dijo la recepcionista. Se fue un instante y volvió con un hombre penosamente delgado, con una chaqueta deportiva, anteojos gruesos y bigote caído. Le hizo un leve gesto a alguien situado a mis espaldas.

Cuando miré atrás, los dos hombres que se hallaban junto a la fuente dieron la impresión de despertarse de golpe. En un instante cristalino los observé cruzar el piso alfombrado, sabiendo que aquello era precisamente lo que había imaginado en La Moneda Romana. Un tipo metió la mano dentro del bolsillo, y leí las palabras en sus labios antes de que hablara: FBI.

Todavía estaban a unos diez metros. Levanté un dedo, pidiendo un segundo, me escabullí y eché a caminar hacia las puertas más rápido de lo debido pero no en plena huida. La fuga empezó en cuanto salí y continuó cuando llegué a la playa de estacionamiento. Volé. Pasaron unos segundos antes de que oyera una voz que gritaba: "¡Pare! Lo tenemos, hijo. Pare". De manera sombrosa, yo les había sacado unos cincuenta metros de ventaja. Atravesé a toda velocidad la playa, hasta donde había dejado el auto. Michael estaría esperándome. Todo iba a salir bien. Me obligué a mantener la calma. Disponíamos de bastante tiempo.

Cuando llegué al espacio donde habíamos estacionado, el auto había desaparecido. Por un breve instante me sentí demasiado sorprendido como para moverme. Luego, después de ese momento de pánico, me di cuenta de que debí de haber tomado el camino equivocado. Mientras el agente seguía chillando a mis espaldas, me dirigí al otro lado del edificio. Corrí. Cuando llegué a la otra punta, había una pared cerca de la cual se hallaban estacionados cinco o seis autos. Una gran cerca lindaba con el desierto.

—¡Deténganlo! —gritó el agente esta vez—. ¡FBI! ¡Deténganlo! —Parecía estar más atrás que antes. En apariencia me había perdido cuando di la vuelta al edificio.

—¿A quién? ¿A éste? —oí. De pronto, en medio de la noche, alguien corría tras de mí, y ahora se hallaba de pie en la brecha entre un Ford y un coche cercano. Era uno de los neoyorquinos.

—Tony, ten cuidado —gritó una mujer. El hombre se me acercó, al tiempo que su grupo lo seguía de cerca. El pelo platinado de la mujer relucía bajo las luces del estacionamiento.

—¿Adónde vas, compañero? —me preguntó Tony. Llevaba una chaqueta color arena y una camisa colorida.

—Tony, por el amor de Dios —chilló la mujer—, mira que puede estar armado —la oí decir mientras se volvía hacia los amigos—. Nunca deja de trabajar —agregó.

—Qué va a tener un arma —dijo Tony—. Ven, este caballero quiere hablarte unas palabras. ¿Qué pasa? —me dijo—. ¿No quieres hablar con el FBI?

No respondí. No hice un solo movimiento. El tiempo —los pocos y preciosos segundos que había contado en forma inconsciente— se iban mientras ese hombre y yo nos mirábamos. Tenía una cara maciza, con carrillos de morsa, que mostraba una confianza en sí mismo no del todo malévola. Simplemente decía: "Yo soy un hombre, y tú no. Yo he vivido lo suficiente para saber qué hacer, y tú no". Quedé inmovilizado por la mera presencia de su experiencia. Me habían atrapado. Detenido. Quedé por completo confundido al pensarlo. En ese momento llegó el agente, resoplando.

—Eres un imbécil. ¿No sabes que es así como se puede morir de un disparo? ¿Sabes en qué tipo de lío puedes meterte? —Me empujó con brutalidad. —Échate en el piso. Échate ahí. Vamos, maldita sea.

Me pasó las manos por las piernas, de afuera y de adentro, mientras yo me hallaba postrado en el asfalto, con su extraño olor mundano. Sacó de mi bolsillo la billetera de Michael y me tiró del pelo.

—¿Cómo se supone que debo llamarte? ¿Jesús? Hueles mal —me dijo. Yo me había bañado la noche anterior. Recordé a June. No debía decir nada.

No dejaba de pensar que me habían atrapado. Me di cuenta de que acababa de entrar en un nuevo plano, otra realidad. Ahora cada instante sería un fragmento de tiempo nuevo. Me ordenaron que me levantara; uno de los tipos me empujó de atrás y me llevaron al frente del motel, aferrado por el cuello de la camisa. Tony se presentó al agente. Era del Dos Dos Uno de Newark.

—¿Conoce a Jack Burk? ¿Del ejército regular, en West Orange?

—¿Jack? Jack estaba en mi clase en Quantico.

—¿En serio? Es mi cuñado.

—¡Qué coincidencia! ¿Cómo anda el viejo Jack?

—Contento como un chancho en el chiquero. Tiene la foto de Hoover en la pared, al lado de la imagen del Sagrado Corazón.

El segundo agente nos miraba venir, mientras observaba por la ventanilla de un Ford Fairlane azul. Encendió la luz del interior del coche. Llevaba un sombrero de paja; el brazo le colgaba por fuera de la ventanilla, y un cigarrillo sin filtro, que cada tanto se llevaba a la boca, entre los dedos. Estaba estacionado frente al motel, bloqueando el sendero de acceso. Me estaba esperando a mí, por supuesto. Yo no habría tenido una sola oportunidad de salir bien parado. El que me había agarrado presentó a Tony, y los dos agentes intercambiaron lisonjas por un momento. Se oyó una sirena.

—Ahí viene la caballería —dijo el segundo agente.

—Llévalo tú —dijo el agente que me tenía agarrado—. ¿Seguro que tienes al que buscabas?

El agente abrió la billetera que había sacado de mi bolsillo.

—Michael Frain —dijo.

—Sí, es éste.

El agente me aferró de nuevo por el cuello de la camisa y me dio vuelta para ponerme de frente a él por primera vez.

—Estábamos buscándote, Michael —me dijo.

12 de diciembre de 1995

SONNY

Audiencias del martes por la mañana. Casa abierta en la cámara de los horrores. He dormido tal vez unas dos horas. Mi sangre es alquitrán caliente; por momentos siento que estar despierta es una experiencia extracorporal. Y he perdido la conveniente armadura para mis emociones. Palabras y hechos me golpean directamente las vísceras, sin nada que se interponga. No me encuentro en condiciones para la triste procesión que tiene lugar ante mí.

La sala del tribunal bulle. Clientes y familias se amontonan con los abogados. Policías y fiscales, funcionarios de libertad condicional, defensores del estado, todos los asistentes regulares del tribunal de delitos menores se saludan en los corredores y las adyacentes salas de abogados y testigos. Acuerdan fechas para la siguiente presentación o esbozan los pactos por admisión de culpabilidad, mediante los cuales se resuelven al final casi todos estos casos. Annie controla las butacas de los espectadores, dirige a los acusados hacia el frente, señala a los abogados o personal de la corte lo que necesitan, mientras Marietta sigue gritando los números de los casos, pasando expedientes y recordándome por qué se hallan en esta audiencia: para instrucción de cargos o admisión de culpabilidad o sentencias. Su memoria es fenomenal; sus notas, precisas. Este sujeto debía traer pruebas de empleo; aquella señora debía someterse a un análisis de orina esta semana, por orden previa del juez Simone.

Algunos de los crímenes de esta mañana tienen un toque de ridículo patetismo. Un desdichado le pagó 50 dólares a una policía que pasaba por prostituta, por chuparle los dedos de los pies. Cuando ella lo arrestó, el tipo le rogó, deshecho en lágrimas, que aceptara 400 dólares y lo dejara ir. Como tenía micrófonos en el cuerpo para evitar denuncias de incitación al delito, la mujer no tuvo más alternativa que acusarlo de soborno. Pero la mayoría de los casos son tristes.

—Ya está viejo para este tipo de trabajo —dice el delegado de traslados mientras conduce del calabozo al estrado a un acusado de patillas blancas, un borracho o adicto, por su aspecto deteriorado. El hombre está acusado de robo a mano armada: una navaja contra la garganta.

—No me lo diga a mí —contesta el individuo, y llega ante mí con una mirada añorante.

Echo un vistazo a su expediente y las anotaciones crípticas que contiene —nueve condenas— y saco cálculos.

—¿Cuántos días hace, señor Johnson, que salió de la penitenciaría?

No existe un tipo de delincuente que no se haya presentado ante mí: un ex vicepresidente de una empresa de Kindle arrestado en North End por robo. Una abuela de setenta y dos años, valorada empleada durante cuarenta y cuatro años en un negocio de jardinería, que hace poco, por razones que nadie logra explicar, empezó a alterar los recibos, llevándose casi 32.000 dólares. A menudo, imagino, si es que me quedo aquí lo suficiente aparecerán todos los seres del Arca de Noé, acusados de algo.

Pero en general cuando alzo los ojos me encuentro con un joven negro, cuya historia, contada en su hoja de fianza o en un informe previo a la sentencia, es más o menos la misma: pobreza, violencia, familia sin padre, pocos estudios, nadie que lo cuidara. Suele haber un resentimiento especial que se apodera de ellos cuando enfrentan a una jueza, una mujer. Las mujeres han tratado de domesticarlos durante toda su vida, en la casa, en la escuela, madres y trabajadoras sociales y autoridades escolares cuyas represiones y ejemplos nunca respondieron a la única pregunta que parece bullir en tantos: ¿Qué es eso que llaman hombre? ¿Ocupa algún lugar apacible y legítimo en este mundo? A veces me dan ganas de sermonearlos: "Tampoco en mi casa hubo padre. Te comprendo. De veras".

Pero eso no se dice nunca. Hay que seguir adelante. Algunos llegan ante mí desafiantes, haciendo poco esfuerzo por ocultar su odio por todo el aparato legal. Pero la mayoría se muestra, simplemente, aterrada y desorientada. Un chico de diecinueve años, aquí presente por romper la vidriera de una joyería y robar parte de su contenido, un chico con una cabeza de rulos desorganizados, viste una camiseta que dice: "Desabróchame la bragueta", mensaje no calculado para impresionar bien a la corte.

—Jueza, ella dice que me tienen que dar seis años. —El acusado, flaco, vestido con una camiseta que revela brazos cubiertos de tatuajes y cicatrices, hace un gesto indicando a Gina, la defensora pública parada a su lado. —Jueza, yo solamente me estaba escondiendo en ese negocio cuando me agarraron. Ni siquiera me llevé nada, jueza. Seis es mucho.

—Está en libertad vigilada, señor Williams, por otro robo armado.

—Ah, jueza, eso no fue nada. Seis años es mucho.

—¿Es culpable o no? —digo. Ambos sabemos que después de un juicio le darán diez años. Incluso yo, que juré, antes de asumir el cargo, recordar que el juicio es un derecho constitucional, me descubro sugiriendo un pacto a los acusados que se enfrentan a doce años si no presentan pruebas abrumadoras contra su culpabilidad. No hay alternativa. Este año rechazaré mil casos y tendré tiempo para juzgar no más de cincuenta.

Convocado ante la justicia, nadie afirma con orgullo sus crímenes; nadie cree que esos hechos los definen. Sus delitos, aunque apenas hayan transcurrido horas desde que los cometieron, les resultan leyendas remotas. Aquí, a la hora de la sentencia, todos se muestran confundidos acerca de lo que ocurrió. Su furia, su aislamiento, su necesidad de cualquier tipo de respeto por sí mismos a que apuntaran, queda, por el momento, completamente olvidado. La mayoría son incapaces de explicar. Murmuran pensativos: "¿Por qué?", aunque casi todos los presentes lo saben bien.

Esta mañana sentencio a Leon McCandless. Hace seis semanas, Leon conoció a una dama, Shaneetha Edison, que estaba en la taberna Evening Shade con su hijo de tres años. A esta altura lo sé todo respecto de esa clase de lugares. La falta de dinero se refleja en todas partes; hay sólo unas cuantas luces que funcionan, incluido el cartel de anuncio de cerveza de atrás de la barra, y lo que iluminan está sucio y roto. Los paneles que cubren las paredes son viejos y han comenzado a agrietarse. El baño, en el fondo, está manchado, con un asiento partido por la mitad y una cisterna que pierde en forma permanente. Toda la taberna huele a deterioro. Los clientes son pobres y borrachos. Hay clientes todo el día, pequeños grupos de hombres parados aquí y allá, hablando de cosas que nadie cree y negociando de vez en cuando pequeñas cantidades de drogas en los rincones más oscuros.

Tras beber una o dos copas, Shaneetha le pidió un cigarrillo a Leon, y éste se dirigió a un rincón a buscar unos "sueltos": cigarrillos por unidad que venden los quiosqueros coreanos. Cuando regresó, otro sujeto tenía la mano metida dentro del vestido de Shaneetha. Una historia clásica: Frankie y Johnny. Un momento después, el chico de tres años, que todavía se hallaba junto a su madre, estaba muerto. En la Zona 7, por algún medio misterioso que al parecer emplean allí —mediante el cual casi las tres cuartas partes de los acusados negros hablan libremente a pesar de la advertencia de los derechos Miranda y el conocimiento de toda una vida de que confesar facilita cualquier cosa—, Leon, el acusado que se halla frente a mí, explicó cómo se disparó el arma. "La maldita cosa se disparó sola", dijo.

—La cosa se disparó sola —repite ahora su abogado, Billy Witt, dirigiéndose a mí. Ninguno logra comprobar en cuántos estratos de su mente Leon deseaba disparar. Le doy cincuenta años.

—La gente no lo puede imaginar. No lo entiende. —Eso es lo que viven diciendo la policía y los fiscales. Cuando llegué aquí, yo me burlaba, y ahora me oigo haciendo comentarios semejantes. La gente cree comprender esto. Lo ven representado en televisión, y en la privacidad de sus hogares, ante el resplandor hipnotizante del televisor, entre pensamientos soñolientos, creen captar el cuadro: saber cómo es estar asustado, ver violencia, sentir el antagonismo de blancos y negros. Pero ello no logra transmitir el shock de sentirse un extraño, la distancia entre el mundo de ellos y el mío, eso que siento en cada mirada, o la verdad deprimente de que el ciudadano promedio de Dusseldorf o Kyoto, gente a la que mi madre consideraba enemiga, ahora comparte más de mi vida que las cuatro quintas partes de los jóvenes que se presentan ante mí, mis supuestos compatriotas. Todo el tiempo vuelto a las materias estructuralistas que estudié en la facultad, respecto de que el pensamiento, la cultura y la costumbre son una sola cosa, y pienso, una y otra vez: "Tenemos que cambiarlo todo".

Tras un breve almuerzo, cuando las sesiones llegan a su fin, alcanzamos el Crimen del Día. Cuatro miembros de un grupo de los Facinerosos se hallan ante mí para instrucción de cargos por una demanda recién presentada. Rudy Singh actúa por el estado. Dos policías, Tictac, se hallan junto a él vestidos con ropa deportiva. Gina Devore, la defensora pública, se encarga de la defensa.

Singh explica los hechos. Cuando salía de la cárcel, donde había visitado a su hermano, una muchacha de la banda, Rooty-Too, fue secuestrada por otros Facinerosos, un grupo rival dentro de la banda. Rechazo la invitación de Singh a describir en detalle las lesiones de Rooty-Too, de modo que se limita a decir que se halla internada con contusiones, dientes rotos y laceraciones en la zona vaginal. Los integrantes de la banda a la que pertenece la chica, desesperados por vengarse, capturaron a uno de los agresores, un tal Romey Tuck, lo golpearon y le cortaron ambos brazos con machetes. Los acusados fueron arrestados en un departamento de Fielder's Green. Allí encontraron un antebrazo sangrando sobre papel de diario en la mesa de la cocina, exhibido ante otros miembros de la banda a manera de trofeo.

—¿Se solicita fijación de fianza? —pregunto.

—Jueza —dice Gina—, los acusados son menores. El estado pidió que se los juzgue como adultos.

Pienso: "Bien", y casi lo digo.

—Jueza, están en la cárcel. Usted sabe cómo es. —Como han caído por un acto de violencia dentro de la propia banda, no es probable que los protejan los habituales y estrictos códigos internos. Ninguno de estos muchachos tiene cuerpo de adulto. Comprendo la situación. —Jueza, si pudiera considerar la posibilidad de una fianza... No pueden ir a la escuela. Sus privilegios de visitas están limitados. Uno de estos jóvenes, Marcus Twitchell... —Gina echa un vistazo al expediente para asegurarse de decir bien el nombre. —Marcus es un buen alumno. El año pasado lo eligieron para el Proyecto Restauración. Fue...

Marcus, el último en ser arrestado, fue traído aquí directamente desde la comisaría y aún no ha sido procesado. Todavía forma parte de las filas más bajas de la banda. Sus ojos no abandonan en ningún momento un punto situado bastante por debajo de mi podio, mientras mastica con lentitud un pedazo de goma de mascar. Pregunto por sus antecedentes.

—Tres reconvenciones en la comisaría —lee Rudy. Marcus tiene dos hurtos, que para mí no representan mucho. Los pobres robarán. Luego un tercer cargo: agresión agravada. Otra paliza de venganza.

—¿Hace cuánto?

—Dos semanas, Su Señoría.

Sacudo la cabeza. Fianza en 100.000 dólares, en efectivo. Terminado Marcus. Terminadas sus oportunidades. Incluso tras una noche sin dormir, con los riñones doloridos del amor y el corazón lleno de lo que tomo por falsas esperanzas, no puedo mostrarme blanda en una caso así. Los otros abogados ni se molestan en presentar mociones similares.

Durante esta audiencia, Loyell Eddgar ha entrado en la sala del tribunal. Se lo ve sombrío, vestido con la misma chaqueta de lana que ayer. Su rostro, como el mío, luce arruinado por la falta de sueño. Habría esperado que un político poderoso, un reformista, viajara con un séquito, pero está solo. Ser jueza y ser senador tal vez equivalgan a lo mismo, pues uno descubre que ahora es el Gran Oz, un individuo cansado que mueve las palancas detrás de la temible máscara de la gran autoridad. Eddgar se ha sentado en una butaca solitaria detrás de la mesa de la fiscalía, que ha ocupado periódicamente Jackson Aires. Después del final de la sesión de ayer, Eddgar y Molto se evitan de manera notable. Por el momento, el Crimen del Día parece atraer la atención de Eddgar. Mientras escucha mi sentencia y los últimos prisioneros son retirados de la sala, frunce el entrecejo con expresión áspera. Es la misma mirada dolorida que Zora reservaba siempre para sus enemigos, la censura de un espíritu superior. Me descubro molesta, y Eddgar, tras haber transmitido relamidamente su mensaje, aparta la vista.

"No te atrevas a apartarte —deseo decirle—, justamente tú, que esperaste que estas comunidades se elevaran en la fantasía simplista de que eso cambiaría el mundo. La guerra que empezó en 1965 —la guerra en las calles que promovieron y ayudaron a provocar tú y Zora—, la guerra que nunca ha terminado. La terrible violencia desatada, la expresión de un resentimiento abrumador, ha resultado ser un genio demoníaco, jamás obligado a volver a su botella."

Y sin embargo, ¿estaban equivocados?, pienso de pronto. ¿Mi madre, Eddgar? ¿Estoy preparada para renunciar a sus cometidos? Ya he pasado por esto un millón de veces en mi mente. Los juzgo oscuramente a ambos. Hace mucho tiempo he aprendido su secreto más sucio e intrincado, que su pasión por cambiar el mundo derivaba del hecho de no poder cambiarse a sí mismos. Mi madre no se equivocaba en todo aquello acerca de lo cual clamaba y actuaba: las desoladoras circunstancias de los estadounidenses de color; el abuso rutinario de las mujeres; la explotación despiadada de los débiles; la arrogancia del privilegio y las corrupciones del poder; la persistente puerilidad de la codicia y el valor redentor de la preocupación y el afecto mutuos. En el libro mayor de este siglo, nuestras más importantes realizaciones son los logros humanos obtenidos en respuesta a estas preocupaciones. Siempre consideraré que ésta es la verdadera herencia de Nikki.

Cuando la audiencia se acerca a su fin, mientras una prostituta travestida, de vestido naranja, explica por qué apuñaló a su cliente, una formidable presencia irrumpe en la sala del tribunal. Raymond Horgan, ex fiscal del condado de Kindle y jefe de la Comisión de Reforma Judicial que me reclutó para el cargo, saluda con un gesto de la mano a los delegados apostados en la puerta y avanza hasta el frente de la sala, seguido por dos abogados jóvenes, una mujer afroestadounidense de piel clara, y un hombre delgado y alto con una nuez de Adán tan prominente que me hace pensar que sufre de bocio.

Horgan, que ha engordado gracias a los excesos de su próspera vida actual (su cara no es más que una máscara de goma), conserva una imponente presencia pública. Ostenta su dinero: camisa hecha a mano, gris oscura con cuello y puños blancos, elegante traje gris, sobretodo de mohair plegado bajo el mismo brazo que lleva el portafolio. Su colonia y tónico facial casi se pueden oler desde mi podio. Por fin llegan los rezagados a quienes espera: Tommy Molto, apresurado, y luego Hobie, con expresión atormentada. Molto y Horgan, que se conocen bien a causa de los años en que el último fue el jefe de Tommy, conferencian unos instantes. Raymond es quince centímetros más alto y ello provoca una fugaz impresión de que son padre e hijo. Luego Marietta anuncia el caso de Nile.

—Raymond Horgan en representación de un tercero anónimo —dice Raymond mientras los abogados forman un círculo ante mí—. Tengo una petición, Su Señoría, que me gustaría hacer en su despacho y en forma reservada.

No frente a la prensa, en otras palabras. Hobie da un paso adelante para objetar, lo cual en estos días es para mí señal suficiente para que le otorgue a Horgan la oportunidad que quiere. Indico a todos que pasen a mi despacho, mientras en la tribuna de los jurados Dubinsky, el único periodista que llega temprano, hace gestos furiosos y sale, tal vez a llamar por teléfono a los abogados del *Tribune*. Nada es más importante para la prensa que aquello que no se le permite saber.

Esperamos un momento a Suzanne, la estenógrafa de la corte, que ha ido a buscar papel. Mujer alta, delgada, silenciosa, trae su máquina y se sienta. No hay sillas suficientes para todos, de modo que sólo nos sentamos ella y yo. Los otros —Raymond y sus asistentes, Tommy, Rudy, Hobie, Marietta, Annie— permanecen de pie, formando un círculo ante la mesa que ocupa un rincón de mi despacho. Nile ha preferido permanecer en la sala del tribunal. El socio de Raymond saca de su portafolio una masa de papeles que le entrega a Marietta, mientras Raymond, en estentóreo tono de barítono, repasa las circunstancias.

En nuestro prolongado trato antes de que yo aceptara este trabajo, comprobé que Raymond es un ex político taimado, sagaz, hábil, que engaña con un humilde encanto gaélico. Usa el pelo blanco, ahora apenas amarilleado, peinado hacia atrás en ondas que parecen estampadas por la edad y la sabiduría. Raymond dice que al final del día el River National Bank fue intimado, mediante una citación, a presentar de forma inmediata ciertos registros bancarios relativos a un cheque de 10.000 dólares. Él se encuentra aquí para pedir que se anule dicha citación.

—¿Quién emitió la citación? —pregunto.

—Yo —responde Hobie.

—Lo está haciendo de nuevo, jueza —dice Tommy—. Va a darnos otra sorpresa.

—Doctor Tuttle, permítame decirle que es mejor que no sea cierto.

—Jueza, le di una copia de la citación a Molto.

—Después de que el señor Horgan me notificó de ella.

—Su Señoría, acabo de enterarme de esta prueba —dice Hobie con esa ridícula cara desprovista de expresión que pone cuando miente. Ni siquiera me molesto en responder.

—Jueza —gimotea Tommy—, esto es muy injusto. Él presenta un documento nuevo para la formulación de preguntas, yo no puedo hablar con el testigo...

—Vaya a hablar con él —dice Hobie—. No me importa.

—Hoy no está muy ansioso de hablar conmigo.

—No es mi culpa —replica Hobie.

—Por el contrario, doctor Tuttle —intervengo—. Sí es su culpa. El señor Molto tomó decisiones tácticas basadas en las pruebas disponibles, tal como lo entendió. Si usted tenía un hallazgo de último momento, debería haber notificado al tribunal y al señor Molto con la debida anticipación. Le advertí. Le dije que basta, y lo dije en serio. —Me echo el cabello hacia atrás, utilizando el instante para decirme que no son mis nervios, alterados por la falta de sueño, los que hablan. —Haré lugar a la petición del señor Horgan.

—¡Jueza! —exclama Hobie, dando literalmente un salto. Con sus ciento y pico de kilos, aterriza unos treinta centímetros más atrás. —Jueza Klonsky. Ésta es toda mi defensa, es la parte crucial de mi caso.

—¿Y lo descubrió recién ayer? —Le echo una mirada perversa, que lo sume en un extraño silencio.

—Su Señoría, le ruego. Se lo suplico, jueza. —Tiende la mano hacia un armario de metal, en busca de apoyo, y con rodillas temblorosas comienza a arrastrarse hacia la puerta.

—No se atreva, doctor Tuttle.

—Su Señoría, descárguese conmigo. Castígueme. Amonésteme por desacato. Pero no descargue su enojo con mi cliente. Su Señoría, si pudiera explicarle lo de este cheque...

—Mire, Hobie —lo llamo por su nombre a propósito, como señal de que mi furia va más allá de los papeles que interpretamos aquí—, le dije que no ocasionara otro de estos episodios. No escucharé explicaciones de ninguna clase.

—Jueza...

—Ni una palabra más.

—Por lo menos mire el cheque, Su Señoría. Lo único que tiene que hacer es mirarlo. Por favor. Mírelo. Ésta es toda la defensa. Va a ver lo que hay en juego aquí. Por favor, Su Señoría. ¡Jueza, por favor! —Se aprieta las manos; las rodillas le flaquean otra vez. A pesar de la barba y el elegante traje cruzado que lleva hoy, es —como todo hombre *in extremis*— un muchacho desesperado. Exhalo un suspiro y cierro los ojos, como si no pudiera tolerar verlo, lo cual es cierto.

—Déme el cheque.

La voz de Molto salta, convertida en un agonizante *falsetto*, pero ya he tendido una mano hacia Horgan, que al fin se vuelve hacia los dos abogados jóvenes parados tras él. Cuando el papel rosa llega por fin a mí, veo que está librado sobre la cuenta del Partido Democrático del Sindicato de Agricultores por la cantidad de 10.000 dólares, pagaderos a "Ciudadanos Leales a Eddgar". Fechado el 27 de junio de 1995, está firmado con letra clara por Matthew Galiakos.

Al ver el nombre, me resuena en el pecho una cuerda aguda. Brendan Tuohey es el más artero de los zorros. Tengo las manos frías. Me pregunto si he lanzado un gemido. No he revelado nada. Todos están mirándome.

—Señor Horgan —digo, esperanzada contra toda esperanza—, será mejor que revele el nombre de su cliente para que se asiente en los registros. ¿Está usted aquí en nombre del Banco?

—Estoy aquí en nombre de Matthew Galiakos, jefe del Partido Democrático del Sindicato de Agricultores.

De modo que es así como se maneja el juego. Brendan Tuohey prepara la pelota, y después traen a la estrella para que le pegue. Es tal como temí. Puramente por accidente, ya he hecho lo que ellos querían. Y el registro no podría ser mejor. Dados todos los trucos de Hobie, no existe en el mundo una cámara de apelaciones que me revocara. Y en la superficie de este cheque no veo nada capaz de cambiar este juicio. Es la clase de contribución que hace el partido central en forma rutinaria para patrocinar organizaciones. Lo único que debo hacer es menear la cabeza y repetir: "Solicitud aceptada", y aseguraré mi cargo por años, tal vez incluso dé el primer paso en el trayecto hacia un tribunal más alto. Pero, acerca de lo que es imperativo aquí, incluso en mi frágil estado, no siento siquiera un temblor de duda. Como ya he observado para mis adentros una vez esta mañana, soy la hija de Zora Klonsky.

—¿Doctor Tuttle?

—Sí, Su Señoría —responde ansioso. Su lengua (su rasgo rebelde) asoma un instante entre sus labios.

—A su pedido, doctor Tuttle, he examinado este cheque. —Lo describo para que lo asienten en el registro. —¿Afirma usted, doctor Tuttle, que este cheque y los otros documentos que pidió son esenciales para su defensa?

Ante mi aparente cambio de rumbo, todos los presentes en el despacho irradian sorpresa. Hobie reacciona primero.

—Sí, jueza Klonsky. Sí.

—Bien, dado que se trata de un juicio sin intervención del jurado, aceptaré esta presentación, reconsideraré mi decisión anterior y anularé la invalidación de la citación. Señor Horgan, déle al doctor Tuttle los registros. Doctor Tuttle, muestre los registros al señor Molto. Aceptaré las objeciones cuando se presenten los documentos.

Horgan se ubica lentamente en la única silla vacía, a mi lado. Hace un ademán con la mano gorda y pecosa.

—Su Señoría —dice.

—Ya he dictaminado, señor Horgan. —Me pongo de pie. Horgan queda tan sorprendido que demora un momento en levantarse.

—Jueza, espero por lo menos tener oportunidad... Esto no es más que un intento de incomodar a partes que no tienen ninguna relación con el asunto, de inyectar política en un caso común de homicidio.

—Hemos terminado, señor Horgan. Ya he decidido. Fue un placer verlo. —Si investigo más, si pregunto qué tiene que ver el cheque con este caso, sólo lo tornaré más difícil para mí.

—Jueza, ¿se puede, al menos, mantener en reserva la transcripción de estas acciones?

—Creo que inflamaría a la prensa, señor Horgan. No hay necesidad de guardar ningún secreto.

Le dirijo una sonrisa desdibujada. Me gustaría pensar que él no es más que un instrumento, que no le han contado todo, pero no existen dudas al respecto.

—Doctor Tuttle —digo—, confío en usted contra mi mejor juicio. Espero que cumpla plenamente con sus promesas. Si no lo hace, señor, será un día triste para ambos.

Marietta mira para mi lado. Son muy raras las ocasiones en que no entiende algo de lo que sucede. Cuando paso, murmura unas palabras maravilladas por mi autoridad y mi osadía.

—Forma parte del cargo —le susurro.

—Según parece, senador, ¿usted y Molto no se llevan bien?

Ubicado con cierta fragilidad en el estrado de los testigos, Eddgar se toma un instante para reflexionar en la primera pregunta de Hobie antes de responder que sí. Viste la misma gruesa chaqueta gris de tweed; lleva unos anteojos de marco dorado, cuadrado, que no tenía ayer.

—¿Es porque usted le mintió a la policía? ¿Fue por eso que usted y el fiscal se enemistaron?

—Con franqueza, creo que fue cuando le dije a usted que avalé la fianza con mi casa.

—¿Molto estaba enojado?

—Incrédulo —dice Eddgar—. En apariencia, no tiene hijos. —Este golpe, como es comprensible, hace que Molto salte del asiento. Aquí no hay nada de admiración mutua. Tommy lleva una vida enclaustrada de deseos reprimidos. Sin esposa. Sin novias. Ex seminarista, a sus espaldas lo llaman el Monje Loco. Hago borrar de los registros el último comentario de Eddgar y Hobie vuelve a empezar.

—Mi pregunta, doctor Eddgar, es si los fiscales, la policía y usted han conversado sobre las pruebas.

—Supongo que no. Imagino que todos nos hemos mostrado bastante cautelosos.

—Porque usted les mintió desde el principio, ¿correcto?

—Me dijeron que sería testigo y que no deberíamos hablar sobre la declaración de otras personas. —Molto vuelve a pararse para objetar, sonríe ante la respuesta de Eddgar y se sienta otra vez.

—Muy bien —continúa Hobie—, pero sólo para comprenderlo debidamente: usted sí le mintió a la policía, ¿no?

—Como le dije ayer al señor Molto, no fui del todo sincero la primera vez que hablé con el teniente Montague. —Eddgar, que ayer se hallaba bastante tenso tras el interrogatorio del fiscal y tras sufrir luego las preguntas de los diarios y los canales de televisión sobre su actuación, hoy muestra un sereno autodominio. Se lo ve casi manso. Ha respondido casi todas las preguntas hasta el momento sin movimiento visible alguno: ni una mano levantada ni un tic de sentimiento en la cara.

—Bueno, en verdad, senador, según leí en los informes, lo que usted les dijo el primer día, el 7 de septiembre, fue que su esposa había salido, y que usted no sabía adónde, ¿correcto? ¿No fue eso lo que les dijo, senador?

—Eso es lo que les dije.

—¿Y era mentira?

La pregunta contiene la respuesta, objeta Molto. No hago lugar. El interrogador tiene derecho, a mi juicio, a probar la sinceridad de los mea culpa de un testigo.

—Era mentira —dice Eddgar al fin. No logra evitar una rápida mirada a la tribuna del jurado y la prensa.

—Bien —prosigue Hobie—, y si he entendido su declaración de ayer, mintió en primer lugar porque consideraba embarazoso admitir que alguien como usted conocía a alguien como el Pesado, ¿correcto?

—Ése fue un solo factor. También diría que no me di cuenta de que mi planeada presencia tenía algo que ver con el incidente. En esa etapa me lo presentaron como un simple tiroteo perpetrado por alguien que pasaba.

—Bien, hablemos de la parte embarazosa, senador. Usted no creía que estuviera mal tratar de ayudar a la comunidad pobre, ¿no?

—Todo el mundo conoce mi posición a ese respecto, doctor Tuttle.

—¿Entonces cuál es el problema? —Hobie alza la cara redonda y permite que la pregunta flote en el aire un segundo. —¿Era embarazoso que usted tratara de envolver en política a los DSN, o había en ello pasos específicos que usted había dado, de los que no deseaba hablar?

Por primera vez, Eddgar se mueve en el asiento.

—Lo último, supongo.

—Lo último —repite Hobie. Camina unos pasos, mirándose los pies, y luego se detiene de golpe frente al testigo. —Senador, el hecho es que no ha contado toda la verdad sobre lo ocurrido entre usted y los DSN, ¿no?

—He respondido las preguntas que me han formulado, doctor Tuttle.

—Y las preguntas, como bien sabe usted, se han basado en lo que dijo el Pesado, ¿correcto?

—No sé exactamente en qué se han basado. Supongo que ésa ha sido una de las bases.

—Bien, seamos específicos, senador. Esa reunión... ¿la recuerda usted? ¿A fines del verano, con Nile, el Pesado, T-Roc? ¿Sólo ustedes cuatro, sentados en la cómoda parte posterior de la limusina blindada de T-Roc? ¿Recuerda?

—He visto la reconstrucción de la escena en los tres canales locales, doctor Tuttle. La tengo grabada en la mente. —Resuena la risa de los periodistas. Eddgar logra esbozar un rastro de sonrisa.

—Y allí, en esa limusina, usted les dio un sermón, ¿no? Usted es predicador por profesión, ¿verdad, senador?

—Lo soy.

—Y usted predicó, ¿no? Trató de explicarles que, si organizaban a los votantes y apoyaban campañas, obtendrían legítimo poder, ¿correcto?

—Correcto.

—De ese modo ellos serían líderes, iguales a otros líderes políticos. Con influencia. Porque tendrían la misma fuente: votos y dinero. ¿Estoy en lo cierto?

—Es la esencia de lo que sugerí.

—Ahora, esas sugerencias para lograr que los DSN se dedicaran a movilizar a los votantes pobres... ¿eran por completo altruistas de parte de usted?

—¿Cómo dice? —replica Eddgar.

—Bueno, ¿qué iba a ganar usted con eso, senador?

—¿Yo? Nada.

—Sólo se trataba de una actitud progresista, ¿eh?

—Así lo creo.

—Cuando se postuló, hace cuatro años, para interventor del estado, usted perdió por 50.000 votos, ¿verdad?

—Correcto.

—¿Un incremento de los votos en la comunidad afroestadounidense lo habría ayudado, en especial si el esfuerzo de organización de los DSN se convertía en modelo para otras pandillas?

Molto se pone de pie.

—Jueza, usted ve la irrelevancia de estas preguntas. Esto era justo lo que temía cuando conversamos en su despacho.

Yo misma siento curiosidad por lo que Hobie cree estar haciendo. Lo señalo.

—Su Señoría —me explica—, la teoría del estado, lo que han dicho hasta ahora, es que el doctor Eddgar era la verdadera víctima de los disparos. ¿No es ésa la teoría?

—Creo que antes salió en los diarios —respondo con frialdad. El *non sequitur* surte el efecto esperado. Hobie aparta la vista y una palabra semipronunciada se le atasca un momento en la garganta antes de que vuelva a atreverse a mirarme.

—Bueno, sí —dice—, pero el doctor Eddgar ha admitido que no conoce ningún motivo para que su hijo hiciera aquello de lo que se lo acusa. De modo que, ¿no tengo derecho a mostrar que había otro motivo para los disparos, un motivo que no tiene nada que ver con Nile Eddgar?

—¿Es eso lo que estamos haciendo?

—Eso es lo que estoy haciendo.

—¿Tiene ese derecho, señor Molto?

—Jueza, no sé nada de ese otro motivo.

—Es para eso que a cada parte le corresponde su turno de formular preguntas. —Esta frase no me resulta particularmente graciosa, pero la sala, reaccionando a la ruptura de la tensión, estalla en carcajadas. Tommy recibe a menudo lo que merece, pero no fue mi intención provocar semejante burla. Acepta mis disculpas sin prestar mucha atención. —Escuchemos unas preguntas más —digo. Hobie se retira a examinar sus notas.

—Senador, acláreme algo. El Pesado y T-Roc le ofrecieron un soborno para sacar a Kan-el de la cárcel, ¿no?

—No en tantas palabras —contesta Eddgar.

—Las palabras que dijeron, senador, ¿sonaban como un ofrecimiento de soborno?

—Parecían abordar el tema; hablaron de lo que yo podía ganar con eso. Y yo corté la conversación. Les dije que podían hacer algo por sí mismos, por su comunidad, y además ayudar a mejorar la situación de Kan-el.

—¿Y después qué les dijo, senador? —Hobie hace una pausa para alzar la cara hacia Eddgar como hace un minuto, con el mismo aire de suma calma, sabiendo que lo que viene a continuación va a gustarle más que al testigo. —Permítame ayudarlo, ¿quiere? Usted les explicó, al Pesado y a T-Roc, que debían comprender cómo abordaba estos temas la gente verdaderamente poderosa, ¿no? ¿No les dijo usted que según el modo en que funcionaba el mundo, el mundo de usted, no sólo podrían asegurar la liberación de Kan-el, sino que ellos podrían obtener dinero, en lugar de tener que darlo? ¿Estoy en lo cierto?

Eddgar cierra los ojos un breve instante.

—Sí —admite.

—Y usted se entusiasmó mucho, ¿no? ¿Les dijo que si se comprometían a organizar su comunidad, usted les conseguiría, por el esfuerzo, dinero del comité central del estado del Partido Democrático del Sindicato de Agricultores? ¿Correcto? ¿Y que una vez que fueran militantes políticos, su habilidad para influir en las personas encargadas de tomar decisiones, en los que controlaban la liberación de Kan-el, sería mucho, mucho mayor?

—¡Jueza! —chilla Tommy—. Por Dios, ¿qué es esto? —A sus espaldas, como si hiciera falta refuerzo, también se pone de pie Raymond Horgan, a quien yo no había advertido. Temiendo un ataque conjunto en su contra, Hobie da un paso hacia mi podio.

—En primer lugar, Su Señoría, pido impugnación. El Pesado dijo que nunca habló de dinero con el senador Eddgar. Y eso, sólo para empezar.

—Se suponía que oiríamos declaraciones sobre el motivo —le recuerdo a Hobie. Me dirige su mirada de perro apaleado. Mientras tanto, hojeo mi registro judicial en busca de las notas que tomé ayer: "El Pesado niega haber ofrecido soborno. Nunca habló con Eddgar de dar y/o recibir dinero". Le digo a Hobie que se apresure.

Repite la pregunta:

—¿Les dijo usted al Pesado y a T-Roc que usted podía darles dinero del partido? ¿Sí o no?

—Sí —responde Eddgar, resignado. Los periodistas escriben furiosamente.

—Y ellos se burlaron, ¿no?

—Supongo. Supongo que se podría calificar de "burla" la reacción que tuvieron. Básicamente, dijeron que lo creerían cuando vieran el dinero.

—¿De modo, senador, que usted solicitó al PDSA algo de dinero para conseguir que esta banda callejera actuara en política?

Raymond vuelve a ponerse de pie. Al verlo, Tommy lo imita.

—Jueza, esto se está volviendo ridículo —protesta Tommy.

Hobie está ante mi podio, alzando las manos en gesto suplicante.

—Dos preguntas más.

En el estrado de los testigos, Loyell Eddgar ha girado para observar mi dictamen. Se toca la cabeza en forma inconsciente, mientras los ojos azules, misteriosos como piedras lunares, relucen con una débil suplica que de inmediato resuelvo no permitir que me conmueva. "Creí que ella era amiga de él."

—Dos más —digo. Molto se palmea los muslos y se vuelve primero hacia Rudy, luego hacia Horgan, exasperado. Ahora hay en la sala una oleada de agitación, un silbido de susurros. Annie golpea el mazo.
—Procedamos —ordeno.

Suzanne lee la pregunta: ¿Eddgar le pidió dinero al PDSA?

—Sí. Pero no fui específico... En realidad no dije para qué era. Dije que era un proyecto de organización en que estaba trabajando, para mi propia campaña.

—¿Y recibió usted el dinero?

—Sí.

—¿Cuánto?

—Diez mil dólares. —Hobie vuelve la cara ancha hacia a mí, para ver qué me parece. El cheque, me doy cuenta. Pero todavía hay algo que se me pasa por alto. Molto no ha hecho objeciones. En cambio, Rudy y él susurran con las cabezas juntas.

—¿Y planeó usted la manera en que haría llegar el dinero a los DSN?

Eddgar ha bajado la cabeza, que apoya en una de sus palmas. Ahora ya no ve la sala del tribunal; para él son sólo voces.

—Ya que el cheque era para mi campaña, había que cambiarlo y entregar efectivo a los DSN.

—¿Y a quién le pidió usted que hiciera eso?

—A mi hijo.

—¿Al acusado en este juicio, Nile Eddgar?

—El acusado, sí.

En la mesa de la defensa, Hobie tiene el sobre que le dio Horgan. Aplica una etiqueta autoadhesiva al cheque. Prueba de la Defensa No.

7. Golpea con él la baranda del estrado de los testigos y Eddgar lo identifica como el cheque por 10.000 dólares que recibió del PDSA. Hobie pregunta si está endosado. Eddgar se cambia con lentitud de anteojos y luego mira con atención el documento.

—Está endosado.

—¿Las firmas de quiénes aparecen aquí?

—La mía, y debajo, la de Nile.

—¿Hay allí un sello de caja para dejar sentado que se recibió el efectivo?

—Sí.

—¿Y hay iniciales en el casillero correspondiente a la persona que recibió el efectivo?

—Sí.

—¿Las iniciales de quién?

—De Nile.

—¿Hay una fecha en el sello?

—7 de julio.

Hobie se halla en la mesa de la defensa, señalando la caja de cartón con sus pruebas. Singh le entrega la Prueba del Pueblo No. 1, la bolsa de plástico azul, los dos fajos de dinero.

—¿Y sostuvo usted una conversación con Nile el 7 de julio, en la que ambos acordaron que él cambiaría este cheque, como habían hablado?

Tommy, ahora visiblemente apagado, objeta que la pregunta obliga al testigo a declarar por oídas. No hago lugar, ya que la conversación concernía a los futuras acciones de Nile.

—Lo hicimos.

—¿Alguna vez vio usted a Nile con una bolsa de plástico azul como ésa, la Prueba del Pueblo No. 1?

—El *Tribune* viene en una bolsa así. Sé que él compra el *Tribune*.

—¿Llevaba Nile consigo una bolsa como ésta cuando usted le dio el cheque, el 7 de julio?

Eddgar vuelve a bajar la cabeza un instante.

—Quisiera decir que sí —contesta—, pero no lo recuerdo del todo.

—Bueno, señor, ¿Nile le dijo alguna vez que había entregado este dinero al Pesado?

—Jueza —protesta Tommy sin convicción. Esta vez sí la pregunta obliga al testigo a hablar de oídas. También Hobie se da cuenta, y reformula.

—A ver, aclaremos esto, senador. ¿Alguna vez Nile tuvo 10.000 dólares en alguna cuenta de banco, que usted sepa?

—No.

—De hecho, ¿a veces le pedía dinero prestado a usted?

—En el pasado. En especial antes de conseguir este empleo. últimamente lo hacía menos.

—Y cuando le pedía prestado, ¿de qué tipo de sumas hablamos?

—Cincuenta. Cien. Ciento cincuenta para el servicio de seguridad de su departamento.

—Bien. —Hobie da unos pasos. Lo está logrando. El punto al que se dirige es el nervio de la victoria. Esto se ha desencadenado en forma tan rápida, con tan poca preparación, que me dan ganas de interrumpir las acciones para poder pensar. Pero Hobie prosigue.

—Dicho sea de paso, ¿qué hizo usted acerca de la situación de Kan-el? ¿Alguna vez hizo algo?

—Hice algunas llamadas telefónicas.

—¿Y logró usted algo? ¿Pudo ayudar?

—No sé si sirvió de algo o no. Era una situación muy complicada, que requería mucha investigación, atención y tiempo.

—¿En algún momento informó usted a los DSN que había dado esos pasos?

—Lo hice.

—¿Cuándo y con quién habló usted?

—Con el Pesado. Poco antes del Día del Trabajo.

—¿La conversación fue en persona o por teléfono?

—Lo llamé desde mi oficina y arreglé verlo en persona.

—¿Y dónde se encontraron?

—Tuvimos un breve encuentro. Fue en mi auto, en la misma esquina donde nos habíamos citado antes.

—¿El auto era el Nova blanco que la señora Eddgar manejó a la semana siguiente?

Eddgar se sobresalta. Responde que sí.

—Ahora, en ese momento, senador, ¿los DSN habían llevado a cabo parte de la organización política a la que se suponía se debía este pago?

—No. Nada que yo pudiera ver u oír.

—¿Y discutió usted esto con el Pesado: el dinero del PDSA para los DSN, el dinero que usted les había prometido y que le pidió a Nile que entregara?

—Sí.

—Usted estaba muy enojado en esa conversación, ¿verdad, senador?

—Sí, muy fastidiado.

—¿Le dijo usted al Pesado que se habían aprovechado de la situación?

—Le dije que lo consideraba deshonesto, sí.

—¿No lo amenazó usted, en realidad, con entregarlo a la oficina de la fiscalía?

—Sí.

—¿Y le contó usted a Nile que había hecho esa amenaza de ir a la fiscalía?

—No. No lo consideré un tema seguro. Como le dije ayer al señor

Molto, Nile y yo habíamos tenido unas palabras en cuanto a mis intenciones para con Ordell, desde el principio.

—Pero, de cualquier modo, señor, unos días después, cuando Nile le transmitió un mensaje de que el Pesado quería hablar de nuevo con usted, ¿no se sorprendió?

—No.

El intercambio entre ambos, abogado y testigo, es carente de emoción, casi mecánico. La verdad en toda su fealdad entra en la sala del tribunal como un niño huérfano. No hay modo de reducir el impacto que causa en mí y en todos los presentes. En los diez años que he trabajado en tribunales criminales, como fiscal, como jueza, no creo que esto haya ocurrido antes. Un abogado defensor en el transcurso de una formulación de repreguntas me ha persuadido de que es probable que su cliente sea inocente. Las huellas dactilares de Nile en la bolsa y en los billetes que presentó el Pesado ahora tienen una explicación. Y se establece un motivo para que el Pesado matara a Eddgar por razones propias: la amenaza de ir a la fiscalía, un desafío tanto para el ego del Pesado como para su bienestar. Experimento la sensación irritante de que tal vez no todos los detalles concuerden. Pero rara vez lo hacen. Esto es más que suficiente para plantear una duda razonable. En la tribuna del jurado, la noticia corre de boca en boca. Dubinsky, para beneficio de Stanley Rosenberg, gesticula señalando el dinero, que Hobie acaba de arrojar sobre la mesa de los fiscales, como si fuera basura.

Mientras tanto, echo un rápido vistazo a Nile. Hace unos días, mientras Kratzus se hallaba en el banquillo, lo miré y lo vi con el mentón apoyado en la mesa de los fiscales, lanzando pelotitas de papel dentro de un vaso de plástico que le servía de cesto. Por momentos ha dado la impresión de hallarse tan aislado de las acciones que me he preguntado si tiene auriculares debajo de la melena inmanejable que le tapa las orejas. Sólo ahora, en el instante de su exculpación, ha mostrado algo de emoción, y, como de costumbre, resulta inapropiada. De frente a la pared, y no al testigo, ha ocultado la cara entre las manos. Siempre ocupado en atraer mi atención, Hobie deambula en esa dirección, mientras finge ocuparse con sus notas, y codea un hombro de Nile con tanta fuerza que su cliente sofoca una exclamación. Se endereza y apoya los brazos sobre la mesa, pero se niega a mirar a su padre, incluso cuando Hobie se dispone a volver a enfrentar a Eddgar.

—Jueza. —Es Molto. Sus ojos, rodeados de un círculo oscuro, se abren y cierran mientras él pierde por un instante el tren de pensamiento. Ahora está demasiado abatido como para molestarse en ponerse de pie.

—Jueza, ¿Nile se hallaba presente en la conversación en que el senador discutió con el Pesado?

Hobie mira a Tommy y despliega una sonrisa benévola.

—¿Comprende usted lo que en realidad está preguntando el señor

Molto, doctor Eddgar? Quiere saber cómo es que yo sé todo esto y él no. —Hobie se pone de cara al testigo. —Tiene razón, ¿verdad, senador? Seamos claros. Usted no le mencionó nada de esto al señor Molto, ¿verdad?

—Respondí las preguntas que me hizo. Como usted señaló, no nos tenemos mucha confianza.

—Pero usted sabía la significancia del dinero que pasó de manos de su hijo a las del Pesado, ¿no?

—Ninguno de los fiscales ni la policía me habló nunca del dinero. E incluso cuando empecé a enterarme de los detalles del caso, al principio no me di cuenta, doctor Tuttle, de cuál podía ser la conexión. Para entonces, Nile ya había sido acusado y yo le planteé el tema a usted, como bien sabe, y usted me dijo que dejara la defensa en sus manos y que... —Eddgar calla de golpe.

—Siga.

—Usted me dijo que tal vez ni siquiera tendría que llegar a este tema.

—Lo engañé, ¿no? —pregunta Hobie. Tiene el coraje de esbozar una sonrisa ominosa, y entonces, como si con ello no fuera suficiente, también da un paso hacia el testigo y hace una reverencia. Es un momento desconcertante. Cuando se endereza, calcina a Eddgar, apenas por un segundo, con una mirada de absoluto odio. Eddgar lo absorbe con más compostura de la que me habría imaginado. Se lleva un dedo a los labios y estudia a Hobie en silencio. En algún lugar, hace unos segundos, dejamos de llevar adelante este juicio y entramos en otro reino, algo más allá de mí que acontece únicamente entre estos dos hombres.

—¿Ha terminado, doctor Tuttle? —pregunto. Casi ha clavado ya la tapa del ataúd sobre la acusación. Y tal vez sobre la carrera política de Eddgar; los periodistas lo perseguirán hasta verlo caer.

Hobie alza la cara hacia mí unos instantes. Otro gesto sorprendente: la gran cara morena inescrutable, los ojos solemnes y complejos. Fugazmente, parece, si no bondadoso, al menos humano. Luego dice con suavidad:

—No, Su Señoría, no he terminado. —Le digo con calma que continúe con lo que resta, y camina un poco, considerando al testigo, antes de pararse frente a Eddgar.

—Usted le dijo a Molto, aquí, ayer, que no sabe de ningún motivo que pudiera tener su hijo para matarlo, ¿correcto, senador?

—Hasta donde yo sabía, no.

—De hecho, señor, desde que aprendió a hablar, ¿alguna vez Nile Eddgar ha proferido amenazas o descargado algún tipo de violencia física contra usted?

—No.

—¿Y contra la madre?

—Él no mataría una mosca, doctor Tuttle.

Singh codea a Molto. Tommy le hace un ademán despreocupado: ¿a quién le importa? Singh pide que se borre la respuesta de Eddgar, y hago lugar.

—En verdad, senador, tal como mencionó, ¿aceptó usted pagar la fianza de su hijo?

—Lo hice.

—Doctor Tuttle —interrumpo—, creo saber adónde se dirige. Si estoy en lo cierto, ni siquiera lo considere. —Está a punto de preguntar si Eddgar cree que Nile es culpable. Decido que es tarea mía, no de Eddgar.

—Su Señoría, me dirigía a otro punto. —Encara a Eddgar. —¿No es un hecho, senador, que usted sabe, que tiene conocimiento personal de que Nile Eddgar no cometió este crimen? —Por sobre el hombro, me mira como diciendo: "¿Qué te pareció?". ¡Qué hombre, este Hobie! ¿Y ahora qué?

—Puede responder —le aclaro a Eddgar—, pero basado sólo en su conocimiento personal.

—¿Y cómo puedo saberlo? —me pregunta—. Tengo opiniones.

—Nada de opiniones. No quiero opiniones.

—Permítame retirar la pregunta y empezar de nuevo, más despacio —ofrece Hobie. De pie en el sitio más iluminado de la sala, se mira un momento las uñas manicuradas. —Senador, volvamos a Montague. Él fue a verlo de nuevo el 11 de septiembre y usted le dijo que lo que había declarado el 7 de septiembre no era cierto, ¿correcto?

—Así es.

—El 11 de septiembre, usted le dijo a Montague que planeaba ir a la calle Grace la mañana en que mataron a la señora Eddgar. Usted le dijo que había tratado de involucrar en política a los DSN, ¿correcto?

—Correcto.

—¿Entonces cómo fue que él logró hacerlo cambiar de opinión?

Eddgar sacude los hombros de manera equívoca.

—Conciencia, supongo, doctor Tuttle. Obviamente, me di cuenta, por el hecho de que volvía a hacerme las mismas preguntas, que se mostraba escéptico.

—¿Escéptico? Bueno, ahora veamos la escena, senador. Usted es el presidente del Comité Senatorial de Justicia Criminal del estado?

—Sí.

—¿Su comité contribuye a decidir la distribución de fondos para programas policiales de todo el estado?

—Sí.

—De modo que Montague, que es teniente de esa fuerza policial, sabía que no le convenía castigar a los hombres como usted, ¿verdad? Lo trató con amabilidad, ¿no es cierto?

—Siempre.

—¿Y él le dijo, senador, que tenía un testigo que contradecía las declaraciones realizadas por usted?

—No lo recuerdo.

—¿Pero de todos modos usted cambió su historia?

—Eso fue lo que sucedió.

Hobie se mueve un paso y vuelve, con expresión meditabunda.

—Bien, senador, eso es lo que no entiendo: si Montague no le dijo lo que había declarado el Pesado, ¿había recibido usted esa información, senador, de alguna otra fuente, digamos de una de las conexiones en la policía que usted tiene en el estado?

Eddgar espera un momento largo. La parte superior de su cuerpo se eleva y baja al exhalar un suspiro.

—Yo tenía una idea de la sustancia del asunto. Alguien me había llamado. Un amigo influyente. En realidad preferiría no dar un nombre.

—No es necesario, senador —dice Hobie con un ademán magnánimo—. Pero su amigo... ¿escribió el informe?

—En cierto modo.

—¿No se lo leyó a usted?

—Sí. Algunas partes.

—¿Así que el 11 de septiembre usted sabía que el Pesado había implicado a Nile?

—Sí.

—¿Usted sabía que el Pesado había entregado un dinero a la policía, que afirmaba le había dado Nile?

—Correcto.

—¿Usted sabía que el Pesado había hablado de encontrarse con usted en el vehículo de T-Roc?

—Así es.

—¿Y sabía usted, senador, que el plan supuestamente había sido para asesinarlo a usted?

—Sabía todo eso.

—Y fue por ese motivo que usted cambió su historia, ¿verdad?

—Al enterarme de lo que me había enterado, doctor Tuttle, pude ver que las circunstancias de mi planeado encuentro con el Pesado el 7 de septiembre eran obviamente importantes para lo que la policía estaba investigando, así que en esa oportunidad, cuando Montague me repitió sus preguntas, las contesté de la manera debida.

—¿De modo que usted decidió decirles lo que ellos ya habían oído de boca del Pesado?

—Les dije la verdad.

Hobie deambula otra vez, y se detiene de pronto.

—Bien, usted no les dijo del dinero del PSDA, ¿verdad? ¿Aunque, senador, usted sabía, para el 11 de septiembre, o cuando sea que le hayan leído el informe policial, que el Pesado afirmaba que los 10.000 dólares se los había dado Nile para organizar el tiroteo? Aun así, usted se guardó esa información sobre los 10.000 dólares del PSDA, ¿correcto?

—Ya hemos hablado del tema, doctor Tuttle.

—¿Sí? Usted dijo que no veía conexión alguna al principio, porque Molto y la policía no le daban información sobre el caso. Pero usted sí tenía información.

Más que nada para obstaculizarlo, Molto objeta que Hobie está fastidiando con sus preguntas. Hobie exhibe síntomas de la enfermedad crónica de los abogados defensores: exagerar con su caso. Ahora quiere demostrar que Eddgar no será nominado Padre del Año, algo que ya Molto estableció ayer. Pero aun después de indicarle que prosiga con otro punto, Hobie continúa en esta vena personal.

—¿No fue usted, senador, el que sugirió que la policía contactara a Nile? ¿No lo hizo usted el 7 de septiembre?

—No creo que haya sugerido eso. Cuando dije que no sabía por qué June había ido a la calle Grace, en la primera entrevista, Montague me pidió que especulara: ¿Podía yo, entonces, imaginar una razón por la que ella hubiera ido allá? No supe qué contestar. Le dije que mi hijo era supervisor de libertad condicional y que tenía casos allá y tal vez iban a encontrarse en aquel sitio por algún motivo. Doctor Tuttle, ¿qué puedo decir? Mentí. Es esa red enmarañada sobre la que nos advirtió Shakespeare.

—Muy bien, senador, pero hay algo respecto de esa entrevista del 7 de septiembre que nunca entendí. Leí los informes policiales una cantidad de veces, pero parece que no le han preguntado sobre esto. La primera vez que usted habló con Montague, el 7 de septiembre, fue en su casa, en el condado de Greenwood, ¿correcto?

—Correcto.

—Pero según tengo entendido usted tenía una importante reunión en su oficina del Senado aquella mañana, ¿no? ¿No fue eso lo que declaró usted? Que surgió una emergencia. ¿No fue por eso que la señora Eddgar fue en su lugar a encontrarse con el Pesado?

—Creo que dije que me necesitaban en mi oficina.

—¿Para qué?

Eddgar se acomoda en el asiento. Cierra los ojos y frunce la frente.

—Creo que había una llamada en conferencia. Debo confesar, doctor Tuttle, que mi memoria a este respecto puede no ser perfecta.

—¿Una llamada en conferencia? ¿Usted no salió de su casa?

—No.

—¿Y con quién habló, senador? ¿Quién participó en esa llamada en conferencia?

Eddgar menea varias veces la cabeza.

—Le repito que mi memoria no es clara. Creo que se malogró a último momento. Tal vez no se pudo comunicar a todas las personas que supuestamente debían participar. No recuerdo con exactitud por qué. Pero no se llevó a cabo.

—No hubo llamada. No hubo reunión. No hubo ninguna emergencia verdadera. Pero de todos modos June fue a la calle Grace, ¿correcto? ¿He entendido bien?

—Las palabras son correctas, pero me parece que usted no ha entendido bien.

—No entendí —dice Hobie, retóricamente, y asiente como si aceptara la corrección—. Bueno, entonces dígame, senador: ¿tenía su ex esposa, es decir, June Eddgar, un historial de abuso de sustancias controladas?

Tommy, que nunca dejará de ser su propio peor enemigo en la sala del tribunal, pregunta cuál es la relevancia de la pregunta.

—Jueza, ya redondearé todo —contesta Hobie. Para un abogado defensor, esta frase equivale a decir: "Ya tengo todo cocinado". No obstante, a esta altura me parece que Hobie arriesga su propio caso, a lo cual tiene derecho. Indico a Molto que se siente.

—Tengo la seguridad de que June estaba limpia de drogas en el momento de su muerte. Si usted quiere dar a entender que estaba borracha o drogada o algo así cuando fue allá...

—Tenemos una autopsia, senador. Eso no se discute. Lo que le pregunto es si en el pasado ella había tenido problemas con drogas o alcohol.

—A veces.

—¿Con drogas?

—Cuando se divorció... del segundo marido... Sí, creo que adquirió el hábito de la cocaína.

—¿Se sometió a tratamiento?

—Asistió a grupos de apoyo. Supongo que habrá registros, si el tema es importante.

—A eso voy —dice Hobie—. Hay personas que saben, que dirían que June tuvo, en el pasado, problemas con la cocaína.

Desconcertado, Eddgar no atina a responder.

—¿Y usted, senador? ¿Alguna vez tuvo problemas con alguna dependencia química?

—Soy hijo de un padre alcohólico. Sabrá usted, doctor Tuttle, que a muchos de nosotros no nos agrada intoxicarnos.

—¿Nada de drogas?

—Jueza —dice Tommy—. Por favor.

—Doctor Tuttle, tendré que hacer lugar a la objeción. No comprendo.

Hobie me mira asombrado. Lo que le sorprende es que yo no entienda. Aguarda un momento y se vuelve hacia Eddgar.

—Bien, entonces aclaremos esto, senador. Si alguien iba a plantarle drogas a usted, habría resultado bastante sospechoso, ¿no? No habría ninguna base objetiva para creer que a la edad de sesenta y seis años usted desarrollara un hábito a las drogas, ¿no?

Eddgar y yo entendemos de golpe. Acá es donde dejamos el otro día. Hobie está diciendo con claridad que June, y no Eddgar, era la verdadera víctima de los disparos. Y al final todo se torna claro. Es por eso que Hobie filtró la teoría del estado a Dubinsky, en primer lugar. Para enfatizarlo. Para despistar. Porque al final iba a discutir la noción, de todos modos. Al captar la sugerencia de Hobie, los periodistas se agitan. Eddgar, bajo las luces, permanece inmóvil.

—¿June? —pregunta al fin—. El Pesado no conocía a June. ¿Qué está pensando? ¿Que trataba de vengarse de mí? —Eddgar se ha agarrado de la baranda frontal del estrado de los testigos. En su confusión, me echa un breve vistazo. Ahora Hobie se halla parado a pocos pasos frente a él.

—Bien, por cierto que ha leído usted los diarios, senador, a medida que avanzaba el caso. Usted sabe que tanto el Pesado como Lovinia declararon que cuando el que disparó, ese tal Gorgo, llegó a la escena, el Pesado se tiró al pavimento y actuó como si supiera de antemano que iban a dispararle a June. ¿Lo ha leído?

—¿Por qué el Pesado iba a querer matar a June? —replica Eddgar—. Y Dios sabe que Nile no tenía ningún motivo. Nadie lo tenía. —Ha hecho lo mismo una cantidad de veces, formulado las mismas preguntas. Bajo tensión, supone que domina, aquí como en todas partes. Pero Hobie no se molesta en objetar. En cambio, le ofrece una suerte de respuesta.

—Senador, no necesitamos los detalles, pero ¿no es un hecho que hay acciones, acontecimientos, sucesos, cosas que usted hizo años atrás, durante el período de su matrimonio, que no quería que su ex esposa, June Eddgar, revelara?

En la sala, al principio el único sonido es el resuello de un hombre mayor, que emite varias erupciones flemáticas detrás de la división de vidrio.

—Oh, Dios —exclama Eddgar al fin—. Oh, Dios. Dulce Niño Jesús. —A cinco metros del testigo, Hobie permanece calmo y especialmente imponente.

—Mientras June Eddgar vivió, senador, su carrera política, de hecho hasta su libertad, corrían peligro, ¿no?

—Por Dios, Hobie, ¿qué diablos haces? Esto es horrendo. —Al perder el dominio sobre sí, el acento de Eddgar se ha intensificado. —Esto no es una defensa. Usted sabe lo que ha ocurrido aquí. ¿Quién va a creerlo? Todos los que me conocen, si es que saben algo: Nile lo sabe, usted lo sabe... todos los que me conocen saben que yo sentía que June era el alma más sagrada de este planeta.

—Ahora está mucho más seguro, senador, que cuando ella vivía, ¿verdad?

—¿Después de veinticinco años? ¿Después de veinticinco años alguien podría creer que eso me preocuparía?

—No tenemos aquí a la señora, ¿verdad?, para que nos diga qué sucedía entre ustedes dos... por qué vino a la ciudad. Lo único que sabemos es que usted la mandó a la calle Grace porque afirmó tener una emergencia que en realidad nunca se materializó.

—Oh, Dios —exclama Eddgar otra vez.

—En ese encuentro que usted tuvo con el Pesado antes del Día del Trabajo, el encuentro en que usted lo amenazó, ¿llegó usted a algún otro arreglo con él? ¿Arregló usted con él, senador, que podía guardarse los 10.000 dólares y que usted aseguraría la libertad condicional de Kan-el si los DSN mataban a su ex esposa?

Ahí está. Durante un minuto todos intuíamos lo que se venía, pero aun así, con la pregunta el corazón me salta fuera del pecho. En la sección de prensa, uno de los periodistas sale como puede de la tribuna del jurado para correr al teléfono. Uno, luego lo siguen otros. Annie, que pone orden más allá de los límites de la primera enmienda, se acerca a reprenderlos al tiempo que van saliendo. Seth se inclina contra la baranda frontal de la tribuna del jurado. Observa con tan completa intensidad que ni siquiera recuerda que yo, la mujer con la que hizo el amor hace unas horas, estoy sentada en esta sala. Eddgar ha girado para mirarme de frente. Tiene la boca entreabierta y la mueve una o dos veces antes de hablar.

—¿De veras tengo que responder estas preguntas?

Hasta donde logro razonar, sí. Le hago un gesto minúsculo de afirmación y Eddgar esboza un ademán incierto en dirección a Hobie.

—Esto es Perry Mason —dice—, es absurdo. Por qué, por qué... No tiene sentido. Es una alucinación inducida por las drogas, Hobie. Usted sabe la verdad. Si yo hubiera hecho algo semejante, ¿puede explicarme por un momento por qué el Pesado no se habría sentado en este banquillo a señalarme con el dedo?

—¿Qué sentido tendría, senador, si la meta era asegurar la liberación de Kan-el? El Pesado no podría haber hecho un arreglo mejor que el que hizo al culpar a Nile, ¿verdad? Para un fiscal hambriento, un Eddgar es tan sabroso como el otro. Y de esta manera, senador, pueden garantizar que usted cumpla su promesa respecto de Kan-el. Apuesto a que saldrá antes de seis meses.

—¿Y yo sacrificaría a mi hijo? ¿Ésa es su teoría? Usted sabe que no es cierto. Por Dios. Lo que usted está haciendo es malvado, Hobie. ¡Es la cara misma del demonio! —Su grito resuena en la sala silenciosa. Descontrolado, Eddgar se agarra las solapas de la chaqueta, mira todo alrededor del estrado de los testigos, como si fuera a encontrar algo que pudiera ayudarlo. Luego señala a Hobie. —Comprendo —dijo—. Comprendo lo que me está haciendo.

—Se llama justicia, Eddgar —susurra Hobie. Sus ojos no lo abandonan en ningún momento mientras retorna a su asiento. A su lado, Nile ha puesto la cara contra la mesa y se cubre la cabeza con ambas manos.

Después del tribunal, un frágil aire agorero reina en mi despacho. Annie y Marietta mantienen la distancia. Mañana el estado descansará. Hobie, si es inteligente, no ofrecerá muchas pruebas por la defensa. Capitalizará los hechos de hoy y dejará que el juicio llegue con rapidez a su conclusión.

Tengo mociones que revisar de varios otros casos, pero en los pocos minutos que me quedan antes de marcharme me descubro con la mente fija en el juicio. Lo de hoy fue como ver un accidente de autos. Algo espantoso. Destructivo. Sin embargo, ya no es posible encontrar culpable a Nile. Mi evaluación del caso ha cambiado con tanta rapidez que dudo de mí misma. Todavía me siento un poco aturdida por la falta de sueño y algo envenenada, como si mi corazón bombeara ácido, no sangre. Pero creo que mi conclusión es firme. El Pesado ha quedado desenmascarado como un mentiroso en todo lo esencial. Algo sobre el dinero, los 10.00 dólares que declaró le dio Nile, está errado. El residuo de cocaína. El cheque que cambió Nile. Hay una duda real. Rumio si sentenciar enseguida o hacer el espectáculo de algún período de deliberación.

Pero no son más que formalidades. Mi alma y mi corazón todavía dan vueltas alrededor de Las Preguntas. ¿Quién mató a quién? ¿Es en realidad posible —no dejo de preguntarme, a medida que repaso los hechos— que Eddgar se haya envuelto en una monstruosidad del tipo de Medea, matando a su esposa y culpando a su hijo? Casi podría creerlo del hombre al que conocí hace tantos años. Y su silencio respecto de los 10.000 dólares parece espantosamente revelador. Tal vez acudió a Matt Gáliakos y Brendan Tuohey, en la esperanza de mantener fuera del caso el dinero del PDSA. Al reflexionar en todo esto, me asombra la profunda elusividad de la verdad, que pasa como humo a través de todo tribunal. Algo ocurrió. Algo objetivo pero ya no verficable. Cuando era chica solían afirmar que toda historia era conocible si podía alcanzar la luz emitida por el cuerpo y viajando eternamente en el espacio. "Huellas de luz", las llamaban, mejor prueba que las huellas dactilares. Una idea intrigante. Pero Einstein dijo que no era posible. El pasado siempre se ha ido, y sólo se recupera, en última instancia, en los filamentos de la memoria.

Cerca de las cinco, con el abrigo puesto para marcharse, Marietta golpea a la puerta. Con solo ver la sonrisita que le tensa las mejillas me doy cuenta de que Seth está aquí. Marietta escruta mi semblante en busca de algún signo delator. Ah, ¿acaso no poseo una parte de mí a la que le encanta jactarse? "Pasamos una noche fabulosa —me dan ganas de decir—. Es un hombre agradable, dulce, ama cada centímetro de piel, como tú dijiste." En cambio, le dirijo mi más helado semblante judicial.

—Hazlo entrar.

Seth pasa junto a Marietta, agradeciéndole efusivamente, haciendo bromas: ya son compinches. Le hago una seña discreta y cierra con suavidad la puerta; luego se acerca a mi lado del escritorio y se apoya contra éste. Me toma de la mano.

—¿Estás bien? —me pregunta.

—Dolorida —respondo.

—Lo tomo como un cumplido. —Espía por sobre el hombro, luego me da un beso rápido y dulce. Pasa un segundo de silencio amoroso. —No quería molestarte, pero esta noche no puedo verte. Olvidé que viene Sarah. Voy a llevarla a cenar, y después se queda a domir en lo de papá para ayudarlo con unas cosas mañana.

Acordamos vernos mañana por la noche. Le aferro la muñeca.

—¿Y tú? ¿Estás bien?

—¿Yo? —Se endereza, se estira. Se lo ve radiante. —He vivido las mejores veinticuatro horas de los últimos años. Años —repite—, y lo digo en serio. —Como yo, está pálido por la falta de sueño, pero se nota que lo habita un aire tónico. —He tomado mi cura —me dice—. Como el conde de Monte Cristo: amor y venganza.

—¿Venganza? —pregunto, pero ya mientras lo digo las palabras mueren en mi voz, porque comprendo. Se refiere a Eddgar. —¿De veras lo odias tanto? ¿Después de todo este tiempo?

—No conoces la historia completa.

—Y no quiero oírla. Por lo menos, no ahora.

—Entiendo. Pero a mi corazón le hace bien ver que alguien al final se las hace pagar. Créeme. Es un tipo muy, muy perverso. —Sus ojos chispean con una luz incendiaria. —Ahora al fin comprendo por qué Nile no quería un abogado de por acá. Nadie a quien Eddgar pudiera arreglar.

Hay algo discordante en su comentario. Lo repaso varias veces antes de captar qué es lo que me perturba.

—¿Te lo dijo a ti? —Seth me mira y le repito: —¿Nile te lo dijo a ti?

—Así es. Fui yo el que conectó a Nile y Hobie.

—Espera, Seth. —Me pongo de pie. —Tú y Nile. ¿Todavía tienes relación con él?

380

—¿Relación? —Se encoge de hombros. —Hemos mantenido el contacto. Ya me conoces. El Corazón Sentimental. ¿Qué creías?

—¿Creer? Pensé que Nile era un chico al que cuidabas hace un siglo. ¡Por Dios, Seth! ¿El acusado? ¿Eres amigo del acusado? ¿Por qué no lo supe? ¿Por qué no me lo dijiste?

—¿Decírtelo? Santo Cielo, mierda, eso es exactamente lo que me has repetido que no hiciera.

—Oh, Dios. —Me siento contaminada. ¡El acusado! Seth está aliado no sólo con el abogado, sino con el hombre procesado. Me he acostado con el amigo, el compinche, el ángel guardián de Nile.

—Mira, no es como crees —me dice Seth—. Ni siquiera puedo hablar con él. Hobie no me lo permite.

—Oh, Dios —repito—. ¿Qué otra cosa ignoro? —Y entonces, con esta pregunta, surge una conexión, sólo posible en el éter embriagador de la falta de sueño. Miro a Seth en busca de alguna palabra tranquilizadora.

—¿Qué pasa? —me pregunta.

—Hobie me está envolviendo en sus trucos. —Ahora lucho... con el centro paranoico, la niña herida. —Dime que no estás con él en esto.

—¿En qué?

—Dime que no fuiste parte de esto desde el comienzo.

—Por Dios, claro que no. Ni siquiera sé de qué hablas.

Pero al fin lo veo todo: por qué Hobie quería un juicio sin intervención del jurado para que yo decidiera el caso; por qué dio sus pasos malintencionados para lograrlo; y, tal vez lo peor, por qué Seth volvió a introducirse en mi vida. Un jurado, u otro juez, reconocería a Eddgar sólo como un ciudadano sólido, legislador respetado, padre dolido, leal ex cónyuge. Se habría burlado de la última sugerencia de Hobie, respecto de que Eddgar fue responsable de la muerte de June. Jamás habría permitido que se le inspirara duda alguna. Pero yo soy vulnerable; tengo mis deudas pendientes con Zora, conozco el pasado de Eddgar. Y ahora me he enterado de más cosas, por Seth. "Un tipo muy, muy perverso. Un desgraciado nefando." Ése es el pensamiento infernal. Porque parece muy plausible que los dos, Seth y Hobie, amigos de toda la vida, puedan haberlo orquestado juntos. Y si así fuera, entonces todo esto, el dulce romance, las incansables aunque increíbles afirmaciones de pasión, sólo forman parte de un plan modelado en mi contra. Tiene sentido... salvo cuando vuelvo a mirar a Seth y capto su confusión, el halo de sinceridad que siempre lo rodea, la solidez de su presencia.

—Dime que no estás en esto con él.

—¿Con Hobie? ¿Estás loca? Apenas si me ha hablado en dos semanas. Trabaja en la casa de Nile toda la noche y se va a dormir a la casa de los padres. Ya lo conoces. Le encanta que yo no sepa nada. Por Dios, ¿qué pasa?

¿Es cierto... o una actuación? Me siento muy cansada, increíblemente confundida. Experimento un instante más intenso que el de antes, como algo salido de los sueños: el mundo se desploma y se muestra como un engaño monstruoso, un escenario cuyas paredes de papel caen, revelando a un director allí atrás con un megáfono, mientras las personas en las que uno ha creído se sacan el maquillaje. Me llena un terror tan viejo como yo. Todos estos hombres, Tuohey y Hobie y Seth, son capaces de embaucarme porque ven lo que yo no puedo reconocer en mí misma. Permanezco sentada, atormentada otra vez, tan vulnerable e incompleta que casi podía meter la mano en mi interior y encontrar el lugar donde falta una pieza. Sin padre. Eso es lo que pienso siempre en el último momento. Culpo a Zora por demasiadas cosas. Medio huérfana, simplemente no puedo ser entera.

—¿Qué te sucede? —me pregunta Seth—. ¿No me crees? ¡Santo cielo! —Rodea el escritorio, pero vuelve a mí cuando se halla a medio camino hacia la puerta. —Lamento violar tus reglas, Sonny. Pero tienes tantas que es muy difícil recordarlas todas. Y, con franqueza, eso es lo que esperas, de cualquier modo. Ése es tu trato, ¿no, jueza? Mantener a todo el mundo por debajo, así puedes conservar tu lejanía.

Tiene razón; me conoce. Y también sabe cómo herirme. Su enojo me quita el aliento.

—Vete a la mierda, Seth.

Me hace una ademán desdeñoso y se apresura a marcharse, casi chocando contra Marietta, que, con su chaqueta y su gorro, se ha quedado merodeando por aquí.

5 de mayo de 1970

SETH

Llegó otro auto. Ford Fairlane. El agente que me había arrestado me empujó en el asiento de atrás y cayó sobre mí.

—Hola, Rudolph. Agarraste a Frank Zappa. —El conductor miraba por el espejo retrovisor y sonreía.

—Suerte para mí que corre como Frank Zappa. Un tipo de Jersey andaba por ahí y lo atajó.

—¿Se puso difícil? ¿Se la hiciste difícil al agente especial Rudolph, Frank? ¿Cómo se llama? —le preguntó al otro.

—Michael.

—Michael, ¿le hiciste pasar un mal momento al agente especial Rudolph? Ya no es tan joven como antes. Si le da un ataque al corazón, será homicidio.

—Basta, Dolens. Se supone que debes embromarlo a él, no a mí.

Avanzábamos con lentitud. Ya era bien pasada la medianoche, pero aún había mucho tránsito. Dolens tomó el micrófono de la radio y le avisó a alguien que tenían al sujeto al que buscaban en San Francisco. El agente de atrás, Rudolph, se acomodó de manera que quedó frente a mí. Tenía manchas de sudor en la delantera de la camisa blanca de rayón. Yo no había corrido tanto. Debí de haberlo asustado, debió de haber creído que iba a escaparme.

—No tienes tantos amigos como crees, compañero. Alguien te denunció. ¿Entiendes? Nosotros no aparecimos por accidente. Piénsalo bien. —Me observó para ver qué efecto me producía la información. —¿Sabías que hay una citación judicial de un gran jurado para ti?

—¿Para mí?

Hizo una mueca para mostrar que no apreciaba mi actuación.

—Hoy unos agentes de San Francisco trataron de entregarte la notificación. —Miró el reloj. —Bueno, ayer.

Vagamente recordé mis instrucciones: No decir nada.

—Creí que lo sabías. De lo contrario me habría costado explicarme por qué corrías por ese estacionamiento.

Rudolph no tenía muy buena apariencia; era un tipo grandote con el pelo cortado al rape que exigía Hoover. Se le podía ver la piel y el sudor de la cabeza. Me evalué y descubrí que no estaba tan aterrado como había esperado. La presencia del segundo agente me aliviaba un poco. Tenía sentido del humor.

—¿Adónde voy? —pregunté.

—Espera, Mike —dijo Rudolph—. ¿Respondiste mi pregunta?

—Sí, respondió tu pregunta, Rudolph —dijo Dolens—. Sólo no te gustó lo que dijo. —Dolens era un tipo menudo, y se lo veía muy contento. O le gustaba manejar o le gustaba llevar un prisionero, o burlarse de Rudolph. Vestía una chaqueta deportiva barata, con corbata. —Te llevamos la Oficina del FBI, Mike.

—¿Estoy arrestado?

Al principio ninguno de los dos contestó.

—Ya te dije, Mike —dijo Rudolph—. Hay una citación.

Ninguno de los tres agregó nada por un rato. Dolens había apagado la radio después de llamar, y a esa hora había pocas emisiones: voces soñolientas y estática. Por fin entramos en una estructura cuadrada, un edificio que más bien se extendía, en lugar de elevarse, en aquella región donde la tierra era barata. Por las formas parecía que lo habían construido en los últimos años. En el fondo de un sendero subterráneo Dolens se asomó por la ventanilla e insertó una tarjeta en una ranura. Una puerta de metal se elevó con grandes crujidos. Pensé en una boca que se abría, en Jonás y la ballena, una historia que me paralizaba de miedo cuando era chico. Estacionaron y me condujeron por un laberinto de corredores de cemento.

Cuando llegamos al ascensor se apagaron las luces. Estábamos en una pequeña sala de recepción alfombrada, amueblada con unas cuantas sillas baratas. En la pared de enfrente reconocí el emblema del FBI: el águila chillando, con la enseña de la justicia en sus garras. Me sorprendió ver que la oficina cerraba por la noche. Habría imaginado que se trataba de una operación de veinticuatro horas al día, hombres de trajes grises y anteojos, que nunca dormían. Rudolph tenía más bien el aspecto de un profesor de gimnasia. Uno de ellos encendió una luces y me empujaron a través de un nuevo umbral.

Más adelante por el corredor había una horrible sala gubernamental: piso de mosaicos de asbesto, con grandes vetas blancas y negras y azules para que no se notara la mugre, filas de escritorios metálicos verdes con superficie de fórmica, y una dolorosa luz fluorescente. No había una sola cosa que alguien pudiera considerar linda, salvo, tal vez, una bandera estadounidense situada en un rincón. Fotos de Richard Nixon y su Fiscal General, John Mitchell, colgaban torcidas en una de las divisiones de metal. El escritorio de Rudolph se hallaba en medio de la habitación.

—Siéntate ahí, Michael. Bien. Veamos lo que dice San Francisco. Bla, bla, bla —dijo mientras leía para sí—. Bien, bien, bien. "Se espera que llegue al Edenís Garden Spa aproximadamente a las 23 horas." Esa parte estaba bien, ¿no? —Sonrió. —Ciudad junto a la Bahía —añadió—. Magnífico lugar, ¿eh? Era mi oficina preferida, pero a mi mujer le dio artritis reumatoidea, así que acá estoy. La vida puede resultar extraña, ¿no? ¿Dónde vives, Mike?

Hojeaba papeles en su escritorio, pero yo sabía que no era una pregunta inocente.

—En Damon —dije.

—Chicas sin corpiño. Debe de haber mucha distracción.

Moví un hombro. Cosas de tipos.

—¿Qué tienes que ver con esa bomba, Mike? —Hundió en una mano todo el peso de su cara carnosa, al tiempo que me observaba.

Yo no hablaba. Me atravesaba el corazón el poco de terror que quedaba en mí después del agotamiento de mi sistema secretor de adrenalina. Rudolph tenía ojos claros, rasgo que en cierto modo me tranquilizaba.

—"¿Qué bomba?", vas a decir, ¿correcto? Hace cuatro días voló el laboratorio donde trabajas. ¿Lo sabías? ¿O también estabas fuera de la ciudad en ese momento?

Murmuré que lo sabía.

—¿Qué?

—Dije que lo sabía.

—Ah. Quería estar seguro, no más. Bueno, la cosa es así, Mike. Unos tipos de San Francisco creen que deberían echar un vistazo a tus huellas dactilares. Porque si encajan con algo que tenemos de esos pedacitos que hicieron "bum", tendrás el culo en un buen lío, no sé si me entiendes. ¿Me captas?

—Sí, señor.

—Bueno, ahora supongo... El mes que vienen cumplo dieciséis años en este trabajo, y soy bastante bueno para las suposiciones... Supongo que habrás huido cuando te enteraste de la citación. Supongo que crees que has dejado todas tus huellas en ese aparato. Supongo que fuiste entrando las piezas de contrabando. Eso es lo que creen en San Francisco. —Sostuvo delante de mi cara el papel del que leía.

—No, señor —dije.

—¿Quieres que te sometamos al detector de mentiras?

Me encogí de hombros, como si no me importara. Sabía que debía pedir un abogado. Eso, o callarme. Pero tenía la sensación de que me estaba conduciendo bien.

—¿Qué andas haciendo por acá, Mike?

Me encogí de hombros otra vez. Rudolph suspiró en señal de manifiesto disgusto y bajó la vista a un espacio abierto de su escritorio donde no había nada de nada para ver.

—¿Por qué es la citación?

—Ya te dije. Un gran jurado quiere ver tus huellas dactilares, Mike.

—¿Pueden citar a alguien para comprobar sus huellas dactilares?

—Claro, Mike. Hay una con tu nombre. Si vuelves a San Francisco, tendrás ocasión de verla.

—¿Tengo que aceptar?

—No soy tu abogado, Mike. Hasta donde sé, debes aceptar. —Bajó un poco la guardia. Continuó leyendo el papel. Éramos las únicas dos personas en ese vasto espacio. Del otro lado había una gran ventana interior que revelaba una habitación muy iluminada con radios y equipos eléctricos. Una mujer rubia de bastante edad hablaba sin interés por un micrófono suspendido a cierta distancia. Me sorprendió observándola y me miró con malevolencia.

Rudolph reía. Había tomado otro papel, una hoja amarilla rota en la parte de abajo.

—¿Sabes quién te delató? Esto me encanta. Adivina.

Decidí no darle el gusto. A esa altura me daba cuenta de que me estaban atormentando.

—Tu mamá.

No respondí.

—Sí. Tu mamita. Según parece, uno de tus vecinos fue a buscarla después de que salieron los agentes. Mami estaba muy alterada. En este teletipo el agente dice que hizo un arreglo con ella. Ella nos dice dónde estás, y nosotros te tomamos las huellas. Si no pasa nada, te vas. Si pasa algo —alzó una mano— no te vas nada. El pacto estándar. —Sus ojos verdes trataron una vez más de medir mi dolor. —No te pongas loco con mami. A mí me parece que trataba de hacerte un bien.

La madre de Michael estaba enterrada en Idaho. Ahora yo iba comprendiéndolo todo.

—Bueno, el trato es éste, Mike. ¿Quieres hacer como dice mami? ¿Darnos tus huellas y ver si podemos aclarar las cosas ya? ¿O quieres volver a San Francisco y enfrentar el tema allá?

—¿Quiere decir que puedo volver a San Francisco?

—No. No exactamente. Mira, lo que te digo es esto: tú me das tus huellas acá mismo, yo las envío a D.C. y vemos qué pasa. Tal vez todo salga bien. De lo contrario, voy a despertar a un asistente de fiscal de los Estados Unidos y contarle que quisiste fugarte en la playa de estacionamiento y que yo creí que debía arrestarte. Por huida ilegal. Después te tomaré las huellas, de todos modos. Tal vez logres fianza en un par de días. La cárcel del condado de Clark no es tan mala. —Se rascó la mejilla mientras me miraba, sin parpadear.

—Me está diciendo que no tengo alternativa.

—Tú decides, Mike. Puedes llamar a mami, si quieres.

—¿Y si quiero un abogado?

Lo pensó un momento.

—Haz lo que quieras. Tú juegas tu carta, yo juego la mía. Tú llamas a tu abogado, yo llamo al mío. Tendrás que pasar la noche en la cárcel. Soy recto contigo, Mike, lo creas o no. Así es como es.

Pensé con magra confianza en llamar a mis padres para pedirles el dinero de la fianza. Luego me di cuenta de todo lo que ello significaba —lo que debería contarles, a ellos y tal vez al FBI— y sentí que el alma se me encogía. Continué tratando de deliberar, pero sin llegar a ninguna parte. Eddgar había calculado todo con frialdad, perfectamente, moviendo las piezas de ajedrez con ocho o nueve movidas de anticipación. Yo no avanzaba más allá de mis instintos viscerales. Lo único que quería era saber qué había pensado él. Pero sus intenciones, como siempre, me resultaban insondables.

Rudolph me llevó a otra parte, una habitación más chica, más gubernamental aún, de paredes blancas y archivos grises, para tomarme las huellas. Sacó una tarjeta azul y me hizo firmarla. Michael firmaba con su nombre completo: decía que ya desde chico había decidido que no quería una firma que no pudiera leer; temprana manifestación de la mente puramente lógica que había desarrollado después. Hice mi mejor imitación, y luego Rudolph me entintó los dedos en una almohadilla y me los apretó contra una tarjeta dispuesta sobre una tablita. Apretó cada uno de los dedos en forma dolorosa. Una de las yemas hizo un manchón, así que tiró la tarjeta y empezó de nuevo. Cuando terminamos, me entintó cada palma y me hizo presionarlas contra la parte inferior del papel. Me llevó al baño, para que pudiera lavarme las manos, y luego lo seguí de vuelta a su escritorio, donde se puso a llenar papeles. Mientras trabajaba me hablaba.

—Los de San Francisco dicen que vives en el mismo edificio de departamentos que el principal sospechoso. ¿No es una extraña coincidencia?

—Mucha gente vive en ese edificio.

—No creas que nadie lo notó. Seiscientos empleados. Montones de nombres. Montones de sospechosos. Computadoras, ya sabes. Un gran invento. Los de la policía no son siempre tan imbéciles como ustedes creen. —Volvió a mirarme, con esperanza de verme sangrar. —Qué graciosos —comentó—. Todos tus grandes héroes revolucionarios no son tan grandiosos ni revolucionarios cuando los ves dentro de una celda. —Cleveland había hablado, y yo sabía lo que eso significaba. Había delatado a un tipo blanco. Rudolph sonrió como el gato de Cheshire. Ésta era una de las partes del trabajo que de veras le gustaba; se le notaba.

Después de terminar la papelería, me explicó el paso siguiente. La bolsa iría a D.C. en el primer avión de la mañana. Rudolph enviaría antes el teletipo. Con suerte, harían la comparación antes del final del día.

—Tenemos una habitación con un catre, Mike, si quieres tratar de cerrar los ojos.

—¿Quiere decir que tengo que quedarme acá?

—Bueno, no te asombres tanto. Si estuvieras en mi lugar, Mike, ¿me dejarías irme tan pronto, después de haberme perseguido por esa playa de estacionamiento? Creo que no.

—Usted me dijo que no me habían detenido.

—Mira, Mike. Podemos hacerlo a tu modo, o al mío. Creí que ya lo habíamos hablado, ¿o no? Ahora descansa un poco. Y tal vez, si tienes suerte, esto salga bien.

La habitación con el catre, como la denominaba, era en realidad semejante a un placard. Me acosté ahí, sobre una manta áspera dispuesta sobre un estrecho catre del ejército todos cuyos resortes sobresalían. Me sentí perdido dentro de mi vida. Para mi asombro, caí en un sueño profundo, sólo alterado por sueños en que aparecía un hombre con un largo abrigo oscuro. Pensé que podría ser mi padre. Tal vez fuera Eddgar. Cuando me desperté, la habitación, antes vacía, estaba llena. Gente atareada iba de un lado a otro, murmurando entre sí. Sonaban teléfonos aquí y allá, diez o doce timbrazos, sin que nadie los atendiera. Entraron unos cuantos hombres de camisa blanca, sin chaqueta. Llevaban pistolas, de cromo brillante en su mayoría, que sobresalían de gastadas cartucheras de cuero sujetas a los hombros. Pensé que la noche anterior, en el estacionamiento, podrían haberme disparado. Era lo que había dicho Rudolph.

Una mujer de unos cincuenta años escribía a máquina cerca de donde yo me hallaba.

—Ahí tiene café, si quiere.

Cerca de la cafetera había unas máquinas expendedoras. Como para ocuparme en algo, compré cigarrillos y un paquete de galletitas.

—¿Usted es el tipo de Rudolph? —Había un hombre parado en el umbral. Yo acaba de meterme en la boca una galletita entera, así que sólo pude responderle con un movimiento de cabeza. —Me pidió que le avisara que volverá cerca de las cinco para ver dónde está parado usted. Le dejó algo de dinero para que se compre algo de comer. Una hamburguesa, ¿de acuerdo? —Eran cerca de las nueve y media, según un reloj que había visto allí.

Pasé el día en aquel lugar, en lo que se denominaba la sala de entrevistas para testigos, un espacio pequeño, de yeso, sin ventanas. Había un televisor de 13 pulgadas, blanco y negro, con un armazón color crema cubierto de mugre. Una de las antenas en forma de V estaba rota y remendada con una tira de papel de aluminio. Miré telenovelas hasta que al final encontré un papel abandonado en el baño. Quedé estupefacto al leer: "ESTUDIANTES DEL ESTADO DE KENT ASESINADOS POR TROPAS DE LOS ESTADOS UNIDOS". Guardias Nacionales de la Universidad del Estado de Kent, Ohio, habían abierto fuego contra estudiantes no identificados en una manifestación de protestaba. Los guardias afirmaban que habían oído fuego de francotiradores. La guerra había llegado a casa.

Traté de enterarme por la televisión de los detalles que pude. De algún modo esa traición me parecía más importante, más comprensible que lo que me habían hecho los Eddgar. Con respecto a lo que me estaba sucediendo me sentía remoto. Siempre había reconocido una probabilidad de que ocurriera algo semejante. Por el momento no podía hacer más que esperar a averiguar qué iba a ser de mi vida. Cada hora que pasaba me explicaba más cosas. Michael y la bomba. Michael y June. El elaborado plan ideado por June y Eddgar en la habitación del motel mientras yo visitaba a Hobie. Él había ido a contarle lo de la citación judicial, sin duda, que el FBI andaba buscando a Michael. Yo no sabía si en algún momento habían necesitado el dinero de mi padre, pero les serví de maravillas, pues me convenía más ser Michael que yo mismo. Y, ahora que la policía me había agarrado, no podía contarle nada al FBI. No me quedaba más alternativa que darles mis huellas y soportar la situación.

A las cinco pasaban los primeros noticiarios. Los Estados Unidos eran escenario de disturbios, de costa a costa. Congresales pronunciaban airados discursos hablando de que el país mataba a sus hijos, y treinta y siete presidentes de universidades y facultades conminaban a Nixon a acabar con la guerra. En el estado de Kent no pudieron encontrar ninguna evidencia de que hubiera habido un francotirador disparando a los guardias. Dos mil ochocientos estudiantes se habían congregado en un acto que los periodistas calificaron de "semirrevuelta" en Madison, Wisconsin. Nixon había respondido a todo esto prometiendo que nuestras tropas saldrían de Camboya en un lapso de entre tres y siete semanas. Ya había más de ochenta facultades cerradas; se esperaba que por lo menos otras doscientas las imitaran en cuarenta y ocho horas. Pasaron una filmación que mostraba a un grupo de estudiantes de Dorchester haciendo campañas para juntar firmas que apoyaran las peticiones antibélicas.

Detrás de mí vi a Rudolph. Ahora vestía un traje gris, en lugar de azul. Miró el televisor un momento, con expresión feroz y dolorida.

—¿De veras crees que esto ayuda?

Yo no sabía qué pensaba al respecto. No sabía si ayudaba o no. No sabía si la bomba ayudaba, tampoco. Pero creía que existía la probabilidad de que estallaran más aquella semana. Si se levantaban los guetos de todo el país, si los estudiantes luchaban, entonces ¿quién sabía? Tal vez se produjera una revolución. O una nueva guerra civil. Tampoco tenía idea de mi propia posición. Sentía períodos alternados de remordimiento y alivio de marcharme.

—Mi hermano menor está allá en este mismo momento —me dijo Rudolph—. Cerca de Chu Lai. Este tipo de cosas... no ayudan mucho. Te lo puedo asegurar. Ya sabes, allá no tienen una sociedad libre. Los comunistas no ven más que la superficie; la verdad, todo esto los alienta. ¿Qué dices tú?

—La guerra está mal —respondí. Seguía siendo una de las pocas verdades que conocía.

Tensó la cara para contenerse. Después arrojó sus cosas —papeles, una carpeta de cuero y un enorme llavero— sobre una mesa cercana.

—¿Por qué no fuiste al servicio, Mike?

—Asma —respondí.

—Qué mala suerte.

Sonreí, aunque sabía que no era lo más conveniente. Rudolph chasqueó los labios, exasperado.

—Estás limpio —dijo. Rasgó un sobre y me entregó la billetera de Michael.

Tal como me había imaginado. De eso se trataba, por supuesto. Era para eso que me necesitaban los Eddgar. En un momento me preocupé por la firma. ¿Y si alguien notaba que mi letra no se asemejaba a la de Frain? Pero tenía la certeza de que Eddgar había pensado en todos los detalles y debía de haber sabido de algún modo —por un libro, por algún conocido que hubiera trabajado en inteligencia de ejército— que no era probable que ello ocurriera. También sentía otras angustias. ¿Y si el objeto de todo aquello era tenderme una trampa, culparme de la bomba? Pero no tenía sentido. Al final llegué a la conclusión de que saldría limpio, pero, en el estado en que me hallaba, no estaba preparado para aguantar nada.

—¿Puedo irme?

—Con Dios —me dijo—. O sin él. Si eres la clase de imbécil que yo creo —agregó—, de todos modos te habría detenido. Por huir de mí. Piénsalo. Pero cumpliré mi palabra. —Se apartó de la puerta. Me guardé los cigarrillos en el bolsillo de los vaqueros. —¿Por qué saliste corriendo? —me preguntó despacio mientras pasaba a su lado.

Iba a contestarle algo ingenioso, pero al final opté por lo que me habían ordenado y mantuve la boca cerrada. Me encogí de hombros como si no tuviera la menor idea. Comencé a irme, luego me di vuelta para decirle que ojalá su hermano volviera pronto al país.

Sólo cuando salí me di cuenta de que no tenía medio de locomoción. El sol se estaba poniendo pero el aire aún abrumaba de calor. Me saqué la chaqueta de denim mientras caminaba. No tenía idea de adónde iba, pero vi la ruta a través de una franja de pastos y desierto. Cuando llegué al bulevar Las Vegas, me paré en uno de esos penumbrosos vestíbulos de hotel y llamé a mis padres. A esa hora, encontraría a mi padre en casa. Detestaba llamar sabiendo que mi madre podía oír, pero sabía que él estaría muy alterado. Atendió al primer timbrazo.

—Estoy bien, todo bien. Salió tal como acordaste.

Mi padre emitió un intenso gemido. Detrás de él, enseguida oí hablar a mi madre. Le hacía preguntas ansiosas. ¿Qué pasa?, repetía. Mi padre le dijo que era yo, pero no logró calmarla. ¿Por qué los llamaba?

—Después, Dena —le dijo mi padre al fin con severidad, y enseguida reanudó la conversación conmigo—. Me siento muy aliviado. Muy aliviado. ¿Te han lastimado?

—Estoy bien. Cansado, y sin mucho cambio para pagar la llamada. Así que volveré a llamarte dentro de unas horas. Pero quería que supieras que estoy bien.

Los sonidos eléctricos de los filamentos y alambres que nos conectaban chasquearon un instante más. Mi padre no hizo ninguna de las preguntas que habría hecho cualquiera. ¿Cómo estuviste? ¿Qué te hicieron? Porque era un sobreviviente, comprendí. Sabía que no había que preguntar esas cosas.

—Lo lamento muchísimo —dije. Mi padre no respondió. Puede que estuviera llorando o tratando de recomponerse o preocupado por mi madre. Antes de colgar, repetí que volvería a llamar pronto.

Era la hora de la salida de trabajo, y los habitués del hotel lucían felices. Charlaban por encima del ruido de una banda que tocaba música country. Me acerqué al buffet, pinché con un solo mondadientes ocho pequeñas salchichas que flotaban en una agua aceitosa y me las tragué antes de que nadie pudiera decirme nada. Se me ocurrió que debía llamar al motel, así que volví al teléfono. Pregunté por Seth Weissman o Lucy McMartin. Asombroso: ella estaba registrada. Llamaron a la habitación, pero no atendió nadie. No dejé mensaje.

El último tramo hasta el Edenís Spa me obligó a cruzar una zona militar, una franja de desierto. El sol, aun a esa hora tardía, conservaba bastante intensidad. Al acercarme al motel, no tuve idea de cómo encontrar a Lucy. Supuse que esperaría en el Escarabajo, si estaba allí. Pero en cambio, al entrar en la playa de estacionamiento, la vi. Estaba junto a la piscina, vestida con un atuendo largo, floreado, de un tono verdoso. Se había quitado los zapatos y dirigía al sol su cara pecosa. Me arrodillé a su lado.

—No digas mi nombre —le advertí cuando abrió los ojos. Le pregunté cuál era su habitación. Levantó un libro —un manual sobre el *I Ching*— y me llevó adentro. Ninguno de los dos habló una palabra mientras cruzábamos los corredores del motel. En la habitación habían puesto el aire acondicionado demasiado fuerte, de modo que sentí un *shock* al entrar. Se me erizó la piel y me daba la impresión de tener sonidos dentro de los oídos, tras escapar del ruido de tránsito exterior. Lo único que se oía era el zumbido del aire acondicionado y un diario que vibraba con la corriente que lanzaba el aparato. Había una sensación al silencio del desierto, el calor de la lucha, el transcurso del tiempo.

Cuando me senté en la cama junto a Lucy, supe que mi infancia había terminado. Había dejado de pensar en mi vida como algo que me habían hecho mis padres. Mi horror conmigo mismo, que al fin se había asentado por completo —y que jamás me ha abandonado en realidad desde entonces—, me lo había enseñado. En aquel momento, por ninguna razón comprensible, pensé en Sonny. Me pregunté, como habría de hacerlo durante mucho tiempo, si, sabiendo lo que sabía ahora, con ella me habría ido mejor.

—¿Se fue? —pregunté.

—¿Michael? Se fue cuando llegué.

—¿Qué te dijo?

—Sólo... —Se encogió de hombros. —Nada. Dijo que podías quedarte con su billetera.

—Genial —dije—. Muchas gracias. —Meneé la cabeza, asombrado, y luego le dije que creía que Michael había puesto la bomba en el CDIA.

Los ojos de Lucy son pequeños y oscuros, pero en aquel momento vi en ellos algo que pasó veloz en los discos inmóviles de sus lentes de contacto. No vi ninguna expresión de asombro; solo una estoica mirada hacia adelante, una hondura de conocimiento que sólo había comenzado a reconocer en los últimos tiempos.

—¿Soy tan tonto? —pregunté.

—Él no dijo nada —me contestó. Era más que evidente para todos aquellos menos distraídos que yo. El dolor de Michael no se debía a su colega ni a June; era dolor por sí mismo.

—¿Ella lo convenció de hacerlo?

—Supongo —respondió Lucy. Era como una prueba de amor, imaginábamos ambos. Pero Lucy no tenía más idea que yo. Sólo sabía que June se lo había pedido y Michael había obedecido.

—Mierda —dije.

—¿Dónde estabas? Michael me dijo que si no venías para mañana, debía llamar a este número. —Buscó su agenda. El número telefónico, escrito en una hoja del Edenís Spa, era de la zona de la Bahía. No lo reconocí. Le conté que me había detenido el FBI, le conté de Rudolph y que me habían tomado las huellas dactilares.

—Yo me llevé el susto de mi vida, y él me deja su billetera. —La saqué y juntos miramos en la parte donde se guarda el dinero. Había tres gastados billetes de un dólar y uno de cinco. Lancé una carcajada mientras los contaba, pero Lucy me sacó la billetera y metió un dedo detrás de la parte para guardar tarjetas. Allí estaban el carné de conductor de Michael, la tarjeta de seguridad social y la tarjeta de reclutamiento, además de su identificación universitaria.

—Creo que lo que quiso decir con su "billetera" —me aclaró— fue su "nombre". ¿Sabes? Aquí tienes su número de sorteo. Puedes seguir siendo él. No te hace falta ir a Canadá.

Fui absorbiendo el concepto con lentitud. Me di cuenta de que no me quedaba más alternativa que adoptar su nombre. Él no quería ser Michael Frain, por si el FBI volvía a buscarlo para tomarle de nuevo las huellas. Tras un estallido inicial de esperanza, vi que las ventajas de este arreglo eran limitadas. Aún no podía ir adonde me conocían, ni a ningún lugar donde estuviera presente Michael. Viviría más o menos la misma vida que los Eddgar habían prometido a mi padre por teléfono.

—Si yo soy él, ¿quién va a ser él? ¿Yo?

—No puede ser tú.

—No —dije—. Es cierto. —El FBI pronto comenzaría a buscar a Seth Weissman, el desertor. —¿Entonces qué hará?

Ninguno de los dos logramos imaginarlo.

—Qué gente de mierda —dije. En una habitación cercana se encendió un televisor a todo volumen. —¿Y tú te lo pasaste esperando aquí todo este tiempo? —pregunté—. Debes de haber sentido un miedo terrible.

Se encogió de hombros, con su habitual indiferencia por sí misma. Por fin me fijé en Lucy. Si nos preguntan a cualquiera de los dos, diremos que pasaron muchos meses antes de que reconociéramos la más ligera perspectiva de enamorarnos. Vivimos en Seattle durante casi seis meses antes de convertirnos en amantes, e incluso en ese momento al principio no estábamos muy seguros de cuán seriamente tomarlo. Pero la constancia, la amistad —las elevadas virtudes que siempre ha personificado Lucy para mí— quedaron marcadas en aquellos momentos, en esa habitación de hotel, como quizá lo más importante del mundo. Al mirar su cara menuda, bonita, seria, me emocionó pensar que conocía a alguien en quien todavía valía la pena creer.

—¿Sabes que eres muy valiente?

—Yo no hice nada más que quedarme a esperar.

—¿Sabes cuánta gente habría huido? ¿Sabes cuánta gente no hubiera manejado a través de desierto toda la noche? Eres fabulosa. ¿Lo sabes?

Se ruborizó. El carmesí le cubrió toda la cara salvo la nariz. Me tomó de la mano y nos quedamos allí sentados, ella con los ojos cerrados, tratando de combatir el puro placer que le causaba mi admiración.

Mis padres no lo supieron nunca. Ni tampoco pidieron detalles, ni siquiera mi madre, que durante años no dejó de agradecerle a Dios que yo hubiera sobrevivido. De vez en cuando, mediante alusiones, yo le sugería a mi padre que las cosas podrían no haber sido como él pensaba, pero resultaba evidente que él prefería no tocar el tema, ya que no era probable que eso ni ninguna otra cosa cambiara el descontento que sentíamos el uno hacia el otro. Hasta el día de hoy sigue horrorizándome haberlo puesto a prueba de una manera tan cruel. Pero también he llegado a aceptar que tuve mis razones. Y Dios sabe que recibí mi merecido. En 1978, un año después de la amnistía de conscripción de Jimmy Carter, cuando ya podía reclamar el nombre con que nací, aunque a esa altura no lo consideraba del todo el mío, le di a mi padre un cheque por 32.659 dólares, mi deuda más intereses a las tasas del día. Tomó el dinero con expresión grave, de modo que supe que en ningún momento lo había olvidado, en todos los años transcurridos.

Durante los primeros meses que pasé en Seattle viví tal como June había previsto. Llamaba a mis padres dos veces por semana desde un teléfono público para asegurarles que me encontraba bien, pero no les daba mi dirección. Elegimos Seattle porque quedaba cerca de la frontera. Si algo salía mal, podía estar en Columbia Británica en una hora. Aquellos meses iniciales, por supuesto, estuvieron dominados por el miedo. Salí algunas veces para echar un vistazo a Vancouver, pero pronto me establecí en Seattle y todo comenzó a acomodarse. Hasta donde podía ver, la búsqueda de Seth Weissman por parte del FBI no duró más de una semana, en agosto. Mis padres —y sin duda todos los que me conocían en Damon— informaron que me había ido a Canadá. Emitieron una orden de búsqueda, pero no más. A menudo temía que el FBI rastreara de algún modo los pasos de Michael Frain y se dieran cuenta de que en Las Vegas los habían engañado, pero los diarios de la zona de la Bahía, que leía siempre que podía, seguían afirmando que la bomba del CDIA era un caso sin resolver, como sigue siéndolo hasta el día de hoy.

A los pocos meses de mi residencia en Seattle me emplearon en el *Seattle Weekly*, un periódico alternativo, lleno de avisos de negocios de artículos raros y fabricantes de macramé y, desde luego, de todas las disquerías de la ciudad. Yo era el conserje. Para mí fue un golpe no poder presentarles mis "películas" para que consideraran su publicación, pero tenía mucho miedo de que ello sirviera para vincularme con Seth Weissman. En cambio, cuando se presentó la oportunidad, tal como me habían prometido cuando me contrataron, comencé a hacer algunos reportajes livianos y pequeñas notas de opinión. Al parecer, poseía cierto talento para mezclar opiniones sagaces con algunas extravagancias, y una cantidad de artículos de Michael Frain fueron comprados por el Servicio Noticiario de la Liberación.

En marzo siguiente, a medida que iba cobrando confianza con mi falsa identidad, permití que mi madre nos visitara. Mi padre, tal como imaginé, se quedó en casa. Para entonces, yo quería que mamá conociera a Lucy.

—¿Y la chica? —me preguntó la primera noche—. ¿Qué apellido tiene?

—Es *goy*, mamá. Tiene un apellido *goy*. —En general mi madre se comportó con más aplomo del que yo esperaba.

Cuando recordé, muchos meses después, que el VW todavía estaba a nombre de Seth Weissman, dispuse que alguien que viajaba al Este lo llevara de vuelta a Kindle. Se lo dejaron a la tía de Sonny, Hen, hasta que ella regresara de las Filipinas. Sólo le mandé decir que Sonny sabría para qué era, refiriéndome al dinero que le había pedido prestado. Nunca estuve seguro de si, al enviarlo y dejarlo así, sin más palabras ni indicios de cómo contactarme, me proponía mostrar temple o lealtad para con Lucy o cautela con las autoridades. Pero a los veintitrés años había comenzado a considerarme una persona realista. Como muchos otros estadounidenses, había empezado a serlo en Las Vegas.

Aunque resulte sorprendente, Lucy y yo veíamos mucho a Hobie. La primera vez pasamos una velada con él a principios de septiembre de 1980 en la zona de la Bahía. Nos dijo repetidas veces que se alegraba de que Lucy y yo estuviéramos juntos y predijo grandes cosas para nuestra relación. Había pasado el verano trabajando para un conocido abogado criminalista del condado de Kindle, Jackson Aires, que en esa época representaba a numerosos musulmanes negros. Hobie se hacía llamar Tariq y consideraba la idea de convertirse él también al islamismo.

Habíamos vuelto a reunirnos no tanto para hacer las paces como para conversar de algo que preferíamos no hablar por teléfono: la muerte de Cleveland Marsh, ocurrida en junio anterior. Menos de un mes después de ser liberado bajo fianza, Cleveland fue encontrado muerto una mañana en un "dormitorio" privado de Ciardi, una casa de baños gay de la calle Castro. Estaba desnudo, y junto a él había un espejito en el cual descansaba una pequeña navaja, rastros de polvo blanco, y un gramo de cocaína en piedra que el médico forense determinó había sido cortada con estricnina. La fama de Cleveland, las circunstancias chocantes y la perspectiva de que en la calle se vendiera cocaína cortada con veneno se combinaron para que el caso saliera en los diarios de la zona de la Bahía durante varios días. El médico forense dictaminó que la causa de la muerte había sido "autoenvenenamiento accidental".

—Asesinato, viejo, fue asesinato —dijo Hobie—. No hay ninguna duda. —El verano que había pasado en un estudio jurídico especializado en defensa criminal lo había imbuido de un tono autoritario que empleaba cada vez que hablaba de asuntos sobre los cuales hasta el momento yo creía que él no sabía casi nada. Hasta había ido a la oficina del médico forense para mirar los registros. —Por la lividez dijeron que

Cleveland murió boca abajo, pero la policía lo encontró boca arriba. La temperatura del cuerpo y las enzimas digestivas indican que el hombre estaba muerto desde hacía no más de dos horas, y Ciardi cierra a las cuatro de la mañana. ¿Dime cómo pudieron cerrar, para comenzar, si él estaba tirado ahí? Nada de esto tiene ningún sentido. Cualquier tonto de la calle sabe que alguien acababa de tirar el cuerpo ahí. Pero la cosa es, viejo, que la policía no quiere molestarse. Para empezar, a nadie le importa Cleveland, viejo. Porque cuando lo arrestaron, en mayo, les dio un montón de mierda de la que sólo pudieron sacar en limpio que el que puso la bomba en el CDIA fue un tipo blanco cuyas huellas estaban en ese pedazo de lata. Hicieron una búsqueda nacional y no encontraron nada, y después aparecieron Eddgar y sus abogados y pagaron la fianza y lo sacaron. La policía cree que Cleveland los estuvo engañando desde el principio. Así que a la mierda con su culo muerto. Eso es lo que piensa la policía. Después de todo, no era más que un negro.

Con la referencia a Michael y las huellas dactilares, pasó entre ambos un momento de gravedad. Hobie se había enterado ya de mi historia, y los dos nos sentíamos como unidos por la fortuna y la mera dicha de haber escapado. Al final le pregunté si sabía quién había sido. Él aún mantenía alguna relación con ciertos círculos de los Panthers, de modo que era probable que lo hubiera averiguado.

—¿Quién hizo qué? —me preguntó.

—¿Quién mató a Cleveland?

—Tú sabes lo mismo que yo. La cosa es así: Cleveland delató a Michael, y luego Eddgar le pagó la fianza. Para eso hay una sola razón. Eddgar lo quería de vuelta en la calle para poder ajustarle las cuentas. ¿A qué otro tipo blanco crees que Cleveland trataba de entregar a la policía cuando delató a Michael? ¿Crees que Eddgar no se dio cuenta? Ah, cuando Cleveland salió, todos lo trataron como a un héroe de la revolución. Y Cleveland, pobre desgraciado, se creía casi cualquier cosa siempre que hubiera alguien aplaudiéndolo. Pero yo hablé con Josita, la mujer de Marsh. Ella me contó, después de que lo encontraron muerto, que Huey y los demás le hicieron todo tipo de lavados de cerebro. Que "No digas nada", que la disciplina del partido, y todo eso. De todos modos, es una adicta. Pero lo que me dio a entender fue que Eddgar llamó a Cleveland a medianoche, que Eddgar fue la persona a la que fue a ver Cleveland aquella última vez que salió de su casa. Esto fue cosa de Eddgar desde el primer momento, viejo. Lo hizo parecer como un accidente. Pero ya sabes que Eddgar ya hizo lo mismo diez veces antes, viejo, que éste es su modus operandi.

Cuando regresamos a Seattle, llamé a los Eddgar. Ya en ocasiones anteriores había pensado hacerlo, pero entonces no tenía nada que decirles, además de exigirles explicaciones que nunca me darían. Ahora, al enterarme de esto, la maraña negra de culpa por la muerte de

Cleveland y el papel que yo había desempeñado en ello me angustiaban. Quería devolverle a Eddgar algo de lo que él me había hecho. No le daría mi nombre; me limitaría a decirle unas pocas palabras: "Sé lo de Cleveland. Sé por qué querías el dinero para la fianza". Una declaración que lo paralizaría de terror.

Pero el que atendió el teléfono fue Nile. Su vocecita me conectó enseguida con la sensación de azarosa pérdida que siempre me provocaba. Cuando al fin hablé, supo de inmediato quién era, aunque yo me había limitado a preguntar por Eddgar.

—Hola —me dijo, seguro de que lo llamaba a él—. ¿Dónde estás?

Traté de decirle algo que deseara oír. Te extraño, Nile. Pórtate bien. Todos te queremos. Estoy lejos pero pienso en ti y voy a escribirte. Oí que June, cerca, preguntaba varias veces quién era.

—¿Michael está ahí? —me preguntó Nile.

—¿Michael? No, en este momento no.

—Ah. —Pensó un instante y luego, sin decir una palabra más, colgó el teléfono.

13 de diciembre de 1995

SONNY

Cada mes, más o menos, Raymond y Marietta juran volver a empezar. Siempre hay un plan nuevo. Este verano, ella mezclaba en el café de él un químico que le dio la cuñada, así vomitaba cada vez que bebía. La semana pasada, juraron acabar con las tarjetas de crédito y los cigarrillos. Van a pagar sus deudas, me dice. Van a salir del pozo. Se muestra ferviente, aunque admite que es difícil. Sin los cigarrillos, Raymond bebe demasiado, tal vez también Marietta.

—¿Se pelean mucho?

—No, no —insiste—. Dice que hacía muchos años que no se sentía tan bien. Anoche mi hija habló por teléfono con él durante una hora entera. Opina que es otro hombre.

Ayer me marché con toda la intención de darle un sermón a Marietta esta mañana. Decirle que era una entrometida, una chismosa, que dejara de husmear. No obstante, tras dormir bien, me enojé más que nada conmigo misma. Anoche, tarde, pensé en llamar a Seth, pero luego recordé que había salido con Sarah. Y ahora, al oír las promesas de renovación de Marietta, me siento cercana a las lágrimas. Hay esperanza, pienso; hay esperanza. Todos queremos esperanza.

—Qué maravilla —comento mientras nos encaminamos a la sala del tribunal—. Quiero saber cómo resulta.

Junto a la puerta de mi despacho espera Fred Lubitsch, con varios papeles amarillos en la mano, una orden de allanamiento.

—Termino enseguida, jueza, se lo juro.

Me alegra verlo aquí, me complace que entienda que su declaración sincera no lo ha disminuido en mi estima. Wells y él quieren revisar el departamento de un asaltante al que arrestaron hace unas horas, en la calle. Esperan encontrar el botín de una serie de recientes rombos a mano armada.

—"El Sujeto fue aprehendido en la pizzería G&G, North Greeley 4577" —leo en voz alta—. ¿Por qué siempre los agarran en pizzerías, Fred?

—Creo que porque tienen hambre, jueza. —Me mira mientas leo.

—El juicio todavía sigue, ¿no?

—Sí.

—¿Van ganando los buenos?

—Quienesquiera que sean.

Lo miro sin hacer más comentarios, firmo la orden de allanamiento y prosigo mi camino. Tendré que seguir el ejemplo de Marietta. Aprender de mis errores. El grito de Marietta anunciando mi presencia rebota en toda la sala del tribunal.

Esta mañana Hobie ha venido espléndido; por entre la chaqueta abierta se le ve un fragmento de los tiradores de seda; un pañuelo amarillo de bolsillo acentúa su traje oscuro. Está vestido para la victoria, es una celebración andante. Se aproxima a mi podio y, hombre de mil voces tribunalicias, adopta su modalidad más grandilocuente. Debajo de las luces, el pañuelo luce brillante como una flor.

—Como habrá notado el tribunal, mi cliente está retrasado. —Señala con el mentón la mesa de la defensa, donde yo no había reparado en la ausencia de Nile. —He pedido a alguien que lo llame. Mientras tanto, el señor Molto me dice que el estado se propone descansar. Tal vez, mientras llega mi cliente, podamos seguir con las acciones referentes al veredicto. Luego, cuando llegue, procederemos a continuar con el caso de la defensa. Si es que resulta necesario. —Con esta última frase, los grandes ojos enrojecidos y misteriosos se elevan a mi podio y encuentran los míos un brevísimo instante, solo para transmitir el mensaje de que Hobie cree que merece ganar en este mismo momento. Él quisiera que yo declarara un *knock out* técnico, ya que ninguna persona razonable debería condenar sobre la base de las pruebas ofrecidas por el estado.

Hasta Molto ve poca razón para objetar las acciones propuestas por Hobie. Tommy vuelve a ofrecer sus pruebas, luego se pone de pie y anuncia:

—El Pueblo descansa.

—El Pueblo descansa —repito—. ¿Tiene alguna moción, doctor Tuttle?

Dedica un momento a acomodarse detrás del estrado de roble. Lleva puestos unos anteojos pequeños, de forma octogonal, que han aparecido de vez en cuando durante el juicio cuando ha tenido que leer.

—Antes que nada, jueza Klonsky, sé que no va a darnos su veredicto ahora. Todavía está decidiendo si las pruebas del estado, incluso tomadas de la manera más favorable para la fiscalía, podrían resultar suficientes para condenar. Así que no voy a molestarme en decirle ahora qué creemos que ocurrió en realidad. Usted tuvo una buena muestra de ello ayer, pero me doy cuenta de que no puede decidir el caso sobre esa base en este momento.

"Lo que sí puede decidir, Su Señoría, y debe decidir, es que el caso del estado ha fracasado. Y ha fracasado por una sola razón, una razón enorme: que han elegido confiar en un ser humano que, según se ha demostrado, es un terrible mentiroso, un individuo que todos hemos conocido aquí, llamado Ordell Trent, alias el Pesado.

"Sé que los juicios de credibilidad no suelen entrar en juego en el momento de las acciones tendientes al veredicto. Pero todos conocemos casos en que sí se han tomado en cuenta, en que los hechos indiscutidos, la verdad objetiva, muestran que a determinado testigo no puede creérsele, y yo digo que éste es en verdad uno de esos casos. Sin lugar a dudas.

"Seamos claros: el caso del estado se apoya por completo en la declaración del Pesado. Esta señorita Bicho, la señorita Lovinia, no agrega nada al caso, nada en absoluto, porque, Su Señoría, tal como nos enteramos por boca del detective Lubitsch, no hizo más que repetir lo que le había indicado la policía. Como ella misma admitió con sinceridad, nunca diría nada contra Nile. —Esta última frase la pronuncia imitando la manera de hablar de Lovinia, en el acento, en la pronunciación de cada palabra.

"De modo que, al final, lo único que nos queda es este sujeto, el Pesado. Y no me molestaré ahora en decirle qué persona terrible y dura es. No malgastaré tiempo diciéndole a Su Señoría que este individuo no tiene ningún respeto por la verdad, ninguna necesidad de la verdad, y que, en lo que a él concierne, tampoco tendría consideración alguna por este sistema. No me molestaré en aclararle eso, Su Señoría, porque ya hemos demostrado que mintió. —Hace una breve pausa. —El "hemos" es meramente un eufemismo. La palabra correcta es "he". Porque he sido "yo" quien ha demostrado que mentía. —Saborea un instante su logro contra el Pesado.

"El señor Trent dice, Su Señoría, que mi cliente le dio 10.000 dólares para que matara al padre. Y bien, jueza, nosotros sabemos que, en efecto, mi cliente le dio los 10.000 dólares, pero no en agosto, sino en julio. En julio. Y no para que matara al padre, sino porque el padre le pidió que se los entregara. Y no son los testigos de la defensa quienes lo afirman así. Es el testigo del estado, el testigo "estrella", es decir, el senador Eddgar. El testigo estrella del estado nos dice que el Pesado es un mentiroso. —Hobie agita el cheque en el aire. De nuevo relata el recorrido de los fondos, desde el Partido Democrático del Sindicato de Agricultores hasta la campaña del senador y luego a las manos de Nile Eddgar, en efectivo. —¿De dónde saca 10.000 dólares un supervisor de libertad condicional? Su Señoría, su salario es de 38.000 dólares por año; en su cuenta de banco hay menos de 3.000 dólares. —Tommy objeta correctamente que esos documentos aún no se han presentado como prueba. —Bien, el padre dijo que a veces Nile tenía que pedirle prestado para pagar el alquiler o el servicio de vigilancia. De modo que el señor Trent miente. ¡Por Dios, Su Señoría, en ese dinero se encontraron rastros de droga!

—¿Por qué? —pregunto—. No acabo de entenderlo.

—Él guardó la bolsa, guardó unos cuantos billetes para contar con las huellas dactilares de Nile Eddgar. Jueza, un traficante de drogas como el Pesado... El riesgo de que lo atrapen y el planeamiento que debe realizar para sus acciones forman parte de su profesión. El Pesado guardó la bolsa, los billetes, para tener alguien a quien sacrificar si volvía a meterse en problemas, y cuando volvió a meterse en problemas, llenó la bolsa, Su Señoría, con el dinero de su propio bolsillo. Es un traficante de drogas y un mentiroso, jueza, y este dinero es la mentira de un traficante. Es más que evidente. —Dedica unos cuantos minutos más a otros puntos, y luego le cede el lugar a Molto.

Tommy y Rudy han esperado tensos, tomando notas. Si sigo las reglas de la ley, si acepto por un momento las palabras del Pesado, el caso debería proseguir. Pero hay muchos jueces que lo darían por terminado, en especial porque una sentencia contra el estado a esta altura no es apelable. Por lo tanto, Molto consagra un prolongado preámbulo a las reglas legales aplicables aquí, antes de hablar de las pruebas.

—Jueza, sé que usted ha seguido de cerca las pruebas presentadas. Así que no las reiteraré *ad nauseam*. Permítame decir solamente que creo que hemos cumplido con nuestras promesas de los argumentos preliminares. No se discute que la señora Eddgar fue asesinada, no hay duda de que fue el señor Trent quien ordenó el asesinato. El señor Trent dice que para hacerlo recibió dinero del señor Eddgar, su supervisor de libertad condicional. El señor Trent... Por supuesto, el Pueblo conoce las limitaciones del señor Trent... El señor Trent es un criminal. El señor Trent es un asesino. Pero usted ya sabe, jueza, algo que es cierto: no fuimos nosotros los que elegimos al señor Trent. Lo eligió el señor Nile Eddgar.

"Y la declaración del señor Trent ha sido corroborada, jueza. Ha sido corroborada por Bicho, es decir, Lovinia Campbell, que declaró que el señor Trent le dijo que este asesinato, en que se suponía iba a morir el padre de Nile, que este asesinato se llevó a cabo "para Nile". Sé que existe discusión en cuanto a algunos aspectos de esta declaración, pero con el propósito de llevar a cabo estas acciones, jueza, debe usted considerarla de la manera más favorable para el estado. Y eso significa que ha servido para corroborar el testimonio del Pesado.

"En segundo lugar, jueza, la declaración del señor Trent es

corroborada por las circunstancias. Él dice que no le quedó otra elección que hacer lo que le pedía su supervisor de libertad condicional, porque, en esencia, es su supervisor de libertad condicional el que tiene en sus manos las llaves de la cárcel. Y tiene sentido. Tiene sentido que el señor Trent quisiera mantener contento a Nile Eddgar. Y algo más importante, jueza: el señor Trent dijo que los 10.000 dólares se los dio el acusado Eddgar, y de hecho, jueza, ha presentado billetes que tenían las huellas dactilares de Nile Eddgar. Tres clases de huellas dactilares de Nile Eddgar. Y, jueza, sabemos que fue el acusado el que le dijo al senador Eddgar que concurriera a ese encuentro. Sabemos que el acusado estaba enterado de la cita. Y sabemos, por los registros telefónicos, que llamó al señor Trent a pocos minutos del homicidio. Por último, jueza, algo que, según he observado, el doctor Tuttle no ha mencionado: sabemos que Nile Eddgar le dijo a Al Kratzus, al enterarse del asesinato de su madre: "Se suponía que era mi padre el que debía estar ahí". Así que sabemos, tal como nos dijo el Pesado, que Nile Eddgar tenía previo conocimiento de este plan.

"Ahora, jueza, sólo nos queda el senador Eddgar... —Es mucho, por supuesto. Hasta Molto hace una pausa, contemplando lo que le espera. Hace ademán de llevarse a la boca los dedos, las uñas comidas, pero enseguida se da cuenta y deja caer la mano. —Jueza, toda la noche estuve pensando en qué puedo decir. Y permítame decir nada más que esto: quedé sorprendido. El senador admitió que nunca le dijo al Pueblo nada sobre este cheque de 10.000 dólares. Y, por supuesto, me pregunto por qué. Y lo siguiente resulta difícil de decir, pero permítame decirlo. Es un político poderoso, hábil, y tal vez, jueza... No quiero ser irrespetuoso, pero tal vez, jueza, ha estado manipulando este sistema de maneras que sólo puede hacerlo alguien que se encuentre en su posición. —Me mira una vez, tieso: un rayo láser de verdad absoluta. Tommy sabe que Ray Horgan no vino ayer por casualidad, que la resistencia respecto de este caso de parte de funcionarios más elevados de la oficina de la fiscalía, como mencionó Montague y sugirió Dubinsky, bien puede haber tenido una fuente exterior. ¿Pero por qué no inferir que Eddgar se estaba protegiendo? ¿Que Hobie tiene razón?

—No lo sigo, señor Molto.

—Jueza, no puedo describirle lo que son las actividades del senador Eddgar. Y ya sé que fuimos nosotros los que lo trajimos como testigo. Pero, jueza, él le mintió a la policía desde el comienzo. De modo que quizás usted debiera vacilar antes de aceptar todas las declaraciones que el senador hizo ayer. Yo diría que mintió el 7 de septiembre para proteger al hijo. Y tal vez sea eso lo que está haciendo ahora. Tal vez, jueza, la justicia del Pueblo le resulte áspera. Incluso puede que sienta, jueza, que por ser la supuesta verdadera víctima, depende de él perdonar y olvidar. Yo no lo sé, jueza. No puedo darle la versión completa.

Es una táctica desesperada, la de atacar de este modo al propio testigo. No obstante, en cierto modo respeto a Tommy por ello, por no rendirse, por no abandonar su propia manera de ver la verdad. A lo largo de toda su presentación he sentido la fuerza de una apelación personal: "No diga que el caso no servía. Déjeme perder sobre la base de los méritos. Diga que las pruebas plantearon desmedidas preguntas como para atravesar airosas la tierra de la duda razonable. No permita que los políticos de la fiscalía se cubran de comentarios del tipo: 'Te lo dije'". Me urge por su orgullo, pero también porque sabe que, en el aspecto técnico, en el legal, al adherir a las reglas que adora, la esencia misma de su personaje, está en lo cierto. Tommy es abogado hasta la médula. Es tanto en su gloria como en su debilidad que cree con tanta potencia en las reglas.

—Pero hay una cosa, jueza —prosigue— acerca del cheque de 10.000 dólares del partido del estado. Ahora bien: yo vi el cheque. Sé que es real. Pero todavía no hemos oído declaraciones respecto de que Nile en verdad entregara al Pesado el efectivo obtenido mediante ese cheque. No lo hemos oído.

—¡Su Señoría! —salta Hobie—. Traté de hacer esa misma pregunta.

—Siéntese, doctor Tuttle. —Como de costumbre, Hobie trata de distraer. Preferiría que yo no notara lo que está haciendo Tommy, actitud que lo desafía a poner a Nile en el estrado de los testigos. Hasta su último dólar, Tommy apuesta a poder dar vuelta el caso y condenar a Nile. Buena jugada, en estas circunstancias. Pero no se trata de un señuelo que Hobie vaya a morder. Interrumpo a Tommy.

—Ya que hablamos del dinero, señor Molto, he oído la teoría del doctor Tuttle. ¿Por qué no nos dice usted la suya acerca del residuo de cocaína encontrado en los billetes?

—Una vez más, jueza, eso todavía no se ha convertido en prueba. Y yo discutiría, dadas las violaciones procesales ocurridas, es decir, el modo como el doctor Tuttle ocultó los resultados de laboratorio, que dicha prueba llegue a aceptarse. Pero ya que lo ha preguntado, permítame decir lo siguiente: creo que si a uno le pagan para matar a alguien, uno guarda el dinero en el mismo lugar, del mismo modo, en que guarda otros haberes ilegales. Eso es lo que sugeriría yo. En mi opinión, no lo llevaría al banco. Si uno tiene un piso de madera, o un botiquín que saca de la pared para esconder las drogas, jueza, yo creo que es ahí adonde iría el dinero.

—Salvo que su testigo, el Pesado, dijo haber guardado esos fondos cuidadosamente aparte.

—Y concedo que debe de haber cometido un error al decirlo —replica Tommy, aunque no logra obligarse a mirarme mientras hace esta galante admisión—. Él no es el FBI, jueza. No lleva un libro de pruebas. Y una vez más, jueza, hasta este mismo momento en realidad la defensa no ha establecido que hubiera cocaína en los billetes.

Tiene razón. Si yo concluyera el caso ahora, recompensaría a Hobie por su conducta miserable. Con ello en mente, al final niego la moción, cuidadosa de aclarar que mi dictamen no refleja evaluación de credibilidad alguna, y que, por lo tanto, no sirve de predicción de mi decisión última en el caso. Los abogados se han sentado mientras dictamino, y los miro a ambos para asegurarme de que el mensaje les quede claro. Le he dado a Tommy el espacio que merece, y el último que obtendrá. Singh le aprieta el brazo, encantado.

—Ahora, doctor Tuttle, ¿dónde está su cliente?

Pide un receso para ir a averiguar. Cuando regreso a mi lugar, tal vez un cuarto de hora después, Seth, por improbable que parezca, se halla sentado junto a Hobie a la mesa de la defensa, y ambos cuchichean con urgencia. Mi corazón efectúa otro de esos saltos de ballet al verlo de este lado de la sala, y luego se precipita con estruendo cuando capto la significancia de la unión de ambos. Esta mañana ya había dejado de lado las sospechas de ayer, causadas por la paranoia de la falta de sueño.

Cuando aparezco, Seth se pone de pie de un salto. Se separa de Hobie, lo apunta con un dedo y le da una palmada en la cabeza; al retirarse deja la impresión de que están enojados uno con el otro. Seth se dirige a la tribuna del jurado pero no entra, sino que permanece esperando allí.

—Su Señoría —dice Hobie. Se para pero por unos instantes no dice nada. La luz se refleja en dos lunares claros en las zonas abiertas de su frente. —Debemos concluir la sesión, con el permiso de la corte. No podemos localizar a mi cliente.

Todos tardamos un momento en comprender.

—¿No cree que tengo derecho a una explicación más detallada, doctor Tuttle?

—Su Señoría, esta mañana lo llamé tres veces. Como no aparecía, le pedí a un amigo que fuera a su departamento, pero no está allí. Su Señoría, podría conjeturar, si fuera necesario... Yo pensaría, jueza Klonsky, que, de manera imprudente, es posible que, después de la sesión de ayer, haya decidido hacer una celebración prematura. No es más que una conjetura.

—Entiendo. —Enseguida experimento la sensación de que otra vez Hobie trama algo. Echo una breve mirada a Seth. Él nos mira tenso.

—Jueza —interviene Tommy—, no voy a acceder a que se suspenda la sesión. El acusado conoce el desarrollo de las acciones. No lo aceptaré, de ningún modo. Se halla ausente por propia voluntad, así que debemos seguir adelante.

—Su Señoría, no sé dónde está Nile Eddgar. Y tampoco lo sabe Molto. No puede decir que se halla ausente por propia voluntad. Tal vez sufrió un accidente automovilístico. Tal vez se enredó en una pelea en un bar. Tal vez esté en un hospital o en una comisaría. Por Dios, podría ser víctima de alguna treta sucia. Su cara ha aparecido en todos los canales de televisión. ¿Quién sabe lo que ha ocurrido?

Pero es Seth, y su expresión cerrada, lo que me llama la atención. Al recordar lo que me contó ayer acerca de su ininterrumpida relación con Nile, al final comprendo.

—Señor Tuttle, ¿a quién envió usted a buscar a su cliente? —Tomado por sorpresa, Hobie no responde. —Opino que debería oír la declaración directa de esa persona, ¿no le parece, doctor Tuttle?

Hobie luce tan grande y vacío como un timbal. Alza en el aire una mano cuidada.

—Bien... —es lo único que logra decir. Seth ya ha dado un paso adelante.

—Señor Molto —digo—, el señor Weissman es amigo personal mío desde hace veinticinco años. Tengo la certeza de que puede ayudar a informar al tribunal, pero sólo si ello no presenta problema para usted.

Tommy se encoge de hombros.

—Como le parezca, jueza.

Y llega el momento. ¡Qué locura!, pienso. ¿Es éste el sueño de toda mujer: hacer declarar a un hombre bajo juramento y obligarlo a decir la verdad? Sitiado, Seth avanza hacia el centro de la sala. ¿Qué dijo? ¿Qué todos se hallan por debajo de mí y que yo me ubico en un lugar remoto? No, remoto no. Mi corazón se acelera. Cuando se dirige a mí, sus ojos son profundos y serenos. Con la primera palabra, sé que dice la verdad.

Recita la historia en unas cuantas palabras. El conserje le permitió entrar en el departamento de Nile. El dormitorio era un desastre. Había dos valijas blandas sobre la cama, los cajones estaban vacíos.

—Me pareció que se fue de la ciudad —agrega. Hobie levanta una mano en la esperanza de evitar el comentario. Ahora todos guardamos silencio.

—¿Ha huido? —Las palabras, como tantas otras antes, me saltan de la boca en forma impulsiva. Navegan por la sala del tribunal causando una súbita consternación entre el grupo de espectadores que hoy se hallan detrás del vidrio.

—Yo no diría "huido" —interviene Hobie—. Digamos que es probable que haya tenido una reacción emocional a la declaración de ayer. Así lo evaluaría yo.

—Creí que su evaluación era que su cliente había salido a celebrar.

Vencido, Hobie hace una mueca, pero en lo demás me mira sin expresión de disculpa ni de resentimiento. A esta altura ambos sabemos cómo es su juego.

Tommy levanta una mano.

—Jueza, quiero proceder —dice.

—Vamos —le contesta Hobie.

—Jueza, debemos seguir adelante. —Molto no ha tenido mucha oportunidad de reflexionar. Sólo sabe que hay algo diferente y, dada la dirección en la que van las cosas, no puede salir perjudicado.

—Estoy seguro de que se presentará —afirma Hobie—. ¿Por qué no le concede un día, Su Señoría?

Tommy insiste con renovadas fuerzas. Es preciso obligar a la defensa a proceder.

—Por el amor de Dios, Su Señoría —responde Hobie—. Él es mi único testigo. Tengo unas cuantas estipulaciones, unas cuantas pruebas, y a Nile. No puedo proceder.

—Las dos de la tarde. Encuentre a su cliente, doctor Tuttle. De lo contrario, seguiremos sin él.

Seth ha vuelto a la sala y observa con expresión sombría desde la pared del fondo, aguardando mi reacción, mi dictamen.

Almuerzo en el despacho, firmando órdenes. Annie sigue completando expedientes de las audiencias de ayer. Del otro lado de la puerta, Marietta ha desplegado con destreza una servilleta entre su porción de pizza y el televisor. Yo continúo agitada.

—Está tramando algo —le digo a Marietta desde mi escritorio.

Se retira uno de los auriculares.

—¿Quién?

—Hobie. Tuttle. ¿Qué está haciendo, Marietta?

Sacude la cabeza.

—Ya sabes, el chico no está bien, jueza. El acusado. Está loco como una cabra. —Todos lo sabemos. Tras observar a Nile unos cuantos días, es imposible evitar esa sensación. Es funcional, pero no una personalidad común. Excéntrico.

—Es otro truco. Como lo de Dubinsky. Como el informe del químico o el cheque. Hobie no puede caminar en línea recta. Si Nile huyó, ¿quién crees que le dijo que lo hiciera? —le pregunto a Annie, que, como siempre, escucha con atención, tratando de aprender de nuestras evaluaciones, mientras continúa cargando expedientes en los carritos de acero de la secretaría.

—Es probable. Pero, jueza —dice Marietta—, ¿qué obtiene? Molto va a seguir adelante. Eso tiene que saberlo.

Ahí está la clave: Hobie sabía que Tommy iba a exigir que el caso prosiguiera.

—¿No lo ves, Marietta? Es una excusa para no hacer declarar a Nile. ¿Oíste cómo dijo hoy que Nile es su único testigo?

—Lo que trata es de demorar las cosas, jueza. De ninguna manera el chico va a declarar —asegura Marietta, que ya imagina a Nile en la formulación de repreguntas.

Pero tal vez de eso se trata. Sin duda Nile no tiene obligación alguna de declarar, y la ley me prohíbe hacer hincapié en que no ha dado su testimonio. Pero Molto ya ha arrojado el guante; señalará cada detalle de la defensa que no se haya fundamentado. De este modo, Hobie cuenta con una excusa. Sea lo que fuere lo que trama, no permitiré que salga impune de nuevas payasadas sospechosas.

Cuando vuelvo a mi podio, la sala del tribunal se halla tensa. Antes, sin la presencia del acusado, muchos de los periodistas ni siquiera se molestaron en entrar. Ahora ha circulado el rumor de que va a suceder algo de consecuencia. La tribuna del jurado está llena; veo todas las caras conocidas, salvo Seth, que acaso esté en la calle. Los dibujantes tienen los bloques abiertos. Hobie y las grandes cajas de cartón blanco se hallan solos a la mesa de la defensa.

—¿Doctor Tuttle?

—Su Señoría, debo solicitar una nueva prórroga.

—¿No lo han encontrado?

—Todavía no, Su Señoría. —Vuelve la cabeza hacia los rincones de la sala, como si pudiera encontrar a Nile allí. No me mira.

—¿Y, señor Molto, aún desea proceder?

Tommy se acerca al centro de la sala.

—El Pueblo solicita se reabra el caso —dice—. Quiero ofrecer la no presentación del señor Eddgar como prueba de fuga, de conciencia de culpabilidad. —Él y Rudy han elaborado esta jugada en el intervalo, y es inteligente. La ley siempre ha razonado que una persona inocente debe quedarse a defenderse. Sólo los culpables huyen. En privado, la lógica de esta regla me elude. ¿Quién, habiendo sido falsamente acusado, tendría suficiente fe en el sistema para quedarse a sufrir el juicio? Es una suposición de una era más formal, cuando la gente vivía regida por conceptos como el Honor y la Obediencia. Pero aun así es una regla.

Hobie estalla.

—¡Conciencia de culpabilidad! Cualquier persona que tenga ojos en la cabeza pudo ver lo que ocurrió ayer en esta corte. Es ridículo, Su Señoría.

—Doctor Tuttle, usted conoce la ley tan bien como yo. Dígame por qué el estado no tiene derecho a urgir la tradicional inferencia de la ausencia del acusado.

—Porque no tiene sentido. Jueza Klonsky, este caso va bien desde la perspectiva del acusado. Su Señoría lo sabe. No tiene motivos para huir. Ninguno.

—¿Entonces por qué se ha ido, doctor Tuttle?

Hobie resuella y se ruboriza. Por primera vez en el juicio, Tommy da la impresión de haberlo vencido. Después de todos los trucos de Hobie, no resulta difícil saborear este merecido. Vuelve a intentarlo.

—Su Señoría, con todo respeto, tiene que pensar en los aspectos emocionales del caso. Esto es muy difícil para el acusado. La madre muerta. Y luego lo que tuvo que soportar ayer. Fue un momento terrible. El acusado tuvo una reacción emocional. Su reacción, creo, equivale a decir: "No puedo soportarlo. No puedo enfrentarlo". Su Señoría, ¿tan difícil es para usted, para cualquiera de nosotros, comprender sus sentimientos de este modo? —Muy elocuente... y muy semejante a lo que mis reflexiones en el despacho me llevaron a sospechar. Hobie no habría mandado a Nile a esconderse sin elaborar una explicación apremiante, una que me haga olvidar la violación de la libertad condicional cuando Nile aparezca, una o dos horas después de que el caso llegue a su fin. Le digo a Hobie que puede discutir el punto al final del caso.

—Jueza —interviene Tommy—, permítame sugerir que al acusado no le gustó ver a su padre cargar con la culpa de un crimen que él sabía que había cometido él mismo. Creo que eso tiene mucho más sentido que lo que dice Tuttle.

—Doctor Tuttle, ¿por qué la fiscalía no tiene derecho a lo que pide? Dígame las razones. —Le hago un gesto a Tommy. Hobie vuelve a mirar la sala del tribunal, en busca de ayuda.

—Su Señoría, usted no puede —dice al fin—. Sencillamente no puede hacer esto.

—Doctor Tuttle, en mis primeros años de abogada, fui funcionaria de Justicia Ringler, y una de las cosas que me enseñó, y que nunca he olvidado, es que las cuatro palabras más peligrosas del idioma son: "Juez, usted no puede". Puedo, y lo haré.

—Jueza Klonsky. ¡Por favor!

—Doctor Tuttle, le daré hasta mañana a la mañana para encontrar a su cliente. Si no aparece, vamos a proceder. Y en entonces permitiré al Pueblo que reabra el caso. Tomaré nota de que el acusado está ausente, y permitiré a las partes discutir las inferencias surgidas de dicha no presentación, incluyendo que el estado se sirva de la tradicional presunción de que la fuga significa conciencia de culpabilidad. Ése es mi dictamen. —Bajo la cabeza en gesto decisivo. No más tretas. No más cobardías.

Furioso conmigo, Hobie se para ante mi podio, moviendo con ira la cabeza.

—Su Señoría, si usted permite que reabran el caso...

—Doctor Tuttle, no hay ningún "si". He dictaminado.

—Jueza, no me va a quedar más elección que solicitar la nulidad del juicio.

Es como si el mundo se hubiera partido, justo frente a mis ojos. ¿Qué dijo Seth de Hobie? ¿Que no puede consigo mismo? Tan obsesionado está con salirse con la suya, que no ha advertido cuán enojada estoy. Y por supuesto jamás advertiría la excelente oportunidad que significa la moción de nulidad del juicio que acaba de presentar. Sin esa moción, el proceso continuaría hasta su conclusión. Pero Hobie afirma que, al permitir que el estado aproveche la ausencia de Nile en su beneficio, yo he perjudicado tanto a la defensa que él preferiría empezar de nuevo desde el principio, cuando Nile aparezca. Siento toda la sala del tribunal fija en mí, consciente de que me he quedado inmóvil.

—Se acepta su moción, doctor Tuttle.

Total silencio. En todo el piso, en los ocho tribunales, se produce uno de esos momentos sin aliento en que nadie logra moverse. Hobie se queda mirándome, buscando un indicio de qué debe hacer ahora.

—Jueza, retiraré mi moción.

—Acabo de concedérsela.

—Su Señoría, lo que dije... Dije que iba a hacer esa moción. Era lo que contemplaba para mañana a la mañana. No llegué a hacerla.

—Su moción se considera hecha y concedida.

—Entonces solicito que vuelva a considerarla. Le pido que reconsidere y se tome un día para pensarlo. Ofendí a Su Señoría, me doy cuenta. Me disculpo. Con toda humildad. Con toda humildad, jueza Klonsky. Pero por favor reconsidérelo.

De modo que vuelvo a considerarlo... pero sólo en forma momentánea. En una parte de mí, siempre estaré sentada aquí juzgándome a mí misma, declarando mis creencias, midiendo mis flaquezas, luchando con mi pasado. La objetividad es, en el mejor de los casos, una cuestión de grado. Pero después de todas las extrañas fuerzas exteriores que me han abofeteado —después de Brendan Tuohey y Seth, después del propio Hobie y sus trampas con Dubinsky— ya no me encuentro en la zona de comodidad que pasa por imparcialidad. Tal vez debería haber sabido desde el principio que terminaría aquí. Que seguiría si debía haberlo. Pero no dejaré —no puedo dejar— pasar esta oportunidad. En la vida no hay nada más triste que cometer dos veces el mismo error.

—Doctor Tuttle, el caso ha terminado. Y como lo he presidido hasta ahora, sería inapropiado que yo volviera a conducirlo. Voy a devolverlo al Juez Jefe Tuohey para que lo asigne a un nuevo magistrado.

—Su Señoría —dice Hobie, en un último intento desesperado—, por favor, no sea así.

No me molesto en responder. Molto muestra una expresión pasmada. Cuando me pongo de pie, por fin despierta y se adelanta a presentar una moción.

—El Pueblo solicita que el acusado pierda el derecho a fianza.

Hombrecito cetrino, siempre encendido por la vela eterna de un interminable odio u otro. Lo que exige es la casa de Loyell Eddgar.

• • •

Me retiro a mi despacho. Durante una hora el teléfono suena sin cesar, distrayéndome del silencio de mis dos empleadas tribunalicias, que creen que perdí el control o la razón. Marietta atiende cada llamada del mismo modo: "La jueza no concede entrevistas". Cuelga de un golpe. En cualquier momento llamará Brendan Tuohey. Pero mientras me mantengo atareada me siento feliz. ¡Libre! No de responsabilidad, pero ¿qué mayor gratitud puede existir que la de haber sido salvada por accidente de los propios errores?

Cerca de las cuatro decido terminar el día. Obedeciendo al espíritu de las fiestas, los delegados de tribunales han colgado una guirnalda encima de cada uno de los detectores de metales. Mientras paso al otro lado, vislumbro la figura demacrada de Tommy Molto, que también sale. Llegamos a la única salida en el mismo momento.

Se disculpa por la moción de anular la fianza. Yo ni siquiera dictaminé al respecto; me limité a echar una mirada furibunda antes de bajar de mi podio.

—No fue mi intención ponerla en una situación incómoda —me dice.

—Estábamos todos muy alterados.

—Bueno, ¿qué cree, jueza? ¿Le parece que Tuttle lo mandó esconderse para tener un motivo para no hacerlo declarar? Es una de las conjeturas que se barajan.

Las convenciones y la sensatez sobreviven al caso. Respondo con un movimiento inescrutable de los dedos, como si tal idea jamás me hubiera cruzado la mente.

—Rudy cree que se mató.

—¿De veras? —Me alarma. —¿Por qué razón?

—Es un chico raro. Diablos, no es un "chico". —Tommy resopla. —Ya pasó los treinta. Ya va a aparecer. Yo apuesto a eso.

—Veremos, Tommy. Es un asunto extraño.

—Ya lo creo.

—Usted hizo un buen trabajo con lo que tenía —le digo. Al oír el cumplido se enciende como un niño. Pobre Molto. Tan pocas veces lo elogian... —El caso fue bien llevado por ambas partes. También felicitaría a Hobie, pero no creo que vuelva a hablarme nunca.

Tommy aparta la vista.

—A mí me exaspera —dice, y menea la cabeza cansada. Cuando vuelve a mirarme, lo asalta un pensamiento diferente. —¿Por qué lo hizo, jueza?

—¿Lo del nuevo juicio? Era lo correcto —digo—. Dadas todas las circunstancias.

—Cuando empezamos, creí que iba a ganar.

—Tal vez la próxima vez.

Ríe con modestia y responde:

—No voy a ser yo. Que se encargue otro. —Calla un momento y agrega: —Quizá no sea cualquiera. No pueden hacer declarar de nuevo al Pesado. Ni al padre. Ni tampoco creo todo lo que dijo Tuttle. Yo creo que fue el chico, jueza.

—No logró probarlo, Tommy. —Llegamos al momento de sinceridad que ambos deseábamos.

—He salido bien parado. Es algo que valoro.

He estado tan centrada en mis propios azares, que no consideré los de los demás. Son todos ganadores: la fiscalía, e incluso Nile, que en apariencia no será reprocesado. Tal vez Hobie, también. Me asalta un miedo: puede que a Brendan Tuohey le guste esto, puede que me felicite por mi estilo diplomático. Luego, por supuesto, está Eddgar. Él sigue tan arruinado como al inicio del día.

—Me alegro por usted, Tommy. Es bueno que alguien sea un héroe.

Tommy menea la cabeza con expresión irónica y reflexiva. Supongo que para él este sistema es algo amargo. Comprendo. Yo también he tenido días en que me parecía que en realidad no existían reglas, sino sólo resultados y explicaciones azarosos compuestos después del hecho.

—Héroe —dice—. ¿Sabe lo que soy? Yo soy el tonto. Soy el pobre imbécil que cumple con su trabajo, que va a la fábrica todos los días y se rompe el trasero y luego vuelve a la casa para que lo atormenten los hijos y lo regañe la mujer. Sólo cumplo con mi trabajo. Eso es todo lo que he hecho en mi vida. "Ocúpate de este caso, Tommy." Muy bien, me ocupo. Leo los informes, hablo con los testigos. Vengo al tribunal. Qué hacen o piensan afuera, ni siquiera me lo imagino. Nunca fui un político. Ése es mi problema. No pienso como ellos. Estos tipos tienen engranajes dentro de engranajes. Ya sabe: se sientan en la habitación de atrás con los fiscales y elaboran cosas y beben whisky después de hora y se apasionan mientras tratan de imaginar en qué andan todos los demás, y cuánto deben creer de lo que dice la gente. Yo no sé. No sé nada de esas cosas. Lo único que hago es ocuparme de mi caso. Ellos creen que no sé que soy la oveja del sacrificio. A mí me enviaron a perder este caso. Lo sé. Lo supe desde el primer momento. Pero aun así estuve ahí, trabajando para ganar. —Me dirige otra mirada penetrante (la de alguien que sabe que nunca será rescatado de sí mismo) y se adelanta, dejándome atrás en el aire que se vuelve cada vez más quebradizo con el avance del invierno.

Luego prosigo con mi vida. Traigo a Nikki a casa. Cerca de las seis suena el teléfono. La voz de Seth suena como si estuviera en un aeropuerto o una estación de trenes. Hay un eco de un espacio enorme que tapa sus palabras.

—No voy a llegar.

—¿No? —"Ni lo pienses", digo para mis adentros. Quiero meterme una mano en el pecho y agarrarme el corazón.

—Estoy en el hospital. —Toma aliento. ¿Nile? —Papá sufrió un ataque —me dice.

—Oh, Dios.

—Sarah está con él. Habían terminado lo que iban a hacer juntos. Ella fue a prepararle una sopa para el almuerzo y cuando volvió lo encontró en el piso. Estaba gris cuando lo trajimos acá.

—¿Cómo está?

—Nada bien. No está muerto del todo. No dejan de repetirme que "hay que esperar".

—Lo lamento mucho, Seth.

Nikki, al oír el nombre, corre desde el estudio. "Quiero hablar." Trato de hacerla callar, pero Seth me pide que le pase con ella y durante un minuto hablan del diente y las otras chucherías que le envió.

—El juicio terminó —le digo cuando vuelvo a tomar el teléfono.

—Lo vi en televisión en la sala de emergencias.

Nos interrumpe la voz pregrabada y robótica del comercio, exigiendo más cambio. Se oye el caer de una moneda. Después, ninguno de los dos vuelve a mencionar el juicio. Me doy cuenta de que no volveremos a hacerlo. Queda una sola pregunta real.

—¿Estamos bien? —me pregunta.

—Creo que sí.

—Porque, mira, soy un tipo sincero. Es corta la lista, ¿sabes?, de las cosas buenas que puedo decir de mí. Pero ésa es una.

—Lo lamento, Seth. Me tomaste por sorpresa, pero sé que no lo merecías.

—Quiero que confíes en mí.

—Voy a intentarlo, Seth.

—Bien. Bueno, tengo que volver con Sarah.

Los dos aguardamos, tratando de ver si hay más que decir. Pero no lo hay, al menos en este momento. Tenemos tiempo.

Tercera Parte

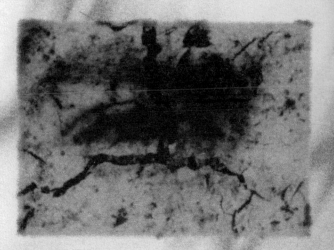

FALLO

A menudo se considera la década de los 60 como una tormenta que llegó y pasó, un ciclón cuyo daño se reparó hace tiempo. Pero entre las herencias más duraderas de esa era se cuenta la de haber establecido un estilo de juventud, de ser joven, que se ha transmitido durante ya cuarenta años mediante el ejemplo de una interminable cadena de chicos y chicas. Ya se trate de sus modos de hablar o de los vaqueros rotos, el pelo largo hasta los hombros o los riesgos del sexo, las drogas y el rock and roll, desarrollamos ritos de transición de naturaleza sorprendentemente perdurable. Al escuchar a mi hija suelo sentirme un poco como los americanos nativos que se asombraron cuando Colón les dijo que había descubierto un nuevo mundo.

Incapaces de reformar el mundo, muchos decidimos tener familias en la esperanza de crear un orden más perfecto en el hogar. No queríamos tanto hijos como aliados. Así, la década de los 60 se convirtió en la de los 90, vinculadas ambas por el tema de la adoración de los hijos. Y como resultado no puede haber generación menos preparada para el inevitable descubrimiento de que nos hemos convertido en padres.

—MICHAEL FRAIN
Guía del sobreviviente,
16 de mayo de 1990

1º de abril de 1996

SONNY

En una mañana de primavera tan fragante y perfecta que el invierno, ferozmente presente hace apenas unos días, parece una árida imposibilidad, Bernhard Weissman descansa en paz. Reunido para el servicio junto a la tumba hay un pequeño grupo, de no más de treinta o treinta y cinco personas sentadas en las hileras de sillas plegables dispuestas sobre el suave césped. El señor Weissman no tenía hermanos ni primos, nadie que lo sobreviviera, pues vivió más que sus contemporáneos. Era como Ismael. Pero está la gente cuya presencia Sonny sabe que Seth y Lucy desean. Lucy ha venido en avión desde Seattle; Hobie, desde D.C. Lucy y Sarah se quedaron anoche en la casa del viejo, preparándose para los rituales, el *shiva*, que tendrá lugar allí después de la ceremonia. Seth las acompañó después de medianoche, limpiando, desplazando los muebles, revisando los papeles del padre, recordando, si no evocando. Esta mañana, para que los tres dispusieran de un momento último y privado en la funeraria, Sonny se hizo cargo: pasó por lo del señor Weissman para enchufar las cafeteras y recibir algunas bandejas de comida. Luego avanzó apresurada entre el tránsito, sólo para encontrarse con que el servicio había comenzado hacía unos segundos, sin ella.

El ataúd, un simple féretro de pino con la estrella judía —"el modelo económico", lo denominó Seth, seguro de contar con la eterna aprobación del padre—, descansa sobre un aparato de acero encima de la abertura sombría cavada en la tierra. A cada lado han retirado el césped y apilado la tierra sobre la pequeña lápida de granito que lleva el nombre de Dena Weissman. Unos cuantos terrones han caído y rozado los zapatos de los asistentes de la primera fila; Seth y Hobie, sentados tiesos; Sarah, sollozando mientras el brazo delgado de la madre la rodea. Desde la distancia a Lucy se la ve como la describió Seth, muy parecida a una muchacha, menuda y esbelta, con un vestido negro y zapatos de taco bajo. Su cara pequeña y pecosa, observada desde diversos ángulos, está hinchada de llorar.

El oficiante de la ceremonia es el rabino Herschel Yenker, del templo Beth Shalom, quien, según afirma Seth, presidió su *bar mitzvah*. Lo retrató como un personaje maniático y desagradable, pero para Sonny los tones rotundos y la concentración del rabino en la plegaria resultan en cierto modo sedantes. Los discursos fúnebres los pronuncian Seth y Hobie. Cada uno habla de manera emocional y honesta. Ninguno finge que el viejo fue dulce o amable. Era bravo, inteligente, vivió inconmensurablemente angustiado por el mal al que había sobrevivido y a la incomprensible conspiración de fuerzas que permitieron que ello ocurriera. Con mayor claridad que nunca, una sensación de cómo el tormento ha viajado entre generaciones invade a Sonny, y mientras se pronuncian los discursos ella, como muchos otros de los presentes, se descubre llorando. Piensa alternadamente en su madre, y también en Seth, una buena persona, en verdad un buen hombre, aunque, pese a todos sus privilegios y éxitos, por momentos torturado. Cuando la ceremonia concluye, se abre camino hacia ella, y es palpable su incomodidad con la ropa formal, el traje azul y la camisa blanca, y la corbata demasiado angosta para la moda del momento. La nueva barba que se ha dejado crecer, que agrega un elemento de convicción a su apariencia, le cubre toda la cara salvo los huecos de las mejillas. Abraza largamente a Sonny.

—Lo que trato de explicarme —susurra— es si ahora estoy libre, o condenado para siempre. —Alguna vez lo averiguará. Luego sube a la limusina de la empresa funeraria que lo llevará, junto con Sarah y Lucy, a la casa de los padres. En el cordón, Lucy, que todavía llora con desconsuelo, abraza a los padres de Hobie, a quienes conoce desde siempre. Seth toma del codo a su esposa y la ayuda a subir al auto.

Sonny todavía tiene que hablar unas palabras con Lucy, y no ansía el momento. Por sabias o experimentadas que pretendan ser, será una situación incómoda. No sabe con exactitud lo que Seth le ha dicho a la esposa sobre la relación de ambos. "Salimos", lo más probable, esa expresión tan imprecisa típica de la década de los 90. Por supuesto, no sabe con claridad lo que ella misma diría. A menudo, en los momentos más pequeños, Sonny siente como si ella y Seth hubieran brotado del mismo suelo. Los veinticinco años —toda una vida adulta en la que en realidad no existieron el uno para el otro— a veces parecen haberlos guiado, de manera inexplicable, por los mismos estuarios del hábito. Los dos están suscriptos a *The Nation* y *Scientific American*; los dos adoran el yogur helado de frutillas y el pad thai. Con frecuencia surge alguna moda u hecho olvidado de eras pasadas, y reaccionan con comentarios idénticos.

No obstante, en general hay una distancia que recorrer. "En guardia" es la expresión que utilizaría ella para evaluar el ánimo actual de la relación, por cierto de su parte. O uno comete de nuevo los mismos errores, o trabaja a cada momento para no repetirlos. El mes pasado, Seth escribió una o dos columnas sobre equilibristas, personas que caminan en una cuerda floja. Los entrevistados hablaban como si se tratara de Zen: mantienes los ojos fijos adelante. Crees que la cuerda estará donde apoyes los pies. Así es la vida juntos de ambos en este momento. Contando el tiempo del juicio, hace ya más de dieciséis semanas que Seth permanece en el condado de Kindle, pero el estado del padre, que sufrió vaivenes dramáticos durante cuatro meses, ha permitido a ambos evitar declaraciones claras. Él suele dormir en lo de Sonny, y hace hincapié en estar allí todas las noches, pero su ropa continúa en el Gresham, adonde va todos los días a escribir su columna. De todos modos la habitación la paga el diario, según dice. Sin embargo Sonny sospecha que si se lo sugiriera él se mudaría con todas sus pertenencias, cosa que no hará hasta que esté de veras segura de que se quedará, y de que ella quiere que se quede.

Negro bruñido, el largo Cadillac se pone en marcha, dejando una nube de emanaciones. Los tacos de Sonny se atascan en el césped blando mientras camina hacia la camioneta, sola. Al llegar, ante la casa del viejo, encima de la baranda de concreto, Sonny encuentra una jarra y un bol ubicados sobre una anticuada mesa para televisor con patas de aluminio. "Para lavarse la tierra de la tumba", le explica Dubinsky mientras va subiendo con esfuerzo las escaleras. Tiene un vientre del tamaño de un globo grande, que le abre tanto el saco como el sobretodo.

Adentro, al llevar su abrigo a la vieja habitación de Seth, Sonny busca con la mirada a Sarah. Está en el estudio del abuelo, donde el anciano señor Weissman revisaba a solas sus cuentas y negocios, con la puerta cerrada con llave, incluso cuando no había nadie. Sonny, que hoy no ha tenido un momento a solas con Sarah todavía, entra. Sarah se aparta del escritorio del abuelo y la abraza; su cara se convierte otra vez en una máscara de dolor. Es una muchacha magnífica, poseída de todos los dones, sincera, sobria, aunque a veces frenética con sus muchos compromisos, desde voleibol universitario hasta enseñanza de inglés a inmigrantes rusos. A menudo, cuando aparecía en lo de Sonny los sábados, después de visitar al abuelo, confesaba que no había dormido. Sonny se pregunta si de algún modo Sarah se sienta obligada a lograr todo lo que deberían lograr dos hijos.

Sobre el escritorio hay una especie de juguete, no del todo construido. ¿Un castillo?

—Es un rompecabezas tridimensional. —Sarah muestra la tapa de la caja. —Anoche estuvimos trabajando en esto. Siempre que estamos juntos, los Weissman armamos rompecabezas —explica con una sonrisa algo indefensa—. Isaac tenía una habilidad asombrosa. —Se vuelve y calza una pieza en una abertura. La imagen de los tres, Lucy, Sarah, Seth, trabajando allí acude a Sonny con claridad. La lámpara de metal, con su pantalla anticuada y su brazo flexible, quemaba. Apenas si hablaban. Pero cada uno sabía lo que estaban haciendo y no les importaba: necesitaban la unión, la memoria, el modo como vive Isaac cuando están juntos. Sarah le ofrece un manojo de piezas de plástico, pero Sonny no podría tocarlas más que a los huesos del chico muerto.

En la cocina, Lucy ha tomado el mando y da instrucciones a Seth y a Hobie y Dubinsky, que se han sacado la chaqueta y subido las mangas de la camisa. Llama "Michael" a Seth, hábito nacido de aquellos días paranoicos de principios de la década de los 70, cuando la libertad de Seth dependía de no equivocarse. Seth se casó con ese nombre ajeno; en la partida de nacimiento de Sarah dice: "Sarah Frain". Ahora la costumbre parece un poco rebuscada, un alarde de las emociones del pasado, y sin embargo Sonny se ha oído de vez en cuando llamar "bebé" a Seth. ¿Qué hay en un nombre? La vieja pregunta. Hoy deberá cuidarse y llamarlo Seth.

Sonny pide que le asignen una tarea, y Lucy, atareada en la pileta, dice que ya está todo hecho. Enseguida se vuelve, como dándose cuenta, y, cuando ve a Sonny, grita: "¡Oh!" y en un instante la abraza, le echa los brazos al cuello y le dice qué hermosa está. Lucy huele a diversas esencias de hierbas y se la siente más fuerte que lo que Sonny ha imaginado, dado su tamaño o los recuerdos que de ella conserva como muchacha.

La casa se llena. Se filtran varios vecinos, unos cuantos amigos mayores de la madre de Seth. Los hermanos de Lucy y sus respectivas familias. El novio de Sarah, que ha traído un grupo de Easton. Jóvenes inteligentes, se mantienen juntos, las chicas notablemente mejor vestidas que los muchachos, todos incómodos porque no saben los gestos adecuados. Sonny pasa un momento con los padres de Hobie. Son espectaculares: afectuosos y graciosos, personas que han acumulado sabiduría con la edad, una de esas parejas perfectas de las que todos sueñan formar parte. Ya bien entrados en los setenta años, los dos son obesos y artríticos, pero conservan la lucidez. Se burlan uno del otro sin cesar. Luego llegan Solomon Auguro y Marta Stern, que han tomado cariño a Seth, y Sonny les dedica también un tiempo. Al otro lado de la habitación divisa a Jackson Aires. ¿Qué está haciendo aquí? No llega a preguntarlo, porque arriba el editor del *Tribune*, Mas Fortunato, y se une a Dubinsky y un grupo de sus ejecutivos, que están aquí hace un rato. Hace semanas que cortejan a Seth, esperando que trabaje para su diario, ahora que su contrato en Seattle con el *Post-Intelligence* se halla a punto de expirar. En las últimas dos semanas Seth ha sostenido interminables conversaciones telefónicas con su abogado en Seattle, Mike Moritz, todas las noches.

Al otro lado de la sala, Sarah, que ha sido llamada para recibir las condolencias de Fortunato, echa a Sonny una mirada desesperada, y ella comienza a buscar a Seth por la casa. Al fin lo divisa por la ventana del comedor; pasea por el perímetro del pequeño patio posterior, del brazo de Lucy. Seth y su esposa llegan al otro extremo, donde se alza el estrecho cobertizo del padre. De algún lugar Seth saca una llave y por un momento entran los dos. Por entre las fisuras de los tablones Sonny alcanza a detectar movimiento, como figuras entrevistas a través de los árboles. La asalta una alocada asociación de pensamientos. Hace mucho tiempo, un domingo a la tarde en California, cuando habían ido a juntar damascos, Seth quiso hacer el amor en el bosque. Desde una arboleda cercana, Hobie, fumado como siempre, de pronto los vio, desnudos como llegaron al mundo, y gritó: "¡Ninfa! ¡Sátiro!". Sonny recogió su ropa de las ramas y hojas y salió corriendo, avergonzada y furiosa. Ahora se pregunta si serviría gritar lo mismo. En cambio, cuando Seth sale del cobertizo lleva una regadera plástica en la cabeza, y Lucy ríe. Para que ella se divierta, Seth lo intenta de nuevo. Con Sonny no muestra casi nada de esta frivolidad. Sí la manifiesta todo el tiempo con Nikki, pero Sonny ni sospechaba que podía compartirla con un adulto, mucho menos con otra mujer.

—¿Cómo andas? —Reconoce la voz a sus espaldas antes de volverse. Es Hobie.

—He tenido mejores momentos. Como todos. —Se ha aflojado la corbata y se lo ve aún más corpulento sin la chaqueta; la camisa blanca estirada encima del pecho parece el parche de un tambor grande. Sonny alcanza a percibir su colonia, la misma fragancia que entraba junto con él durante el juicio. —¿Estamos en buenas relaciones?

—Claro. No estoy trabajando. Tú haces tu trabajo y yo hago el mío. Así es como lo veo.

—Yo también.

—Bueno —dice, con la misma entonación que Sonny le oyó a Gurney hace media hora—. No digo que no me importe, porque me importa. Ni que esté de acuerdo, porque no lo estoy.

—Oí lo que dijiste. Pero tuve mis razones, y no me estoy disculpando. —Sonny ha dedicado poco tiempo a meditar acerca del juicio. La principal sensación que le queda en la memoria es de un bienvenido escape. A esta altura Nile Eddgar es para ella uno de los miles de jóvenes que pasan por su tribunal, encaminados hacia el olvido. De cualquier modo, no hay manera de figurarse qué pasó en realidad. Todos mentían. Eso lo sabe. Una vez que comienza, nunca se sabe. Para ella, el juicio es una nueva porción conquistada del pasado. En ciertos aspectos siente que fue sólo un preludio de otras cosas: algo que se ha vuelto más firme en su interior, este período con Seth, y también, por supuesto, la historia que él le contó al fin, avergonzado, sobre los hechos descontrolados ocurridos hace veinticinco años: el "secuestro", la muerte de Cleveland, la desaparición de Michael Frain. Seth dice que a veces ha tratado de escribirlo todo para Sarah, como si ello pudiera mitigar su ira consigo mismo y con Eddgar, ira que de algún modo permanece viva para él, a pesar de los años.

Sonny vuelve a mirar a Hobie para asegurarse de que se ha calmado, y luego le dice cuánto se emocionó con el discurso fúnebre que pronunció. Él mueve los anchos hombros.

—Sé hablar —responde.

—Fue más que hablar.

—Supongo. ¿Sabes? Siempre pensé que, si mamá fuera la típica señora negra bautista, habría sido predicador, y tal vez me hubiera ido mejor que con la ley. Sin embargo, al ser católico vi que a la vida clerical carecía de cierto atractivo fundamental. —Carraspea y luego ríen juntos. Sonny no tiene religión. Ése era otro de los temas de Zora. "La gran estafa —la llamaba—. Seres humanos arrodillados ante pedazos de madera. Usan para sostener las velas la última papa que les queda, aunque estén muertos de hambre." La Inquisición, las Cruzadas, guerra sobre guerra. Zora sostenía que se habían causado más males en nombre de la religión que de cualquier otra fuerza de la historia humana. Pero hoy, en la reunión en el cementerio, parada, sentada, escuchando a la gente cantar con el rabino en esa lengua antigua, un idioma que para Sonny siempre ha sonado como la voz del propio misterio, experimenta una sensación de la majestuosidad del espíritu que el ritual se propone inspirar. No es que alguna vez vaya a entregarse a esto. En sus propios términos, sólo atina a pensar en momentos pastorales, en paisajes de montaña. Pero le gustaría dejarle esta puerta abierta a Nikki. Hasta que la muerte del viejo conmocionó las cosas, Sonny planeaba organizar con Sarah un *seder* en su casa esta semana. Quería que Nikki tuviera contacto con algún tipo de ceremonia religiosa, y *Pésaj*, el festival de la liberación, es el único rito judío que Seth disfruta.

Mientras tanto, Hobie emite un sonido meditabundo. Al final ha visto qué es lo que atrajo a Sonny afuera.

—¿Qué crees, Hobie?

—No me parece que Seth tenga mucha oportunidad en el Desfile de Pascua.

—¿Y yo? —pregunta ella con súbita audacia—. ¿Qué clase de oportunidad tengo yo? —Queda un poco chocada por su propia actitud, no por el tono dolorido, que es genuino, sino porque sabe que contiene un elemento de locura. Seth haría exactamente la misma pregunta respecto de ella: ¿Qué oportunidades tengo? La actitud de Sonny, además, podría interpretarse como una suerte de curiosidad malsana. Seth y Hobie hablan por teléfono más o menos una vez por semana, y sostienen esas extrañas charlas de hombres, media hora de beisbol, y luego, de repente, casi como si desearan que el otro no lo note, sueltan las más sentidas intimidades. Pero Hobie se aparta de la ventana, con expresión tan desconcertada como ella. Grande y solemne, apoya una mano en el hombro de Sonny.

—Lo único que sé —le dice— es que en la vida no hay misterio más arduo que el amor.

SETH

—Eddgar tiene mucho poder, pero no creo que ni siquiera él lo consiga. —Mientras avanza por el vestíbulo, Seth reconoce el penetrante tono nasal de Dubinsky. —¿Convertir a una maldita banda callejera en una organización política? —pregunta Stew—. Esa mierda se terminó con Hobsbawm. —Seth acaba de pasar un minuto con Sarah en el estudio del padre. La hija lloraba con desconsuelo, pues evocaba todas las pérdidas de los años recientes. Está aprendiendo las duras lecciones de una naturaleza generosa, que la gran pasión significa gran dolor. Al entrar en la luz y el ruido de la reunión, Seth se asombra de ver que Stew conversa con Jackson Aires.

—Mis condolencias, mis condolencias —dice Jackson y se adelanta para estrechar la mano de Seth—. Ni siquiera se me había ocurrido que Bernhard fuera su padre. —Resulta que el padre de Hobie presentó a Aires al señor Weissman hace años. Durante décadas Bernhard asesoró en inversiones a Jackson, que lo recuerda con afecto, lo cual, según supone Seth, significa que ha ganado dinero. La última vez que se encontraron Aires y Seth, ambos desempeñaban sus papeles de trabajo, durante el juicio de Nile. Tras presentarse como Michael Frain, Seth propuso una entrevista con el Pesado. Aires lo miró con indisimulada hostilidad y se retiró sin pronunciar una palabra.

—Yo le dije que lo recordaba —dice Seth—. Usted vivía del otro lado de U. Park.

—Vivía del lado de los negros —contesta Aires, comentario revisionista que ninguno de ambos cree del todo. En la década de los 50, los negros profesionales que vivían en U. Park creían que por fin habían cruzado el río hacia los verdaderos Estados Unidos. —Usted estaba siempre en la cocina de Gurney. Eso es lo que recuerdo yo. Lo recuerdo bien. —Ágil a pesar de su edad, Aires, con su jopo blanco, se echa un poco hacia atrás, para mirar mejor a Seth y evaluar si ha ganado alguna ventaja con el despliegue de su potente memoria. Lleva la chaqueta color borgoña, algo brillosa en los hombros, y una corbata de fantasía. —Mire, lo que me confundió es el nombre. Cuando lo conocí, usted no era Michael Frain. No creo que se haya sentido muy feliz de ser el hijo de su padre, si vivió toda su vida con el nombre de otro. A lo mejor se hartó de ser judío, ¿eh?

Perplejo, Seth se echa a reír. En todos estos años, nadie le ha sugerido nunca semejante motivo. Siente la tentación, en su presente melancolía, de rendirse a un ánimo autoacusatorio, pero al final arruga la cara en muestra de desacuerdo. No obstante, Aires prosigue, seguro de que se halla en lo cierto.

—En el transcurso de los años conocí a un par de judíos que lo hicieron. Un tipo con el que fui a la facultad... ¿cómo se llamaba? Abel Epstein. Se convirtió en Archibald van Epps. ¿Se imagina? Además, debo decirle que yo lo envidiaba. De vez en cuando. No me mire así. Diablos, sí, yo me cambiaría el nombre y terminaría con el asunto. Así es, no me da miedo decirlo. El único detalle es que los negros no pueden hacerlo. ¿Entiende? Ya me haga llamar Tyrone o Malcolm X o lo que sea, aun así, cuando los blancos me vean venir desde tres cuadras de distancia, la mitad va a temer que sea lo que soy y la otra mitad va a temer que sea uno de los vagos a los que represento. Eso no va a cambiar en siglos. Siglos. —Es imposible discutirle, Seth lo sabe. Jackson ha pensado toda su vida en este único tema, la raza.

Es Dubinsky el que rescata a Seth. Siempre atento a su trabajo, Stew quiere hablar del juicio, en la esperanza de atrapar a Aires en un momento desprevenido. Ni se le ocurre pensar que es algo fuera de lugar. Las vidas comunes, incluso en sus instantes trágicos, son para él sucesos de segunda importancia, inherentemente menos valiosos que las noticias.

—No tiene sentido en el aspecto político —le dice a Aires, volviendo a su discusión sobre Eddgar—. ¿El gobernador va a liberar a Kan-el una mañana, y encontrarse con él a desayunar al día siguiente? No es posible. Nunca lo fue.

—No sé. Vea, todos los periodistas —pronuncia la palabra con tono desdeñoso— no son más que curiosos profesionales. —A su modo desafiante y carente de humor, Aires mira a Dubinsky desde arriba. Con su final abrupto e insatisfactorio, el juicio sigue siendo tema de rumores y versiones. Todos tienen teorías: sobre adónde fue Nile y si está vivo o muerto y quién podría haberlo matado, sobre el papel de Eddgar en el crimen y su futuro en política. Un artículo —de Dubinsky, según cree Seth— afirmó que Eddgar no volverá a postularse. Sin embargo, y aunque parezca raro, lo que Seth oye sobre el caso lo percibe casi un ruido de fondo, como esta conversación a la que se acercó sin querer. Nadie le habla en forma directa. Sonny, Hobie, Dubinsky, todos tienen secretos, meditaciones que no revelan. Por su parte, Seth experimenta fantasías ocasionales de encontrarse con Eddgar en las calles de DuSable. Tal vez se miren de arriba abajo, o Seth recurra a la violencia, o sostengan una conversación sucinta pero completa en la cual al fin acaben con sus asuntos pendientes al cabo de tantos años. En Nile piensa de manera menos elaborada, pero suele preguntarse si se hallará a salvo.

—¿Así que usted cree que Eddgar fue sincero? —quiere saber Dubinsky—. Mire, para mí, hay algo errado en todo el caso. Mi editor me dice que lo deje en paz, ¿sabe?, pero acá hay algo raro.

Dubinsky, piensa Seth. Ofrece los mejores artículos de esta población. Uno los lee y piensa: Santo cielo, tal vez sea de veras así. Pero no lo es. A Seth le encantaría vivir en el mundo de Stew Dubinsky, creyendo que todo mal es resultado de viejos malvados que urden planes en habitaciones oscuras y tabernas escondidas. Sería maravilloso si la gente fuera en verdad tan poderosa, si el caos no fuera la fuerza predominante del universo. Pero Seth ha aprendido lo contrario. Uno para en una esquina de la calle y segundos más tarde el chico que iba al lado está muerto. Ahora, al escuchar a Stew, Jackson Aires resopla en señal de evidente incredulidad.

—¿No? —pregunta Stew—. ¿Entonces cómo fue? —Se acerca un paso. Pero Jackson ha jugado a los dados en muchas esquinas, y ha sido estafado por mejores tipos que Dubinsky. Se limita a mover la cabeza.

—Le diré cómo fue. Lo mismo de siempre. Mi cliente está en la penitenciaría cumpliendo veinte años por asesinato y el tipo blanco anda suelto por ahí. Así es. —De nuevo Jackson se eleva un poco sobre los talones, y luego, como para despejar cualquier duda sobre la injusticia de todo esto, agrega: —Si el muchacho no fuera culpable, entonces dígame por qué huyó.

Con estas palabras se marcha, y también Seth. Se queda unos instantes con Sonny y sus amigos, Solomon y Marta. Marta tiene un embarazo enorme y se la ve radiante. Incluso en primavera, el calor de una habitación repleta de gente es demasiado para ella; cuando abraza a Seth, tiene la mejilla húmeda. Seth acepta sus condolencias, luego recorre la sala agradeciendo a otros. Ha venido Dick Burr, uno de los jefes del *Tribune*, un tipo decente, que se muestra grave al darle el pésame. Burr comenta que Dubinsky le dio copias de los discursos fúnebres, que serán impresos para Seth en el diario. Juntos, Burr y su asistente, Fortune Reil, han estado conversando con los hermanos mayores de Lucy, Douglass —a quien llaman Deek—, banquero, y Gifford, gerente de fondos de retiro. Ambos viven en el condado de Greenwood y son representantes de una forma de vida en extinción: los estadounidenses blancos, protestantes, anglosajones y de buena cuna. Seth les tiene mucho cariño. Ambos han mostrado incesante lealtad y buen humor, a lo largo de los años, ante sus columnas acerca de los pantalones color lima que usan, sus barcos y clubes exclusivos, y su pródiga y sensual atracción por el alcohol, que los dos experimentan como el "ábrete sésamo" hacia el universo de la emoción.

Mientras los padres de Hobie se disponen a marcharse, Seth cruza la habitación para volver a abrazarlos, luego se para afuera, en el porche, para despedirlos. Después, enfrenta solo la pequeña casa de ladrillos de su padre. Qué extraño asunto es éste, piensa, la herencia, poseer las paredes de las que una vez se deseó escapar. Los vestíbulos mortecinos y mohosos que su padre, en su tontería avara, no pintó en cuarenta años, ahora han adquirido una calidad de museo, como si surgiera un significado especial del simple hecho de haber sido preservados.

Baja las escaleras, con una súbita necesidad de realizar una inspección de propietario. Brotan los narcisos en el cantero lleno de malezas del lado sur, junto a las pequeñas ventanas del sótano. A la distancia, los árboles lucen tiesos y desnudos, pero de cerca se ven las ramas cargadas de sensuales retoños. Uno o dos días de calor y ocurrirá la explosión verde, el aire se endulzará de clorofila.

Del otro lado del pequeño patio trasero, espía a Lucy. Se ha levantado bastante la pollera recta para poder sentarse en los gastados escalones de madera del porche de la parte posterior de la casa. Tiene los ojos cerrados y la cara levantada al sol. Luce como una muchacha esperando que la besen.

—Una habitante de Seattle que queda embobada al ver el sol —comenta Seth.

Ella abre los ojos, le sonríe sin palabras y cuando alza la mano muestra un cigarrillo. Después de lo de Isaac, volvió al hábito, en secreto. Él no lo sospechó hasta que empezó a respirar agitada después de salir a correr, a la noche. Ahora, avergonzada de que la hayan sorprendido, aplasta la colilla con cuidado bajo el taco y, típico de ella, lo guarda en la mano para tirarlo después donde corresponda. Seth se sienta un escalón más abajo. Ambos se maravillan un momento por el día, la promesa del cielo azul.

—No te dije lo hermoso que fue tu discurso, Seth.

—Sí. —Palabras. El medio fundamental de intercambio humano. Son grandiosas. ¿Y después qué? —Me preocupaba Sarah. Temía que pensara que mis palabras profanaban lo sagrado.

—Sarah comprende.

—Tanto como yo.

—¿De veras te parecen bien sus planes? —pregunta Lucy—. No me desagradaría si siguiera adelante con su nueva idea. —Anoche, Sarah, que hablaba de cursar estudios de posgrado, incluso la carrera de rabí, les dijo que ella y su novio, Phil, se han inscripto en el programa Americorps para entrenar a maestros para escuelas de zonas urbanas superpobladas. Piensan quedarse aquí o en algún otro lugar del Medio Oeste.

—Para mí está bien. Estoy orgulloso de ella. Nunca esperé que llegara a ser columnista.

—Me pareció que te la imaginabas como profesora de alto nivel.

—Siempre me han gustado los intelectuales. Me parecen tan distantes y admirables... —Piensa un instante fugaz en Sonny hace veinticinco años, su esclavitud con toda aquella filosofía que él no lograba en realidad comprender.

—Tu padre era profesor —dice Lucy.

Así es Lucy, siempre dando en la tecla. ¿Cómo fue que a él no le ocurrió nunca? ¿Cómo? Se pone de pie para continuar la inspección del patio rasero. Le ofrece un brazo a Lucy y ella lo acepta, lo acompaña en el recorrido. Esto siempre está presente: se quieren mucho. Incluso cuando su vida en común haya parecido insondable, imposible, en los últimos dos años Lucy sigue siendo el mejor ser humano que él conoce.

Cuando los hijos eran chicos, Seth vivía permanentemente asombrado de Lucy. Revisaba todos los deberes, se enteraba de todas las preguntas que hacían las maestras en la escuela. Conocía de memoria el menú del almuerzo escolar, el nombre de cada amigo y si significaba una buena influencia, aunque nunca hubiera puesto un pie en la casa de esos chicos. Memorizaba cada nota de trompeta o giro de ballet. Iba al lavadero a las seis de la mañana porque sabía qué ropa querrían ponerse los hijos, incluidas las prendas interiores. Las vidas de los niños era para ella algo tan comprendido, digerido, imaginado, tan por completo suyo, que a menudo las otras mujeres daban la impresión de quedar congeladas de vergüenza.

Pero todo le impedía ocuparse de sí misma. Al venir aquí, al ver a Sonny allá arriba, en su podio, tan segura de lo correcto, del destino de otras personas, Seth volvió a darse cuenta de que ésa era una de las cosas que él quería, alguien cuyos deseos la asustaran menos que a Lucy, que vive siempre en cierto modo oprimida por su necesidad de complacer, e incluso pasados los cuarenta años puede sentir un dolor primitivo ante la pregunta: "¿Qué es lo que quieres?". La muerte de Isaac intensificó en cierta medida este aspecto de Lucy, y más de una vez Seth se sentía al borde de la furia. ¿Acaso ella no sabía que no existía un modo de aceptarlo, que esto no formaba pare de ninguna armonía universal? Lo enloquecía, porque él no era suficiente, ni lo bastante grande, ni lo bastante positivo, para darle lo que ella pedía. A menudo Seth se ha dicho, en momentos solitarios en que cree haberse rendido, que el próximo marido de Lucy será una especie de oráculo: un clérigo, un visionario.

—¿Estás bien? —le pregunta ahora, mientras toman por el límite exterior del pequeño patio, rodeado por una vieja cerca de junturas artríticas que recuerda los últimos tiempos del padre.

—Creo que sí. La muerte todavía me resulta desconcertante, ¿a ti no? Parece tan contraria a todas mis hipótesis...

Seth sonríe con dureza. Para él, ahora está siempre presente. En la primera mitad de la vida, uno construye un punto de apoyo en el mundo, y luego lo contempla desmoronarse. Pero no era su intención ponerse a filosofar. Lo que le preguntaba era cómo se siente ella con su vida, en el presente. Poco después de que Seth se marchó, Lucy empezó a salir con un muchacho de veintiséis años, uno de los socios del comedor de beneficencia. Pero la relación fracasó. La gente —otras mujeres, en especial— se mostró insoportablemente cruel. Un vecino le preguntó si iba a organizar una fiesta de graduación cuando el muchacho, Moe, terminara la escuela secundaria. Ahora Lucy está sola, según cuenta Sarah. A este comentario Seth no respondió nada, aunque siempre sentirá el impulso de asegurarle a su hija que todo saldrá bien. En realidad no quería que los hijos crecieran en una de esas arruinadas familias estadounidenses *fin de siecle*, donde papá se ha casado con su ex secretaria y mamá toma drogas y se acuesta con varios, y el hermano sale a robar negocios, y todos se dan la mano el día de Acción de Gracias y dicen: "Gracias a Dios que tenemos a la familia". Quería que su hija y su hijo supieran que hay un centro verdadero, que algunas cosas son permanentes, y hacen bien. Y entonces murió Isaac.

Mientras caminan, mientras Seth piensa en estas cosas, su mente vuelve al artículo que escribirá mañana. Su trabajo lo acompaña siempre, esa parte de él alojada para siempre en el marco de Seattle donde parece existir el hombre conocido en 167 diarios con el nombre de Michael Frain. Ese Michael, para los ojos interiores de Seth, tiene una apariencia física algo diferente, más bajo que Seth, más lleno de cuerpo, perpetuamente joven, con una expresión burlona, inamovible, tal vez el yo físico que idealizó cuando era un jovencito que asistía a la escuela secundaria y aún pensaba que para él todo era posible.

La columna que escribirá mañana es una de media docena que le inspiraron estos meses en que debió visitar a su padre en hospitales y centros de rehabilitación. Concierne a un hombre flaco y calvo de Kewahnee que donó un riñón a su esposa. Seth no sabía que era posible. Creía que era como los trasplantes de médula, que resultan casi imposibles salvo que uno tenga un hermano gemelo. Este hombre, un ingeniero de Dunning, no es particularmente hábil para expresarse, ni la clase de individuo capaz de hablar mucho de motivos. Pero ahora ambos miembros de esta pareja se hallan internados juntos en la misma habitación del hospital Sinai-Cedars, recibiendo diferentes drogas endovenosas y los mismos calmantes para el dolor, con idénticas incisiones de treinta centímetros en el costado izquierdo. Parece un acto mitológico, que ahora un órgano de él sea un órgano de ella, un eco de la leyenda de la costilla de Adán.

La magia de lo que Seth hace reside en las entrevistas, en las que pide a las personas que relaten cosas como ésta. Puede hallarse a muchos kilómetros de distancia, no ser más que una voz en el teléfono, alguien a quien conocen en el mejor de los casos por su reputación, y en general a quien no conocen en absoluto, un hombre de quien tratar de transmitir su propia alma al decirle: "Quiero conocerlo, quisiera contar su historia", y la gente, en su ansia por ser comprendida, le cuenta casi cualquier cosa. En su cama de hospital, este hombre tomó primero un sorbo de agua. "Bueno —le dijo a Seth con el acento lento del Medio Oeste—, la verdad es que fue lo único que deseé hacer." Lucy y Seth tuvieron en otros tiempos ese tipo de compromiso reflejo, y aún ahora harían cualquier cosa el uno por el otro, cree él, ya sea por hábito, gratitud o admiración. Pero al escuchar a este hombre de pronto se sintió inseguro de si lo que está creciendo entre Sonny y él florecerá de manera tan plena. Ha habido paz, humor, sensibilidad... y asombrosa sensualidad. Pero duda de que Sonny, enfrentada al sacrificio, pudiera realmente convencerlo de que no existe ninguna otra cosa que desee hacer.

A los pies de Seth se extiende el pequeño rincón de jardín que su madre preparó hace una generación para cultivar una huerta. Cuidó sin cansarse estos cinco metros cuadrados de tierra y los hizo producir cosas notables: primero lechuga, después tomates, arvejas, porotos. Una vez surgió del ligustro un zapallito enorme, que, en el primer momento, toda la familia confundió con un mapache. Aún recuerda al padre, aterrado, que trataba de espantarlo amenazándolo con un rastrillo. Seth recuerda muchos domingos pasados aquí, usando la azada, sacando malezas, siendo el hombre que su madre necesitaba, dándole el gusto mientras trataba de seguir el partido de los Trappers por la radio a transistores. También Lucy tuvo huertas maravillosas, y él siempre la adoró por ello.

El equipo de jardinería de la madre de Seth se guardaba en el estrecho cobertizo que el padre ubicó en un rincón del fondo del terreno. Bernhard temía a los ladrones, por supuesto. Cuelga allí un candado pesado y oxidado. A Seth le encantaría entrar. ¿Qué me ha dejado mi padre?, vuelve a pensar. Sacude la vieja puerta de madera; luego recuerda la llave, todavía escondida bajo el mismo adoquín flojo. El interior está oscuro, huele a madera podrida, a fertilizantes rancios y tierra negra. Las herramientas yacen en desorden, las partes metálicas ásperas de herrumbre. Las arañas se han sofocado entre sí en una competencia sedosa y sombría.

—Qué día horrible —dice de pronto. Detrás de la puerta abierta, a salvo del viento y los ojos curiosos, solo con Lucy por primera vez en meses, acepta sin palabras su consuelo. Aquí está, acurrucada en sus brazos, esta mujer, esta pequeña persona con quien ha compartido más tiempo que el que vivió sin ella. Aquí está.

· · ·

SONNY

—¿Ya te vas? Esperaba que tuviéramos ocasión de hablar —le dice Lucy a Sonny, que, con la cartera en la mano, se dirige a la puerta de entrada. Son pocos minutos más de las cuatro y media, y la mayor parte de las visitas de la tarde han partido. Con tono que intenta ser casual, Sonny explica que debe ir a buscar a Nikki a la guardería, que no queda muy lejos, y que va a volver con ella. No menciona que ahora es Seth el que realiza la tarea casi todas las tardes.

—Me encantaría salir un momento —dice Lucy—. ¿Y si te acompaño? —Mientras va a buscar su abrigo, Sonny se permite un instante de severa evaluación. Lucy es una de esas mujeres nacidas en la época adecuada. En los tiempos de Botticelli y Rubens su aspecto no se habría tenido en cuenta. Sin embargo, al final del siglo xx su apariencia de niña huérfana sienta bien. Tiene intensos ojos negros, melena oscura, cara frágil y angosta. Su tamaño y aparente vulnerabilidad siempre han hecho sentir a Sonny grande como una media res, incluso hace un cuarto de siglo, y al verla moverse por la casa no ha podido contener su asombro de que una mujer, después de tener dos hijos, pueda conservar una cintura tan pequeña. Las descripciones que Seth ha hecho de Lucy han tendido a retratar su juventud como un defecto, una señal de infancia no superada, pero no mencionó que ha conservado también mucho brío sensual. Salir con un muchacho de veintiséis años ya no resulta algo patológico. Lucy es una de esas mujeres a quienes los hombres —en la calle, al pasar por una puerta giratoria— todavía se dan vuelta a mirar con expresión idiota, como si en verdad hubiera alguna esperanza de cometer un acto carnal allí mismo. ¿Sonny está envidiosa? Apenas. Hay otros aspectos de la juventud —doblarse desde la cintura sin sentir dolor de espalda, o la capacidad de recordar cifras de siete dígitos— que preferiría recobrar antes.

En el auto, mientras parten, Lucy parlotea. Las personas siguen siendo tan fundamentalmente como han sido, tan reconocibles. Seth insiste en que Lucy es brillante pero vive acosada por las dudas sobre sí misma, algo que Sonny percibe en la manera urgente en que charla del cargo de jueza de Sonny. ¡Qué emocionante! ¡Qué difícil! Apoyo y elogios, la retórica de las mujeres de nuestra edad, piensa Sonny, pero sabe que Lucy es sincera. Le responde que su trabajo es mucho menos soberbio de lo que cree.

—Pero es importante en la vida de otras personas —responde Lucy—. Y lo hiciste tú. Una mujer. Sé lo que significa, lo difícil que fue. Cuando Michael me dijo que eras jueza, la verdad es que sentí orgullo. ¿Te suena ridículo? Sin embargo estoy muy orgullosa de todas ustedes, las mujeres a las que conocí que hicieron estas cosas que sus abuelas, e incluso sus madres, ni siquiera se atrevían a considerar. Cuando empezamos la facultad, si lo piensas, teníamos ideas muy vagas. A muchas les sucedía. A mí. No teníamos ningún sentido de lo que podíamos hacer. Y lo que hicieron ustedes, tú, todas nuestras amigas, lo hicieron solas. Juntas, quiero decir, pero sin más ayuda que la de ustedes mismas. No creo que Sarah pueda realmente comprender la imaginación que se necesitaba.

Las sombras de los árboles se reflejan en rápida sucesión en el parabrisas.

—No puedo aceptar el mérito —dice Sonny—. Eso me lo dio mi madre.

—¿De veras?

—Era muy raro para la época, pero resultó un regalo maravilloso. Estoy en deuda con ella. —"Eres grandiosa —le susurraba Zora—. Eres un tesoro del mundo." El mensaje se repetía casi a diario, con una pasión que no permitía dudas acerca de su veracidad. Por momentos ese elogio incontenido de sus capacidades le parecía más una carga que una bendición, pero al final, piensa Sonny, fue una gran ayuda, un gran respaldo.

Estacionan en Drees, un pequeño edificio de ladrillos, modificado tres o cuatro veces para diversos usos municipales. La hora pico, que a veces es una locura en la avenida University, hoy está liviana, así que llegan temprano. Por sugerencia de Sonny, caminan una cuadra hasta una cafetería, sucursal de una firma con sede en Seattle. Lucy, por lo tanto, conoce los códigos, y pide un "grande, macchiato, doble". Se sientan en unos taburetes de acero frente a una mesa de granito. Gente de compras, sobre todo mujeres, pasa por la calle. Lucy se inclina por encima de la taza y saca la lengua para lamer la espuma.

—Bueno, ¿es amor? —pregunta. Sonny, que no había contemplado un diálogo tan directo, siente que el pecho se le agita.

—Sé que Seth está enamorado de mi hija. Con respecto a mí, no estoy tan segura —responde.

—Ah, creo que siempre estuvo enamorado de ti. Como que el amor no terminó nunca. ¿No crees que es cierto? Yo creo que el amor no termina nunca.

Sonny entiende cómo va a ser la conversación: uno de esos diálogos oblicuos y neuróticos en que se dice una cosa y, en algún hueco perdido, se quiere decir otra. Si el amor no termina, ¿qué pasa entonces con Lucy y Seth? Lucy repara en el desagrado de Sonny y se disculpa. No fue su intención meterse, dice.

—No es "meterse" —responde Sonny—. Es algo natural. Quieres saber de Seth y de mí, y yo quiero saber de Seth y de ti.

En respuesta, Lucy revuelve el café, con la vista fija en ninguna parte.

—La vida es confusa —dice de pronto—. ¿No? La gente tiene

recovecos confusos que no puede compartir con los demás. —¿Se refiere a Seth y ella? ¿O habla de que ni siquiera hace décadas ambas fueron amigas muy íntimas?

—No necesito explicaciones —dice Sonny por fin, y luego, tras reflexionar un instante, murmura el nombre de Isaac. Lucy no logra contener un pequeño reflejo tenso.

—Por supuesto —dice—. Es decir, eso es lo más importante. Isaac. Michael no termina de resolverlo. No lo deja ir. Por Dios, no sé la palabra exacta, pero no lo hace. La tristeza no lo abandona. Las cosas que hacen soportable la vida: la risa, el baile... no lo alcanzan. A mí no me pasa lo mismo. Yo trato de entender. Creo que soy una persona comprensiva...

—Por supuesto que lo eres —afirma Sonny, aunque se da cuenta de la tontería de tranquilizar a alguien a quien no ve desde hace veinticinco años. Sin embargo, sabe que es cierto.

—Pero a mí también me pasan cosas. Era hijo mío también. No puedo vivir con la acusación silenciosa de que yo he olvidado a Isaac y él no, de que él sufre y yo no. No lo puedo soportar. —Ahora ha empezado a llorar. Enseguida se le corre el delineador, que le marca en la mejilla un surco gris. Lucy mira las manchas en la servilleta el papel que toma para limpiarse, y menea la cabeza. ¿Por qué se molestó en maquillarse? No ha hecho más que llorar y volver a maquillarse en todo el día.

Haber tocado tan pronto este gran dolor perturba a Sonny. Es como cavar en un jardín y sin querer exponer la raíz de una planta, una cosa blanca y desgarbada que no fue hecha para quedar a la luz. Mientras contempla a Lucy recomponerse, el lugar se va llenando. Mujeres y hombres, camino a casa, con tiempo para concederse unos minutos de alivio después del trabajo, hacen cola ante el resplandeciente mostrador de cromo y bronce. Unos cuantos chicos se aprietan contra los muslos de sus madres. Las máquinas de vapor arrojan aromas sensacionales, mientras los jóvenes empleados se atarean, disfrutando del frenesí y la agitación de la hora pico. Por un momento le parece a Sonny que podría hallar alguna afinidad con cada una de las personas de este negocio: jóvenes y desconocidos para ella; desempleados sin nada que hacer; madre con bebé en brazos. Ella lo superó todo. ¿Por qué puede ver con tanta claridad hacia atrás, pero nada hacia adelante?

—Es decir, Isaac no es todo lo que nos pasa —continúa Lucy—. Somos como cualquier otro matrimonio. Nos hemos lastimado a lo largo de los años.

—Estuve casada —dice Sonny.

—Sí —responde Lucy, y sonríe rápido, en forma tentativa, insegura de si su respuesta es amable. —Pero para Michael, para mí... Ya sabes, la cosa radica en cuánta decepción puedes tolerar antes de decir: "Tengo que empezar de nuevo". O sea, hay cosas que no se pueden decir... en un matrimonio. Puedes arruinar una pareja con una sola oración. Pero sólo te das cuenta diez años más tarde. Así son las cosas. —Los ojos de Lucy se posan en Sonny. —Nunca te lo ha contado, ¿no?

Mientras trata de encontrar un indicio, Sonny no responde. Lucy se apoya una mano en la frente; las uñas son cortas pero cuidadosamente pintadas de rojo.

—Por Dios, necesito un cigarrillo —declara. Toma su vasito de papel y se muda a una mesa de un rincón. Ya ha encendido el cigarrillo y aspirado una bocanada de humo cuando Sonny se le acerca. Y la madre murió de enfisema. Sonny recuerda historias contadas por Seth acerca de esa mujer, con la cara arruinada como la de Lillian Hellman, fumando detrás de la máscara de oxígeno, mientras la familia le rogaba que considerara el riesgo de incendio, aunque más no fuera.

—Este... período, o como lo llames —dice Lucy—, es como nuestra segunda Gran Crisis. Tuvimos una primera Gran Crisis. Hace unos diez años. ¿Lo sabías?

Un poco, responde Sonny.

—La madre de Michael estaba muriendo. Y a él le costaba mucho enfrentarlo. Alzheimer. La gente que sufre esa enfermedad desaparece, así, delante de tus ojos; les come el alma antes que el cuerpo. Y al mismo tiempo, Michael estaba logrando muchos éxitos. También le costaba enfrentar eso. La gente lo trataba de una manera diferente ahora que ya no era un chiflado que ventilaba sus delirantes pensamientos privados. Así que estaba muy loco con todo, y empezó acostarse con una chica, del diario. Viajaba con ella y me decía que no pasaba nada. Que era nada más que su asistente. Pero podías ver cómo saltaban las chispas hasta cuando se saludaban. Y los hombres jamás entenderán, ¿cierto?, que las mujeres sabemos. Yo aguanté la situación... Es uno de mis problemas: siempre aguanto demasiado... ¿Pero eso? Al final, después de una fiesta, le hice una escena. Me di cuenta de que tenía derecho. Estaba tan herida, terriblemente herida... Y él me dijo todas las estupideces acostumbradas, pero la que me mató fue: "No entiendes que esto no significa nada". Le contesté: "No, sí que lo entiendo, y no me digas que no significa nada". Y después le dije: "Por Dios, si yo seguí acostándome con Hobie un año después de casarme contigo". Eso le dije. —Espera un instante, contemplando la brasa del cigarrillo.

"Y mientras salía con Hobie —continúa— no entendía mucho por qué, pero me decía: "Si haces esto, es para ti y solo para ti, y él no puede enterarse nunca". Y no se había enterado. Los dos eran dos esferas diferentes, como dormir y estar despierto, o fumado y sobrio, y parecía completamente improbable que pudieran siquiera rozarse. Pero lo hicieron. Lo habían hecho.

"Es decir, todo el asunto era como historia antigua. Había ocurrido hacia años; tanto Hobie como yo nos habíamos dado cuenta de que era una locura, algo absurdo. Y uno de los problemas... Ahora que yo era madre, que tenía un hogar con Michael, que teníamos nuestras costumbres, nuestras cosas, muebles y desayuno con cereales y honestidad... Uno de mis problemas era que yo misma ya no podía entenderlo. O sea, ¿cómo puedo explicar lo que pensaba a los veintiún años? Olvidamos como éramos, cómo era todo. Te da la impresión de que no había las mismas categorías, ¿no? ¿Quién comprende, a los veintiún años, lo que es un compromiso adulto? Yo creía que podía acostarme con Hobie y ser la esposa de Michael. Tenía cierto sentido, hasta que al final dejó de tenerlo. O sea, así es la vida, así es la realidad, y no puedo pedir perdón por eso.

"¿Y sabes? Los analistas, los consejeros matrimoniales, señalaron el punto exacto: lo complejo de la relación entre Hobie y Michael, y por qué Michael, Seth, por qué quiso casarse con la novia de Hobie, para comenzar, y que todos desempeñábamos un papel en el asunto. Pero seguía siendo un desastre. No es que él me haya acusado de nada, porque él también hizo lo suyo, y lo sabe. Pero durante un par de años no podía siquiera hablar con Hobie. Y eso que Hobie le pidió perdón, se puso de rodillas, cosa que con franqueza jamás pensé que sabía hacer. Y al final perdoné a Michael, y Michael nos perdonó a nosotros. No le cuesta perdonar. Excepto al padre.

"Me costó volver a quedar embarazada, así que lo hicimos in vitro y tuvimos a Isaac. Y seguimos juntos. ¿Conoces esa frase que dice "más triste pero más sabio"? Es terrible, ¿no crees? Pero así fue. Seth se volvió más triste pero más sabio. Nuestro matrimonio se volvió más triste pero más sabio. Y con lo de Isaac de pronto fue demasiado triste y demasiado sabio. ¿Y cuál es la salida? ¿Existe alguna?

Lucy, avergonzada, cierra los ojos y aplasta el cigarrillo. El negocio se va vaciando. Mientras los clientes salen, una ráfaga de aire río, el movimiento más rápido, los olores más simples del crepúsculo y la primavera cruzan el café. Con ojos hinchados, Lucy se atreve a mirar de nuevo a Sonny, y dice:

—Bueno, ahora lo sabes.

SETH

El día, como un lamento dulce y persistente, va llegando a su fin. Seth y Nikki están sentados en las escaleras grises del porche posterior, frente a la deteriorada cerca que el padre de Seth erigió hace años alrededor de la propiedad. Los pájaros gorjean con urgencia, y a una o dos cuadras suena una máquina cortadora de césped, mientras algunos ciudadanos tratan de ganar horas del fin de semana dedicando un rato a estas tareas después del trabajo. El cielo, de tonos magníficos, va perdiendo luz. Lucy y Sonny han ido juntas a buscar algo de comer. Adentro, Sarah, que ha conducido un minyan al recitar la plegaria de los deudos, conversa con los últimos amigos que quedan. Nikki la miraba azorada cuando Sarah elevaba los cánticos, y ahora le ha pedido a Seth sostener una conversación en un idioma extranjero, aunque de su propia invención. Hace ya algún rato que parlotean de este modo.

—¿Sabes lo que te estaba diciendo? —pregunta la nena. Está vestida con vaqueros y un pulóver de cuello alto con florcitas y dos manchas de pintura. —Te decía: "Sí, quiero ir a andar a caballo".

—Ah, te entendí mal. Pensé que me decías: "Gracias, Seth, por conversar conmigo; eres muy buen tipo". Habría jurado que me dijiste eso.

—¡Nooo! —exclama Nikki, y le aprieta las mejillas. Enseguida se dedica a acariciarle la barba. Después sus ojos oscuros vuelven a ponerse serios, reflejando sus pensamientos. —¿Por qué hablaba en español?

—¿En español? ¿Quién?

Nikki señala hacia la sala. No recuerda el nombre de Sarah, o de lo contrario lo habría dicho. Seth le ha contado mil veces que Sarah es su hija, pero al parecer a Nikki le parece imposible que una hija no sea alguien de su misma edad.

—¿Te refieres a cuando Sarah oraba? —pregunta Seth—. Era hebreo, no español —se burla, y la toma un instante por la cintura, encantado. Ella se le acurruca en los brazos, con su aroma dulce y misterioso y su seducción inocente, y lo conmueve hasta lo más hondo. Isaac era un chico tan difícil, obsesivo e inconsolable, que Seth casi ha olvidado los intensos placeres que normalmente forman parte de esa edad. Nikki le ha hecho evocar más de una vez la época en que él tenía cerca de treinta años y Sarah era pequeña. Su hija fue una sorpresa en muchos aspectos: primero la concepción, y después, la manera en que sus necesidades dominaban a la pareja. Cada comida, por ejemplo, constituía toda una tarea. Era alérgica a los productos lácteos, y, peor aún, solo aceptaba comer si se le disfrazaba el alimento para que pareciera porotos asados. Cada día era una carga: planear para ella, trabajar, estudiar. Lucy trataba de terminar la facultad. Seth había sido contratado en un periódico de Pawtucket, y un día una de sus columnas fue comprada por una verdadera agencia distribuidora de material periodístico, que trabajaba con cincuenta diarios, que no dejaba de pedirle más y más. Escribía. Investigaba. Hacía entrevistas. Tomaba innumerables notas sobre diferentes ideas y trabajaba en ellas sin un método particular, con libertad, acérrimo enemigo del orden en su papel de escritor. Pero con tanto tironeo, en la casa, en la oficina, descubrió de pronto que no había actividad en el curso del día que no sintiera imbuida de un profundo propósito: Lucy, Sarah, lo que escribía. Y quién sabía adónde iba todo aquello, quién sabía, pero se esforzaba en pos de algo, aunque sólo fuera la creación del yo que, después de largas dudas, al parecer se hallaba destinado a descubrir desde el principio. Buenos años, piensa ahora. Buenos tiempos.

Mientras medita, abraza a Nikki. El largo cabello oscuro de la nena, hoy recogido en dos colitas, lo roza a cada movimiento. Siempre se cuida al tocarla. Bienvenidos a nuestra época. Pero una nena de seis años necesita que la abracen. Cuando sus hijos eran chicos, nada le gustaba más que acostarse con ellos a dormir la siesta, tomarles las manitas, dejar que el sueño borrara los límites de dónde empezaban y terminaban los cuerpos de ellos y el suyo. Al final la suelta para poder explicarle lo que estaba haciendo Sarah.

—A veces las personas sienten que deben tratar de hablar con Dios. Eso se llama orar. Y Sarah estaba orando por el abuelo. ¿Recuerdas a ese hombre muy viejo? ¿Recuerdas que te mostré la foto? ¿Que a veces yo iba a visitarlo? Lo estamos recordando a él.

—¿Se murió? —Seth sabe que Sonny se lo ha explicado, pero sin duda tendrán que repetirlo durante varios días.

—Tenía más de noventa años. Era casi noventa años mayor que tú. —El viejo era el siglo, este siglo anochecido y asombroso, piensa Seth. Todavía no ha llorado, pero ha estado al borde una o dos veces, y con este nuevo pensamiento sofoca un sollozo. No quiere inquietar a Nikki. Si fuera hija suya, no se cuidaría; lloraría. También le diría que esto es la vida. Pero no es su hija.

—¿Ya está en la tierra?

Le dice lo que puede. Que está bien, que es como se supone que debe ser. Sin embargo, no es ningún consuelo. Allí, sospecha Seth, acecha el secreto que ni Sonny ni él le han contado nunca a Nikki: que Seth tuvo un hijo, no mucho mayor de lo que es la nena ahora, y que murió. Aunque Nikki tuviera sólo un tercio de la inteligencia que posee, lo percibiría, lo sabría. ¿Quién, después de todo, cree que es esa persona a la que Sonny y él se refieren tantas veces? Si la cosa continúa, piensa Seth, habrá que hablar del tema en forma más directa. No hará lo que le hicieron a él, crear un hogar envenenado por un terror oculto, que jamás debía mencionarse.

—Bueno, eso era lo que estaba haciendo Sarah. Estaba orando. Y cuando la gente judía ora, habla en hebreo. ¿Ves? Sarah y yo somos judíos, así que ella hablaba en hebreo.

—¿Yo soy judía?

Seth lo piensa. El abuelo, Jack Klonsky, según la leyenda familiar, era judío. Para algunos, con ello bastaría.

—No creo, Nikki. Tu mamá no lo es. En general, la gente es lo que son sus madres. O sus padres. Y a Charlie y tu mamá no les gusta ir a la iglesia. A algunas personas no les gusta orar. A mí tampoco me enloquece, la verdad. Pero a Sarah le gusta.

—¿Y cómo lo sé?

—¿Qué cosa?

—Si me gusta, tonto —contesta, con típico desdén de una nena de seis años.

—Sin duda tu mamá te ayudará. Tal vez puedas ir al templo con Sarah alguna vez. Después tú y Charlie y tu mamá pueden conversarlo. Tal vez quieras ser católica, como la tía Hen, o judía, como yo. Quizá quieras ser como Charlie y tu mamá. Eso es lo que hace la mayoría de la gente. Pero, sea lo que fuere, no tienes por qué preocuparte por eso ahora.

—Me preocupo.

—¿Por qué?

—Quiero ser judía. —Pone su mano en la de Seth. Y se le acerca un poco más.

SONNY

—Bueno, estamos todos juntos otra vez —dice Hobie con expresión irónica, al tiempo que mira a Sonny y Nikki, Lucy, Seth y Sarah, sentados alrededor de la vieja mesa de caoba, a la hora de la cena. Las visitas se han ido. Unos cuantos quizá pasen más tarde, pero, dadas las pocas relaciones del señor Weissman, la familia decidió limitar las visitas a la tarde y las primeras horas de la noche. Lucy tomará un avión nocturno a Seattle. En la mesa, las bandejas de comida china —la comida de la angustia judía, como la llama Seth, una de esas bromas que Sonny nunca llegará a entender— impregnan la habitación de un aroma a especias extrañas y aceite frito.

¿Cómo podemos volver a tener hambre?, piensa Sonny. Los judíos son como los polacos: enfrentan cualquier hecho significativo masticando. Pero la energía de la intensa emoción y el desgaste de la multitud de esta tarde parecen haber surtido un efecto de voracidad. Comen apresurados, en platos de papel. Entre las bandejas, grandes botellas de soda.

Sonny está sentada junto a Sarah, hablando de los planes para el año que viene. La docencia fue la última carrera que escogió antes de seguir Derecho, de manera que le cuenta algunas de sus experiencias. Todo fue maravilloso hasta que llegó al aula, donde la superaron treinta y ocho alumnos de tercer grado, todos los cuales llevaban sus privaciones de manera tan visible como sus heridas. Ahora ríe al recordar a una chica de ocho años que padecía una variedad de trastornos de conducta.

—La odiaba, y no porque fuera descontrolada, sino porque cuando se alteraba se comía los *crayones*. Los mordía y los tragaba, en serio.

Siempre había pocos elementos, y se comía los mejores colores. Al final del año, sólo quedaban blancos y negros.

Mientras la escucha, a Nikki le divierte un momento pensar en alguien que coma *crayones*, pero pronto se pone llorosa y tironea de la manga de la madre.

—Esto es aburrido —gime, lamento que no ha dejado de repetir desde que descubrió en el estudio del señor Weissman el televisor blanco y negro, que su madre no le permite encender. Sonny la lleva a la sala y saca los lápices y libros guardados en la mochila de la nena esta mañana. Leen un cuento juntas, luego la deja jugando. Cuando vuelve a la mesa, Seth y Lucy elogian a los amigos de Sarah, su amabilidad, su madurez.

—Por Dios, no es para asombrarse tanto —responde Sarah—. Tenemos la misma edad que tenían ustedes cuatro cuando empezaron a andar juntos.

Se hace un silencio hasta que Seth emite un ruido gutural —"gulp"— que los hace reír a todos.

—¿Esto era lo que solían hacer cuando se reunían? —pregunta Sarah—. ¿Comer comida china y contar anécdotas interesantes?

—En general escuchábamos a tu padre —dice Hobie.

¿Escuchar qué? Sarah quiere saber. Lucy le cuenta de las películas de Seth, los relatos de ciencia ficción que en una época componía.

—Qué bueno —comenta la hija—. ¿Y por qué dejaste de hacerlo, papá?

—¿Quién dice que dejé de hacerlo? Tengo montones en la computadora.

—No sabía —dice Lucy. Su declaración constituye un sustancial alivio para Sonny, que tampoco tenía idea.

—Cada vez que me bloqueaba escribiendo una columna, inventaba uno de esos cuentos. Eso es lo bueno del género: no existe fin para las ideas estrafalarias.

—¿Por ejemplo? Vamos, haznos escuchar una —pide Sarah, tironeando de la mano del padre.

—Son cosas estúpidas, privadas. Parábolas o algo así. No sé.

—Vamos —lo alienta Hobie—, hazle saber a Sarah lo retorcido que eras. ¿Tienes algún cuento con negros?

—Por supuesto. Nadie se salva.

—Bien. —Hobie estira los brazos musculosos, luego los cruza. El viejo desafío entre ambos. Seth necesita aliento adicional tanto de Lucy como de Sonny, pero al final echa la silla hacia atrás y adelanta las manos. Hasta Nikki se acomoda en el regazo de la madre para esucharlo.

—Pronto —dice, como siempre empezaban todas las historias—, pronto, como sabemos, los clones se volverán posibles. De una sola célula, de caspa o un pedazo de uña, podrá crearse todo un ser. Cuando los escritores especulan con esta posibilidad, hablan de clones genios, toda una serie de jugadores de básquet como Michael Jordan o pintores como de Kooning. Pero creo que lo que más le interesará a la gente será hacer clones de sí mismos. Seremos como amebas, nos reproduciremos en una cadena interminable. Cada uno será literalmente su propio padre o madre. El hijo no tendrá las malas experiencias, las pesadillas y los padres insoportables de uno, pero en lo demás será uno, alguien que al crecer será exactamente igual, tendrá la misma predilección por el helado de duraznos y, lamentablemente, los mismos defectos genéticos.

—¿Como la calvicie? —pregunta Sarah. Alrededor la mesa resuena una risa estruendosa. En el regazo de Sonny, también Nikki ríe, por el puro placer de participar. Seth apunta con un dedo a Hobie y le dice que tome nota de lo que se recibe cuando se ha terminado de pagar los estudios de los hijos.

—¿Cómo sigue? —quiere saber Sarah—. Me gusta. Quiero escuchar más.

—Bien —responde Seth—. Bueno, por supuesto el impulso siguiente es que las personas quieran mejorarse a sí mismas mediante la ingeniería genética. No desean que sus hijos tengan problemas al ser exactamente cono ellos. Yo seré como soy, pero con el talento de mi abuelo para la música, el de mi madre para la matemática. Y, por otro lado, los genes aberrantes pueden repararse. Nadie necesita tener una célula falciforme o el mal de Tay-Sachs. Por supuesto, existe la posibilidad de que se cometan cosas terribles, que la gente cree individuos grotescos o Hitlers a partir de su propio ADN. De modo que toda elección y reparación de genes se lleva a cabo bajo el auspicio de una agencia federal, la Administración Biomédica de Ingeniería Genética, que debe considerar todas las solicitudes para efectuar alteraciones genéticas. Y aquí empieza la historia.

"Es uno de los legados de la esclavitud que virtualmente todos los afroestadounidenses llevan algunos genes blancos. No mucho después de que se abrió la ABIG, se filtra el rumor de que un número desconocido de padres negros ha elevado solicitudes para tener hijos blancos. Esto causa tremenda agitación en todo el país. Los blancos racistas no quieren que los negros "pasen" a su bando, aunque serán blancos en todo el sentido de la palabra, mientras que los afroestadounidenses sienten que esos padres dan la espalda a su herencia. Algunos líderes blancos, incluidos unos cuantos considerados progresistas, urgen a todos los afroestadounidenses a llevar a cabo este paso, para así, en una sola generación, dejar atrás el problema nacional de las diferencias raciales. Los denuncian la mayoría de los negros y muchos blancos, algunos de los cuales, en actitud desafiante, solicitan tener hijos negros. Se ejerce presión en el Congreso para impedir la mezcla de razas. Se aprueba una ley, pero la Corte Suprema la deroga, dictaminando que la Constitución garantiza a los estadounidenses el derecho de ser del color que deseen.

Ahora la nación se sume en la confusión y el alboroto. Saquean la Administración Biomédica de Ingeniería Genética y descubren los nombres de los padres negros que presentaron la solicitud; a cuatro de ellos los linchan en diferentes lugares del país. Sabotean las instituciones donde se realizan alteraciones genéticas. Estalla la guerra civil; los blancos racistas luchan junto a la Nación del Islam. Las ciudades arden otra vez. —Seth hace tamborilear los dedos como lluvia. —Fin. Bueno, ¿qué les pareció? —pregunta. El silencio se prolonga.

—Me gustaban más las historias que contabas antes —dice Sonny.

—El tío Hobie tiene razón —comenta Sarah—. Eres retorcido.

—Eh —protesta Seth—. Ustedes me lo pidieron.

—Es perturbador, Seth —opina Sonny—. Es provocador.

Hobie, que no ha dejado de tocarse la barba mientras escuchaba, afirma:

—Creo que es un cuento justo.

—Tú sí eres un amigo —dice Seth.

—Por Dios —replica Lucy—. Ustedes dos nunca entienden la impresión que dan a los demás. Es una historia terrible.

—Claro que sí —admite Hobie—. Pero cierta. La cosa es que en este país nadie, negro o blanco, sabe cómo quiere pensar acerca de la diferencia. En este país hay muchos tipos blancos, tal vez la mayoría hoy en día, que se dicen que no les importa la diferencia. Les das uno de esos negros agradables que salen poer televisión, Whoophy Goldberg o Michael Jordan, alguien que viva y hable como ellos, y no tienen problema. Pero eso sí: seas quien fueres, no se atrevas a casarte con mi hija y darme un nieto oscuro. Y nosotros no somos nada mejores. Estamos orgullosos de ser diferentes, y queremos ser diferentes, salvo cuando los blancos dicen que lo somos. Que nadie mencione la cantidad de jugadores negros que hay en la Asociación Nacional de Básquet, porque entonces sentiremos que es una maldición, como si la diferencia fuera directamente de la piel al alma. Estamos todos muy confundidos, todos, y no mejoramos.

Lucy mira a Sonny.

—Los dos creen que estamos condenados.

—Condenados, no —replica Seth—. Sólo metidos en un problema muy, muy hondo. —Su esposa hace una mueca y Seth se repite: un problema muy hondo. Lucy, que todavía lleva el vestido negro, se tira de las mangas con evidente agitación y lo mira.

—No voy a seguir escuchando. Esta noche no. No quiero oír lo malo que es, la desesperanza, cómo la vida urbana va a ser una serie de bandas de vagos que luchan con milicias armadas, mientras el resto nos resguardamos de unos y de otros.

—Tal vez debieras ir a la calle Grace, Lucy. O pasar un tiempo junto a Sonny y escuchar lo que pasa frente a ella un día cualquiera.

Sonny le echa una mirada severa y le dice moviendo la boca: "No me incluyas".

—No es de una sola manera, Seth. ¿Por qué no lo entiendes? Hace años te comprometiste a mejorar las cosas. Y están mejor. Nosotros, todos los habitantes de este país, hemos logrado mucho. ¿Por qué nadie lo dice nunca? ¿Por qué nadie se permite un minuto de alegría? En este siglo mucha gente logró progresos contra las tiranías que algunos seres humanos han impuesto siempre a otros.

Se inclina hacia él, implorante, cercana a las lágrimas. Éste es el corazón de lo que Lucy sabe que puede ofrecerle. Quién fue Seth y qué anhela, si restablecerá su coraje y su fe. Para Sonny es demasiado privado, demasiado perturbador presenciar este ruego. Nikki se ha apoyado en las rodillas de Seth y murmura que quiere volver a casa. Sonny se dirige a la cocina, donde saca una botella de agua mineral de la heladera. Toda la cocina es una reliquia, con armarios de metal blanco tan viejos que las guías de los cajones se han roto, y un piso de linóleo a cuadrados blancos y negros. Encuentra un vaso y traga el agua.

¿Quién dijo que podíamos dar nombre a nuestros sentimientos? Es un viejo acertijo. Ahora puede medirse la manera en que cada individuo ve el color verde; una sonda aplicada en el nervio óptico encontraría los mismos químicos en las neuronas de casi todos. Pero esta agitación retorcida, la sensación de que alguien ha clavado remaches en su corazón, el angustioso ir y venir, es simplemente lo que es, la masiva acumulación de un día, una vida, y es enteramente único para ella. ¿Quién tiene derecho a denominarlo con cualquier palabra conocida, ya sea "amor" o "pesar" o "dolor"?

Desde el comedor llega la voz resonante de Hobie. Cuenta una anécdota de un cuatro de julio, hace años, cuando todavía estaba casado con su segunda esposa. Un segundo después, Seth se asoma a la cocina.

—No me mates, ¿eh? Pero le encendí el televisor a Nikki. Le encantó que no tuviera color. Me pregunto: ¿será la próxima moda?

Ella le devuelve una sonrisa desvaída. Le repite que tiene que aprender a decirle "no" a Nikki, dejar de actuar como una tía chocha. Pero no tiene mucho sentido discutirlo ahora.

—¿Qué pasa? —pregunta él—. ¿Mi historia no te gustó?

—Supongo. Hay mucho de que hablar. Fue un día difícil para todos.

Seth cruza la cocina y la toma en sus brazos. Le pregunta si está bien. Ella no responde, pero se aprieta contra él. Junto a ellos, la ventana, abierta para hacer corriente cuando la casa se encontraba llena de gente, permanece sin cerrar a pesar del creciente fresco de la noche. Entra el viento, transmitiendo el sonido de un gato que, a unas casas de distancia, maúlla en algún acto de acalorada masculinidad. El aire, el sonido, la presencia de Seth originan en Sonny la primera y débil pulsión de necesidad sexual. Entre toda la incertidumbre que hay entre ambos, el amor físico ha sido un éxito espectacular. Ella ya ha vivido períodos semejantes con uno o dos hombres anteriores —Charlie fue uno—, y cuando se lo vive, cuando se vive el sexo intenso y satisfactorio, parece que es el centro del mundo. Todas las otras conexiones se tornan más remotas. En la última hora del día, cuando Nikki se ha ido a dormir, Sonny se vuelve hacia Seth, como antes se volvía hacia sí misma. Beben. Hacen el amor. A veces siguen. Él se acerca por detrás. Por el costado. Luego se va. Le acaricia los tobillos, las rodillas, la vulva, luego la monta otra vez, oliendo a su fuerte olor de mujer. Siempre sienten, a medida que pasan los minutos, que se sumen más y más hondo uno dentro del otro. Los dedos entrelazados. Los puntos de placer. El estallido de sonidos exultantes. Como si fueran gemelos, los yoes separados nadan hacia el recuerdo retenido de cómo salieron del mismo núcleo. En este momento, la evocación inundante del placer resulta conmovedora, perturbadora. Sonny se odiará si se echa a llorar.

—¿Y cómo estás tú? —le pregunta.

Confundido, responde Seth. Atontado.

—Anoche estuve a punto de escribirte una carta.

—¿De veras? ¿Una carta de amor? —Siempre las bromas, las defensas desventuradas.

—De condolencias, Seth.

—Ah.

—Y la rompí porque no sabía qué decir.

—Yo tampoco lo habría sabido.

—No, quiero decir sobre nosotros. No sabía qué decir de nosotros. No sabía qué derecho o papel tendría al consolarte mañana o al día siguiente.

—Ah. —La suelta. —¿Es de eso que quieres hablar? —Su inocencia es una actuación tan consumada que Sonny debe reprimir la urgencia de pellizcarlo. Sus ojos, en realidad, están acuosos de miedo.

—No creo que sea el mejor momento.

Mira hacia el comedor. Hobie habla sobre fuegos artificiales, imitando a su mujer, Khaleeda, que le rogaba que no los encendiera cuando las hijas anduvieran cerca. Su mímica, siempre perfecta, hace reír a carcajadas a Lucy y Sarah.

—Dime —la insta Seth—. Es algo que te preocupa. Cuéntame.

—Bueno, Seth. Ya te lo dije. ¿Qué harás? Mañana, digamos. ¿Te quedarás? ¿Te vas?

—¿Mañana? Mira, ya sabes que hace dos semanas que le prometo a Moritz que iré a Seattle para conocer a la gente cara a cara. Dije que viajaría en cuanto terminara el funeral. Ya lo sabes. Y de cualquier modo es Pésaj. Sarah quiere pasarlo con Lucy. Me preguntó si podíamos estar todos juntos, así que es probable que vuele mañana.

—¿Y después? ¿Cuánto tiempo te quedarás allá?

Seth entreabre la boca en gesto vago. Se apoya contra la vieja mesada negra en la cual el linóleo está asegurado con bordes de acero.

—Tengo derecho a preguntar, Seth, ¿no?

—Por supuesto —responde él, pero desvía un poco la mirada—. Mira, tengo que meditarlo. Sé que estamos aquí, pero quiero estar seguro de que te das cuenta de que no soy sólo yo. ¿Sabes?

En los dos años de ausencia de Charlie, Sonny nunca recordó las quejas más fundamentales de su ex marido: que en el fondo ella era fría, esquiva. En uno de sus momentos más furiosos, Charlie escribió un poema: "Los humanos tienen corazones de cuatro cámaras. Cada uno guarda tres para sí mismo". Sonny quedó impresionada por esos versos y felizmente los olvidó hasta que Seth con cautela empezó a dar idénticos indicios.

—Lo sé —dice Sonny.

—Porque —continúa Seth— en cierto modo no hemos avanzado un paso de donde estábamos en diciembre... cuando dijiste que esto era un romance infantil. Hay un nivel en el que no me crees. O en el que no me tomas en serio.

—Te tomo en serio, Seth. Pero tengo miedo.

—¿De?

—No sé. Es difícil decirlo.

Él recorre una lista de posibilidades y ella niega cada una. No tiene miedo de que la hieran. Ni de que vuelvan a abandonarla. Ni del sufrimiento de una nueva ruptura.

—¿Entonces?

Sonny se rodea el cuerpo con los brazos a causa del aire frío. La luz de la cocina es intensa.

—No sé, Seth. Oigo que Hobie te llama "Proust" a veces y... tiemblo. Me asusta. Que recuerdes cada detalle de tus amigos de la facultad. Que todavía recuerdes lo que te hizo Loyell Eddgar hace veinticinco años, como si hubiera ocurrido ayer. Porque no puedo dejar de pensar que es la misma razón por la que estás acá conmigo, tratando de reanudar donde dejamos.

—¿Y? No entiendo.

—Creo que tengo miedo de lo que hay debajo de todo eso, Seth. Que has tratado de explicarte una cosa, que es básicamente cómo podrías haber sido más feliz. Si te hubieras quedado conmigo, si hubieras resistido a Eddgar, ¿tu vida habría resultado de una manera diferente? ¿Serías más completo? Si hubieras sido más duro o más afortunado... ¿tal vez él no hubiera muerto, Seth?

Calla un segundo, para ver si ha ido demasiado lejos. Del otro lado de la cocina, él la mira con ojos vacíos, la mandíbula un poco apretada. Pero al parecer puede soportarlo.

—Por eso me asusta —continúa Sonny—. Porque al final, Seth,

tarde o temprano, vas a ver lo que tenemos que ver todos. Vas a decir: "No puedo menospreciar la vida que he vivido. No puedo fingir que no tengo estas conexiones. Podría haber sido una vida diferente, pero no la he tenido". Creo que estás pensando esas cosas en este mismo momento.

—Mira —empieza él, pero no dice más por un largo momento. También ha cruzado los brazos para protegerse del frío. —Esto es muy complicado. A lo mejor podemos salvarnos. ¿Por qué no llevas a Nikki a tu casa? Y después iré yo, cuando terminemos acá. —Quiere hacer el amor, se da cuenta Sonny. Cuando se exprese toda esta angustia, cuando se hayan pulverizado con esta cruda cabalgata de duda y emociones fuertes, el ardor se fundirá en movimiento, contacto, placer y conexión, de modo que quede algo. Cuando se vaya, a la mañana, habrá una estela de ternura además de dolor, algo a lo que regresar. —Hablaremos, ¿de acuerdo?

—Tenemos que hacerlo.

En el comedor resuena la voz de Hobie contando el final de una anécdota, y se oyen las carcajadas de Lucy y Sarah, de idéntico timbre.

—Qué historia graciosa —comenta Sonny.

—Histérica —dice Seth—. Sería más graciosa si fuera cierta.

Ella lo mira sombría, reflexionando un instante en las profundidades que hay entre los dos hombres. Ninguno de los dos, ni Seth ni ella, parecen tener ganas de moverse.

—Mira —vuelve a decir él—, no quiero discutir si tienes razón o no. Porque en algunos aspectos la tienes, estoy seguro. Y debo pensarlo mucho. Pero también hay un elemento egoísta en lo que dices. Estás usando lo que crees ver en mí como excusa para evitar enfrentarte contigo misma. Es justo que te preocupes por si mi relación contigo es transitoria o no. Lo entiendo. Pero no estoy seguro. Sonny, escúchate: Tanta preocupación por lo que va a hacer Seth... Pero en realidad ni una sola vez me has pedido que vuelva acá la semana que viene, ni me has hecho promesas de cómo sería si lo hiciera. He pasado meses tratando de descubrir el mundo mágico que te dé la seguridad suficiente para entregarte. He hecho enormes esfuerzos. Me has tenido entero. ¿De veras crees que puedo decir lo mismo?

—Seth, soy como soy. Ya lo sabes. No voy a escribirte cartas de amor.

—Y yo lo acepto. Aunque de mala gana. Lo sé. Pero tengo derecho a más. Es así de simple. En este preciso momento, si te llamara desde Seattle pare decirte que me quedo allá, que no vuelvo, creo saber cómo te sentirías.

—Por Dios, Seth, ¿cómo querrías que me sintiera?

—¿Y si lo quisiera? Quisiera que te sintieras destruida. Quisiera que te sintieras arrancada de algo vital. —Del comedor llegan ruidos de movimiento, de sillas que crujen. Están levantando las fuentes de la mesa, las voces se acercan. Sonny espera bajo la fuerza plena de la mirada de Seth. Se siente un poco vencida por lo que ella misma ha causado. Tendrá que tolerar la invasión de ese vasto terreno donde la hija de Zora, la chica resueltamente normal de una mujer impulsiva y no convencional, ha habitado en encerrada privacidad durante toda su vida, con el terror de ser conocida no sólo por otros sino por sí misma.

—A lo que más miedo le tengo, Sonny, es que en secreto, en una gran parte de ti, te sientas feliz de rehuir todo esto, de que te dejen en paz. —La señala desde el umbral. —Tengo miedo de que sientas alivio —añade.

SETH

La señora Beuttler, secretaria del padre de Seth durante los últimos veinte años, una mujer seca que mantenía una opinión distante y algo caritativa respecto del señor Weissman, regresa después de la cena para que su marido, Ike, pueda presentar sus respetos. También aparecen unos vecinos de la cuadra. En su mayoría son personas de edad que coexistieron con el señor Weissman en la amistad superficial del barrio y los comentarios sobre la naturaleza brutal de las recientes tormentas de hielo o la locura de que el condado haya fijado zonas de no estacionamiento en medio de la cuadra. Llega una pareja más joven, los Cotille, de dos casas más abajo, y la señora, una rubia bienintencionada, insiste en que Bernhard era un ancianito dulce.

Para las nueve de la noche el aspecto ceremonial del luto ha concluido. Sonny y Nikki se han ido a dormir. Hobie carga todas las sillas plegables prestadas por los Tuttle que caben en el auto de sus padres, y se marcha a pasar con ellos el resto de la noche. Lucy y Sarah y Seth deshacen el trabajo de la noche anterior, empujan el diván de vuelta al centro de la sala, secan y guardan los platos, contemplan viejos objetos que de pronto se delinean con la impresionante claridad que provee la muerte. En la sala, debajo del vidrio de una mesita ubicada en un rincón, la madre dispuso un mosaico de fotografías a lo largo de los años, instantes únicos en la marcha a través del tiempo; eran las primeras Kodachromes, y ahora se han vuelto verdosas. Seth es el tema principal: contento, en la plaza, con gorra de marinero y balde; un solemne *cowboy* en la fiesta de su séptimo cumpleaños, incapaz de mostrar demasiada alegría, porque los revólveres y chaparreras que le regalaron fueron dictados por los hábitos de su padre y por lo tanto eran de segunda mano, de plástico, de manera que no poseían nada de la sustancia con que el cuero y el metal habrían nutrido las fantasías de Seth. Luego empieza a aparecer Lucy. Sarah haciendo niñerías en la bañera. Lucy, Seth, Lucy, Sarah. A los siete años con sus dos padres en el bosque tropical Olympic. Hay también un par de instantáneas de Isaac con el padre, y otra, a los tres años, con traje de He-Man.

El plan es que Sarah deje a Lucy en el aeropuerto internacional de Kindle camino a Easton. En el cordón de la vereda, debajo de los tonos purpúreos y las penumbras que las luces de mercurio arrojan entre los árboles desnudos, Seth coloca la pequeña maleta en la parte posterior del Saturn de Sarah. Como se marcha, Lucy se permite un abrazo. Se pone en puntas de pie y echa al cuello de Seth los brazos delgados. Apretando contra él su forma menuda, le besa rápidamente los labios y luego, con su mejilla junto a la de él y en la voz más baja posible, susurra, como desde hace horas Seth sabe que lo hará: "Ven a casa". Se aparta antes de que pueda responderle. La palma pálida, alzada contra la ventanilla, capta algo de luz mientras el auto se sumerge en la oscuridad.

Seth se queda en el cordón contemplando la partida, cierra la puerta de la casa de su padre y carga en el Camry las últimas sillas plegables prestadas por los padres de Hobie. En el chalé de los Tuttle, una réplica de la casa del señor Weissman, la madre de Hobie, Loretta, abre las muchas cerraduras y luego abraza y consuela a Seth, con su conocida abundancia, por enésima vez en el día.

—¿Cómo estás, querido? —le pregunta. Seth entra con las sillas plegables y baja con ruido las escaleras del sótano, donde Hobie se ha establecido para pasar la noche.

A lo largo de todo el juicio, Hobie durmió aquí, en el dominio de pino que fue su reino durante la juventud de ambos. Aquí, a los catorce años, Hobie abrió lo que llamaba su "oficina". Colgaron fotos de Playboy en las paredes, dispusieron el equipo de música, los parlantes y el acuario con la luz y el aparato de burbujas, que daba un olor fresco y húmedo al aire del sótano. Con otros amigos, Seth tomaba el ómnibus hasta el centro de DuSable, veía una película, corría abajo y arriba de las calles, como si hubiera hecho algo de lo que mereciera escapar. Hobie muy rara vez los acompañaba. Nunca dijo por qué, aunque Seth lo sabía. Siempre había alguien que miraba, rezongaba, lo empujaba, no le respondía. A Hobie le bastó para mantenerlo en su casa, en U. Park. Aquí, en este sótano, era el gobernante exaltado. Seth todavía recuerda con claridad el frío beso del piso, ve todavía el dibujo preciso de los mosaicos de asbesto jaspeado. Solía escuchar hablar a Hobie, un joven exótico, espectacular, con la mente llena de pensamientos, una personalidad de arte y promesas ilimitados, antes de que el mundo le pusiera freno.

Durante el juicio, Hobie, durmiente inquieto, prefería acostarse aquí en lugar de caminar por la casa toda la noche y despertar a los padres. Llegaba tarde, a las once o incluso a medianoche, y a menudo

Seth se reunía con él para tomar una cerveza, o, como prefería Hobie, para fumar un porro. Hobie nunca discutió el caso. Pasaba las tardes en el departamento de Nile, supuestamente preparándose para la siguiente jornada del juicio, aunque Nile afirmaba que dedicaba la mayor parte del tiempo a hablar por teléfono, para mantenerse al día con el resto de sus clientes en D.C. Ahora, al descender, Seth ve cuatro cajas llenas de los documentos del caso —los informes, las pruebas— que descansan cerca de la estufa. Están guardadas aquí, y no en D.C., por si arrestan a Nile, aunque Hobie dice que la perspectiva de un nuevo juicio es remota.

A manera de saludo, Hobie alza la cabeza de su refugio. Viste una camisa vieja, abierta, sobre una camiseta verde oliva, ambas prendas con grandes manchas de pintura acrílica; su vientre, siempre prominente, abre la tela entre botones. Sostiene un pincel. Hace años que pinta, como pasatiempo. Está trabajando en una pequeña tela dispuesta en un caballete grande, una pieza semejante a las obras de Pollock que empezó durante el juicio y en apariencia no ha terminado. En la misma caja donde descansan pomos sucios de pintura reluce un pequeño televisor. Seth admira el trabajo artístico de su amigo, pero Hobie sigue insatisfecho.

—A veces pienso, viejo, que si hubiera empezado antes... Pero hablando así no se logra nada. —Echa la cabeza con tristeza hacia atrás y mira un instante el televisor.

—¿Lucha profesional?

—El Mejor Espectáculo de la Tierra.

—Hobie, todavía usan el mismo guión de hace treinta y cinco años.

—Eterno como el rock —responde Hobie—. Esto es la ópera de la clase trabajadora. La gran balada del bien y el mal. —Tiene cerca un gran frasco de nueces tostadas, y ahora se echa un puñado en la boca. En esta habitación de techo bajo, el cielo raso acústico casi le roza la masa esponjosa del pelo. Seth huele dos veces, de manera ostensible, el aire del sótano, en que el olor predominante de la pintura no enmascara otros aromas.

—Diablos, sí, estoy fumado —dice Hobie—. ¿Algún problema?

—La verdad, sí. El volumen de sustancias tóxicas que hay en el cuerpo de este hombre sigue siendo enorme. Hobie advierte la mirada de Seth.

—Eh, viejo —le dice—, el abuso de sustancias ilegales tiene un brillante futuro... es una industria creciente. Mientras persista la infelicidad humana, la gente tomará químicos para mejorar su ánimo. Palabra. Es hora de que enfrentes los hechos. Mierda, todos crecimos con esto. ¿Alguna vez observas a los chicos frente al televisor?

—A menudo, lamentablemente.

—Dime si no parece un viaje. —Seth ríe, pero Hobie insiste.

—¿No tengo razón? Claro que la tengo. Seguro. Ésta va a ser la libertad del siglo XXI —afirma—. Que la gente viaje a su yo interior, entienda la mente primordial, la cabeza prerracional que existe suprema sobre el mundo de los signos y símbolos racionalistas. Ahí es donde reside uno. Y ése es el mundo que está más allá del verdadero dominio exterior. La gente debe darse cuenta. Que suene la hora de la libertad, querido.

—Escucha —dice Seth, riendo del placer con que Hobie prosigue. Toma ambas manos de su amigo. —Hobie T. Tuttle, todavía eres toda una experiencia.

En respuesta, Hobie le echa una mirada de soslayo, sabia y apesadumbrada, en la que se refleja media vida. Inclina un poco la cabeza.

—Sólo estoy hablando mierda, y lo sabes.

—Nunca lo has hecho.

Satisfecho, Hobie emite una suerte de gruñido y se vuelve hacia el amigo.

—Espero que no hayas venido a preguntarme alguna estupidez, como si un hombre puede amar a dos mujeres.

—¿Puede?

—La gente no deja de repetir que no. Yo pago un montón de plata de alimentos por haberlo intentado. —Los años adultos de Hobie han sido una mezcla de cosas, en el mejor de los casos. La ley es su propio universo y él reina en todo tribunal, pero, dada la zozobra de su vida personal, Seth nunca lo oye hablar de éxito. Seth quería a la segunda esposa de Hobie, Khaleeda, seguidora de W. D. Mohammad, una persona seria y compleja que, al contrario de casi todas las mujeres de su amigo, tenía cierto sentido de la inmensidad del espíritu de este hombre. Pero él tuvo tantas aventuras que al final acabó con el matrimonio. Desde entonces las cosas le han resultado difíciles, y es probable que sigan así.

—¿Viola alguna ley biológica —pregunta Seth— o es solo psicológicamente imposible, como asimilar la propia muerte?

—Bien, viejo, bien —dice Hobie—. A ver, escuchemos toda tu mierda. Para eso viniste, ¿no? Dime cuán atormentado estás.

—Me siento demasiado confundido como para estar atormentado. Atormentado estaré mañana. Ahora sólo quería traerte las sillas y agradecerte el discurso fúnebre. Fue grandioso.

Hobie le dirige otro gruñido sordo, un sonido de puro placer, y seca un pincel en el faldón de su camisa. No es ninguna novedad que alguien le diga que causa honda impresión en su autorretrato público.

—Sí, hoy estuve inspirado. ¿Crees que debería hacerme judío? Soy un católico pésimo, y un musulmán peor. Tal vez la tercera acierte.

—La fascinación de Hobie con la religión sigue resultando oscura para Seth. Una vez la explicó en términos tomados del Gran Inquisidor. Si todo está permitido, dijo, entonces creer está permitido también. Así que ¿por qué no hacerlo, ya que en términos existenciales requiere el mismo esfuerzo? Seth no comprende esa lógica, pero sonríe al pensar en que Hobie se someta a una nueva conversión.

—Eso sí que le daría que hablar a Jackson Aires —comenta—. ¿Lo oíste delirar sobre mi nombre, hoy?

—Jackson, viejo... Oí su mierda toda mi vida. A veces habla de que el joven negro y pobre no cuenta más que con su ira y su yo para echarles la culpa de sus desgracias, ya que cada crimen, cada robo, torna la vida más difícil para otros tipos negros. Otras veces te dice que el hombre negro ha tenido graves problemas en los Estados Unidos desde que al primer esclavo que bajó en el muelle le ordenaron que se bajara los pantalones, porque después ningún blanco quiso dejar suelto a un tipo con un pito de semejante tamaño. Jackson, viejo, es un tonto, está tan confundido como todos los demás. —Hobie toma un trapo y alza el mentón para sacarse una mancha de pintura verde que aterrizó en su barba. —No le prestes atención a Jackson. Se lo pasa criticando. Se lo pasó criticando como el demonio durante el juicio; no le gustaba cómo trataba yo a esa bolsa de mierda que es ese cliente suyo, aunque sabía mejor que yo que el idiota estaba ahí para contar cuentos.

—¿Qué clase de cuentos? —pregunta Seth con calma.

—No empieces. —Hobie señala el trapo manchado de pintura. —No empieces. —Nunca han hablado del juicio, ni siquiera después de que terminó. Hobie evitó toda conversación al respecto en cuanto Seth le contó lo que pasaba entre Sonny y él.

—Pero en realidad eran mentiras, ¿no? ¿Nile no quiso matar a nadie?

—Tú estuviste ahí. Oíste las pruebas.

—Se dijeron un montón de idioteces en ese tribunal, Hobie.

—Sí, pero considera la fuente. —Los ojos de Hobie chispean al considerar sus propias travesuras.

—Todo lo relacionado con el dinero que Nile le dio al Pesado... Eso era todo cuento.

—Música para mis oídos.

—Un día era dinero ganado con la venta de drogas. Después era dinero para una campaña política.

—Ajá.

—Bueno, ¿y qué era?

—Epa. —Hobie se vuelve un instante. —Yo soy la pregunta, viejo. Él, Molto, como se llame, el fiscal, es la respuesta. Yo soy el tipo que dice "esto no tiene sentido".

—Pero... ¿y los libros del banco? Ibas a presentar todos los papeles financieros para demostrar que Nile no podría haberle dado al Pesado 10.000 dólares de su propios haberes, ¿correcto?

—Bastante hábil, ¿no?

—Pero Nile te pagó los honorarios. Me lo contaste tú. ¿De dónde salió el dinero?

Ahora Hobie se detiene. Mira alrededor buscando un papel y lo pone sobre una desvencijada silla de madera, donde se sienta.

—Y lo mejor es esto —prosigue Seth—. Nile me contó que nunca le dio al Pesado ningunos malditos 10.000 dólares. Con campaña o sin campaña. Dijo que era pura mentira. ¿Recuerdas? Te lo dije el día de la cárcel. —Hobie lo observa, sosteniéndose el mentón.

—Escucha —contesta—, escucha. Voy a decirte algo. "Dijo." "El acusado dijo." Mierda. Escucha, cuando me contrataron como profesional en D.C., en 1972, ¿recuerdas?, me dieron enseguida una corte preliminar, porque querían que los hermanos subiéramos lo más rápido posible. Y, viejo, yo no sabía qué mierda estaba haciendo. En la primera audiencia preliminar que tuve, recuerdo que representé a un tipo que se llamaba Shorty Rojas. Ya sabes: te dan unos dos minutos para hablar con el cliente, y ese tipo, te lo juro, no podía hablar. Es decir, hablaba, pero yo no entendía qué carajo decía. No era jerga de la calle, no era Puerto Rico, no era galimatías ni nada parecido. Y el caso era apuñalamiento. Gracias a Dios, la víctima se había salvado, y estaba ahí, en el banquillo de los testigos, y el fiscal le dijo: "Muéstrele al juez lo que le hizo Shorty". Y el desgraciado se puso, a unos cinco centímetros de la nariz de juez, a hacer pases con el cuchillo, el verdadero, de una manera que parecía el Zorro. Y Shorty, a quien yo le había entendido más o menos dos palabras de todo lo que había dicho hasta el momento, de pronto dijo: "Mentira. Todo mentira. No bien. No bien".

"Y cuando lo oí me dije: "¡Santo cielo! ¡El cliente es inocente!". Me puse loco de excitación. Hice las repreguntas como un hijo de puta feroz. Y perdí. Por supuesto. Nunca se gana en una preliminar si la víctima dice que ése fue el tipo. Pero me quedé atragantado. Así que a la noche fui a la cárcel, a ver al cliente, y le dije: "Lo lamento, Shorty, en el juicio vamos a ganar". Y empezó de nuevo: "No bien. No bien". Y no sé por qué, cuando estaba por irme se me ocurrió, pensé en cómo el tipo me había dado la mano. Y volví y le pregunté: "¿Usted quiso decir que el hombre mentía, que lo que decía no estaba bien, porque usted no lo apuñaló con la mano derecha, sino con la izquierda?". Si hubieras visto sonreír al desgraciado, no habrías podido creerlo. "Izquierda, izquierda. Bien. Derecha, no bien, no bien". Así que no me digas que lo que dijo el acusado era mentira, ¿de acuerdo?

—Bueno, ¿y eso qué significa?

—Significa lo que significa. —Hobie se para para mirar su pintura.

—¿Nile me mintió? ¿Nile le pagó? ¿O qué?

—Mira, era por esto que no quería que te metieras. Y es por eso que te digo que no te le acerques. Porque no puedes manejar este asunto. Viejo, te conozco desde hace mucho, y no has cambiado. Así que déjalo así. Punto.

—Hobie, ahí pasó algo. Asesinaron a alguien. Conozco a este muchacho casi desde toda la vida.

—Mira, no te voy a contar lo que me dijo. No puedo. El secreto profesional me obliga a guardar silencio a menos que muera. Y no está muerto.

—¿Estás seguro?

—Bastante. —Hobie da una pincelada a la tela. —¿Por qué? ¿Temes que Eddgar lo haya matado también a él?

—Se me cruzó por la cabeza.

Hobie resopla con fuerza por la nariz.

—Tú eres el único imbécil en este planeta que odia a Eddgar más que yo.

—Tal vez tenga más razón.

—¿Sabes cuál es tu problema con él?

—Tengo la sensación de que vas a decírmelo. Ilumíname, hermano.

—Lo envidias.

—¡No me digas!

—Sí, creo que ésa es la cosa. Mira, viejo, yo lo odio por la mierda que hizo. Pero tú lo odias por eso y además por lo que es ahora. Miras atrás, a lo que vivías hace veinticinco años, y dices: "Vaya, qué emocionante; en esa época yo era político, idealista, comprometido. Pero abandoné esas tonterías". Y lo culpas porque crees que él es básicamente el que te obligó a renunciar. Sin embargo ahí está, ese bastardo, hablando toda esa mierda que todavía te encanta creer, y por lo tanto te resulta exasperante.

—No —replica Seth—. Es decir, sí, lo entiendo. Y sé que todavía creo en aquello. Es decir, no en todo. No puedo. Era una cruzada infantil. Pero yo reciclo mis botellas, voto por los tipos buenos. Lo que en realidad extraño es aquella fe loca. En esa época no me parecía que hubiera diferencia entre el amor y la justicia. Uno podía tener las dos cosas, sin conflicto. Íbamos a revisar la vida, hasta la esencia. Íbamos a abolir la infelicidad. Era glorioso.

—Correcto —dice Hobie—. Hacíamos las preguntas esenciales: ¿Cuántos caminos debe recorrer un hombre antes de llamar un taxi?

—Gracias por tu apoyo.

—Mierda —replica Hobie. Por unos momentos, nadie habla.

—¿Por qué no intentamos responder sí o no, Hobie? ¿Eddgar contrató al Pesado para que matara a June?

La única respuesta de Hobie consiste en hacer una mueca irritada.

—Maldición —se impacienta Seth—. Quieres ser el Capitán Maravilla.

—Ah, vete al carajo, idiota. El Derecho es lo único para lo que sirvo en la vida, por poco que signifique para todos los demás. Y no voy a arriesgarlo sólo porque a ti se te ablanda el corazón por un chico al que cuidabas cuando se mojaba los pantalones. Está en los libros, viejo: no puedo hablar.

Se hallan a poca distancia uno del otro, mirándose fijo, en poses que parecerían combativas a un extraño. Seth se aparta primero, camina un poco por la habitación de Hobie y se sienta en las escaleras del sótano. El lugar es una colección de olores mohosos. Hobie echa una mirada amenazadora por sobre el hombro y se dirige a las cajas donde están guardados los documentos del juicio. Maldiciendo en todas las lenguas romances, arroja a un lado las dos primeras, para alcanzar la de abajo. Cuando regresa junto a Seth, sostiene un papel.

—No te apures tanto —dice, aferrando el papel contra su pecho—. No tan rápido. —Se sienta un escalón más abajo que Seth; su físico enorme ocupa casi todo el ancho de las escaleras. —Ya que eres un periodista tan agudo, vamos a ver si puedes explicarte esto. Veamos, este fiscal... ¿cómo se llama? ¿Moldo?

—Molto.

—Lo calé desde el primer momento. Va a ser fiscal toda la vida, viejo, y debe de ser un tipo resentido, le gusta ver que las personas buenas les den una patada en el culo a las personas malas, le gusta que pase eso de vez en cuando. Así que entonces empecé a meterle algunos cambios, y pronto empecé a molestarlo tanto que ya ni siquiera podía pensar en Nile, porque creía que yo era más malo todavía, el desgraciado más tramposo que había puesto los pies en un tribunal. Cosa que a mí me da lo mismo. ¿Bien?

—¿Vas a decirme algo directo?

—Espera —responde Hobie—, escucha. Bueno, la cosa es que, al final del juicio, saco el conejo de la galera. El estado dice que mi cliente le llevó 10.000 dólares a ese pandillero para obligarlo a cometer asesinato, y después yo voy y demuestro que Nile le dio 10.000 dólares en efectivo, sí, pero que eran del PSDA. ¿Recuerdas esa parte?

—¿Esperas que te aplauda?

—Si te haces el listo, sigo pintando mi cuadro.

—Está bien, me disculpo. Bueno, ¿y?

—Ahora, si yo sé desde el primer día, desde antes de que empiece el juicio, que ese bastardo del Pesado miente en cuanto a para qué fueron los 10.000 dólares y de dónde salieron... y esto lo sé con toda seguridad... ¿entonces por qué no voy y digo: "Mire, señor fiscal, usted ha cometido un error; acá está el cheque, vaya a ver a la gente del PSDA"? ¿Por qué no iba a hacerlo? ¿Cómo responde Molto a esa pregunta?

—¿Porque eres el tipo más malo, el desgraciado más tramposo que alguna vez haya pisado un tribunal?

—Exacto. Yo me divierto haciéndolo sufrir. Eso es lo que él piensa.

—¿Y cuál es la verdad?

—Se supone que debes decírmelo tú.

Seth piensa.

—Es una pantalla de numo, ¿no? Yo diría que esperaste porque no querías que tuviera tiempo para investigar el asunto. Algo respecto del dinero estaba mal.

—Vas bien, hermano. Ahora te diré la verdad, viejo: respecto del dinero hay muchas cosas, muchísimas, que están mal. Y no puedo contarte más que una pequeña parte.

—¿No querías que Molto le preguntara al Pesado sobre ese punto?

—No. El Pesado tenía que contar las mentiras que contó antes. Jackson le dio un guión; toda la declaración fue un invento de Jackson, viejo... y el Pesado se agarró a eso. A mí no me preocupaba el Pesado. Mira, lo que no quería que hicieran Molto y los otros era ir al banco a hablar con la cajera que cambió el cheque. Porque podía decirles todo lo que me dijo a mí.

—¿Qué te dijo? ¿O también entra en el secreto profesional?

—En realidad no.

—¿Entonces qué dijo?

—La mujer recordaba a Nile. Lo recordaba porque actuó como un idiota, como de costumbre. La cajera le dio 10.000 dólares en efectivo: cien billetes de cien dólares, dicho sea de paso, no de cincuenta ni de veinte. Y él los puso en un sobre para correo. Y la mujer le dijo: "No debería hacer eso; ahí dice, en el formulario: 'No envíe dinero'". Y él le respondió: "No pasa nada. Ya lo hemos hecho otras veces", y antes de salir le preguntó si hay una oficina de Federal Express a la vuelta de la esquina.

—¿Así que no le dio el dinero al Pesado? ¿Ésa es la cosa?

—No.

—¿Sí le dio el dinero al Pesado?

—Te digo que no es ése el asunto.

—Bueno, ¿a quién le envió el dinero?

—Ahí diste en el clavo.

El papel que ha sostenido hasta ahora es una copia impresa de microfilme, blanco sobre negro, espesa de tonalizador, y muestra los datos de una entrega de FedEx realizada en julio último. El nombre de Nile figura a un costado del formulario, como remitente. En el otro lado está el destino:

Michael Frane
RR 24
Marston, Wisconsin

Cuando Seth alza la vista, Hobie estudia su reacción con expresión abstracta, esperando ver el momento en que su amigo termine de comprender.

—¿Es un chiste? —pregunta Seth.

—No es ningún chiste.

—Es él, ¿no?

—Sería una extraña coincidencia si no lo fuera.

Seth vuelve a mirar el papel. Siente débiles los brazos.

—¿Cuánto ibas a esperar para contármelo?

—Tal vez toda la vida. Es probable que esté haciendo algo que no debo. Pero me destrozas el alma con esa cara de desgraciado, esperando más, o qué sé yo. Y éste es un maldito secreto, Jack. La jueza no tiene que saber ni una palabra. Ya recibí bastantes sermones sobre retención de evidencia como para el resto de mi vida. —Hobie señala el papel.— Olvidaste preguntarme cuándo conseguí ese papel de FedEx.

—¿Cuándo?

—La noche antes de que Nile huyera. Fue toda una sorpresa, además. Hacía semanas que les había pedido que lo buscaran. Ese día abrí la correspondencia y ¡bum!

—¿Él no te lo había dicho?

Menea la cabeza otra vez; no es una respuesta, sino una indicación de que no puede responder.

—No puede habértelo dicho —deduce Seth—. Acabas de comentar que para ti fue una sorpresa.

Hobie se limita a mirarlo; una gran cara de piedra, que en realidad es una cara digna de los esfuerzos de un escultor.

—¿Qué más estoy pasando por alto?

—¿El nombre de la ciudad te resulta conocido?

Marston.

—¿Es donde vivía June?

—Bingo.

—¿Michael estuvo viviendo con ella?

—"Con" no. Al menos, hasta donde sé. Pero anduvo por allá veinticinco años, igual que ella. Tenía un pequeño negocio de radio, televisión y estéreos, desde la década de los 80. Al final, las grandes cadenas comerciales lo obligaron a dejar esa actividad. Y quedó con unas deudas pesadas.

—¿El dinero era para eso?

Hobie hace un gesto: bingo otra vez.

—En apariencia, no tenía la alternativa de presentar quiebra. Como ves, más o menos conservó el nombre, por si se encontraba con alguien conocido de antes, pero cambió la manera de escribir el apellido. Recuerda que tú tenías su número de seguridad social, así que el de él debía de ser falso. Lo cual significaba que no quería que nadie husmeara en sus antecedentes. Así es como me lo explico yo. Además, parece que es una especie de tipo sensible, no muy hábil para soportar el estrés. Hace años sufrió una especie de accidente. Estaba trabajando en una granja y se cortó la mitad de un pie con una máquina trilladora. Fue en 1972, más o menos. Creo que fue ahí cuando apareció June. June y Nile. Lo cuidaron hasta que se restableció.

—¿De dónde diablos sacaste toda esta información? —pregunta Seth—. No te lo contó Nile, ¿verdad?

—No, o de lo contrario no te lo diría. No, hablé bastante por teléfono, a partir del almuerzo del ultimo día del juicio. Mientras tú andabas por la calle, yo hablé con el banquero, el corredor de inmobiliaria, la Cámara de Comercio. Todos hablaron bien de Michael. Buen tipo, tranquilo. Un poco raro. El muchacho que conocimos. Supongo que a lo largo de los años mantuvo bastante contacto con mi cliente. Más o menos como tú, ¿no? Bueno, sea como fuere, la cosa es que yo tenía que salvar a mi cliente... Creo que fue ahí donde se escapó. Quería advertirle a Michael que había descubierto el juego.

—¿Dices que se fue por eso?

—En parte. Sólo en parte. Yo diría, en general... es sólo una conjetura, no una confidencia... Yo diría que Nile no estaba muy complacido con la dirección de la defensa. Cuando le mostré este papel, ya estaba furioso conmigo. Pero creo que éste es un secreto que había jurado guardar. A June, digo. No tengo dudas de que no quería que yo ventilara todo esto en el tribunal. Lo cual, por supuesto, me vería obligado a hacer, si me lo hubiera permitido. Una vez más, creo que debía de preocuparle que yo te contara algo.

—¿A mí? ¿Y qué haría yo?

—Eh, compañero, según lo recuerdo, Michael te tendió una buena trampa. Era lógico pensar que querrías desquitarte, si llegabas a averiguar dónde estaba.

—Jamás lo consideré responsable. Tú lo sabes. La verdad es que me gustaría verlo.

—Proust —dice Hobie.

—Sí —replica Seth. Su imaginación, anclada en el pasado, ya se desliza hacia alguna imagen válida de Michael. Seth ha estado en pueblos como Marston; hace varios años hizo unas cuantas columnas sobre una muchacha de Podunk, Minnesota, que quería tocar la tuba en la banda del pueblo, compuesta sólo por varones. Pasó una semana allá. Todos los jóvenes se emborrachaban los viernes por la noche y arrasaban con los caminos rurales, destrozando los buzones con los paragolpes de los vehículos. Los padres, granjeros en su mayoría, se mostraban sumamente confundidos por la difusión viral de la vida urbana. Los chicos tomaban drogas y haraganeaban en los paseos del pueblo, usaban las gorras al revés y se llamaban "hijo de puta" entre ellos. ¿Qué diablos pasa?, parecían vivir preguntándose los adultos.

Y allí, donde la gente solía pensar, en otra época, que se encontraban los verdaderos Estados Unidos, es donde ha permanecido Michael Frain. Seth lo imagina en la calle principal mirando insatisfecho por la vidriera del negocio. Un cartel de neón sin encender, demasiado pequeño para el frente que decora, menciona una marca conocida, Sony o G.E. Detrás, el negocio está sombrío, lúgubremente vacío. Algún objeto en desuso, dos cajas de cartón y unos cuantos rollos de cable se hallan apilados sin sentido en un estante cubierto con un polvo acre, que en algunos sitios se ha juntado en haces peludos. Han sacado los aparatos y los anaqueles de exhibición. El hombre sigue siendo anguloso, delgado, aunque su vientre ha adquirido cierto curvamiento. Viste una camisa a cuadros muchas veces lavada, con los faldones fuera de los pantalones. Se lo ve un poco deteriorado, abstraído; todavía conserva algo de pelo, desaliñado pero no tan salvaje, no tan brilloso, desde luego. Y debe de causarle un dolor considerable bajar a la calle. Para caminar, Michael balancea la parte superior del cuerpo hacia la izquierda y arrastra la otra pierna en un movimiento elaborado, doloroso de mirar, que ha llegado a dominar casi sin pensarlo. Más bajo, en la cuadra, la iglesia de tablones de madera sin pintar y un edificio de material corrugado se alzan a cada lado de un restaurante nuevo, de ladrillos, una construcción, prefabricada por su aspecto, insustancial como una caja de cereales. Mientras camina, los ojos de Michael, todavía brillantes e inciertos, tratarían de evitar a Seth, como evitan a todos los extraños, sin el menor rastro de reconocimiento. Así es él. Seth aparta la imagen.

—¿Y lo encontraste?

—¿A cuál?

—A cualquiera. ¿A Nile?

—No. Por supuesto que no.

—¿Y a Michael?

—No. Así fue como terminé hablando con toda la gente del pueblo. El hombre desapareció. Aquel día nadie pudo encontrarlo. Ni tampoco desde entonces.

—¿Están juntos?

—Supongo que andarán fugitivos. Michael tiene experiencia en falsear nombres, el pasado. Supongo que ahora estará enseñándoselo a Nile.

En el silencio del sótano, retumba la voz de uno de los luchadores de la televisión.

—Así que no vas a contarme el resto. ¿Como llegamos a este punto? —insiste Seth.

—No puedo, viejo.

—¿Quién puede? —pregunta Seth—. ¿Quién me lo dirá?

Hobie apoya una mano pesada en una de las rodillas de Seth. Huele a pintura, tiene los ojos cansados. Mira a su amigo, se miran ambos, con ese sentimiento de toda una existencia.

—Ya lo pensarás —responde.

Verano de 1995

NILE

Débil, pensaba siempre Nile cuando entraba en la cárcel. Los malditos guardias eran tan débiles, unos dormidos totales. Lo único que les interesaba eran los papeles y los formularios. "El director quiere que los formularios estén correctos." Aquí estaban, con todos esos malos actores y clientes malos, asesinos y delincuentes desalmados a sesenta metros de distancia, y para estos tarados lo más real era si cada visita había escrito la hora y el número de celda del recluso. En libertad condicional era lo mismo. Por Dios. Nile suspiró y pensó en la chica.

Nile estaba enamorado. Siempre estaba enamorado, pero esto era diferente. Siempre era diferente, porque él no amaba a las chicas que amaban otros hombres. Él no creía que Julia Roberts fuera tan hermosa. En la escuela secundaria, no era como todos los tipos, que pensaban en acostarse con todas. A él le gustaban las chicas dulces, amables, que tuvieran algo especial... chicas que tal vez le recordaran de algún modo a sí mismo. En aquel momento, Nile estaba realmente enamorado. Era como el tipo de la canción, que estaba enamorado de estar enamorado. Amaba a Lovinia.

—Nile, cómo andas, hombre —dijo el teniente. Lo decía todas las semanas. Nile buscaba los momentos en que ese descerebrado de Eddie atendía el escritorio, porque apenas lo registraba. —¿Afuera llueve?

—Un poco —contestó Nile—. Más bien llovizna.

—Mierda. Este maldito chico de la pizza es lento. Así que llovizna —dijo Eddie al tiempo que tendía un dedo ligeramente artrítico en dirección a la sala donde se realizaba el cacheo. —Mierda, durante todo el mes no hizo más que lloviznar. Es la contaminación y todo lo que ha provocado. ¿Crees que bromeo? No estoy bromeando. ¡Llovizna! Mierda, esta tos no se me va a ir en todo el año. —Pasó las manos por la parte de afuera del torso de Nile, por dentro de cada pierna hasta llegar al muslo. —Bueno, listo. ¿Cuál quieres?

—Henry Downs.

—El señor Downs. Sí, esta semana le vamos a contar a otro pandillero cómo tiene que portarse bien cuando lo dejamos salir. Asegúrate de que te escuche. —Eddie rió y puso un sello en la mano de Nile. Dijo que llamaría para que trajeran a Downs.

Nile siguió caminando. En la caseta del guardia puso la mano bajo los rayos ultravioletas y los guardias abrieron el cerrojo y lo dejaron pasar. Nile sentía el paquete en la parte posterior del cuerpo. Le recordó a Bicho; cada paso, cada tirón, se la traía a la mente. Ella lo acompañaba siempre, como magia. Veía a cualquier chica flaca en la calle y la recordaba. Era como un pueblo donde todos los caminos conducían a un solo lugar: Lovinia.

Las chicas siempre le producían ese efecto. Cuando despertaba, lo primero que hacía era tratar de recordar de quién estaba enamorado. Su corazón siempre andaba volando, en el aire por algún amor secreto. Vivía loco por alguien que ni siquiera lo sabía. Estuvo Emme Pérez, recepcionista de la Oficina de Libertad Condicional, que tenía dos bebés de dos hombres diferentes; la había amado en secreto por algún tiempo. Estuvo Marjorie, de la oficina de campañas de su padre, que cojeaba por algo que le había ocurrido de chica. Hubo otra chica negra, llamada Namba Gates, a la que había conocido en la facultad y que daba la impresión de gustar de él. Nile creía que esperaba que la invitara a salir, y casi lo hizo, hasta que se dio cuenta de que no podía. En el primer año de la secundaria hubo una chica en la clase de geometría, Nancy Franz, un poco regordeta, en realidad, pero bastante dulce; habían pasado quince años, y todavía pensaba en ella de vez en cuando. Había tantas...

Bicho era la mejor. Una dulzura. Ésa era la palabra justa para ella: dulce. Y tímida. Tanto, que casi no podía soportar mirarlo con esos ojos enormes suyos. Seguro que era por eso que la llamaban Bicho: los ojos. Nile se volvía loco cuando lo miraba así, como si no tuviera quince años, sino siete.

—¿Crees que dirías que eres mi chica? —le preguntó Nile esta mañana, mientras hacían el paquete.

—A ninguno. No, no lo haría. De ninguna manera.

—¿Me lo dirías a mí?

Y ella le echó esa mirada. Le dio una palmadita en el brazo.

—Me estás embromando —dijo.

—No. Creo que eres mi chica. Eso es lo que creo.

—Bueno, entonces cree lo que quieras, ¿no? No te va a importar nada de lo que yo te diga. —Y se apartó de él, como de costumbre. No con el cuerpo, sino con el espíritu. Era como un fantasma. Algo que no se podía agarrar. Una parte de ella era tímida. U oculta. O algo. Nile no hallaba las palabras precisas. Ahora, dentro del Sector 2, suspiró fuerte al pensar en ella.

—¿Estás deprimido, viejo? —le preguntó Runculez, el guardia apostado allí.

—No estoy deprimido —respondió Nile—. Estoy eufórico. Feliz. —Alzó los brazos para mostrar que no llevaba nada. Luego esbozó una sonrisa estúpida. —Henry Downs —dijo. Y el guardia gritó: "Downs". —Sala de entrevistas —agregó Nile.

—Hay unos abogados allá adentro, viejo. ¿Qué te parece la cafetería? No empezamos con el almuerzo hasta las once.

—Necesito una sala de entrevistas, viejo. Reglamentos de la oficina. Tengo que leerle las reglas para la calle en una sala de entrevistas, los dos solos. —Ordell le había ordenado que dijera eso. Y Nile le contestó que estaba loco. ¿Quién lo creería? ¿Quién creería que había una regla tan imbécil?

El guardia mexicano meneó la cabeza, pero sonrió. Todos le tenían simpatía a Nile. Era un tipo fácil de tratar. Runculez habló con otro uniforme que se hallaba cerca.

—Ve a decirle a esa abogada que necesitamos la sala. Dile que vaya a la cafetería.

La abogada salió en un minuto, llevando su portafolio. El guardia se acercó a explicarle, pero la mujer había terminado.

La sala de entrevistas era un pequeño cuadrado gris con una mesa plegable y dos sillas de plástico. Una llamarada de fluorescencia que caía del cielo raso interrumpía la lobreguez habitual de las cárceles y se filtraba hacia el vestíbulo a través de un estrecho panel de vidrio opaco de la puerta, destinado a permitir que los guardias que pasaban observaran lo que sucedía adentro.

Downs llegó esposado y con cadenas en los pies, acompañado por dos solemnes funcionarios del correccional. Allí, en la cárcel, la mitad de los guardias tenían algo que ver con una banda u otra y embromaban mucho, en especial con un Santo de Primera Jerarquía como Downs. Pero Downs se presentaba como si estuviera por encima de eso. Caso difícil. Alrededor del cinturón tenía una cadena unida a las esposas y las cadenas de los tobillos. Cuando los funcionarios del correccional cerraron la puerta, Downs se sentó. Nile se ubicó enseguida en un rincón cercano, donde no podían verlo desde el panel de vidrio de la puerta, y empezó a hablar.

—Bueno, Henry, tengo que hacerte este resumen previo a la libertad condicional, ¿de acuerdo? Quiero que entiendas las reglas para cuando estés en la calle, cuando salgas de acá. Ya has cumplido dieciocho meses, y te queda un año más de libertad condicional, ¿sí?

Downs era primo del Pesado. Usaba barba y tenía una espalda y un vientre enormes. En algún lugar Nile había oído decir que en la escuela había jugado al básquet, pero al verlo ahora resultaba difícil creerlo. Era grande como un peñasco y tenía una mirada desagradable.

—Bueno, ya sé que lo hemos hecho tres veces, pero hoy firmas el formulario. Es un contrato, viejo, entre tú y yo. Si lo cumples, te quedas en la calle. Si lo violas, no vuelves acá, sino a una cárcel de seguridad, ¿entendido? ¿Me estás escuchando, Henry?

Mientras hablaba, Nile se abrió el cinturón. Metió la mano detrás del elástico de sus calzoncillos y arrancó la cinta adhesiva. Se había afeitado el trasero. La verdad, lo había hecho Bicho, una mañana, hacía unas tres semanas. Por Dios, a los dos les resultó cómico. Muy cómico, pensó Nile mientras tomaba el paquete. Era un profiláctico atado en el extremo abierto, de unos diez centímetros de largo. El Pesado hacía bromas sobre los tipos blancos. Nile metió la mano en la grieta de entre sus nalgas, sacó el profiláctico y lo apretó contra sí mientras se acercaba a Downs y lo dejaba sobre la mesa.

—Ahora lo voy a repasar punto por punto, ¿de acuerdo? Nada de armas. No me importa cómo las llames: "fierro", "artillería", "T-9" o lo que sea. Te veo un arma, y vuelves adentro.

En un solo movimiento, Downs colocó el profiláctico en su regazo, debajo de la mesa; la cadena de las esposas tintineó sobre la mesa. Nile seguía hablando. Una vez que se levantó los pantalones, permaneció contra el panel de vidrio de la puerta. No se puede salir del estado sin permiso del tribunal, dijo. Nada de delitos o faltas menores. Si lo hacía, Downs volvería a la prisión.

—Y nada de tratos con ninguna banda —continuó Nile—. Sé que son tus amigos, pero si los ves, mejor que mires para otro lado. Si te agarro allá afuera con esos tipos, vuelves adentro. Sin peros. Si te portas bien, yo también me porto bien. ¿Entiendes?

Debajo de la mesa, Downs manipuló el profiláctico, afinándolo y estirándolo. Después echó de pronto la cabeza hacia atrás, alzó las manos encadenadas y se tragó el tubo de goma. Listo. El paquete había desaparecido. Downs, que rara vez mostraba alguna expresión de felicidad, sonrió mientras Nile continuaba hablando.

—¿Me entiendes, Henry? —volvió a preguntar Nile—. No quiero que después digas que no escuchaste esta parte o la otra. Esta mierda de la que te hablo es un asunto serio.

—Ajá —contestó Downs, con ambas manos apoyadas en el vientre. Tenía los ojos cerrados. Se concentraba en hacerlo bajar. Si ese globo —así era como Ordell denominaba a los profilácticos— se rompía en sus entrañas, lleno de blanca pura, no podrían llevarlo a emergencias a tiempo. Porque moriría en un instante. Además, tampoco pediría un médico. Downs era Primera Jerarquía, y sabía cómo comportarse. Se limitaría a sonreír.

De adentro del overol, tomó un fajo de billetes que había juntado en la cárcel para comprar la droga. Nile no podía creer que hubiera tanto efectivo allí, pero cualquier cosa lo bastante chica para pasarla entre las manos —pastillas, hojas de afeitar, dinero— se abría paso hasta el interior de la cárcel si resultaba útil. En una silla había una bolsa de plástico azul, la funda en que se entregaba uno de los diarios locales, que debía de haber estado leyendo uno de los guardias. Nile puso los billetes ahí y se la metió adentro de los pantalones. A la salida no lo registraba nadie.

Siguió hablando de la misma manera durante diez minutos más, y luego salió para anunciar a los funcionarios del correccional que podían llevarse de vuelta a Downs. El recluso salió haciendo tintinear las cadenas de los tobillos, y ni se molestó en echar una última mirada a Nile. En la celda, tomaría una caja de laxantes y esperaría.

Nile le pasaba drogas a alguno nuevo todas las semanas. Y se comunicaba con ellos en el mismo código que utilizaban en las pandillas: lenguaje de señas, jerga callejera, preguntas clave. La gente, en general, lo consideraba un tipo extraño. No le gustaba usar el auto cuando llovía, por ejemplo. Ésa era una de las cosas que a la gente le resultaba extraña. Pero no era que no quisiera viajar, sino que creía que la lluvia dañaba la pintura. Y además se sentía incómodo con los extraños, no miraba a la gente a los ojos. Pero había muchos que actuaban del mismo modo. Michael era igual. Sin embargo, cuando se hallaba con el Pesado, con Bicho, era diferente. Se dejaba llevar. Estoy enamorado, se decía. Me encanta estar enamorado. Mientras salía por el corredor de la cárcel pensaba en Bicho.

Cómo empezó aquello, lo de entrar drogas en la cárcel, fue raro... Culpa de Eddgar, diría Nile, aunque no servía de mucho. Él también había hecho lo suyo. Se había puesto en mal lugar con el Pesado, desde el primer momento. Nile lo sabía. Ordell era poderoso. Desde el principio Nile sintió la fuerza, la vitalidad que emanaba del Pesado, como la potencia de la naturaleza que pulsaba en una planta desde las raíces hasta las hojas. Varias veces estuvo a punto de decirle a Eddgar: "Este tipo Ordell se parece a ti".

Todos los meses escribía sus informes sobre el Pesado, y de algún modo empezó a permitir que le indicara lo que tenía que decir. Sentado en el cubículo de Nile, en la Oficina de Libertad Condicional del los tribunales centrales, el Pesado susurraba para que su voz rasposa no traspasara las endebles divisiones de plástico.

—¿Qué estás escribiendo de mí? —Daba vueltas como un payaso, se reía, quería tomar la hoja, hasta que al final Nile le permitía mirar; total, cuál era la diferencia, ahí no había secretos. El Pesado leía mientras se rascaba la barba con sus largas uñas perversas.

—No pongas eso, viejo. Van a pensar que te preocupan mis relaciones con la banda.

—¿Y qué debería poner?

—Ya sabes, hermano. Que conseguí un buen trabajo y eso.

—¿Qué trabajo, viejo?

—Organización comunitaria. —Rió, porque Nile había mencionado a Eddgar. Eddgar ya estaba entusiasmado. Es una oportunidad, Nile, es una tremenda oportunidad. —Escribe que estoy haciendo esa mierda de organización comunitaria.

Y lo hizo. Muy bien. Cuando Nile iba a la Torre IV para las visitas domiciliarias, Ordell estaba siempre allí para saludarlo, parado en la calle, moviendo el brazo en grandes gestos de saludo, burlándose de alguien, tal vez de ambos.

—Estaciona aquí. Bien, bien. —Guardaba el mejor sitio para Nile. El Pesado armaba un excelente espectáculo. Su artillería, sus musculosos secuaces, aguardaban metidos en un Lincoln negro, una cuadra más adelante. No había nadie más por allí cerca, salvo unos cuantos chicos del barrio, y esa chica flaca, de cutis liso, Lovinia, que llevaba los mensajes.

—Ve a decirle a Downs que ya solucioné el asunto —le dijo el Pesado a Lovinia un día.

—¿De qué se trata? —preguntó Nile.

—Ah, nada. —El pesado rió. Su boca era ancha y de un lado tenía varios dientes con coronas de oro. Nunca contestaba. Tenía la decencia de no mentir. Por supuesto, cada vez que Nile iba veía más cosas. Sacaban las armas, Tec-9 y AK-47. Aparatos de radiollamada. Chicos que salían volando cuando aparecía el Pesado. —Todo esto es un negocio, viejo —le explicaba el Pesado a Nile—. No es más que un negocio, viejo. Tengo que hacer algo.

—Deberías escuchar a mi padre. Deberías hablar con él —le dijo Nile. ¿Por qué lo dijo? ¿Por qué, sobre todo, cuando la mayoría de los días lo último en el mundo que quería era hablar de Eddgar? Una especie de trueque, supuso. Si tú hablas con él, entonces no deberé hacerlo yo.

Eddgar siempre tuvo proyectos para su hijo. En la facultad, cuando estaba por abandonar, Nile tenía un trabajo favorito: era mensajero. Le encantaba. Tenía la bicicleta, las calzas, el chaleco de seguridad, el casco. Andaba casi todo el tiempo de acá para allá, con el walkman a todo lo que daba, y un walkie-talkie en la cintura a todo volumen. La verdad es que no podía oírlo, pero vibraba cuando Jack empezaba a gritar para avisarle de un encargo. Ese trabajo era lo máximo. Lo que a Nile más le gustaba era lo que pasaba cuando uno no llegaba y después llegaba. Toda esa gente rebotaba contra las paredes preguntando desesperada: ¿Dónde está el mensajero, por Dios, dónde está el mensajero? Y de pronto llegaba él: Bueno, acá está el mensajero, tómense una pastilla para los nervios.

Eddgar odiaba ese trabajo. Nile se daba cuenta de que el padre estaba esperando que él abandonara. Estaba esperando que Nile entendiera que con ese trabajo se congelaría en invierno y se asaría en verano. Lo que irritaba a Eddgar no era tanto lo que Nile hacía, sino que le gustara. Tal vez era por eso que le parecía un buen trabajo. Después, el segundo verano, Nile se iba cansando de sufrir el calor del asiento de la bicicleta entre las piernas, y comentó que debían formar un sindicato, todos los mensajeros. Eddgar se entusiasmó de nuevo. Debe de haberle preguntado unas sesenta veces si lo había hablado con otras personas, hasta que Nile se recriminó por qué diablos se le habría ocurrido decirlo en voz alta delante de Eddgar. Poco después dejó el empleo. Volvió a la universidad comunitaria de Kindle y tomó cursos de asistencia social, como siempre le había aconsejado Eddgar. De esa manera era más fácil, simplemente.

■ ■ ■

De vez en cuando el Pesado salía a hacer sus negocios. Apoyaba una mano en el hombro de Nile y le decía:

—Tranquilo viejo. Todo bien. Enseguida vuelvo.

En general lo dejaba en uno de los bancos rotos que había detrás de la T-4, la Torre IV, frente a una parte cercada por un lado y limitada por los ladrillos de la Torre IV del otro. Aquél era el territorio de los Arrolladores T-4, el grupo del Pesado. Andaban todos haraganeando por allí, bebiendo, jugando a los dados. Nile se sentaba y observaba, con la bendición del Pesado, pero era como si no estuviera ahí, una nada blanca, no más digna de notar que la tapa de un vasito de papel entre la basura que cubría los costados del edificio. Sin embargo, él veía mierda. Una tarde, casi de noche, Gorgo, un tipo largo y huesudo, paró sobre la acera su Blazer 86 con ruedas nuevas, con el equipo de música que resonaba a todo volumen a través de las ventanillas. Gorgo bajó, y, por razones que Nile no pudo comprender, los Santos que se hallaban cerca supieron que venía huyendo.

—Eh, Santo, ¿qué pasa? —quisieron saber.

Gorgo se permitió un momento de jactancia de macho.

—No pasa nada. —Pero pronto lo persuadieron de compartir sus hazañas. —Solamente asalté a unos Maníes y les saqué diez grandes.

—¿Con este auto? —Había muchos de los más chicos (Nonatos y Pandilleros Menores) escuchando, preguntando. No podían creer que Gorgo hubiera perpetrado el asalto con su propio coche. Ahora sería identificable, blanco de represalias.

—Eh, estúpidos, yo no me escondo de los Maníes. Me llamo Gorgo.

—Bárbaro —dijeron los chicos, pero en un minuto todos salieron corriendo. Dos Maníes se acercaban en coches diferentes, disparando entre los edificios desde la avenida, a cien metros de distancia. Por un instante, mientras los pájaros levantaban vuelo, mientras los chicos gritaban y corrían a esconderse, Nile quedó solo en el banco, azorado por el ruido resonante, que en el aire abierto era algo menos dramático que lo que habría imaginado. Al final oyó que Gorgo gritaba:

—¡Agáchate!

¡Guerra!, pensó, y se agachó detrás del banco. El tiroteo duró apenas unos minutos. Desde lo alto de la T-4, oyó los disparos de respuesta mientras los autos de la calle Grace salían rugiendo.

—No voy a darle a ninguno desde tan lejos. ¡Basuras de mierda! —Haciendo gestos desafiantes a los autos que partían, Gorgo caminaba de un lado a otro frente al banco, con unas espléndidas zapatillas blancas con cordones de fantasía. Se golpeaba el pecho, blandía el puño, chillaba. Su chaqueta de satén le volaba alrededor y una bala .45 de oro macizo, con un diamante en la punta, le colgaba del cuello. Bajó la vista para explicarle a Nile.

—Es todo circo. Ahora van a ir a decir que me la dieron, pero yo tengo el botín. —Metió la mano en un bolsillo abultado y sacó los billetes que les había sacado a punta de pistola a los Facinerosos. Cuando sonrió se notó que le faltaba uno de los dientes de adelante. —Recién empieza —afirmó, aludiendo a que a partir de ese momento los tiroteos se repetirían durante varias semanas, y así fue. Gorgo tendría dieciséis, diecisiete años, según calculó Nile, y estaba loco. De algún lado había sacado su Tec-9, y la llevaba boca abajo, colgada del hombro, como un soldado en guerra. Decían que era capaz de matar a cualquiera. ¡Qué vida loca! Así era como decían los pandilleros: la vida loca. A Nile le encantaba. Esos chicos eran lo máximo.

Guerra, pensó después Nile durante días. Cuando era chico, un nenito que se orinaba en la cama todas las noches, la guerra lo aterraba. Allá afuera había una guerra que de algún modo lograba imaginar: fuego de artillería y el humo de las bombas, relámpagos resonantes de luz y bengalas de magnesio, los olores nauseabundos del humo suspendido en el aire. La guerra se lo llevaría, destrozaría su cuerpo menudo. La guerra no podía mantenerse a raya, no podía mantenerse fuera de la puerta. Eddgar quería guerra. Y Nile estaba aterrado. Y ahora, aquí, entre las armas, entre estos valientes guerreros, Nile pensaba: Sí, claro que era todo muy extraño. Pero aun así... Era magnífico ver a Gorgo golpearse el pecho, como si dijera: "No me importa, vivo o muerto, no me importa". Nada tenía más sentido. No había futuro. Eso era lo que gritaba Gorgo. ¡No! Al futuro. Para él, el futuro ni siquiera existía. Qué bueno, pensó Nile durante días. Qué bueno.

Después de que aquel día casi mataron a Nile de un tiro, el Pesado le encargó a Lovinia que lo cuidara cuando él saliera a hacer sus negocios. Era como la secretaria del Pesado, se diría. Llevaba mensajes. Mantenía las cosas en orden. Era tan linda y tan tímida... Nile siempre hablaba con ella, o al menos lo intentaba. Al principio apenas podía lograr que le dijera cómo se llamaba. Se sentaban allí, en uno de los bancos rotos frente a la Torre IV, como dos ranas en una piedra. Ni una maldita cosa que decir. Aquélla era una de las cosas de la vida para lo que Nile menos servía: entablar conversación. Con las chicas, era una causa perdida. Pero incluso en el trabajo era hosco. Había supervisores de libertad condicional que eran muy hábiles en su tarea. El noventa y nueve por ciento de aquellos chicos no quería decirte un carajo, por miedo a que más tarde te sirviera para delatarlos. Con Nile se sentaban todos ahí, masticando goma de mascar, o mirándose los dedos, golpeteando el piso con las Nike mientras trataban de entender lo poco que tenían que hacer para terminar con el tema. Nile dejaba la radio encendida, para que el silencio no se hiciera tan pesado. Les leía las preguntas del formulario. ¿Salud? ¿Escuela? ¿Has buscado trabajo? "Háblales de deportes. Pregúntales por los equipos de beisbol, de básquet. Pregúntales por canciones de la radio." Le daban todo tipo de consejos. Pero nada de eso le servía de mucho a Nile. Y con Bicho, se quedaba atascado en lo tonto y lo obvio.

—¿Estudias? —le preguntó—. ¿Vas a la escuela?

—No, casi nada. No me gusta lo que les hacen a las maestras. Cuando veo un tipo que está embromando, me doy vuelta y le digo: "Cállate la boca, tarado, que acá venimos a aprender". Pero ya sabes, me canso, viejo. Porque se lo pasan tratando de embromarme. Todos esos Maníes que andan ahí... —Nile no entendía lo que Bicho quería decir. —Ya sabes, los tengo pegados a los talones, viejo, pero no puedo andar llevando fierros a la escuela.

—Armas, quiere decir. —Y sin fierro, ¿cómo voy a caminar una sola cuadra al salir de la escuela sin que me agujereen el culo? Todos esos Maníes me andan esperando. Por mi hermano Clyde, ¿no?

—¿Clyde es de los DSN?

—Primera Jerarquía, ajá —respondió la chica—. Ahora está de descanso.

—¿En la cárcel?

—Ajá. Le dieron veinticuatro. Unos malditos Maníes vinieron acá a hacer el circo. Acá mismo, a cinco metros de donde estás tú. Mierda. Clyde les voló el culo. Cuando lo vi sacar el fierro le rogué, le pregunté: "¿Qué vas a hacer?", pero ese Maní estaba volado, viejo, había tomado no sé qué mierda. Clyde me dijo: "Déjame, nena, no pudo permitir que este hijo de puta haga esta mierda en mi propia casa". Bueno, ¿y yo qué podía decir? Ahora voy a verlo bastante seguido, los fines de semana, sobre todo. Todas las chicas vamos. Anda bien, me parece. Pero lo extraño. Va a salir en el 2007, viejo, eso me hace llorar, pero habla del 2007 como si fuera mañana. Bueno, es por eso que me persiguen los Maníes.

Nile ni siquiera se molestó en decirle lo obvio: Vete de los DSN. Porque Nile entendía. Ese asunto de las pandillas la gente no lo entendía, los adultos, o como quisieras llamarlos. Como Bicho: se veía que necesitaba a los DSN. Eran comida para llevarse a la boca, alguien que la mirara y le dijera: "Tranquila, nena. Serás tonta, serás loca, pero nosotros te cuidamos, nena". La gente no lo comprendía. Decían "pandilla" y se volvían locos. Fierros y sangre. ¡Santo cielo! Pero en el fondo era algo dulce, como los caramelos.

Nile no sabía cuándo había empezado a pensar en ella. Fue casi un accidente. Bicho estaba en condicional de juveniles, porque la habían atrapado vendiendo. Nile conocía a la supervisora, Mary Lehr, que le contó que la arrestó un policía de apellido Lubitsch, pero después la dejó en paz porque en realidad no era una delincuente importante. Juvenil. Lo mismo que nada.

Un día se hallaban ahí, en los bancos, y Bicho le estaba contando de su padre: la había visto el día anterior en la calle Lawrence y la llevó a un negocio y le compró un adorno para el pelo. Siempre hacía así, comentaba Bicho; el padre siempre le compraba cosas.

—¿Y quién es Eddgar, viejo? —le preguntó Bicho a Nile—. ¿Es tu papá? Te lo pasas criticándolo todo el tiempo.

—Mentira. No me lo paso hablando de él.

—Ajá —afirmó ella.

¿Quién era Eddgar? Por Dios, viejo. Otra pregunta que nunca podía contestar.

—Sí, es mi padre —dijo al fin.

—¿Es un tipo importante?

—Sí, es importante. Una especie de político, se podría decir. Al comienzo fue predicador.

—¿Predicador?

—Estudió para eso. Pero no predicó nunca.

—Yo tengo una tía predicadora.

—¿De veras?

—Ajá. En la iglesia evangélica bautista. La hermana Serita. ¿La oíste nombrar?

—Tal vez.

—Sí, hay un montón de gente que la escucha. Es poderosa. Poderosa. ¿Sabes? Siempre quería que yo fuera a su iglesia. Para sacarme de estas calles malvadas, me decía, para que no anduviera por acá. Cuando era chica y esa mierda, yo cantaba en el coro, viejo. —Cerró los ojos un momento y sintió la potencia del canto.

A veces Nile sentía curiosidad por la religión. Le gustaban las iglesias, en especial las católicas, con sus murales misteriosos y oscuros, la Virgen María con esa mirada humilde e inocente, un poco como la de Lovinia, demasiado tímida y santa para siquiera mirar a los sucios mortales a los ojos, o también las terribles escenas sangrientas que había en las paredes de esos lugares, Jesús en el momento en que lo clavaban en la cruz, o San Sebastián con más flechas en el cuerpo que las espinas de un puercoespín, o algunos de esos paneles horrendos de Juan el Bautista con la cabeza en una fuente y la lengua afuera. Pero así era el asunto: la gente adoraba esas cosas. Y se llenaban de una gran sensación espiritual.

Nile sabía que a su padre le gustaban esas cosas. June no quería ni oírlas nombrar. Para ella no eran más que un montón de historias, importantes, que le agradaba escuchar, pero historias al fin: lo que la gente quería que fuera, no lo que era. La religión constituyó una gran parte de lo que al final no resultó entre Eddgar y June. En determinado momento ella decidió que Dios, la fe, la lectura de la Biblia, era todo un pedazo de la tradición fomentada por aquellos que le ponían el pie en la garganta a todos los que se hallaban debajo. Abandonó, y en consecuencia por poco obligó a Eddgar a elegir entre Dios y ella. A veces Nile se preguntaba si su vida habría sido diferente si en verdad hubiera sido el hijo de un predicador, en lugar del hijo de lo que fuere que Eddgar creía que podía ser. O de lo que era.

• • •

Cuando el Pesado se encontró con Eddgar, el corazón le saltaba. Se había enterado de que era senador, así que hizo preguntas sobre Washington.

—¿Vino en avión? ¿Dónde para en D.C., viejo? Tengo parientes allá.

Nile le dijo, cuando estaban por subir a la limusina con T-Roc, que Eddgar no era esa clase de senador.

—¿Quieres decir que no es electo y esa mierda?

—Es electo. Pero es un senador del estado. Hay dos clases diferentes de senadores, viejo.

—Sí —dijo el Pesado. Tras un momento agregó: —Pero no le digas nada a T-Roc.

Aquel día habló Eddgar. Estaba excitado. Estaba tan entusiasmado consigo mismo, movía tanto las manos, que Nile pensó que las ventanillas del auto iban a estallar. A Eddgar le encantaban esos tipos, el Pesado y T-Roc, los trataba como hijos adoptivos o algo así. Sentado ahí, encogido en un rincón del asiento, entre el revestimiento de nogal, las jarras de cristal, el cuero aterciopelado, Nile pensó de nuevo que en Eddgar había una furia que nunca lograría comprender. Aquélla era toda una escena: T-Roc, el Pesado, Nile y Eddgar atrás, y dos artilleros adelante, uno con un terrible olor a transpiración que le salía de los poros. Habló Eddgar. El futuro, repetía, el futuro. Acá está el futuro, veo el futuro. Pero los otros no querían oírlo.

—Hablemos del hermano Kan-el, viejo —repetía T-Roc—. Vinimos acá a arreglar ese asunto. ¿Puede hacer algo?

Eddgar les había dicho: ¿Creen que quiero dinero? No, no es así. En todo caso, los que tendrán dinero serán ustedes. En ese momento T-Roc se sentó más erguido. Era una persona bastante refinada. Barba completa, sombrero hongo, chaleco de seda con estampado de dados y ruletas, e impenetrables anteojos negros. El Pesado se reía de él a sus espaldas, pero no en su cara. T-Roc era uno de esos individuos que conocían todo lo malo que existe y lo llevaban adentro, como un pozo séptico; podía agarrar la parte más mala de sí mismo en cualquier momento que la necesitara. E inteligente, también. Te miraba a los ojos y te absorbía el cerebro. Era bajo, con piernas gruesas que tensaban las costuras de sus pantalones negros. Se sentó erguido en el asiento de cuero negro de la limusina. A esa altura pensaba que Eddgar estaba loco.

—¿Dinero? ¿Y como mierda vamos a sacar dinero de esto, viejo?

Entonces Eddgar empezó. Podía arreglarse. De eso se trataba en realidad la política.

—Bueno, cuando veamos ese dinero, decidiremos —dijo T-Roc, y los hizo bajar.

Entonces el Pesado empezó a perseguir a Nile, todo el tiempo. "Fue todo falso, viejo. Ese desgraciado se burló de nosotros, viejo." Nile no podía decir nada. "No lo voy a tolerar. No voy a soportar que un desgraciado me haga una jugarreta así, viejo. En cuanto lo vea lo voy a liquidar. Ese hijo de mil putas." El Pesado estaba furioso.

¿Qué podía decir? Aquello era típico de Eddgar. Ésa era la verdad. A Eddgar le encantaba ese tipo de mierda. Le encantaba "mover el sistema", derribar las paredes. Y con toda seguridad en dos semanas, no más, Eddgar le dijo que tenía el dinero en camino, y Nile se lo transmitió al Pesado. Y después June llamó por teléfono tres noches seguidas. Nile se daba cuenta de que era algo sobre Michael, porque Eddgar adoptaba un tono especial al hablar. Después de la tercera noche, Eddgar, que salía para el capitolio del estado, le entregó a Nile el cheque del PDSA y le pidió que lo cambiara y le enviara el dinero a Michael, por correo expreso.

—¿Michael? —preguntó Nile. ¿A las demás personas también las criaban así? ¿Con secretos? No secretos como que la tía Nely le da a la botella o que al tío Herman le gustan las jovencitas. Secretos de verdad. Como: ¡No hables! Como: Si hablas, se abrirán los Agujeros Negros de Calcuta y caeremos dentro, y moriremos, y estaremos mucho peor que muertos. Así fue como criaron a Nile. Cuando tenía siete u ocho años, cuando se mudaron a Wisconsin, June lo tomó por los brazos, tan fuerte que le dolía, y le dijo por tercera o cuarta vez: "Escúchame. Nunca debes contarle a nadie sobre Michael, Nile. ¿Me oyes? Esto es muy importante, Nile. Es crítico. Jamás debes decir que lo conoces de antes. Si alguien comete un error, tú o yo o Michael, o incluso Eddgar, nos separarán a todos por un largo tiempo. ¿Entiendes? ¡Es muy importante!". Así fue como creció. Por Dios.

—Michael tiene un problema, Nile —dijo Eddgar.

—¿Y qué le digo al Pesado?

—Ya nos encargaremos de él. Nos encargaremos de todos. Es sólo una cuestión de tiempo. —Eddgar le habló así; la democracia de los problemas, cada uno solucionado lo mejor posible en cinco minutos, y luego que esperaran. La sesión legislativa se acercaba a su fin y Eddgar hablaba por teléfono toda la noche; la máquina de fax del piso de arriba despedía rollos de papel en un mensaje interminable. Cada vez que Nile atendía el teléfono era otra persona que pedía con urgencia por Eddgar: constituyentes, legisladores del estado, periodistas, funcionarios menores. Eddgar atendía todas las llamadas y se permitía un instante de reflexión antes de dar una respuesta sucinta. "Ya nos encargaremos", repetía una y otra vez, y luego se fue llevando un pequeño bolso.

Un día Bicho y Nile estaban haciendo lo que solían hacer, es decir, haraganear sentados en los bancos de la Torre IV.

—No lo escuches, viejo —le dijo ella en voz baja—. Te traicionará.

—¿El Pesado?

—El tipo te va a traicionar.

Nile se encogió de hombros. Ya lo sabía, suponía, al menos lo temía, pero lo hacía sentir mal que se lo dijera una muchachita flaca como ella.

—No creo.

—Ajá. Lo vi, viejo.

—No es malo.

—Está bien. —Hizo ese gesto que hacen las chicas, un revoleo de la muñeca, se levantó y dio unos pasos para marcharse. Nile la siguió. —No me hagas caso, viejo. Los tipos no escuchan a las tipas.

—No dije eso, nena. ¿Acaso lo dije?

—Una chica ve enseguida lo que el tipo piensa, viejo. —Se dio vuelta, y sus ojos enormes reflejaron el mundo. —Trataba de ayudarte, no más, viejo.

—Ya lo sé.

—No le digas nada, o me va a hacer mal.

—No —contestó él.

De cualquier modo, para ese momento ya era demasiado tarde. Para entonces, Nile había empezado a pensar en ella. Tenía quince años. Quince. Una delincuente bebé, casi. Carne de cárcel. Pero en realidad no importaba. De todos modos, no iba a hacerle nada. No es que fuera virgen; se había acostado con cuatro chicas. Recordaba los nombres y todo el asunto. Antes de Bicho, las contaba todos los días, como si fuera a surgir una sorpresa. Por lo menos una vez por día pensaba en cada una de ellas, salvo una, Lana Ramírez. Ésa había sido diferente para Nile; había durado meses y sólo lograba recordar una idea general de cuando estaban juntos. Era una chica corpulenta, pelirroja, que trabajaba en el lugar donde Nile hacía de mensajero. Tenía departamento propio, adonde iban a acostarse. Para Nile, aquello fue amor, amor total y definitivo. Después la chica se mudó a Miami. Él le escribió y trató de llamarla una o dos veces. Pero qué diablos, ¿cómo se fue así? Le parecía imposible. Y él había sido su esclavo. Su esclavo.

A veces, en medio de la noche, cuando todos tienen pensamientos estrafalarios, Nile pensaba que a Eddgar no le importaba aquello. Así no más: no le interesaba. ¿Quién se lo había dicho? Bueno, ¿qué falta hacía que alguien se lo dijera? Hacía veinte años que vivía con Eddgar, y hasta donde sabía, nunca le había interesado nada: ni chicas ni muchachos ni cabras montesas. El tipo era como inmune. Bueno, problema de Eddgar. No de él.

El problema de él era el dinero. El Pesado jamás lo dejaría pasar. Era como un círculo vicioso. Nile le explicaba lo que le había explicado Eddgar. Primero, los DSN ponen en marcha una organización política, una presencia legítima. Después tienen voz. Después Eddgar puede ofrecerles la oportunidad de que los escuchen. Respecto de Kan-el. Así que la cosa siempre volvía al dinero.

—¿Dónde está la maldita plata, Jack? —Para el Pesado, era como un trabajo que haría sólo cuando tuviera los diez grandes. No se le podía decir que el dinero no era para él, que era la para la organización, porque la organización ya la tenía. Pero hasta que vieran el dinero, no iban a empezar. Y por eso el Pesado vivía insistiendo con la plata.

De modo que un día Nile —estaba loco, sabía que estaba loco—, un día Nile dijo:

—El dinero va a demorar un tiempo, porque tuvimos que gastarlo en otra cosa. ¿Por qué no van haciendo la otra parte, tú y T-Roc, por qué no se ponen a juntar votantes? En el otoño hay elecciones, y podrán empezar, van a estar mejor, y estoy seguro de que entonces va a venir el dinero. —El Pesado se quedó mirándolo, con esa mirada que era su credencial de la calle, que anunciaba que era un asesino.

—No —dijo el Pesado. Dijo "nooo" muchas veces. —Gastaste mi dinero. ¿No es cierto? Gastaste mi dinero. Y el único que gasta mi dinero soy yo.

Nile trató de hacerlo razonar. No era el dinero de él, sino un dinero político. Era un dinero que iba de una mano a otra. Era la organización política y el Pesado no había organizado nada y Eddgar no le había dado el dinero por eso. Pero el Pesado era como un sabueso, o un mosquito, o un tiburón. Algo que huele sangre.

—¿Adónde fue mi dinero? —Debe de haberlo preguntado sesenta veces.

—Ordell, tú quieres el dinero. Y yo te lo traeré. —Esto fue tal vez lo más ridículo que Nile Eddgar había dicho en su vida, y el Pesado lo sabía, como sabía todo lo demás.

—Seguro como la puta mierda que me vas a traer la plata. Ahora quiero que desaparezcas, viejo. Y mejor que dejes de venir por acá hasta que me traigas la plata. Voy a pedir un supervisor de libertad condicional nuevo. No voy a seguir con esta mierda de hacernos los amigos, como si fueras de los nuestros. No eres de los nuestros un carajo. Mueve el culo, hijo de puta, antes de que te haga algo que no quiero.

Cuando Nile volvió, unos días después, el Pesado lo encaró otra vez.

—¿Qué estás haciendo acá? Te dije que no quería verte si no traes la plata.

—No quiero irme —dijo Nile.

Estaban enfrente de la T-4, donde trabajaba el Pesado. Por allí cerca había unos cuantos Nonatos, y también algunos Arrolladores, que los observaban. El Pesado miraba directo a los ojos de Nile, con ojos cargados de ira.

—Ajá —dijo el Pesado, y Nile supo que ya le había dicho demasiado.

—La cosa es —le dijo el Pesado unos días después— que quiero que me hagas un favor. Necesito que lleves algo a la cárcel. —Ordell sabía cómo pedir, cuando necesitaba algo: bajaba la cara de manera que sus ojos se elevaran hacia uno como unos soles oscuros. También Eddgar hacía lo mismo, por raro que pareciera. El pesado estaba arriba, en el 17. La Central, lo llamaba, como si fuera un comando militar o el departamento de policía. En realidad era el departamento de una vieja, que los DSN habían robado.

—Por esta sola vez —dijo el Pesado—. Después hacemos esa mierda de la organización y votamos por tu papá y todo eso. ¿De acuerdo?

El Pesado no dijo en ningún momento qué se suponía que Nile debía hacer. Pero Nile lo sabía, no estaba tan distraído, y sabía que no era bueno. Y dio un paso. El primero. Se limitó a hacer una mueca ambigua. Y después se fue. Pero por supuesto a la semana siguiente el Pesado volvió a la carga.

—Bicho te va a mostrar —dijo esta vez, cuando Nile al fin le preguntó de qué se trataba. El Pesado se rascó la cara y desvió la vista, hacia la calle, donde podía ver su negocio en marcha. Desde el departamento del piso 17, se veía directamente la intersección de Grace y Lawrence, una calle de una sola mano donde podía observar a Tictac yendo y viniendo en ambas direcciones. El pesado era un genio, pensó Nile de repente mientras entendía por qué estaba allí.

Por fin, Nile dijo:

—Muéstrame.

—Te dije que te lo va a mostrar la chica.

—No digo que lo haré. Solamente quiero ver.

—¿Quieres saber si te van a agarrar?

—Todo el asunto. Cómo me sentiré. Quiero tantear todo.

—No te van a agarrar. Si te agarran, viejo, lo primero que vas a cantar es mi nombre, ¿no? Si te agarran aligeras la carga, viejo. Así que no voy a permitir que te agarren.

—Solamente quiero ver.

—Lovinia te mostrará.

Así que ella lo llevó a la calle, a uno de los miserables edificios de Lawrence, con ventanas cubiertas con tablas y antiguos ex jardines que no eran más que parches de tierra. Lovinia lo condujo, unos pasos delante de él, hablando sola.

—Te avisé —decía—. Creías que estaba todo bien, pero te lo dije. —Meneaba la cabeza con pena.

El edificio estaba vacío. En el primer piso había una puerta rota, partida en dos. Era un fumadero de crack. Tictac entraba y salía de allí una vez por mes. El olor agrio a humo seguía en el aire, aunque aquella semana, después de la última incursión de la policía, el sitio se hallaba desierto. No había electricidad y la vieja escalera estaba iluminada solamente por una ventana del cuarto piso que no tenía tablas. Subieron guiándose por ese cono de luz débil. Los pasamanos estaban arrancados de la pared; habían robado los artefactos de luz, hasta algunos tablones del piso. En las paredes había leyendas de pandillas escritas con pintura y marcadores. En el cuarto piso Bicho se detuvo, con un dedo en los labios. Quería ver si alguien los seguía. Después de un momento condujo a Nile de vuelta al segundo piso. Había pesados candados instalados en cada una de las puertas de los cuatro departamentos. Bicho abrió una del medio, con una llave.

El lugar era frío, vacío. El piso de linóleo estaba roto en algunos sitios y cubierto de grandes manchas. Bicho buscó en los armarios de la cocina hasta que encontró el globo. Alguien lo había dejado allí, horas antes. Tal vez el Pesado. Los dos se quedaron mirándolo. El profiláctico contenía más o menos un cuarto kilo de cocaína pura, según calculó Nile. Diez años, como mínimo.

—¿Dónde lo llevo?

—¿No te dijo nada? Tienes que ponerlo donde no vayan a palparte. Esos desgraciados te dan vuelta al revés y al derecho. No te pueden agarrar con esta mierda, viejo.

—Ya lo sé. —En ese momento hasta se rió.

—Tienes que ponerlo donde no te palpen.

—¿Donde, nena?

Lovinia se volvió tímida. Desvió los ojos más rápido que un pez nadando en el agua.

—Ah, viejo —dijo—, ¿por qué tengo que hacer todo yo? —En un bolsillo tenía la cinta adhesiva y unos profilácticos de repuesto. Los colocó sobre una pequeña mesa de madera que había en la cocina, junto al paquete.

—Te lo tienes que poner atrás, ¿entiendes?

—No.

—¿No? Acá.

—Ah. Bueno, lo hago yo.

—Vamos, viejo. Lo haré yo. No pasa nada. Vamos.

—¿Vamos, qué?

—Ah, por Dios. Bájate los pantalones, viejo.

—Santo cielo.

Bicho tomó el globo y lo masajeó. Lo tomó entre las dos manos delgadas, lo trabajó con los dedos largos, lo exprimió.

—Vamos, viejo. Bájatelos.

Nile se desabrochó el cinturón. Se bajó los pantalones hasta los muslos. Ella se ubicó atrás y le bajó los calzoncillos.

Espera un minuto, pensó Nile. Espera un minuto. Recordó que al Pesado le había dicho que solamente quería ver. Pero ya no había nada que decir. Bicho se lo había dicho mientras caminaban hasta allí. El Pesado le pegaría si Nile no seguía adelante.

—Bueno, ahora agáchate. Así está bien. Vamos. Agárrate los cachetes con las manos. Bien. —Bicho echó a reír. —¿Sabes? Nunca pensé que vería un culo blanco.

—¿De veras?

—Ajá. Es raro. Qué pálido eres, viejo. Asusta un poco.

—Bueno, gracias.

—Ah, está todo bien. —Le hizo una caricia tranquilizadora. —No estoy acostumbrada, nada más. ¿Y tú viste el de una negra?

—Sí. —No mentía. Fue una chica de la secundaria.

—¿Cómo se llamaba?... Ahora separa los cachetes. Bien. —Pasó una uña por la brecha. —Bueno, tiene que ir así. No puedes ponerle cinta encima, porque al arrancarla se rompe todo. Tienes que entrar el polvo en la sala de entrevistas, viejo. Te pondremos unas gasas y pegamos la cinta sobre las gasas. ¿Entiendes? —Le dijo qué tenía que hacer y a quién tenía que ver. El Pesado lo había planeado todo. —Así que anduviste con una chica negra, ¿eh? ¿Y te gustó? ¿Las negras son mejores?

No había llegado a tanto, pero Nile no lo negó. Ella le pasaba los dedos frescos y delgados por todas partes. Estaba jugando, y él lo sabía, y también ella, y empezó a ponerse duro. Mierda, pensó, mierda. Pero la verdad es que no tenía ganas de parar. Todavía tenía los calzoncillos levantados de la parte de adelante, pero estaba seguro de que ella se daría cuenta.

—¿Así que la chica te gustó? —Le frotó el trasero con ambas manos.

—Fue hace mucho tiempo.

—Casi no lo recuerdas, ¿eh?

—Nena, me estás poniendo nervioso.

—No me parece que te moleste. —Se le puso de frente, bajó la vista y luego, tímida como era, abrió mucho los ojos. —¿Qué tienes ahí? ¿Qué estás escondiendo? —Metió una mano, y él dio un respingo. Ella reía, reía. —Ya sabía que te iba a gustar.

Nile no se movió. Tampoco dijo una palabra.

—¿Crees que nunca he visto uno? No quieras saber las cosas que he visto. —Lo acarició dentro de los calzoncillos. —¿Estás asustado? —Rió. Lo tocó un momento, retiró la mano y río otra vez. —¿No tienes nada que decir?

Ahora Nile estaba duro como acero.

—¿No te gusta?

—Sí.

Los dos miraban la mano que envolvía la carne.

Ella lo tomó en la boca, algo que Nile nunca había experimentado. No demoró mucho en terminar. Después Bicho fue a otra habitación y escupió.

—Hay chicas que dicen que te puede enfermar. ¿Tú qué crees?

Se refería al virus, pero él estaba limpio. A todos los empleados del condado les hacían análisis todos los años.

—No creo. Estudié un poco de eso. En las clases de higiene o algo así. No creo que te enferme.

Clases de higiene. A Bicho le encantó.

—No les digas nada a los otros —dijo Lovinia cuando llegó a la puerta.

—Por Dios, no.

Entonces sonrió.

—Sabía que te iba a gustar.

A partir de ese día, sucedía todas las semanas. Nile entraba la droga, y después de la segunda o la tercera vez empezó a salir con el dinero. El pesado le daba la mitad, pero Nile se la devolvía.

—Ah, viejo —decía el Pesado, disgustado, y le metía el dinero en los bolsillos de los pantalones—. Maldición, viejo. Lo hiciste bien. —Nile guardaba el dinero en una caja, en su placard. Pensaba que en algún momento se lo enviaría a Michael. O compraría algo para Bicho.

A veces Lovinia y él se acostaban juntos, en un colchón que había en el departamento. Ella tenía unos pechos pequeños y abolsados, y se le notaban las costillas. Era tan flaca que causaba miedo. Pero daba la impresión de que el asunto no le importaba mucho. Para ella era un trabajo. Él era un hombre y eso era lo que querían los hombres. Si de algo sabía Bicho, era del mundo. Había cien cosas que Nile quería preguntarle. ¿El Pesado sabía? Aunque estaba bastante seguro de que no. ¿Bicho se acostaba con él porque era blanco? No, muy crudo. ¿Porque la trataba bien? Eso lo decía siempre. ¿Alguna vez lo había hecho por dinero? ¿Lo había hecho para el Pesado?

—¿No vas a tocarme? —le preguntó Bicho a la vez siguiente, cuando llegaron al departamento.

Él quería preguntarle cien cosas, pero ninguna más que éstas: ¿Qué significa esto para ti? ¿Piensas en mí todo el tiempo, como yo pienso en ti? ¿Sientes que te duele el cuerpo de amor? ¿Qué significa esto para ti?

Nunca lo supo en realidad.

—Caca —dijo Eddgar. Estaba junto a la heladera, con una mano plantada en la frente. Así era como hablaba Eddgar en la intimidad de su hogar, cuando Nile se hallaba presente, como si Nile todavía tuviera tres años. Por momentos, su padre podía hacer cosas —resollar, escarbarse los dientes, rascarse— que demostraban que era un imbécil como todos los demás, y Nile lo odiaba más que a ninguna otra persona en su vida. Porque no podía librarse de él. A veces se sentía como un pobre perro que corre por el patio de un lado a otro, ladrando, embistiendo, sin recordar en ningún momento, hasta que siente el tirón tan fuerte que lo deja casi en el aire, que está atado a un maldito poste clavado en la tierra. Así era Nile. Así era Eddgar.

—Lo olvido todo el tiempo —dijo Eddgar. Sostenía un manojo de notas que llevaba en el bolsillo de la camisa. A Nile le resultaba extraño ver cómo su padre se había convertido en un viejo. Ahora era uno de esos viejos raros que anotaba en un papel todo lo que debía recordar.

—¿Qué?

—El dinero. Asegúrate de decirle a Ordell que voy a conseguirlo. Sólo que no sé de dónde va a salir.

—No hay problema.

—No le habrás dicho...

—No. ¿Te refieres adónde fue el otro dinero? No. Le dije solamente que demoraría un poco más de lo esperado. Pero no dijo nada. Estuve ayudándolo un poco...

—¿Ayudándolo?

—Sí, ya sabes.

—¿Qué clase de ayuda?

—Ayuda. A,y,u,d,a.

—¿Como supervisor de libertad condicional?

—Más o menos. No es importante.

—Espera, espera. Nile, presta atención. Mírame. —Su padre estaba sentado a la mesa de la cocina. —¿Qué estás haciendo?

—Eddgar...

—Espera. ¿Qué estás haciendo, Nile?

¿Qué mierda estás haciendo? Furioso. ¿Qué mierda estás haciendo? La pregunta de su vida.

EDDGAR

En realidad jamás podrían juzgarlo sin ver esto, se dijo Eddgar. Aquellos que lo despreciaban —había muchos: los periodistas, los rufianes de la Cámara Legislativa, la claque que se reía entre dientes de Loyell Eddgar y su vida de interminables conspiraciones— en realidad jamás podrían conocerlo sin verlo tal como vivía aquí, en un departamento de tres ambientes separados de la gran casa. Había comprado esta casa para June hacía veinticinco años en el gesto más grandioso que pudiera concebir para reflejar una reforma personal. A ella nunca le importó. De cualquier modo se fue, y con el tiempo él fue reduciendo el espacio. Tenía estudiantes que alquilaban habitaciones durante la época de clases, y en invierno, en el sótano, un refugio para hombres sin techo. Pero la privacidad, la soledad, seguían siendo preciosas. Esas partes de la casa donde moraban otros se hallaban separadas de la zona más pequeña que ocupaban Nile y él.

Los aposentos de Eddgar eran espartanos. Nunca se molestó en comprar carpetas, aunque los pisos de madera eran fríos. Todavía caía agotado sobre el mismo sofá estilo danés moderno que había viajado desde Damon, con almohadones naranjas cubiertos con estampados de Guatemala. No había nada en las paredes; una sola foto enmarcada, sobre una vieja mesa de arce: Nile, June y Eddgar a fines de la década de los 60. Montones de libros y papeles apilados con prolijidad. En su dormitorio, la colcha estaba calzada con precisión bajo la almohada, sin dejar rastros del hombre que se había acostado allí en el medio de la noche con las frazadas revueltas.

¿Qué pensaba entonces? ¿Lo despertó la añoranza? ¿Y de quién? Eso era lo que la gente quería saber, se dio cuenta. Pero no podía decírselo plenamente a sí mismo. Recordó haber vuelto en sí en ese estado y al instante haberse sentido frustrado y avergonzado. Habló entonces con Dios, como lo había hecho en momentos de suma intimidad durante toda su vida. Durante años —los años malos, como los llamaba Eddgar, los años en que tantas cosas se hallaban fuera de su control—, en esos años se lo negaba, de modo que el conocimiento asombroso de que todavía conducía en secreto su conversación con Él lo asaltaba como salido de ninguna parte, como un objeto que levita en una sesión espiritista. ¿Cómo puede ser?, pensaba, pero no dejaba de hacerlo. Por una sola razón. Él escuchaba. A los cuatro o cinco o seis años, en algún momento muy lejano, una noche densa del verano sureño, mientras las langostas chillaban de pasión, Eddgar experimentó una vivencia de la vasta presencia de allá arriba, que oía con buena voluntad sus pensamientos interiores. Dios escuchaba. No siempre con paciencia o inspiración. A veces Eddgar luchaba con Dios, como Jacob con el ángel. Sentía el aliento caliente, el abrazo violento y feroz de Dios que casi le quitaba la vida, y una especie de éxtasis que surgía entre el dolor.

Ahora, recién levantado, imaginó todo lo que debía hacer en el día, cómo actuaría en el mundo. Recordó reuniones, un almuerzo de trabajo, miembros del comité a quienes necesitaba persuadir, llamadas a la Alianza de Granjeros, un constituyente que pedía ayuda. Por la noche hablaría en una cena en el South End de DuSable, en el Centro de Ayuda Legal. Eddgar iba hacía años: buena gente, irlandeses, italianos y mexicanos, organizados en torno de uno de esos curas de parroquia. El padre Halloran, todavía delgado y rebosante de energía a los sesenta y cuatro años, que trabajaba allí desde hacía treinta, lleno de esperanza, encendiendo bondades en vidas que sin él quedarían desamparadas y solitarias. Halloran seguía logrando que sus fieles mantuvieran la pequeña oficina donde los pobres recibían asesoramiento gratis sobre patrones abusadores, sus tristes divorcios, chicos que se metían en problemas en la calle. A Eddgar le gustaban esas reuniones, donde encontraba gente, gente común, secretarias y gerentes de tiendas, a quienes les importaba ver que el mundo mejorara, cuyos sentimientos fluían entre los límites de sus vidas.

Hablaría sobre el bien puro de esa empresa. Nada de sentimientos. Pero diría que la buena fe y el amor no son responsabilidades sólo del gobierno. Y ellos preguntarían: "Senador Eddgar, ¿qué más podemos hacer? ¿Qué podemos hacer?". Y por un minuto ese salón, un lugar con decoración barata y alfombra magenta gastada en una cantidad de manchones oscuros, guardaría silencio. ¿Qué podemos hacer? Todo el lugar pulsaría con la vida dolorida de los pobres. No sabía con exactitud qué diría, pero saboreaba de antemano el momento. En la Cámara Legislativa podían reírse de él todo lo que quisieran, pero éste era aún su trabajo, era todavía el lugar donde sabía quién era, donde sentía tanto el tormento de la gente que luchaba todavía contra la pobreza y el menosprecio, como la fuerza furiosa de su dedicación a ellos.

Nunca comprendían. Hombres como el Pesado, hombres como Huey, nunca reconocían que para Eddgar era emocionante verlos: hombres negros, poderosos, tiesos de furia. Lo emocionaba pensar que esos hombres eran los sucesores de las almas golpeadas y abatidas a las que él había visto cortar tabaco durante su infancia, hombres y mujeres que se movían con apatía, sin esperanza, por los caminos de tierra, llevando consigo el olor de la savia espesa y aromática. Amaba a esa gente, tan cruelmente frustrada por personas como su padre; los adoraba con un amor poderoso, elevado, ilimitado. No amaba al Pesado ni a Huey. Ellos no querían su amor, y esa realidad asustaba a Eddgar, así como asustaba a muchos otros. Pero también lo emocionaba, porque la fuerza de ellos, su ira, los equipaba para avanzar en el mundo. Ahora debemos avanzar más allá de la ira. Eso era lo que diría por la noche. Debemos avanzar hacia la gratitud, la participación, la responsabilidad. Bien despierto, a la madrugada, se quedó mirando el artefacto del cielo raso, el vidrio con textura que capturaba la luz de dos lamparitas, y vio la brillantez sólo como una seña tangible de sus propios cometidos.

Abajo, a esa hora, pasadas las cinco de la mañana, oyó los ruidos de Nile que se preparaba para partir. En aquellos días se iba temprano, para evitar el tránsito. A veces era una hora y media de viaje desde Greenwood hasta la Oficina de Libertad Condicional de Kindle. Eddgar pensó que su hijo estaba mejorando, aunque sabía que durante toda la vida se había dicho lo mismo. Pero ahora le parecía cierto. Se lo veía menos nervioso, más sensible, conservaba el trabajo, un trabajo en serio, al cual parecía legítimamente dedicado. Sí, claro, todavía seguía bajo la tutela del padre, todavía había momentos en que vacilaba como un chico. Pero trabajaba en un lugar donde había mucho bien por hacer. Eddgar bajó la escaleras y encontró a su hijo comiendo cereales y mirando televisión.

—Eh —dijo Nile. Dormía allí dos o tres noches de lunes a viernes. El departamento de Nile era como un placard solitario. También pasaba allí los fines se semana. El chico, el hombre en que se había convertido, de más de un metro ochenta de estatura, pasaba los días de descanso tirado en el sofá, sin afeitarse, sin lavarse, bebiendo cerveza en la sala de abajo y mirando televisión. No hablaban mucho. Eddgar no creía que Nile quisiera hablar. ¿Comida gratis? ¿Un lugar donde descansar y dejar que lo atendieran? Eso sí. Pero aun así acogía de buen grado la presencia del muchacho. Le gustaba tenerlo allí, a la vista. Los dos sentían que era mejor así.

Eddgar se había puesto la camisa del día anterior, y entonces encontró las notas en el bolsillo.

—Caca —dijo, y se tocó la frente—. Otra vez me olvidé. El dinero. Asegúrate de decirle a Ordell que se lo voy a conseguir. Sólo que no sé de dónde va a salir.

—No hay problema —dijo Nile, con los ojos fijos en el televisor. Pero la alarma había comenzado a sonar con claridad. Era la experiencia, nada más. Eddgar empezó a perseguirlo, hasta que Nile contó que había ayudado de algún modo al Pesado.

—Espera, espera, Nile. Presta atención. Mírame. —Se sentó a la mesa de la cocina. —¿Qué estás haciendo? —¿Cómo lo sabía? Era la mirada de Nile, una mirada artera, avergonzada. Siempre le resultaba aterrador observarla, y en ese momento Eddgar quedó petrificado.

—Lo ayudo un poco.

—¿Lo ayudas en qué? ¿Con los tipos de libertad condicional? ¿Estás tirando expedientes?

—No. Hago mi trabajo.

—¿Dónde? ¿Qué estás haciendo?

—En la cárcel —confesó Nile al fin.

Se lo fue sacando de a poco. Eddgar, que se consideraba estoico y fuerte, apoyó la cabeza en la mesa durante el tiempo que duró la discusión. Se envolvió en sus propios brazos. Le pidió a Nile muchas veces, muchas veces, que le dijera que se trataba de una broma. De chico, de adolescente, Eddgar pensaba todos los días en Jesús en la cruz, cuando los clavos atravesaban la carne de Sus manos primero, luego de Sus pies. Incluso cuando se destrozaban los nervios y los huesos Él debía de haberle dado la bienvenida al dolor, sabiendo que pronto traería la salvación al mundo. Toda su vida, Eddgar había tratado de darle la bienvenida al dolor, pero no podía darle la bienvenida a esto.

—No pasa nada —dijo Nile, con sincera intención de consolarlo.

—Sí, sí que pasa. Es lo más horrible, estúpido y peligroso que podrías hacer. Una locura.

—¿Crees que otro no lo haría, Eddgar? Hay mucha mierda allá adentro. No es más que dinero, por el amor de Dios. Se supone que no tienen un centavo, y yo saco 5.000 dólares por semana.

—Oh, Nile. —En la creciente cólera, en la sensación de delirio que invadía el momento, el pensamiento más enfermante para Eddgar fue que iba a tener que llamar a June. Iba a tener que decirle: "Es lo peor que nos ha pasado hasta el momento". Iba a tener que darle la noticia que la hundiría aún más. "Tenemos un problema. Una crisis. Necesito que vengas. Tenemos que arreglarlo." Iba a tener que pedirle otra vez que dejara de lado su propio sufrimiento y se concentrara en la tarea desesperada de salvar a Nile.

—Por Dios, Nile —murmuró. Se sentía enfermo.

Eddgar solía tener una fantasía, una visión espeluznante e imposible que le había acudido una vez y le volvía cada tanto. Tenía ochenta y cinco años y sufría de una enfermedad terminal. Y trataba de figurarse qué hacer con Nile, cómo protegerlo del salvajismo del mundo, tal como lo había intentado cuando Nile tenía doce y trece años para ampararlo de los matones de la escuela que le pegaban y le robaban sin el menor temor a represalias. Pero en su fantasía Eddgar se daba cuenta de que no existía salvación para Nile, que no podía volverse más prudente ni más fuerte. Como acto de piedad, no le quedaba más alternativa que matarlo y matarse. Era un sueño, en realidad; así era cómo habían empezado los pensamientos, pero habían bastado para hacerlo llorar, al ver el arma en el sueño y aguardar, en la esperanza de que su hijo volviera la cabeza, porque no había manera de hacerlo si tenía que verle la cara. Dispara rápido, pensaba siempre cuando trataba de apartar la visión y no podía; dispara rápido para no tener que vivir el instante entre el antes y el después.

—Debemos ordenar esta situación, Nile. Tenemos una oportunidad de arreglarla antes de que te haga daño en serio. Quiero saber cómo hago para ponerme en contacto con el Pesado. Y tu carrera como pasador de drogas terminó. Se acabó. En este mismo instante.

—No —dijo Nile, y se paró. De hecho, parecía horrorizado por la declaración de Eddgar.

—En este preciso instante.

—Vete a la mierda —respondió Nile. En unos minutos se fue de la casa y no volvió.

EL PESADO

Había algunos hijos de puta, algunos hijos de puta blancos, que sabían que eran dueños del maldito mundo. Uno podía agarrarlos, amenazarlos, ponerles un fierro en la puta cara, y no servía de nada, porque los hijos de puta, hasta el momento mismo de la muerte, seguían pensando: "Maldita sea, negro, soy el maldito dueño de este maldito mundo". ¿Y qué vas a hacer con un hijo de puta así?

A la una de la tarde, en la mitad del día, apareció el padre de Nile. En cuanto puso el culo acá las chicas se le fueron encima, pero enseguida él empezó: "¿Dónde está el Pesado? Soy senador" y toda esa mierda, que quería hablar con él.

El Pesado le dijo a Bicho:

—Trae al imbécil acá arriba, que me voy a reír un rato.

Y entonces entró por la puerta de la Central del piso 17.

—Lamento haberlo engañado, o haberle dado falsos indicios de algún modo, pero lo que Nile está haciendo para usted tiene que parar. No puede continuar, y no lo hará. Lo lamento.

Lo lamentaba. El Pesado sacudió la cabeza al pensarlo.

—Maldición, viejo, está en mi casa. —Señaló el piso de cemento, donde no había más que tres teléfonos y sus respectivos cables. —No me va a decir dónde tengo que sentarme, o dónde tengo que pararme, en mi propia casa. Porque es mi casa. Ese hijo suyo es adulto, ¿no?

—Ya conoce a Nile.

—Sí, es mi supervisor de libertad condicional. —El Pesado no logró contener una sonrisita, un momento de pura burla al pensar que el estado, en su ineptitud burocrática, permitiera un hecho tan lamentable. —Él puede decidir solo.

—He decidido yo. Es un hecho, Ordell. Ahora entré yo en el asunto. Lo sé, así que estoy implicado. No puedo correr el riesgo. Y por cierto no puedo correrlo por Nile.

—Maldita sea, viejo, ¿y qué quiere que haga? ¿Quiere que vaya a decirles que esta semana no hay merca porque el papá de Nile dijo que no, porque no quiere implicarse? ¿Eso quiere que haga? No, hijo de puta. De ninguna manera.

El padre de Nile se quedó parado ahí y lo miró durante un minuto. El bastardo, un blanco esmirriado y viejo, pero con unos ojos terribles.

—Ordell, si me entero de que usted sigue tratando de involucrarlo, voy a ir con Nile al mejor abogado que encuentre, y después directo a la oficina de libertad condicional.

El Pesado se echó a reír. Después le habló casi en la cara.

—¿Va a ir a contarles que su hijo estuvo pasando drogas? No le creo, cabrón. ¿Va a entregar a su propio hijo? No le creo. Maldito hijo de puta, más le convendría confesarse culpable de asesinato. ¿Qué cantidades llevaba el chico? Kilos de esa mierda. Es un organizador del carajo, ¿sabía? Lo van a encerrar de por vida, viejo.

El padre de Nile no dejaba de sacudir la cabeza mientras el Pesado lo amenazaba.

—Si habla no, Ordell. Si lo entrega a usted no.

El Pesado estuvo a punto de ponerle una bala allí mismo. Pero para eso necesitaba tiempo. Necesitaba pensar.

—No —dijo el Pesado—. En eso se equivoca. Por más que me entregue, le van a dar mucho, sin libertad condicional. Quince, por lo menos. Podría matar a alguien y salir más pronto. ¿A ninguno de los dos se le ocurrió pensarlo? Es la ley, viejo.

—Ordell, por el amor de Dios, ¿sabe quién soy? Puedo hablar con el fiscal del estado en persona. ¿De veras cree que no puedo encontrar una solución? Para mí no es lo mismo que para usted. Usted lo sabe, Ordell, y yo también. Así que no nos engañemos. Porque los dos somos demasiado inteligentes para eso.

Basta, era demasiado. Le dijo a Bicho que se lo llevara. Apuntó a Eddgar con un dedo.

—Ojo, hijo de puta. Si vuelves poner el culo por acá, vas a tener un culo muerto. Yo no como mierda. Palabra. —El desgraciado se atrevió a entrar en su Central y hablarle así. Ahora es un hijo de puta muerto, y no lo sabe. ¡Hijo de puta dueño del maldito mundo!

El Pesado le dijo a Bicho que llamara a Nile a la Oficina de Libertad Condicional. Demoró tres días enteros en venir, pero vino. El Pesado sabía que lo haría. Y en cuanto bajó del auto se le fue encima. Lo agarró ahí mismo, en la calle.

—Viejo, ¿qué carajo hiciste? —le preguntó. Y Nile, el tarado, con el pelo grasoso y esa mierda, como un hippie desgraciado o algo así, se puso tan nervioso que casi ni podía hablar.

—Pesado —balbuceó—, se lo dije, viejo. Tuve que decírselo.

—¿Tuviste qué? ¿Por qué? ¿Te iba a pegar en la cola? No me creo nada de esta mierda, viejo. No la en-tien-do. ¿Sabes? ¿Qué carajo me estás diciendo? "Tuve que decírselo." —El Pesado movió la boca para escupir, y luego lo hizo, un espumarajo largo sobre la vereda sucia y rota. Era una mierda increíble: Nile y el padre, como para agujerearlos a los dos. —Ese padre tuyo, viejo, me puso furioso, ¿me oyes? Es un hijo de puta que cree que va a vivir imponiéndote cambios. ¿Entiendes? Es un desgraciado frío, mortal. Se paró, acá mismo, se me puso cara a cara y me dijo que me va a entregar. En la calle no hay un solo cabrón que me diga eso. Porque le rompo el culo en cuanto los veo. —El Pesado caminó unos cuantos pasos, agitado, y le dio la espalda a Nile. —¿Así que vas a delatarme, hijo de puta?

—Por supuesto que no.

—¿Entonces por qué desapareciste de acá, eh? ¿Odias a ese tipo, o qué?

—¿A Eddgar?

—Sí, maldita sea. ¿Lo odias? ¿Vas a dejar que te manosee así?

—No —respondió Nile con voz débil—. Pero... —Se quedó como mudo; ni siquiera era capaz de hablar o moverse. —Pero lo que pasa es... ¿qué alternativa tengo?

—Yo te lo voy a decir, viejo. Le dices a tu padre que el Pesado le ordena que venga acá mañana a las seis y cuarto de la mañana. Que venga y se encuentre conmigo en la calle, viejo.

—¿Para qué? ¿Qué vas a hacer?

—Le voy a pasar el mensaje, viejo: No soy ningún idiota. Ni siquiera piensa, el desgraciado. Cree que es el dueño del maldito mundo, y ni siquiera sabe que yo tengo mis propios planes. ¿Qué clase de idiota se cree que soy? Viejo, ahora te tengo de reaseguro. Tengo tus huellas en toda la plata de las drogas, viejo. La estuve guardando como si fuera en el banco. Si yo te señalo con un dedo, viejo, los fiscales me van a llamar "señor". Pero haz lo que te digo...

Nile hizo una mueca.

—No seas una mierda, viejo. Yo me porté bien. No tienes por qué hacerme esto.

—Yo no te hago nada. No me acuesto con tu madre. Así son las cosas, viejo. Ahora ve a decirle eso a tu padre. Dile: "Papá, es demasiado tarde. Demasiado tarde". Confía en mí o entrégame, viejo, pero a mí no me vas a entregar, ¿me oyes?

Nile lo miró, con esos ojos blandos como bichos. El Pesado apenas si podía soportarlo.

—Escucha, hermano. Tú odias a ese hijo de puta más que yo. ¿O no? Acá no va a pasar nada que no hayas causado tú. Haz lo que te digo. Después no te pasará nada. ¿Me oyes? —El Pesado tomó a Nile por el mentón. Lo obligó a mirarlo, cosa que detestó. —Escúchame, ahora tu padre seré yo.

JUNE

Miedo y peligro. Bueno, ya lo había vivido más de una vez. Mientras manejaba, June sentía que el pulso se le agitaba en lugares improbables: encima de los codos, en el cuello, bajo el mentón. La ansiedad y el peligro siempre la habían dividido. Vieja y gorda, animada y controlada, aferraba el volante del Nova de Eddgar, con cuidado de que la aguja del velocímetro no pasara ni siquiera un kilómetro del límite, y encogida dentro de ella iba otra persona, lista para gritar de terror. Ya lo había vivido antes; las raíces del pelo, los pezones, las yemas de los dedos embebidos de adrenalina. Puso la radio un segundo, en la esperanza de oír una melodía bonita, y luego pensó: No, no, demasiado, demasiado, y se reía sola mientras manejaba, en DuSable hacia la calle Grace. Las formas grandes resultaban en cierto modo chocantes después de las formas bajas y blandas de la pradera. ¿Cómo podían los seres humanos vivir así, existir en espacios tan cerrados, con la tierra sagrada y salvadora, de la que surgía la vida, pavimentada bajo sus pies? Un chico que parecía haber pasado toda la noche despierto pasó como una bala, maldiciendo en español.

¿Fueron aquellos los mejores años —se preguntó de pronto—, aquellos años de peligro? ¿Cómo podían serlo? Sufría tanto hacia el final: asustada de todo, de Eddgar y de sí misma, de lo que había hecho. Fue ella quien exigió que cuidaran de Michael. Se separó de Eddgar para hacerlo, insistió en que no debían dejar tantos despojos a su paso. ¿Cómo podía parecer tan maravilloso ahora? Hace unos años, cuando se hallaba en la ciudad, le preguntó a Eddgar, por algún motivo especial: "¿Alguna vez piensas en aquella época?". Y él le respondió: "No". Sin vacilar un instante. Se había ido. No era posible recuperarla. Se había ido, como su infancia, como su matrimonio, como los muchos hechos del pasado de todos que significaron algo cuando estaban sucediendo pero jamás regresarán.

Cuando miraba atrás, hacia esos años, los años con Eddgar —desde el principio hasta el final—, siempre surgía un universo de sentimientos esquivos dentro de ella. En el planetario, aquí, en la ciudad, uno podía sentarse y observar las estrellas girar alrededor de uno mientras la Tierra se movía por una estación, un año. Vivir con Eddgar era así. Siempre daba la impresión de que él era el único punto alrededor del cual giraba todo el panorama del cielo: él, y ella porque estaba a su lado. Nunca hubo nadie más que lo entendiera. Ni ahora. Ni entonces. Acaso la propia June no lo entendía. Hace años, en la cama con diversos hombres, a veces mencionaba los problemas de Eddgar, como si necesitara la opinión de otro. Era siempre la misma rutina, echarse allí, fumando cigarrillos, mirando el techo. Porque no quería pensar en quién en particular la acompañaba. Y en ese ánimo de desapego celestial comentaba cómo Eddgar había sido más o menos impotente desde el nacimiento de Nile. ¿Quería que los hombres supieran que ella necesitaba menos de lo que pudieran creer? Por supuesto, en aquella época se habría reído de la palabra "infiel". La doctrina prohibía esclavizar cualquier relación. June no era una posesión de Eddgar. Pero recordaba todo eso, el dormir con los colegas de él, estirar el cuerpo contra una docena de hombres a los que no conocía bien, permitirles que la penetraran... Lo recordaba con vergüenza, porque Eddgar estaba allí de todos modos, y ambos lo sabían.

Nunca había amado a nadie de la misma manera. Ni antes ni después. Gracias a Dios. Gracias a Dios. Eddgar era un ser hermoso y divino cuando empezaron; lo amaba a la manera orlada de ilusiones de una adolescente, a ese hombre hermoso con ojos increíbles que hablaba de Dios con desconcertante intimidad. Ella se había criado en un hogar religioso. La madre pasaba horas en la galería, con un té helado y la Biblia en el regazo. Murió meciéndose y tratando de descifrar los mismos versos que había leído toda la vida. En secreto, desde la infancia en adelante, June no había creído nada de todo aquello. Y sin embargo, cuando Eddgar hablaba se ilusionaba con haber encontrado al hombre que la llevaría a la vida más grande de allá afuera. Era una variante, suponía, de la idea del paraíso, de que había una vida mejor también aquí, en la Tierra. Él era inspirado, se encendía con la ira que lo impulsaba a crear una vida mejor. ¡Enséñame!, pensaba June. ¡Comparte! Estaba celosa de su fe, más aún cuando se dio cuenta, años más tarde, de que la única expresión de la pasión de Eddgar era para la gente que no vivía a su lado. Amaba a los pobres como a marionetas, muñecos, con un amor que le permitía el completo control. Para Nile, para ella, era... "impotente" era la palabra adecuada. Pero su pasión equivalía al calor del sol. June siempre supo que ése era realmente el amor que quería sentir por ellos.

En los años transcurridos desde entonces, Eddgar y June habían llegado a dar por sentado, sin decirlo nunca, que la separación de ambos fue culpa de ella. June deseaba la fe de su marido, pero no podía tenerla. No podría creer lo que él creía y por lo tanto lo tomaba de él. Cree en otra cosa, le decía, algo que yo pueda compartir. ¡Revolución! Ah, en eso sí había creído. Santificada por la revolución. Reformada por la revolución. Todo lo errabundo de su vida sería corregido. Desafió al pobre Eddgar. Porque él fue siempre su ejemplo. ¿Cuánto puedes creer?, quería saber June. ¿Cuánta fe puedes tener? ¿Todavía eres puro? ¿Aunque permita que otros hombres me penetren? Ése era su desafío. Y él lo aceptó a su modo y al final participó en esas camas. No en el sentido lascivo; nunca quiso detalles. Pero las aventuras amorosas de June, sus necesidades animales, tenían que servir de algún modo a la revolución. Y de esa manera, Eddgar, con su amor muerto, siguió siendo, como debía ser siempre, supremo.

—Creo que esto podría ser peligroso —le había dicho Eddgar cuando le dio las llaves del auto aquella mañana.

—Es mi hijo, también.

—No cuestiono tu devoción, June. No creo que sea seguro. Sé que no es seguro. El ego y la autoestima son lo que realmente mueve a esa gente. Creo que deberíamos hacer lo que le dije a Ordell. Deberíamos llevar a Nile a hablar con el fiscal del estado. Lo conozco.

—Eddgar, basta. Basta de heroísmo. Y de maquinaciones. No sirve. Esto es un desastre, para ti y especialmente para Nile. Hasta Michael correrá peligro si no tienes cuidado. Es como pedir destruir a todos. Deberías hablar con un abogado antes de hacer nada, y no debes hacerlo hasta que yo haya hablado con ese hombre.

—June. Es peligroso. No me sorprendería si hubiera decidido matarme. Esto es demasiado peligroso para cualquiera.

—No lo es para mí tanto como para ti. Soy vieja y gorda. No voy a amenazar a nadie. Dame las llaves. Te llamaré en cuanto hayamos terminado.

Y ahí estaba de nuevo, en una de las misiones de Eddgar. Por Dios, a qué lugares había ido en su vida. Pensó en las guaridas de los Panthers adonde la mandaba Eddgar. Qué locura. Con armas por todas partes. Armas automáticas, cargadas, apoyadas contra la pared, bandoleras de proyectiles colgadas de los cañones. Las ventanas estaban cubiertas con diarios, para que la policía y el FBI no pudiera ver hacia adentro. A veces había cocaína apilada en una mesa, como harina. Y siempre mujeres, y bebés que gateaban entre los pies de los adultos, entre las boinas y las botas.

A Eddgar casi lo habían matado media docena de veces en esos lugares. Siempre había alguien que lo amenazaba con un arma, enojado no tanto por sus opiniones como por sus maneras. Él bajaba la vista al cañón del arma, implacable. June —y todos los presentes, excepto Eddgar— veía lo mismo en él, un chico sureño que se negaba a doblegarse ante la furia de los otros. Pero Eddgar ni pestañeaba. Pensaba en su muerte, en la necesidad de morir por la revolución, todos los días. Y jamás dejaba pasar esos incidentes. Creía en la disciplina. Cuando liberaron al pobre Cleveland de la cárcel del condado de Alameda, cuando le pagaron la fianza después de enterarse de que había delatado a Michael, Eddgar casi no podía esperar el inevitable desenlace. Hizo todo un espectáculo de alegría y buen humor, pero la última vez que vieron a Cleveland, la mañana en que lo mataron, Eddgar sacó un 44 y disparó varias veces y apoyó la punta, tan caliente que quemaba, contra la sien de Cleveland. Le dejó una marca y no dijo una palabra, mientras Martin Kellett y dos Panthers aferraban a Marsh. La marca de Caín, pensó June ahora. Era todo una locura.

Muchas cosas, la muerte de Cleveland, por ejemplo, June las había lamentado tanto que no pudo llevar una existencia decente. Había ido cayendo en el abismo, indefensa. Se había casado tontamente con un hombre atractivo y vacío, un hombre que era incluso algo cruel. Le daba drogas, y ellas tomaba esa actitud por amor. Rompieron. Se sometió a una cura, pero empezó a beber otra vez hacia siete años; ahora bebía demasiado todos los días. Se pasaba noches en blanco, bebiendo Bordeaux barato de a litros y jugando al solitario en la computadora.

Ahora dobló a la izquierda y se acercó a los edificios que componían el complejo. Alcanzaba a ver las torres que se cernían por encima de hileras de edificios industriales, las estructuras finales que veían antes de los baldíos de la calle Grace. Había fundiciones y chimeneas, como brazos alzados en advertencia, depósitos con puertas enormes, todos los edificios resguardados por alambre de púas en lo alto de las cercas. ¿Qué había para robar allí? Las pocas caras que se veían ahora en las calles, mientras la oscuridad de la madrugada comenzaba a disolverse, eran negras, y en su estado de ánimo evocador June pensó en el Misisipí de los viejos tiempos y la gente simple y temerosa de Dios a la que querían ayudar, gente tan buena, tan radiantemente buena, que parecía casi angélico, sufriendo su vida de privaciones y faenas pesadas. Por Dios, le encantaban las reuniones de los domingos por la noche, en el verano. El aire sureño pendía como un paño húmedo y la luz rota de la luna plateaba los árboles y los matorrales del denso paisaje. Le encantaba oír las voces que cantaban unidas, como la voz de la historia, en una sola nota. ¿Como pudimos ir de allá hasta acá, habiendo ganado tan poco?, se preguntó. ¿Como pudimos criar estos hijos tan desesperanzados, desposeídos, que desde sus primeros momentos sintieron que en la Tierra no había lugar para ellos, que no fueron tocados ni salvados por ninguna tradición de nobleza humana? ¿Cómo fue que ocurrió? ¡Teníamos razón!, pensó de pronto, desesperada. Teníamos razón. Era por eso que estaba allí en ese momento, en la mano fría del peligro. Estaba haciendo lo que había hecho cien veces antes, salvándolo, salvando a Eddgar, ese muchacho hermoso y apasionado, porque tenía que salvar todo aquello en lo que él creía, porque June no poseía su propia fe. Pero ay, ay, ella había creído en él, en la revolución, y ahora, mientras paraba junto al cordón, reclamó algún fragmento de ese sentimiento urgente.

—Señora —le dijo una muchacha, una joven hermosa de inmaculada piel oscura. Tenía una gorra que le tapaba casi toda la cara. —Señora, está en el lugar equivocado.

2 de abril de 1996

SETH

Así es como sucede, piensa Seth. Durante veinticinco años uno forcejea mentalmente con el tipo, y después llega a su puerta un martes a la mañana y golpea y aquí está, con sus anteojos y el diario de hoy. Eddgar permanece detrás de la puerta de mosquitero.

—¿Es sobre Nile? —pregunta al fin—. ¿Surgieron más problemas?

—Espero que no.

Eddgar experimenta otro instante de visible deliberación, su cara oscurecida en las sombras profundas de la mañana temprano. Seth espera en el porche que envuelve el frente de la antigua casa.

—Estaba por preparar té —ofrece Eddgar, y abre la puerta unos centímetros. La arquitectura interior es pasmosa. El corredor sigue hasta el infinito, y el aire está pesado de aceite de frituras y un conjunto de olores humanos, un poco como en una barraca. —¿Has tenido noticias de él? —pregunta Eddgar cuando llegan a la pequeña cocina.

Seth saca el papel que Hobie le dio anoche, la fotocopia del microfilme de la compañía de entregas, donde figura la dirección de Michael. Eddgar pone la pava sobre el fuego y cambia de anteojos antes de tomar la hoja.

—¿Es una amenaza? —pregunta.

—Trato de atar algunos cabos, Eddgar. No es una amenaza.

—¿Seguro? ¿No planeas reuniones con el FBI? ¿No harás un artículo confesional en tu columna? Mira, quiero estar seguro de que no vamos a tener otra escena en los tribunales. ¿La tragedia de la venganza? ¿Existe un drama con ese nombre? Creo que June lo estudió. —En ese momento tose, un ataque ruidoso a sus pulmones. Se tapa la boca con el puño. —Pero supongo que tu impulso de venganza ya estará bien satisfecho a esta altura. —Sonríe sólo para sí mismo. —¿Qué querías saber, Seth?

—La verdad. Se dijeron muchas mentiras en ese tribunal.

—Sin duda no las dije yo —replica—. Fue tu amigo Tuttle el que distorsionó los hechos. —Se para un poco rígido y regresa a la pava que silba, mientras mira alrededor en busca de una segunda taza. Cuando abre la heladera para sacar la leche, se la ve casi vacía; sólo hay un cartón de leche, una jarra de agua, una sola aceituna y un ají rojo que flotan en medio frasco de jugo verdoso. —¿Es loco o melodramático? —pregunta Eddgar.

—¿Hobie? Más bien un actor. Así lo considero yo. La palabra como gesto expresivo.

—Es una persona traicionera. —Sacude la cabeza al pensarlo y ubica ambas tazas, echando vapor, sobre la mesa. —Supongo que lo habrás pasado en grande mientras veías cómo Hobie jugaba con mi vida. Y supongo que habrás sentido que era lo correcto. Porque crees que jugué con la tuya.

—¿No fue así?

Eddgar se toma un momento. Del otro lado de la mesa, pliega las manos con lentitud.

—Aproveché una circunstancia, Seth. Se hicieron planes cuidadosos y salieron mal. Arrestaron a alguien, por accidente. Empezó a hablar. Así que aproveché la oportunidad. Sí, lo hice. ¿Desconsiderado? Es probable. Sin embargo, tenía tanta confianza en que nos serviría a todos... y al final así fue.

—¿El mayor bien para la mayor cantidad de personas, Eddgar? ¿Incluido el número uno?

—Eso fue hace mucho tiempo, Seth.

—¿Invocas las prescripciones liberatorias? Pensé que no contemplaban asesinatos. —Eddgar cierra los ojos y Seth cambia de postura en la vieja silla de la cocina. La mesa de arce situada entre ambos es pequeña, manchada de mermelada de frambuesas en un lugar, reliquia de muchas décadas de uso en el hogar de los Eddgar. —Quiero que entiendas algo, Eddgar. Ahora tengo la misma edad que tú tenías entonces. O más, creo. Y me considero responsable de mí mismo. Primero y principal. Las cosas que hice, las hice yo, no tú. Pero si yo fuera el zar del universo, o el Gran Ejecutor, serías castigado. Tú escapaste. Y eso me molesta, me mata. ¿Cómo fue que todos sufrieron menos tú? ¿No te lo preguntas? ¿Piensas en ellos, Eddgar? ¿Las vidas que tomaste? ¿Las que arruinaste? —Seth clava un dedo en el papel que ha traído. —¿Cómo haces para dormir, por el amor de Dios?

Eddgar oye la pregunta con una expresión tensa, algo caprichosa. No, no puede dormir bien. Seth lee este pensamiento. Detrás de Eddgar hay una pequeña ventana, y a la luz de las primeras horas de la mañana se lo ve demacrado. La barba de un día le oscurece las mejillas.

—¿Conoces gente que haya librado guerras, Seth? Yo libré una guerra. Sí, hubo víctimas, y las lamento, las lloro. Pero por cierto que no le di la espalda a Michael. Debería serte evidente. —Desvía la cara hacia el papel que descansa sobre la mesa. —Le di todo tipo de apoyo imaginable. Mi esposa, y mi hijo, en esencia me abandonaron para cuidarlo. Con mi consentimiento. Sin embargo, no fue por arrepentimiento. Porque yo no me arrepiento. —Tiene la cabeza alzada en su ángulo característico de obstinada invulnerabilidad. Lo que dice, sin duda, es cierto. Seth lo ha pensado toda la noche y se dio cuenta de que no fue caridad o dolor lo que motivó que Eddgar cuidara de Michael desde la distancia durante todo este tiempo. No. Michael era el hombre que Eddgar no podía ser: para June, un amante; para Nile, una bondadosa mano que lo guiaba. Era el fragmento perdido de Eddgar. No podía abandonar a Michael, así como no podía abandonarse a sí mismo. Pero Eddgar no ve esa parte. Su justificación, como siempre, radica en la historia.

—Tenía algo contra lo cual luchar —dice Eddgar—, y luché. Y la guerra que libré todavía tiene para mí más sentido que muchas de las guerras libradas en esta tierra. Las guerras contra los indígenas. La guerra hispanoamericana. La guerra mexicano-estadounidense. Vietnam. Creo, como ya creía entonces aunque temía decírmelo, creo que seré juzgado. Y no lo temo. Pero no te atrevas a pensar que no sufrí. Entonces o ahora. Porque he sufrido, he sufrido. He pagado precios que no puedes siquiera imaginar. —El cráneo se le pone rojo donde los escasos cabellos blancos se erizan de estática, mientras él se vuelve en un esfuerzo momentáneo por contener su angustia. —Y no pienses que te hablo de lo que tú y tu amigo me hicieron en ese tribunal. Mi reputación me importa mucho menos de lo que supones.

No era eso lo que Seth pensaba. June, supone. June fue la angustia de Eddgar, un torbellino de tormento hasta el mismísimo fin.

—¿Qué te hicimos en el tribunal? —pregunta Seth.

—Ah, por favor, Seth. Soy viejo, pero no tonto. Tú debiste de formar parte.

—¿De qué?

—Ya conoces la historia. Debes conocerla. —Y Eddgar comienza a recitar los detalles a manera de desafío. Debes saber, dice. De la droga. La cárcel. De Nile y el Pesado. —Debes saber —repite.

No, dice Seth. Su reacción —la palidez, el balbuceo— sorprenden a Eddgar, que comienza a responder de manera más parca a medida que Seth comienza a hacerle preguntas. Pero responde. Cuenta la historia: cómo le mandó el dinero del PSDA a Michael; la relación con esa chiquilla, Lovinia; y, lo más desesperante, los enfrentamientos de Eddgar con el Pesado. Sólo al final se permite posar plenamente la mirada en Seth. Incluso en la vejez, sus ojos siguen siendo extraordinarios. Seth no recuerda de dónde extrajo la impresión de que los lobos tienen ojos de este color, celeste glacial, un aspecto externo de belleza y apacibilidad que oculta un espíritu bullente e inmanejable.

—¿Desconocías todo esto? —pregunta Eddgar.

—Sí —responde Seth.

Todavía en duda, Eddgar se pone de pie artríticamente para buscar una segunda taza de té y habla parado ante la cocina, describiendo el juego de dilemas que jugaron el Pesado y quienquiera que lo haya aconsejado. Eran rehenes mutuos, Nile y el Pesado. Cuando mataron a June, Eddgar comprendió enseguida que no fue un accidente. ¿Pero qué iba a decir? La verdad pondría a Nile en la cárcel. Guardó silencio, sin imaginar nunca que la policía podría construir un caso contra el Pesado, ni lo que diría Ordell como resultado. Pero no hubo un solo abogado, de los que Eddgar consultó después de que el Pesado implicó a Nile, que no dijera lo mismo: Nile cumpliría menos años de prisión por un crimen de pasión familiar que por distribuir kilos de narcóticos en su condición de supervisor de libertad condicional, abusando de la confianza pública. Estaban atrapados.

—Y he pensado en todo esto, desde luego —continúa Eddgar—. He pensado mucho en lo que hizo el Pesado, y dudo de que su motivo fuera castigar a Nile (dudo que se le haya cruzado por la cabeza) o sólo minimizar su posición en una situación muy mala. Lo que quería era atacarme a mí. Hacerme saber que yo no era el único manipulador astuto, que a pesar de mis grandes proclamas y mis amenazas imprudentes no podía proteger a Nile. —Echa un breve vistazo a Seth y bebe un sorbo de té, en cuya taza se ve un sello azul de alguna agencia del estado. —De algún modo, me gané ese único verdadero enemigo.

"Fue por eso que desde el comienzo le dije a Hobie: cúlpame a mí. De veras se lo dije. "Cúlpame a mí." Y no como un acto de arrojo desubicado. Veo tu mirada, la vi en la corte... Creo que durante décadas me has considerado un monstruo. La gente, ya entonces, allá en California, creía que no era consciente de mí mismo. Tal vez no lo era. No del todo. Pero pienso, creo, que soy capaz de ver algunas cosas de mí. Y hablo en serio cuando digo que el culpable soy yo. Lo soy. Por pensar que podía controlar lo que no podía. Por amenazar al Pesado. Por no aceptar las limitaciones de mi hijo. Por imponerle mis propios deseos. Lo entendí. Lo he entendido. Pero entender no lo es todo, al fin y al cabo.

"Cometí esos errores, y muchos más. Me complació que Sonny fuera la jueza. Supongo que fue allí donde empezó todo. Bien, pensé. Enseguida vi la oportunidad. Se lo dije a Tuttle, la primera vez que hablamos. "Ella nunca me quiso. Cúlpame a mí. Inventa alguna otra razón por la que el Pesado quisiera matarme. Ella lo creerá." Yo empecé esto. Y Hobie lo retorció, por supuesto. Se aprovechó de mí. Me dijo: "¿Dirás que sí si te hago las preguntas de la manera correcta?". Le

respondí: "No mentiré. No puedo. No puedo jurar por Dios y mentir".
Y antes de empezar Hobie me dijo muy poco, sólo: "Escucha mis
preguntas, con mucha atención, porque no va a ser fácil. No tienes que
mentir, sólo debes tener cuidado". Y yo acepté. Y supe que él se valdría
de ese dinero, los 10.000 dólares del PSDA, y lo presentaría como si fuera
el dinero que Nile le dio a Ordell. Porque, al fin y al cabo, el plan era
ése. Y, sí, Nile había cambiado el cheque. Y nadie tenía razón para saber
adónde había ido el dinero en realidad. Y, por supuesto, por supuesto,
el Pesado mintió, porque jamás existió el pago de los 10.000 dólares.
De modo que lo que hizo Hobie fue decir una mentira para combatir
una mentira, y no una mentira mía. Y, desde luego, accedí. Tu amigo
Tuttle sabe mucho de la gente, ¿no?

—Mucho.

—Sí —dice Eddgar. Ahora sus pies, calzados con unas pantuflas
viejas, golpetean el piso, pero en lo demás el pensamiento lo ha
inmovilizado. Creía estar actuando con nobleza, dice, no sólo para con
Nile, sino para con la gente del partido, Galiakos y los suyos.
Comenzaron a perseguirlo en el instante en que arrestaron a Nile, y
Eddgar había prometido que haría todo lo posible por mantener esos
10.000 dólares fuera del caso, fuera de las noticias. Estaban aterrados,
y era comprensible. Imagina lo difícil que será, continúa Eddgar, tratar
de convencer a la gente de que haga contribuciones cuando haya leído
en la primera plana del *Tribune* que el dinero va a parar a una banda
callejera. Estaba dispuesto a cargar con la culpa de todo. Del dinero. De
Nile.

—"Cúlpame a mí", dije. Y Hobie dio vuelta todo. Convirtió la noche
en día, el día en noche. Ahora yo, que amé a June más y durante más
tiempo que a cualquier alma sobre la Tierra, ahora yo soy el que la
asesinó. Y aquí es donde entras tú, Seth, o donde siempre imaginé que
entraste. Porque podía verlos riendo los últimos. A los dos. Mientras
estaba sentado ahí, comprendí. Pude ver los paralelos. Yo había accedido
a algo, a que me usaran en algo, un engaño en beneficio de alguien que
me importaba... como accediste tú hace muchos años, Seth, para luego
ser embaucado, engañado. Comprendí. La extraña venganza teatral.
Tú lo dijiste antes: me consideras un hombre que salió impune de un
asesinato. Entonces, ¿por qué no dejarme cargar con la culpa de uno
que no cometí? Tuve la total certeza de que tú y Tuttle creían que era de
lo más apropiado.

—Es de lo más apropiado —contesta Seth—. Pero él nunca me lo
dijo.

—¿No? —Eddgar reflexiona un momento—. Bueno, para él fue
una experiencia regocijante. Porque me tenía. Lo veía en el tribunal.
Hobie se reía de mí de mil maneras diferentes, sobre todo porque me
decía: "¿Qué más harás por tu hijo? ¿Hasta aquí? ¿Más? ¿Qué te parece
más? ¿Cuánto, bastardo? ¿Cuánto?". Y lo disfrutaba. Fue sádico.

—No —replica Seth—. Hobie no es sádico.

—Pero eso fue lo que hizo.

—No —repite Seth. Medita en la curva de los hechos. El enigma vasto e imponderable de Hobie T. Tuttle se cierne aquí, como el Buda emergiendo de las brumas. Impetuoso, sí. Complejo. Brillante. Pero Hobie jamás habría permitido un juego tan retorcido por su propio placer. El solo pensarlo lo habría hecho reír. Si actuó así, fue por una sola razón.

—Lo hizo "para" mí, Eddgar —dice Seth—, no conmigo. Lo hizo porque es mi amigo. Y porque eras amigo de Cleveland. En el fondo de su corazón, se estaba vengando por nosotros. Además de ayudar a Nile, por supuesto.

Eddgar considera el planteo, luego agacha la cabeza bajo el peso de la posibilidad. Seth oye que afuera, en el sendero de acceso, resuena la grava anunciando la llegada de alguien. Entrarán arrastrando los pies, sin afeitar, cansados del viaje. Pero cuando Eddgar regresa de la puerta simplemente sostiene un sobre con unos papeles del capitolio del estado para que el senador los inspeccione.

—¿Has hablado con Nile? —pregunta Seth.

Eddgar, con tristeza, en gesto inútil, flexiona las manos.

—No tengo manera de alcanzarlo. Sé que están juntos, Michael y él. ¿De eso te habrás dado cuenta, supongo? —responde, y de nuevo mira el papel que Hobie le dio a Seth anoche—. Una sola vez tuve noticias de Michael. En cuanto terminó todo. Uno o dos días después. Me pareció que hablaba de un teléfono público de una autopista. Sentí un gran alivio. Tengo confianza en que no permitirá que Nile se quebrante. Son muy capaces juntos, siempre lo han sido. Se cuidarán uno al otro. Y tengo la certeza de que en un caso desesperado Michael me lo hará saber.

"Debes entender —continúa Eddgar—. Yo podría encontrarlos. No creo que anden muy lejos. A Michael no le agradan mucho los cambios, no sirve para eso. Lo más probable es que conserve el mismo nombre, el mismo número de seguridad social que le conseguimos cuando te dio los suyos. No tengo dudas de que se han establecido en otro pueblito.

Mientras bebe el té, Seth dedica un instante a imaginar a Nile y Michael viviendo juntos como Eddgar los describió. Quizás habiten una pequeña granja alquilada donde el viento sople fuerte en invierno, tal vez trabajen de empleados o algo así en el pueblo, y durante los fines de semana cultiven la tierra. Tal vez hablen poco. En estos tiempos a Michael le gusta navegar por Internet, en lugar de experimentar con ondas cortas. Nile mira televisión. Pero se hacen concesiones mutuas. Y para el mundo son padre e hijo, una de esas parejas raras que a menudo crean las familias, que se llevan bien entre sí y casi con nadie más. Nile se ha convertido en el hombre que siempre quiso ser; Michael, otra figura errática, el mejor ejemplo que tuvo.

—Podría encontrarlos —repite Eddgar—. Pero no voy a rastrear a Nile como si fuera un cazador de tesoros. Cuando él quiera verme, lo hará. Comprendo cómo se siente. Es probable que continúe huyendo, ¿no?, si lo persigo.

—Creo que sí.

—Creo que lo hace por vergüenza —dice Eddgar—. Me refiero a su razón para huir.

—A mí me suena más a furia.

—¿Furia? —pregunta Eddgar. Por primera vez muestra sorpresa desde que vio a Seth en su porche esta mañana.

—Apuesto a que verte en el estrado de los testigos mintiendo como loco para salvarlo, siguiéndole el juego a Hobie, o como lo llames, fue tal vez mucho más de lo que podía soportar. Deduzco que ninguno de ustedes se molestó en avisarle a Nile de antemano. —Seth sabe que ambos son demasiado soberbios para haberse preocupado por semejante detalle. Eddgar tenía razón hace un momento, piensa. Entender no lo es todo. Porque rara vez el entendimiento es completo. Eddgar podrá considerarse muy protector, pero jamás reconocerá el mensaje que le transmitió a Nile en todas las ocasiones posibles; que su hijo siempre sería incapaz, incompleto.

—¿Pero no es enigmático? —pregunta Eddgar—. Lo pienso todos los días. Durante horas. Y sigo desconcertado. Tal vez estaba furioso, como dices tú, al final del juicio. Sin duda mis intenciones fueron buenas. Pero puede que nos hayamos entendido mal. Es una vieja historia. ¿Pero qué puede haber pensado él? ¿Para meterse en semejante problema? ¿Con el Pesado? ¿En ese tipo de negocio? ¿Qué quería?

Seth se toma un tiempo, aunque sabe la respuesta desde el momento en que Eddgar le contó la historia.

—Supongo que quería ser una de las personas que te importaban, Eddgar. —La observación, pronunciada sin más piedad que un martillazo, provoca poca reacción al principio. Eddgar se lleva un instante una mano a la boca. En la pared hay un gran reloj blanco que zumba apenas y hace un chasquido leve cada vez que se mueve el segundero. Ocho y diez. Seth piensa que tal vez pierda el avión. Pero no tiene ganas de marcharse.

—Es muy complejo —dice Eddgar al fin—. No soy de los que viven en el pasado, Seth. Pero cada vez que pienso en ello, lo que más sombrío y confuso me resulta es Nile. Yo lo amaba de verdad, profundamente. Todavía considero que su nacimiento fue un momento como no hubo ningún otro. Puedo describirte la sala de espera del hospital... en aquellos tiempos en que los hombres no participaban.

—Se permite la sonrisa reflexiva que Seth le conoce. —Recuerdo a los otros padres sentados allí, un sandwich que uno de ellos comía. Era de manteca de maní y panceta, y lo había llevado de su casa, envuelto en un papel plateado de aspecto usado. Lo recuerdo todo. Hasta me parece oler el humo de los cigarrillos de todos.

"Sentía como una recompensa tan perfecta haber tenido un hijo, yo, que tanto sufrí a mi propio padre, que aún seguía luchando contra él, del modo como Jacob, en ese pasaje maravilloso de las Escrituras, luchó con el Ángel de la Muerte toda la noche. Pensé... —Calla, fija la vista en la distancia y en el pasado. —Me pareció muy importante.

—Lo fue —dice Seth.

—Sí, lo fue. Por supuesto que sí. Lo que quiero decir es en esencia que el sendero estaba limpio, despejado. El camino estaba claro: todo lo que yo debía hacer y todo lo que no. Y, por supuesto, no fue así. Yo le tenía muchísimo miedo, me sentía muy asustado, casi enseguida. Aterrado. De ese bebito. Por supuesto, no admití ante mí mismo que era miedo lo que sentía. Estaba congelado, paralizado, en cierto modo. Como manejado por una suerte de reacción aprendida, en lugar de mis propios impulsos profundos. Oh, Dios... —Se produce otro de esos momentos improbables que Seth presenció por primera vez en el tribunal. Loyell Eddgar llora. Quizá tenga derecho al consuelo. Como padre, Seth podría consolarlo. Pero no lo hará con este hombre. Permanece sentado al otro lado de la mesa, en silencio, mientras Eddgar solloza, sólo un segundo, hasta que se recupera.

"Y lo observaba cuando estaba contigo y Michael. ¿Recuerdas cómo era con Michael, Seth? Yo los contemplaba a los dos, allá en el árbol, saltando, serruchando, riendo... y me sentía terrible. Porque todavía lo amaba mucho. Mucho. Desbordaba de sentimientos. Ahora, al mirar atrás, creo que sentí una emoción más honesta por Nile que por cualquier otra persona en mi vida.

"Y me preocupaba y me preocupaba y me preocupaba una sola cosa, una pregunta todo el tiempo. Ahora parece una locura, pero me perseguía esa pregunta, me enloquecía, me obsesionaba por completo. Si tuviera que entregarlo, pensaba, si tuviera que entregarlo, ¿podría hacerlo?

—¿Entregarlo? —pregunta Seth.

—Sí. A la revolución. Si llegaba el momento, si tenía que permitirle luchar. Hacer cosas que lo pusieran en peligro. Lo puedes tomar como quieras; sin duda te parecerán motivos dudosos, cuestionables... Pero nunca me pareció horrible que nosotros corriéramos peligro. June y yo. Podía imaginármelo... lo había imaginado. Ya conoces toda la literatura carcelaria escrita por líderes capturados. Yo la leía. Tortura. Aislamiento. Lo había imaginado.

Y era muy probable que se regodeara con la perspectiva, piensa Seth. El cabello de Eddgar ha caído hacia adelante, sobre la frente, mientras él se mira las manos dobladas.

—Pero me desgarraba —continúa—, me destrozaba el dilema total de ser padre. ¿Cómo podía mostrarle a Nile todo aquello que yo atesoraba, todo aquello en lo que creía, aquello que me sentía impulsado a hacer? ¿Cómo podía hacer eso y luego enfrentar el momento, décadas después, en que tuviera que conducirlo al sacrificio? ¿Sería capaz de pagar ese precio?, me preguntaba sin cesar. ¿Podría dejarlo ir, a mi hijo, mi amor, mi vida, mi futuro? Evitaba pensarlo durante meses, y luego la pregunta volvía a asaltarme, más potente que cualquier miedo que sintiera alguna vez por mí mismo, y en realidad no encontraba consuelo, sino que era empujado una y otra vez a las palabras de las Escrituras: que el mayor amor de Dios se nos mostró así, que Él dio la vida de Su único hijo. Como si ello pudiera servirme de alguna ayuda, como si pudiera hacer algo profundizar el misterio.

Se para, bebe lo que queda en la taza. Se palmea los bolsillos de la camisa y, al no encontrar lo que busca, se quita los anteojos y se seca los ojos con la manga. Cruza el intenso haz de luz que sale de la ventana, un paralelogramo alargado dividido por sombras, y mueve un poco la cabeza en el umbral, más viejo y más pequeño que lo que era en la memoria de Seth. Con una mano intenta un gesto desanimado, un adiós y una indicación de que Seth salga solo.

Seth se va. Será pura suerte si llega a tiempo de tomar el avión a Seattle. Viajando muy rápido, evita el intenso tránsito matinal en la 843. ¿Ahora estás satisfecho?, se pregunta al fin. En parte, todavía resiste con valentía todo lo que lo abruma tras esta visita. No era genuino, sigue pensando. Las lágrimas. El tormento. Como todos los grandes actores, Eddgar se convertirá siempre en lo que su público desee. Pero no hay manera de escapar de su vulnerabilidad a Eddgar. Quedó grabada hace tiempo, en las estrellas, en los genes, en la naturaleza. ¿Qué sentido tiene?, se pregunta Seth. ¿Todos tienen su historia? ¿Su dolor? Lo sabe. Ya. Lo sabía. Tal vez sea lo que le dijo a Hobie anoche. Sobre el amor y la justicia. Tal vez no haya diferencia. En lo ideal, por lo menos. Tal vez el amor y la justicia sean una sola cosa.

Sigue manejando.

¿Ahora estás satisfecho?

4 de abril de 1996

SETH

¿Quién escribe cartas ya? Tal vez sea un acto de locura. Pero Dubinsky me dejó las copias de los discursos fúnebres que la gente del *Trib* había impreso. (Hermosas, ¿no? Fue un gesto conmovedor, Seth.) Soy demasiado testaruda para aferrarme a ellas en la conjetura de que vuelvas. Y no puedo sencillamente ponerlas en este sobre sin unas palabras mías. Ahora son las nueve y media. La hora que hemos pasado juntos la mayoría de las noches. El cuerpo anhela.

¿Qué significa esto? Estuve repasando todas las dudas que hay en mi mente, mirando cada imagen para ver los diferentes finales de nuestra película. Nada es exactamente adecuado. Pero pensé que debía serte sincera, al menos en cuanto a la parte que conozco. Los dos somos relativamente honestos. Considero que es una de nuestras ventajas.

Cuando dejé a Charlie, a los cuarenta y tres años, tuve que reconocer que soy una de esas personas que tal vez nunca paren a descansar, que acaso nunca encuentre la abertura en el mundo donde encaje como es debido. Mi vida, en su forma actual, seguirá como ahora por un tiempo, y después sentiré, como siempre, que no está bien, que tal vez en la otra colina haya algo mejor, o no tan malo, y me iré en esa dirección. Hay veces en que pienso de manera casi abstracta en mi existencia de cambiantes obsesiones y me siento invadida por una oleada de vergüenza. Cuatro carreras universitarias diferentes. Todos mis empleos. Y hombres. Y mil pasatiempos emprendidos con intachable ardor, cada uno de los cuales tenía el propósito de salvar mi espíritu de noche mientras mi cuerpo se esclavizaba obediente al futuro durante el día. Las reliquias están en ese horrible armario de fibra del sótano donde no te dejaré entrar: un telar enorme; jarras plásticas y cubas de madera (iba a fabricar mi propio vino); montura, riendas y otros elementos del período en que decidí reanudar mi disipada infancia mediante la equitación. Para no hablar de las mis clases de literatura y los libros de diversas obsesiones con la dieta. Cada una de estas fases vino y se fue, como una niebla, sin dejar huellas, si no cuentas los accesorios que se enmohecen en el sótano o una sola frazada que tejí, a la que Nikki se aferra cuando duerme. En mis peores momentos, sospecho que di a luz a Nikki simplemente para tener un ancla.

Y aun después de haberla tenido, nunca estoy bien, nunca del todo conforme. Sé que existe la posibilidad de que al fin me encuentre, del otro lado de algo a lo que aún anhelo llegar. Hay mucho dolor en esto. No sólo en reconocerlo, sino en el hecho en sí. No obstante hay momentos, como ahora, en que me siento más o menos en paz y dispuesta a decir: Tal vez ésta sea yo. Si esto —nosotros— no sale bien, voy a estar bien. Lo sé. Es una de las mejores lecciones que he aprendido de Zora: sé cómo envolverme el cuerpo con mis propios brazos. Y no lo digo como un lamento. Puede que sea incluso una advertencia.

Lo cual no niega que estoy enojada. Me irrita que te hayas ido y que permitas que dos mujeres te anden detrás. Me hago preguntas que con Charlie oía todo el tiempo en mi cabeza: ¿Por qué somos las mujeres las que tenemos que defender todo lo que de verdadero valor hay en el mundo? Los hijos, en primer lugar. El hogar. Y, sí, hasta el amor. Sé que esto no es del todo justo. A veces te veo con Nikki y me asombro: descargas su mochila, le preparas algo de comer. Te dejo mucho más espacio que Lucy para que seas esa persona. Pero es tu confianza y tu alegría lo que me impresiona, la manera en que entiendes el hogar. No como una zona de guerra. No como un campo de mutuos esfuerzos. No como una adolescencia prolongada en la cual los integrantes hacen cosas cada uno para sí. Sino como una familia. Tú puedes mostrarme cómo hacerlo, de una manera que Charlie, por supuesto, no hizo nunca. Y aun así, para mí es difícil, porque me deja luchando con la pregunta más dura de todas: si me necesitas a mí o a Nikki. Al final, los dos tenemos que lidiar con el hecho de que es la pérdida lo que te trajo a mí.

Historia. Circunstancias y hechos. Todavía se yerguen entre nosotros. Nunca habría sospechado el grado al cual me obsesiona nuestro pasado juntos. Veinticinco años. Éramos casi niños. Y sin embargo siento que pudo ser fatal. ¿Cuál es la diferencia ahora?, me pregunto. ¿Por qué no fracasaremos del mismo modo que hace un cuarto de siglo? Supongo que nada más alejado de tu mente que estas preguntas, Seth. ¿Cómo dice esa frase? "Dentro del cuerpo de todo cínico late el corazón herido de un romántico." Tú crees todavía en el poder transformador de la Voluntad y el Amor. Quiero dejarte ganar, triunfar en este cometido. Sé lo importante que es para ti.

Pero me preocupa que tal vez yo te decepcione como hace décadas. En aquel entonces necesitabas mi devoción, quizá para reunir la fuerza necesaria para separarte de tus padres. Y no pude dártela. No porque (como supongo que temiste entonces) no creyera en ti ni te admirara. No debes de conocer diez personas, Seth, que se sientan más felices o menos sorprendidas que yo por la manera en que el mundo ha acogido tu talento. No. Lo que me preocupaba era la devoción celestial que me profesabas. A la muchacha estudiante de filosofía que se suponía debía encender los cielos en Miller Damon. Porque yo sabía que era falso. Ah, sí, tenía algunos dones. Leía a Platón ya en la escuela secundaria, y creía lo que decía Sócrates sobre el conocimiento como la búsqueda más elevada de la vida. Pero con el tiempo aprendí que los diferentes puntos de llegada de diversas excursiones filosóficas se debían en gran medida a los lugares donde habían empezado. Cero. Las conjeturas irreductibles. Y bajo esa luz Platón, si no estaba errado, al menos merecía corrección. Todo conocimiento deriva de la pasión. Y qué eran mis pasiones seguía siendo un misterio. Por cierto no lo era la filosofía. Leía las pruebas de manera exangüe, como un inspector en su recorrido. De pronto decidí que estaba llevando la vida de otra persona. ¿De quién? En ese entonces no tenía el menor indicio. Pero mi madre sabía de memoria esos pesados filósofos alemanes que yo estudiaba. Hasta el día de hoy me parece oírla hablando en las reuniones: "¡No es eso lo que quiso decir Engels! ¡Nunca!". Así que huí, desconcertada por mis motivos.

Toda mi vida he temido carecer de sentido común. Mi madre, hábil como era, no tenía ni una pizca. Me refiero a que parecía olvidar que las personas se ofenderían si las insultaba, que una niña necesitaba una comida de vez en cuando, que no podía trabajar en el sur de California y ser mi madre aquí. No lo digo porque en ocasiones pareciera vencida por sus propias necesidades —la verdad es que nos ocurre a todos—, sino porque no tomaba conciencia de ello cuando le sucedía. Y aun ahora temo que me haya dejado las mismas marcas, así como cuentan que permanece un alma en pena en algún árbol de un bosque. "Estás actuando como Zora" es una frase con la que me azoto con la ira primitiva de una maldición, cuando me ordeno no hablar o sentir de determinadas maneras. Y uno de los pasos hacia mi adultez fue este voto, este secreto que no pronunciaba en voz alta ni siquiera ante mí misma: el de no ser como ella.

No me entiendas mal. Amo a mi madre. Sin embargo pasaron años —sólo lo logré cuando se acercaba el final de ese juicio— hasta que me sentí libre para abrazar lo mejor de ella. Creo que Zora estaría orgullosa de mí. Y sé que adoraría a Nikki. Ambas convicciones significan mucho. Pero en mi juventud quise mucho más. Quería que ella fuera mi salvación, mi ideal. Por Dios, cuánto lo necesitaba. Cincuenta veces por día sentía cuánto podría utilizar la fuerza nacida de saber que simplemente podía modelarme según su ejemplo. Y es mi tarea, la piedra que he vivido haciendo girar colina arriba, reconocer que eso no puede ocurrir, entender —aunque durante casi toda mi vida no pude soportar decirlo— que ella era, por momentos, una lunática egoísta, que había ocasiones en que todas sus pasiones, sus angustias, sus elevadas preocupaciones me quitaban importancia. Aquí estoy, a la sombra de los cincuenta años, y todavía hay mañanas en que me despierto con los sueños felices del amor total, devoto, desesperado, que sentía por ella cuando era joven. Y cuando tomo conciencia de que ya no es posible ni real, me abato. Mi espíritu queda destrozado durante horas.

Ella me amaba. Con pasión. Cuando se acordaba. A manera de respuesta, yo aprendí a mantener cierta distancia. (¡Gran sorpresa!) Y resolví, con la misma desesperación de mi amor por ella, que trataría de no ser tan desdichada. Porque también eso lo sabía con seguridad: que Zora, con sus rabietas, sus discursos, sus citas, con los susurros afectuosos que me dedicaba, el olor de su loción, su ojo albino, sus caminatas nocturnas, sus reuniones y sus constantes rezongos por los defectos del mundo... giraba como una nebulosa alrededor de un núcleo lívido de dolor.

El proyecto de mi vida es apreciar de ella lo que puedo, y sin embargo no ser ni su despreocupada imitadora ni su voluntariosa víctima. Siempre adoraré su feroz independencia. Pero preferiría que me condenaran a una mazmorra por toda la eternidad, a recluirme en su aislamiento. Quiero que comprendas cuán difícil es todo esto para mí. Ser la que escribe esta carta. Ser la primera en hablar. La primera en preguntar. Me parece casi cruel tener que decir Sí, sabiendo que quizá tú digas No. Pero escuché lo que dijiste la otra noche y sé que esto no sucederá de ningún otro modo. Tienes derecho a que te digan que te necesitamos. Más: que eres esencial. No sólo para Nikki, sino para mí. Así es. He demorado la vida entera en decirlo, pero merezco alguien en quien poder confiar. Sé que tú puedes ser esa persona, Seth, si te lo permito. Quiero intentarlo.

Ésta es una carta de amor.

Sonny

1º de abril de 1996

Discurso fúnebre para Bernhard Weissman,
por Seth Daniel Weissman

Cuando pienso en mi padre siempre retorno a la historia de Abraham e Isaac. Parte de ello se origina en el legado que dio su nombre a nuestro hijo. Pero hay más, por supuesto. Sin duda, todos recordamos la historia. Abraham fue el fundador de las religiones occidentales, el primer judío, la primera persona en conocer al Dios a quien ahora rezan la mayoría de los seres humanos del mundo. Era un visionario, un profeta, y, con certeza, un iconoclasta capaz de adherir a sus creencias frente al desdén universal.

Pero a pesar de esto, el Dios de Abraham decidió ponerlo a prueba. Le pidió que sacrificara al único hijo de Abraham y Sarah, el milagro de ambos, que les había nacido cuando Sarah ya tenía noventa años, y Abraham, cien. Y de acuerdo con la historia, Abraham obedeció. No dijo lo que esperaríamos que dijera un padre de hoy: "Estoy oyendo voces desagradables; necesito ayuda". No preguntó qué tendría de malvado un Dios que exigía semejante cosa, ni cuestionó si valía la pena adorarlo. Ni siquiera, según nos cuenta la Biblia, rogó por la vida de Isaac, como había hecho por el pueblo de Sodoma. Abraham simplemente llevó a su hijo hasta el monte Moria... Imagino que hasta le habrá pedido al niño que acarreara la madera para el fuego. Cuando Isaac preguntó donde estaba el cordero para el sacrificio religioso que preparaban, Abraham le dijo que el cordero lo pondría Dios.

Con sinceridad, durante muchos años consideré que se trataba de una historia extraña. Un cuento siniestro en que el padre sacrificaba a su hijo a su propia fe, sus propias visiones. ¿Qué clase de punto de partida es para nosotros, para todas las religiones occidentales? ¿Celebrar la dinámica retorcida entre el primer padre judío y el primer hijo judío? ¿Por qué continuamos contando esta historia? ¿Para recordarnos que cada padre que ha habido desde entonces lo ha hecho mejor?

Al principio me planteé estas preguntas en un estado de angustia. Fue la última vez en mi vida que entré en una sinagoga; era Año Nuevo. Los otros fieles habían acudido a expresar sus compromisos con aquello a lo que las Escrituras se refieren aquí y allá como el Dios, la fe, las leyes de nuestros padres. Yo había ido a decir la Plegaria del Doliente, ya que no había pasado mucho tiempo de la muerte de mi hijo, Isaac. Para nosotros —para Lucy y Sarah, y por cierto para mí— acaso todos los funerales a los que asistamos por el resto de nuestas vidas sean una repetición del de Isaac. Me disculpo por tener que compartirlo. Pero para hablar de mi padre, también tengo que hablar de mis hijos: nuestra hija maravillosa, extraordinaria, por cuya presencia agradezco todos los días a Dios y a todo el resto del universo, y el hijo que perdimos.

No sé cuántos de ustedes, los que aquí se hallan presentes, conocen la historia de por qué le pusimos ese nombre a Isaac. Pero es una historia que tiene también que ver con mi padre, una que nos estremecemos al recordar. En marzo de 1938, el ejército alemán invadió Austria, llevando consigo su guerra contra los judíos. Los negocios judíos fueron marcados con carteles, y saqueados o confiscados, mientras 12.000 familias judías eran expulsadas de sus hogares. Los nazis convirtieron las sinagogas en salones humeantes y golpeaban al azar a los judíos que encontraban en las calles. El 23 de abril, un sábado, en Viena, la más cortés de las ciudades, hogar de Sigmund Freud y Gustav Mahler, llevaron a un grupo de judíos al Prater, el parque de diversiones, y allí, en presencia de la habitual concurrencia de los fines de semana, la SS obligó a los judíos a ponerse de rodillas y comer el césped. Para junio, más de quinientos judíos vieneses se habían suicidado. El 16 de ese mes, mi padre, su joven esposa y el hijo de ambos, de cuatro años, que habían salido apresurados a hacer una compra, fueron abordados por tropas nazis, que les informaron que su hogar era a partir de aquel momento propiedad del Estado.

En los tres años siguientes se mudaron media docena de veces, a medida que aumentaban las zonas de la ciudad donde se prohibía residir a los judíos. Los despedían de los empleos y los obligaban a llevar la estrella amarilla cuando iban por la calle. Pero mi padre se quedó. Su suegra había sufrido un ataque al corazón y no podían transportarla. Y la emigración se tornaba cada vez más difícil con el paso del tiempo, pues las naciones de toda Europa oriental cerraban sus fronteras por miedo a ser invadidas por 180.000 judíos provenientes de Austria. Además, la fuga habría destrozado una visión esencial que mi padre tenía de sí mismo. Era en gran medida el hombre que había planeado ser, hijo de un comerciante, un platero, según tengo entendido, que siempre había anhelado tener un hijo que fuera, como mi padre, un erudito, un profesor muy respetado en la universidad.

La deportación de la población judía de Viena a los campos de concentración comenzó con lentitud, pero para octubre de 1941 se hallaba en pleno proceso. Con la ayuda de los líderes de la comunidad judía bajo la dirección del rabí Murmelstein, los judíos eran enviados al "Este" en grupos de mil personas en vehículos de carga cerrados. Mi padre, su esposa y el hijo de ambos fueron de los primeros en partir. Le agradó que lo enviaran al campo de Buchenwald, adonde lo habían precedido muchos vieneses notables. El hijo, que ya tenía siete años, contrajo en el viaje una dolorosa infección en los oídos. Para cuando los hicieron bajar del vehículo para ganado en Buchenwald, el chico lloraba en forma casi constante, gritando y quejándose de dolor. La madre rogó a los guardias que lo sometieran a tratamiento médico. Por fin, al cabo de tres días, uno de los guardias accedió, tomó al niño de la mano, se lo llevó de las barracas e inmediatamente después de pasar la puerta lo mató de un tiro, y allí murió el chico, mi hermano Isaac.

Estos hechos, que mi padre no me mencionó ni una sola vez en su existencia, lo definieron. Lo acompañaron cada día. Lo transformaron, lo deformaron —perdónenme—, como puede deformarse un árbol cuando aún es joven. Fue por mi madre que me enteré de lo que ocurrió, en breves e insoportables conversaciones a lo largo de los años. Una de las grandes agonías de su mal de Alzheimer fue que los horrendos recuerdos de los campos de exterminio sobrevivieron en ella mucho más tiempo que cualquier otra cosa, salvo, tal vez, sus recuerdos de mí. Durante la etapa en que aún podía hablar de las cosas con claridad, repetía una frase que le había oído de vez en cuando: "Los mejores no sobrevivieron —decía—. Los que no adulaban ni mentían, los que compartían con los enfermos... Creo que en cierta medida los admiraban, pero en semejantes circunstancias la admiración es un sentimiento fugaz". Después mi madre, frágil y endeble, con la carne floja y los ojos opacos, aunque aún era para mí la imagen conocida y preciada de otros tiempos, me hacía determinado gesto y me decía: "He vivido el resto de mi vida recordándolos. Ellos son mis héroes".

La muerte profundiza mi admiración por ella. Sin duda se equivocaba, porque en mi corazón no hay dudas de que también ella se contaba entre los mejores. Pero me doy cuenta de que a su habitual manera, honda y delicada, quería transmitirme una exculpación de mi padre. Porque, más allá de lo que hayan sido cuando entraron en esos campos horrendos, ni ella ni él ni ningún otro ser humano puede ser sometido por un término prolongado a tal confinamiento, tal humillación, tan intensa y repetida brutalidad, tal incesante privación, miedo, y constante degradación, y salir con su humanidad completamente intacta. Esto lo acepto. Me parece obvio, aunque uno puede viajar a rincones de esta ciudad —a las torres de la calle Grace o Fielder's Green— y ver que la lección aún no se ha aprendido.

Una de las mil moralejas de la historia de Abraham e Isaac es que las terribles pruebas de los padres —pues todos tenemos las nuestras— serán inevitablemente las del hijo, así como las pruebas de mis padres se convirtieron en las mías, y las mías sin duda se convirtieron en las de Sarah e Isaac. Pero es también una historia de supervivencia y piedad. Al final, Abraham oyó que su Dios le ordenaba que no levantara la mano contra su hijo. Isaac fue salvado. Sobrevivió y prosperó. Fue padre a su vez, ciego a los defectos de Jacob, aunque no intentó sacrificios propios.

Siento por mi padre la intensa gratitud que debo. A pesar de todo, siguió adelante. Pero sin duda ambos podríamos haberlo hecho mejor. Aquí, en el fin, las cosas se pueden expresar con sencillez. Mi padre y yo solíamos tratarnos con crueldad. Me avergüenza el recuerdo de mis locuras; y me habría sentido más en paz si hubiera visto en mi padre algún indicio de un arrepentimiento similar. Ojalá hubiéramos negociado una tregua, algún pacto. Aunque habría sido difícil. Creo que no me incluía en la categoría de los sufrientes, en particular porque muchos de mis padecimientos fueron autoinfligidos, y la gente de su edad y experiencia se negaba a reconocerlos como dolor. ¿Pero no podíamos igualarnos, alma con alma, mediante esos dos chicos muertos, su hijo y el mío, esos Isaacs cuyos padres no pudieron salvarlos? ¿No hay un punto de absoluta igualdad en la inutilidad y la desesperación? Sin embargo aprendemos, crecemos, ganamos en vivencias. Sarah, sin duda tú y yo hemos avanzado mucho. Y eso tiene gran valor.

Así que pienso en Isaac —mi hijo, mi hermano, el hijo de mi padre, el primer hijo de las religiones occidentales— y pienso en la historia que se cuenta una y otra vez. La oímos primero de chicos, la repetimos a lo largo de toda la vida. La contamos a manera de disculpa. Y de advertencia. La contamos con alguna medida de esperanza. La contamos porque todos hemos sido el hijo, todos hemos sido Isaac, y conocemos la parte de la historia que nunca se menciona. Porque la Biblia no registra las reacciones de Isaac. No sabemos si él, como Jesús, preguntó: "Padre, ¿por qué me has abandonado?". No sabemos si rogó por su vida, como lo habríamos hecho casi todos. Sabemos sólo esto: que obedeció. Que era un niño. Que, como no sabía nada más, hizo lo que su padre le pedía. Sabemos que permitió que lo atara con una soga. Sabemos que permitió que su padre lo acostara en el altar de leños dispuestos en forma de pirámide que habían elevado a Dios. Sabemos que contempló a su padre, en la cima de la montaña, elevar el cuchillo reluciente encima de su esternón. Sabemos que era un niño, hijo de un hombre con una Gran Idea, que en su anhelo y su confusión, incluso en sus instantes finales, sólo pudo mirar a su padre con esa eterna, aunque zozobrante, esperanza de amor.

1º de abril de 1996

Discurso fúnebre para Bernhard Weissman,
por Hobart Tariq Tuttle

Alá, Yaveh, el dulce Jesús —sea cual fuere el nombre por el que Te conozcamos, Dios—, acepta el alma de Bernhard Weissman. Hiciste que en su vida enfrentara terribles perversidades. Ahora merece tu paz eterna.

Si todos —todos los que nos hallamos aquí— hubiéramos venido a compartir nuestros recuerdos de Bernhard Weissman, oiríamos muchas cosas diferentes. Habría muchas voces. Aquí hay personas que pueden decirte que era un genio en su trabajo. Ganadores del premio Nobel de Economía lo invitaban a su mesa y lo trataban de igual a igual. Su nieta, nuestra dulce Sarah, Te diría que era un viejo bueno que respondía a la bondad con que ella lo trataba. Y ya has oído a Seth decir que fue un padre severo, y yo Te digo que tuve ocasión de verlo, y es cierto.

Yo sólo puedo hablar por mí. A mí me gustaba el tipo. He venido como su amigo. Ya sé que parece una tontería decir que era amigo de un tipo que me doblaba en edad. Pero éramos amigos. Cuando yo era chico, me asustaba muchísimo. Recuerdo que usaba unos anteojos horribles que parecía que le apretaban la nariz, y hablaba con un fuerte acento vienés. Para empezar, la mayoría de las veces no sabía si me hablaba a mí o estaba carraspeando. No quería tenerlo cerca.

Pero en la época de la escuela secundaria comencé a entenderlo. Puedo decirte muchas cosas buenas del señor Weissman. Era gracioso, de una manera furtiva. Y había otra cosa de él que me gustaba: yo le caía bien. Parte de lo cual, siempre lo supe, era para complacer a Seth. Bernhard hacía lo mejor que podía al simpatizar con el mejor amigo de Seth, aunque no siempre pudiera hacer lo mismo con Seth. Pero también me quería por mí mismo. De eso nunca tuve dudas. Yo lo hacía reír. Y para él no era problema que un chico negro fuera inteligente. No era un estadounidense nativo, de modo que no tenía en el alma ni rastros de nuestro conflicto racista. Debo decir que siempre aprecié ese rasgo suyo. Y debo confesar que, de mi parte, me resultaba más fácil aceptar a Bernhard que a muchos otros tipos blancos, porque él había pagado un precio muy caro. A él no podía decirle: "Usted no sabe de qué habla". Él lo sabía. Él comprendía cómo era estar atrapado en esta situación, ser etiquetado y juzgado, siempre y constantemente bajo el peso de algo que en realidad uno nunca eligió.

Soy como todas las demás personas de este planeta: me encuentro profundamente atascado en mis propios sufrimientos. Es una verdad terrible que la identidad se impregna de la sangre de los mártires, fenómeno que se puede ver con claridad en todo el mundo. Los estadounidenses, los kurdos, los igbo, los gitanos. La lista es interminable. Todos recuerdan a sus opresores. Y el hecho es que nadie puede imaginar de qué se trata. No podemos rendir homenaje a los que hicieron de nosotros lo que somos, sin reconocer su sufrimiento.

Pero soy como el resto: siempre he conocido el sufrimiento de los negros. Toda mi vida. Lo he sentido en los huesos. En mi casa lo pasamos bien, de eso no me quejo, pero no demoré mucho, incluso ya de chico, en notar lo difícil que era para muchos otros, tantos, y en ver que muchas de esas personas tenían el mismo color de piel que yo. Soy el primero en decir que no tenía idea de qué hacer al respecto. De joven, no quería esa carga. Y luego descubrí que nunca me conocería, nunca me aceptaría, a menos que aprendiera a llevarla. Y la parte más asombrosa, al mirar atrás, es que la persona que me enseñó más cosas para aprender a sobrellevarla fue Bernhard Weissman. Tengo la certeza que si en la cuadra hubiera habido un viejo esclavo, me habría sentado a sus pies. Pero no lo había. Creo que Bernhard fue lo más cercano a un negro esclavo que logré encontrar, una víctima de la opresión intolerable, alguien a quien podía preguntarle lo que le pregunté siempre, aunque nunca lo pronuncié en voz alta: ¿Cómo haces para seguir adelante?

La última vez que lo vi, aún me preguntaba lo mismo. Me sentía muy mal. Alterado. Me ocupaba de un caso judicial, un juicio muy confuso. Me resultaba confuso porque veía lo que veo todos los días, pero bajo una luz diferente. En general veo la vida de los habitantes de los guetos como un profesional. La veo caso por caso: un crimen, un cliente que robó, un policía corrupto. Sobre esa base presto la ayuda que puedo, de a uno por vez. Pero al estar en mi ciudad, de algún modo perdí esa perspectiva profesional. Vi de nuevo el cuadro más grande, y por momentos me resultaba desconsolador. Algo terrible está sucediendo aquí. En medio de nosotros. Y vi cómo el odio y la desesperación todavía pueden devorarnos a todos.

Y hablé con Bernhard al respecto. Caminamos. Salimos por allá, no fuimos lejos. Recorrimos la Avenida Central, la hermosa explanada bordeada de árboles y bancos, en la parte occidental de U. Park. Era uno de esos días misteriosos de fines de otoño en el Medio Oeste, con el cielo color peltre que perdía la esperanza de la luz, los árboles grandes que se extendían negros y rígidos, las aceras resbaladizas de hojas amarillas. Bernhard me escuchó mientras yo le confiaba mi angustia, y me hizo una pregunta rara.

—¿Sabes, Hobie, el origen de esta avenida?

503

Yo no lo sabía, por supuesto. Así que me contó la historia. Durante la Guerra Civil, después de que los yanquis hubieron liberado el río Misisipí, cargaron los prisioneros confederados hasta aquí, lejos de las líneas del frente. Los rebeldes, unos 20.000, terminaron encarcelados aquí, en la tierra que ahora se halla bajo la Avenida Central. En ese entonces la ciudad era un desastre. No había provisiones, porque todo se enviaba al frente. No había comida ni abrigos ni mantas. Y en pleno invierno, esos prisioneros, los muchachos sureños que apenas si habían visto una helada, básicamente murieron aquí, en esta Avenida Central. Murieron congelados. Más de 12.000. Y los enterraron aquí mismo. Y cuando terminó la guerra, los padres de la ciudad, amargados por la guerra y ansiosos por olvidar sus horrores, alisaron el terreno y plantaron césped y árboles, en lugar de erigir lápidas para los soldados confederados.

Me quedé pensando. Estas hermosas mansiones de piedra del Grand Boulevard ya estaban allí en la década de 1850. Era una calle elegante. Damas vestidas con lujo paseaban de aquí para allá durante el día, algunas con sus bebés. Y del otro lado, detrás de las cercas y los alambres de púas, estaban los rebeldes, acurrucados bajos los árboles para protegerse de la nieve, helándose y gritando y aguantando, pidiendo piedad a gritos, y muriendo. Cada día mataban a varios mientras trataban de escapar.

Era algo digno de que lo pensara, porque agitaba todos los sentimientos complicados de un afroestadounidense por la Guerra Civil. En la mente de muchos de los que lucharon, tal vez la mayoría, era la Guerra para Liberar a los Esclavos. Sí, claro, había también mil otros motivos. Pero en su mayor parte eran estadounidenses que, por mucho que lo disfrazaran hablando de los derechos de los estados o de la economía del algodón, estaban dispuestos a morir por el derecho a poseer un negro, y otros estadounidenses, cientos de miles de estadounidenses blancos, dispuestos a dar la vida porque Dios quería que todos sus hijos, incluso los negros, fueran libres. Con frecuencia pienso que deberíamos tener presentes ambos hechos. Sin duda los tuve presentes en aquel momento. Y aunque una parte de mí escuchaba chocado la historia de Bernhard, otra parte, lo confieso, lo escuchaba con la sed de una persona que nunca experimentó una medida plena de la venganza. Porque pensé en seguida que esos hombres, cruelmente aprisionados, eran esclavistas o partidarios de la esclavitud. Y pensé para mis adentros: "Bien hecho, así debía ser".

Y bien, en aquel momento hubo una mirada que compartimos, Bernhard y yo, él como sobreviviente de un cautiverio similar, y yo como biznieto de esclavos. Él leyó el pensamiento que pasó detrás de mis ojos con la misma seguridad como si yo lo hubiera manifestado en voz alta, y creo que no hablamos una palabra más mientras volvimos caminando despacio a su casa.

Bernhard cometió sus errores. Pero no podemos dejar que descanse en paz sin admirar su fuerza de carácter. En la Avenida Central tuvo el coraje de decirme lo que quería transmitirme: que esto no acabaría nunca. No puede reprochársele esa opinión, no sólo por las experiencias que vivió, sino por todo lo que ha ocurrido desde entonces, docenas de episodios espantosos que parecen demostrar que la humanidad no ha aprendido nada de tanto sufrimiento. Los campos de exterminio de Pol Pot. Idi Amin. Las matanzas chinas en Tíbet. El aniquilamiento de los bahai'i por el Ayatola. El descuartizamiento de los tutsi por los hutu. Los desaparecidos en la Argentina. La matanza en Bangladesh. En Biafra. En Bosnia. Sólo podemos rezar para que no ocurra aquí. No podemos culpar a Bernhard por su pesimismo. Éstos son días —muchos, muchos días— en que sé en la médula de los huesos que tenía razón. Pero quizás haya otro modo de aceptar su legado. Quizás haya un significado en esos millones de muertes en apariencia sin sentido. Tal vez Darwin —o Dios— esté enviando a la especie señales tan enormes que no podemos no prestarles atención. Tal vez nuestra supervivencia dependa de reconocer que podemos ser monstruos, de modo que nuestra conciencia de nosotros mismos refuerce nuestro compromiso con lo que poseemos de más noble. Porque en su existencia Bernhard también vio la libertad de Sudáfrica, la liberación de las mujeres occidentales, la decadencia del colonialismo, el florecimiento de la democracia en un país tras otro, y el crecimiento de millones de variedades de los frutos del ingenio humano que han hecho avanzar en medida inconmensurable el conocimiento y el bienestar en todo el planeta. Quizás haya sido eso lo que quiso decirme Bernhard, al fin y al cabo: somos las dos cosas. Somos el tirano y el demócrata, el secuestrador y el sobreviviente, el esclavista y el esclavo. Somos herederos de cada legado. En los mejores días —suyos y míos— es eso lo que espero que Bernhard nos haya advertido que no olvidemos nunca.

7 de septiembre de 1996

SONNY

Sonny está enferma. Visualiza el cáncer como un fuego, una chispa errante que arde sin llama y nunca se apaga, una brasa no más grande que un átomo que de algún modo se enciende sola a la vida y le quema la carne, con olores repulsivos y un calor insoportable que por algún motivo ella no siente. Crece. El cáncer quema. En el sueño, la luz del fuego se magnifica hasta que el pecho le relumbra como el corazón de E.T. en la película que Nikki mira siempre, hasta que la llama muestra la fuerza palpitante de la vida, de modo que la vida se asemeja a la muerte, y el fuego de pronto florece en una explosión monstruosa de luz, el temible punto de inflamación atómica de su infancia, que acaba con el mundo entero.

—¡No! —grita en la oscuridad, y Seth, mientras trata de despertarse, le tapa la boca con la mano, luego la sostiene por la espalda. Durante un momento largo los cuerpos de ambos se mueven juntos al compás de la dificultosa respiración del terror. Ella le ha advertido. Los sueños retornan más o menos cada seis meses y el miedo la devasta. Se le agarra a los huesos, como el dolor de un malestar constante, hasta que Sonny va a hacerse una mamografía. A la mañana llamará a Gwen; con suerte podrán atenderla hoy. Seth la abraza, le besa el cuello, luego la boca, rancia de sueño.

—Oh, cuánto odio esto, cuánto lo odio —declara Sonny en la oscuridad—. E incluso cuando Gwendolyn me haya llamado para decirme que está todo bien, seguiré preocupada. Porque ¿qué haré el día que no esté bien?

—Eso no va a suceder.

—No me trates como a una nena, Seth. No puedes hacer esas promesas.

—Sonny, mira, seguimos adelante, ¿sí? Tú no sabes y yo no sé.

Pero seguimos adelante. No ha sucedido, y confío en que no sucederá.

—Es Nikki —dice ella—. Es como abandonarla, fallarle. Es la peor parte. Una tortura. Pensar que con todo, todo lo que he hecho y tratado de hacer... se quedará sola.

—Nikki estará bien. Eso sí puedo prometértelo.

Sonny se sienta. Húmeda de transpiración, ha empezado a sentir frío. Aferra el borde de satén de la frazada que sus movimientos arrancaron del colchón, y se envuelve con la manta.

—¡No quiero ni pensar en dejarla con Charlie! ¡Por Dios! —exclama.

—Tendrán que pasar sobre mi cadáver para dejarla con Charlie. Olvídalo.

—Es el padre.

—¿Cuándo fue la última vez que llamó? Cualquier planta tiene más afecto por sus pimpollos que Charlie por sus hijos. —Sonny logra reír. Es terrible. ¿Hay un momento en que Seth la divierta más que cuando habla de Charlie, desbordante de ira y desprecio? —Le diré a Charlie que la cuidaré yo, que la adoptaré, y se sentirá aliviado. Ya lo sabes.

Adoptarla. Seth sería capaz de hacerlo. La ley. Gracias a Dios por la ley. Charlie puede consentir y Seth puede adoptarla.

—¿De veras la adoptarías?

—Hoy mismo.

—¿Lo dices en serio?

Sonny siente que Seth se aparta de ella, y queda cegada por la luz del velador. Cuando abre los ojos, él está mirándola.

—Mírame a los ojos —le dice—. Lo digo en serio. Si quieres, si ella quiere, empezaremos cuando sea. La adoro. Lo sabes.

Sonny piensa en voz alta. ¿Y si Charlie no acepta?

—Le dices que ya no tendrá que pagar alimentos —responde Seth— e irá de rodillas de acá hasta Cincinnati para firmar.

En el absoluto silencio de la noche, Sonny ríe. Una burbuja de dicha pura. Seth tiene razón.

—¿Lo dices realmente en serio?

—Por supuesto.

Seth puede adoptarla.

—Quiero saber si comprendes lo importante que es esto para mí —dice Sonny—. En este momento estoy aquí, y tenemos nuestra relación, sea como sea. Pero si me voy... Prométeme —pide—. Prométeme que de veras lo comprendes y lo dices en serio.

—No te va a pasar nada.

—Necesito que me lo prometas. No quiero pensar que mi hija esté en otro hogar del que yo no forme parte. No quiero que sienta que está de más, como me sentí yo cuando me quedaba con mis tíos, donde sentía que no ocupaba un verdadero lugar, por muy buena y dulce que fuera, porque no tenía un vínculo real con ellos. No quiero eso. Intégrala en tu vida. Completamente. ¿Me lo prometes? Prométemelo.

—De acuerdo. Sí.

—No te limites a darme el gusto, Seth. Esto es lo más serio de mi vida.

—Sonny, para mí es tan serio como para ti.

—Porque si me lo prometes y no lo haces, te rondaré. Seré un fantasma malo. En serio que lo haré. Tienes que integrarla, hacerle sentir que te pertenece. Como me pertenece a mí. Quiero que me prometas que serás su padre. No un extraño. No sólo alguien que la considera maravillosa. Sino alguien comprometido con su vida, alguien que quiere hacerle comprender todo lo más profundo que posee. Eso es lo que tienes que prometer. Dale aquella parte de ti que sepas es la más pura. De verdad.

—Por supuesto. Te lo prometo. Sé lo que significa ser padre, Sonny. En este mismo instante, aquí, hoy, es mi hija.

—Quiero saber que lo dices en serio.

Acongojado, él mira unos momentos la luz intensa de la lámpara. —¿Qué dirías...? —Bajo la luz áspera, su cara se inunda de sentimientos. Comienza otra vez. —Si entre nosotros todo sale bien...

—Dilo, Seth. Necesito oírlo.

Cuando él se vuelve, tiene los ojos tímidos y su cara muestra todo el conocido escepticismo respecto de sí mismo.

—Me gustaría criarla como judía —dice.

Notas

(1) **Ofensiva Tet:** Fuerte ofensiva militar planeada por Hanoi contra el ejército estadounidense durante la guerra de Vietnam, que comenzó el 30 de enero de 1968, el Tet o Año Nuevo Lunar en los países asiáticos, y continuó durante tres semanas. Aunque fallaron sus objetivos militares, fue un importante punto crítico de la guerra, ya que el Vietcong logró una espectacular victoria de propaganda. En los Estados Unidos, la difusión que le dieron los medios parecía confirmar el miedo de que los Estados Unidos jamás podrían ganar la guerra, lo cual contribuyó a confirmar la sensación de frustración de la mayoría de los estadounidenses respecto del conflicto.

(2) **Huey Newton:** Líder de los Black Panthers. En 1967 fue hallado culpable de matar a un policía de Oakland, pero la condena fue revocada en la apelación. En 1974 huyó a Cuba.

(3) **Black Power (Poder Negro):** Movimiento nacionalista negro estadounidense, surgido a fines de la década de los 60, que articuló una vigorosa defensa de los derechos civiles de los negros y contra la violencia de los blancos.

(4) **Underground Railroad:** Organización clandestina que ayudaba a escapar a los esclavos. El término (que literalmente significa Ferrocarril Subterráneo) surgió como un coloquialismo en los Estados Unidos durante las décadas previas a la guerra civil; se refería a los esfuerzos secretos y organizados de los norteños por ayudar a huir a los esclavos y ayudarlos a encontrar refugio en los estados libres o en Canadá.

(5) **Black Panthers (Panteras Negras):** Organización militante de negros, fundada en Oakland, California, en 1966, por Huey P. Newton y Bobby G. Seale. Los líderes del partido llamaban a los negros a tomar las armas para luchar contra los opresores blancos; también abrieron escuelas y clínicas. El movimiento declinó debido a peleas entre sus líderes a medida que el radicalismo negro fue desvaneciéndose, en la década de los 70.

(6) **Weathermen:** Facción radical, desarrollada dentro de la asociación Students for a Democratic Society (Estudiantes a favor de una Sociedad Democrática), que apoyaba los movimientos por los derechos civiles y en contra de la guerra de Vietnam. Como favorecían el empleo de la violencia y el terror, en 1969 pasaron a la clandestinidad.

(7) **Eldridge Cleaver:** Escritor y activista negro, líder de los Black Panthers, es famoso por su libro *Soul on Ice*, que escribió durante su estadía en la cárcel Folsom de California, una serie de ensayos y cartas sobre los símbolos y mitos de la cultura estadounidense. En 1968 huyó de los Estados Unidos cuando le revocaron la libertad condicional por razones políticas, y vivió en Argelia, París y Cuba. Retornó en 1975, se convirtió al cristianismo y escribió otras obras.

(8) **NAACP:** National Association for the Advancement of Colored People (Asociación Nacional para el Progreso de la Gente de Color), la mayor y más antigua organización estadounidense de lucha por los derechos civiles, cuyo objetivo es la "eliminación de toda barrera a la igualdad económica, educacional y social". Fue fundada en 1909 por un grupo de intelectuales negros y socialistas y liberales blancos, y continúa actuando hasta hoy.

(9) *Nightwood:* Libro del escritor e ilustrador estadounidense Djuna Barnes, novela aclamada por T. S. Eliot como una obra poética "con una cualidad de horror y fatalidad muy estrechamente relacionada con la tragedia isabelina".

(10) **Wiliam L. Calley:** Junto con el capitán Ernest L. Medina dirigió la masacre perpetrada por el ejército estadounidense en la aldea My Lai 4, en la provincia de Quang Ngai, en la costa nororiental de Vietnam del Sur, en la que atacaron con ferocidad a todos los que encontraron, en su mayoría mujeres, niños y ancianos. A algunos aldeanos los arrearon hasta unas zanjas, donde los asesinaron a tiros.

(11) **Orval Faubus:** Gobernador del estado de Arkansas entre 1955 y 1967, que se opuso a la integración racial en las escuelas de su estado.